봉유럽사

동유럽사

제국의 일원에서 민족의 자각으로, 민족 운동에서 국가의 탄생까지

존 코넬리 지음 | 허승철 옮김

책과함께

차례

제1권 | 차례

서론 ... 9

1부 민족 운동의 부상

1장 중동부 유럽 사람들 ... 53

2장 소멸의 위기에 처한 민족 ... 97

3장 언어 민족주의 ... 123

4장 민족 투쟁: 사상에서 운동으로 ... 167

5장 반란에 나선 민족주의: 세르비아와 폴란드 ... 201

2부 제국의 쇠퇴와 근대 정치의 부상

6장 저주받은 평화주의자들: 1848년 중동부 유럽 ... 241

7장 제국 군주정을 개혁할 수 없게 만든 개혁: 1867년 타협 ... 285

8장 1878년 베를린회의: 유럽의 새로운 인종-민족 국가들 ... 319

9장 민족사회주의의 기원: 세기말 헝가리와 보헤미아 ... 367

10장 자유주의의 상속자들과 적들: 사회주의 대 민족주의 ... 405

11장 농민 유토피아: 어제의 농촌과 내일의 사회 ... 453

3부 동유럽의 독립

12장 1919년: 새로운 유럽과 오래된 문제들 ... 497

13장 민족자결주의의 실패 ... 549

14장 뿌리내리는 파시즘: 철위부대와 화살십자군 ... 591

15장 동유럽의 반파시즘 ... 619

제2권 | 차례

4부 나치제국과 소련제국의 일부가 된 동유럽

16장 히틀러의 전쟁과 독일의 적 동유럽 ... 659

17장 단테가 예상하지 못한 것: 동유럽의 홀로코스트 ... 705

18장 인민민주주의: 전후 초기 동유럽 ... 759

19장 냉전과 스탈린주의 ... 807

20장 탈스탈린화: 헝가리 혁명 ... 849

21장 각국의 공산주의로의 여정: 1960년대 ... 891

22장 1968년과 소비에트 블록: 개혁적 공산주의 ... 941

23장 실제 존재하는 사회주의: 소련 블록의 생활 ... 981

5부 공산주의에서 반자유주의로

24장 공산주의의 해체 ... 1037

25장 1989년 ... 1083

26장 폭발하는 동유럽: 유고슬라비아의 국가 승계 전쟁 ... 1121

27장 유럽과 통합된 동유럽 ... 1155

결론 ... 1191

감사의 말 ... 1213

옮긴이의 말 ... 1217

부록권 | 차례

부록: 표 1-6 ... 1223

주 ... 1229

도판 출처 ... 1391

찾아보기 ... 1394

지도 목록

중동부 유럽(1818년경) ... 19

보헤미아왕국(1860년경) ... 25

중동부 유럽(1921-1939) ... 30

중동부 유럽(1949-1990) ... 35

중동부 유럽(1795년경) ... 55

중동부 유럽의 인종언어 집단(1880년경) ... 58

슬라브족의 정착 지역 ... 60

방언 연속체 ... 61

서방 기독교와 동방 기독교 ... 64

1000년경의 유럽 ... 70

독일 언어 경계의 동쪽 이동 ... 72

유대인의 추방과 재정착 ... 75

오스만 세력의 전진 ... 79

세르보-크로아티아 지역에서 슈토카비아 방언 사용 영역 ... 231

중동부 유럽(1848-1849년경) ... 252

남동부 유럽(1878) ... 333

전간기의 체코슬로바키아 ... 536

나치 치하의 중동부 유럽 ... 670

동방 종합계획 ... 675

중동부 유럽(1999-현재) ... 1176

일러두기

- 이 책은 John Connelly의 *From Peoples into Nations: A History of Eastern Europe*(Princeton University Press, 2020)을 우리말로 옮긴 것이다.
- 각주는 모두 옮긴이 주이며, 짧은 옮긴이 설명은 본문에 〔 〕로 표시했다.
- 헝가리 인명은 성-이름순으로 쓰는 것이 원칙이나 다른 유럽 국가와의 혼동을 피하기 위해 이름-성순으로 표기했다.

서론

이전까지 누구도 들어보지 못한 한 민족의 이름으로 감행된 행동 때문에, 1914년 유럽에 전쟁이 일어났다.

몇 년간 유럽 남동부 지역에서는 내부적 혼란과 무력 충돌이 발생한 후, 1914년 6월 가브릴로 프린치프란 이름을 가진 보스니아 거주 세르비아인 이 사라예보에서 합스부르크 왕위 계승자인 프란츠 페르디난트를 저격했다. 암살자 자신은 오스트리아-헝가리제국 군주정으로부터 독립을 추구하는 유고슬라비아인 또는 남슬라브인의 이익을 지키기 위해 행동했다고 주장했다.

이어서 벌어진 전쟁은 '대전쟁'이었을 뿐만 아니라, 국가·경제·군대를 총동원 조직하여 최대한 효과적인 방법으로 상대를 파괴하는 것을 목표로 했다. 1918년 전쟁이 끝났을 때, 정치인과 혁명 활동가들은 가브릴로 프린치프와 그의 친구들을 사로잡은 충동에 바탕을 두고 새로운 유럽을 만들었다. 이 충동은 민족이 스스로를 통치해야 한다는 것이었다. '민족자결주의'라는 단어로 치장된 이 충동은 사회주의를 표방하는 볼셰비키 지도자 블라디미르 레닌과 자유민주주의를 표방하는 미국 대통령 우드로 윌슨에 의해 정치적 표준으로 기치를 올렸다.

미국은 이제 민주화라는 사업에 뛰어들었을 뿐만 아니라 유라시아 대륙 탈식민지화의 첫 단계를 조장했다. 이것은 십여 개 이상의 소수민족을 포함한 오스트리아-헝가리나 오스만튀르크 같은 제국을 해체했고, 또한 체코슬로바키아, 프린치프의 유고슬라비아 같은 몇몇 나라들은 유럽의 옛 지도 위에서 혁명적 행동을 시작했다. 그러나 민주화는 상상한 것 이상으로 달성하기 어려웠고, 1930년대 초 대공황 시기에 민주주의를 혐오하는 새로운 운동을 서술하는 단어들, 즉 파시즘, 협동조합주의, 나치즘, 전체주의가 생겨났다.

1930년대 말 나치의 공격성이 체코슬로바키아와 폴란드에서 전쟁으로 폭발하고, 새로운 어휘가 만들어져 영어에 들어왔다(일례로 전격작전 blitzkrieg). 전문가들은 동유럽에 독일인을 재정착시키고, 모스크바와 크림반도까지 이어지는 제국 공간을 만들려는 악명 높은 동방계획Generalplan Ost에 대해 알았고, 초등학교 졸업생도 이와 함께 저질러진 범죄를 나타내는 단어로 독일어에서 번역된 '최종해결', '인종청소' 등의 단어를 알게 되었다.[1] '집단학살genocide'이라는 단어는 원래 폴란드어(*ludobójstwo*)에서 유래했는데, 한 민족 전체를 대량 학살하는 새로운 범죄행위를 나타내는 단어가 되었다.

전쟁이 끝나고도 '인구교환'과 '강제추방된 사람들'의 재정착이라는 단어로 단절은 계속되었다. 이러한 문구는 1914년에 살았던 사람이라면 이해할 수 없는 것이었다. 새로 만들어진 정권은 '인민민주주의'라고 불리며 자본주의의 불확실성을 끝내기 위해 5개년 계획을 사용하는 프롤레타리아 독재를 선보였다. 새로운 시대는 인간의 평등성을 강조하며 부상했다. 수백만 명의 사람들이 재산을 압류당하고, 내부 감시에 시달리며, 강제수용소에 수감된 시기인 대체적으로 1947년 이후는 세계가 두 적대적 진영으로 나뉘어 실제 전쟁의 문턱까지 간 시기로서 냉전이라고 불렸다.

1953년 스탈린이 사망하고 그의 이름을 딴 체제는 위기에 빠졌다. 젊은 개혁주의 공산주의자들은 이전으로 되돌아감으로써 시계 바늘을 앞으로 돌렸다. 이들은 18세기 자유주의 철학에서 권력분립, 투표권, 집회결사의 자유, 언론의 자유 같은 사상을 먼지 속에서 다시 찾아냈고, 1968년 '프라하의 봄'으로 알려진 과정에서 이를 실현하려고 시도했다. 그러나 이어 찾아온 비극적 여름에 소련의 탱크들은 공산주의 정통성을 다시 회복하고, 소련 지도자 레오니트 브레즈네프는 자신의 이름을 딴 독트린을 발표했다. 브레즈네프 독트린에 의하면 사회주의는 공산주의로 발전할 수밖에 없고, 다원주의를 목표한 어떤 개혁도 사회주의 국가 공동체의 형제적 지원을 촉발할 것이라고 경고했다.

북대서양조약기구NATO와 바르샤바조약기구는 자신들의 간섭으로 동유럽에 대한 소련의 지배를 안정화시켰다고 믿었기 때문에, 양측은 데탕트 시기에 무력 충돌의 위험을 줄일 조치들을 협상했다. 1975년 헬싱키 회의에서 양측은 2차 세계대전 직후 제안된 원칙을 준수한다는 것을 재확인했다. 그러나 불과 2년 후, 프라하의 공산당 당국은 '우주의 플라스틱 주민Plastic People of the Universe'이라는 록그룹이 전하는 메시지가 마음에 들지 않는다는 이유 하나만으로 록그룹 멤버들을 체포했다. 이 조치에 대해 대부분 이전에 공산주의자였던 체코슬로바키아 반체제 지식인들은 정권이 2년 전에 서명한 협약을 상기하라고 촉구했다. 이들이 회람한 문서는 〈77헌장Charter 77〉으로 불린다. 반체제 인사 중 한 사람인 극작가 바츨라프 하벨은 자기검열의 압박에 시달리는 시민들을 위한 이상理想을 만들어냈다. 그것은 "진실에 살아라living in truth"였다. 1914년에 살았던 사람들은 이 말의 의미를 이해하지 못해 머리를 긁적였을 것이다.

역사학자들은 1989년 이후 공산주의하에서의 일상생활을 좀 더 직접적으로 탐구했다. 1989년 브레즈네프 독트린은 무용지물이 되었고, 독일의 전 수도를 나누던 거대한 구조물인 '베를린 장벽'도 관광객들을 위한 기념물로 남긴 500미터 길이를 빼고는 사라졌다. 억압적 체제의 명백한 파산은, 이제 모든 나라들이 시장경제 자유주의를 향해 나아가게 되었기 때문에 일부 학자들로 하여금 '역사의 종언'을 선언하게 만들었다.

이제 동유럽은 중단된 역사에 다시 연결되었을 뿐만 아니라 서방과도 연결되었다. 1차 세계대전 종전 후와 마찬가지로 아이디어와 자문관들이 쏟아져 나왔지만, 이들은 권리와 민주주의에 대한 토착적 전통을 포함해 이 지역의 사정과 복잡성에 대해 알지 못하는 경우가 많았다. 이것이 민주화의 두 번째 물결이었지만, 첫 번째 물결과 마찬가지로 그것은 계획된 대로 진행되지 않았고, 새로운 용어들을 또 만들어냈다. 스레브레니차Srebrenica, 신대중영합주의, 신자유주의, 반자유적 민주주의라는 말이 생겨났다. 빅토르 오르반이 만들어낸 반자유적 민주주의는 그 자신이 민족주의적 권위주의자가 됨으로써 모든 사람이 사용할 수 있는 민주주의라는 단어 속에 파묻혀 잊히는 것을 막았다.

* * *

이 극적이고 역동적인 역사를 통합시킨 것은 발트해에서 아드리아해와 흑해에 이르는 지역에 위치한 국가들이었다. 이 국가들은 자신들보다 훨씬 크고, 역사적으로 제국이었던 러시아와 튀르키예를 동쪽에, 프로이센과 오스트리아, 독일을 서쪽에 둔 채 그 사이에 위치해 있었다. 이 작은 나라들이 동중부 유럽을 구성했다. 이 지역은 지구상 다른 어느 지역보다, 좋든 나쁘든 20세기의 가장 많은 사건들이 일어난 곳이었다.

이 지역이 그렇게 엄청난 드라마와 그렇게 많은 개념을 탄생시킨 에너지에 대해 단순한 설명을 원하는 사람이라면, 지도를 한 번 보기만 하라. 민족주의를 발견하게 될 것이다. 다른 어느 지역에서도 민족을 국가에 맞추기 위해 이렇게 자주, 급진적이고 폭력적인 국경 변화가 일어나지 않았다.[2] 1800년 지도와 2000년 지도는 가장 기본적인 것을 말해준다. 두 지도는 단순한 지도에서 복잡한 지도로, 하나의 작은 국가와 세 개의 큰 다민족 국가가 20개가 넘는 민족 국가로 바뀐 것을 보여준다.

이 이야기는 영토를 통제하려는 동유럽 민족주의자들의 요구, 또한 저항을 불러일으킨 요구에 의해 진행되었다. 그 이유는 이들이 제국의 힘과 유럽의 질서에 도전했기 때문이다. 1820년대 이후 민족주의자들의 작업은 세 단계를 거쳐 독립 국가를 만들어냈다. 첫 단계는 1878년 베를린회의의 결과로, 세르비아, 루마니아, 불가리아, 몬테네그로가 탄생했다. 두 번째 단계는 혁명과 평화 중재의 결과로, 1919년 체코슬로바키아, 유고슬라비아, 폴란드가 탄생했다. 그리고 가장 최근에는 체코슬로바키아가 체코와 슬로바키아로 평화롭게 분리되었고, 유고슬라비아는 유혈사태를 거쳐 슬로베니아, 크로아티아, 세르비아, 보스니아 내의 두 정치체entity, 마케도니아, 몬테네그로, 코소보로 분열되었다. 헝가리는 오스트리아제국이 오스트리아-헝가리가 된 1867년에 사실상 독립국이 되었고, 1차 세계대전 후 헝가리 영토의 3분의 2가 이웃 국가에 귀속되면서 국토가 크게 축소되었다.

여기에서 논의될 수 있는 것은 폭력, 특히 1차 세계대전 수준의 폭력이 현재의 동유럽 지도를 구성하는 민족 국가를 탄생시키는 데 필요한 것이었는가 하는 점이다. 오스트리아-헝가리는 비평가들이 생각한 것보다 회복탄력성이 강했고, 모든 예상을 뛰어넘는 희생을 치른 1차 세계대전의 마지막 해에 분해되기 시작했다. 그러나 의도와 결과 사이에는 큰 관계가 없었다. 1차 세계대전은 민족해방 전쟁으로 시작되지 않았다. 하지만 사상자가 엄청나게 늘어나고, 의도와 결과 사이의 관계가 실종된 1917년 시점에는 민족해방 전쟁으로 해석되었다. 이것은 민주주의를 위한 전쟁이었고, 윌슨의 민족자결주의를 위한 전쟁이었으며, 새로운 민족 국가들이 알을 까고 나오는 것을 크게 도왔다.

이와 동시에 가브릴로 프린치프가 내건 이상(남슬라브인들이 한 국가에서 사는 것)이 없었다면 암살도 없었을 것이고, 합스부르크제국이 1914년 7월 (프린치프를 훈련시키고 권총을 제공한) 세르비아에 최후통첩을 발하지도 않았을 것이며, 전쟁도 일어나지 않았을 것이다. 합리적인 관점에서 보면 인구 300만 명의 세르비아의 도전에 대해 5200만 명의 인구를 가진 제국이 전면적 군사공격으로 이에 대응해야 한다고 생각한 합스부르크왕가의 사고는 역사상 가장 큰 과잉반응의 하나라고 볼 수 있다. 그러나 작은 체구 때문에 세르비아군에 들어가지 못한 18세의 허약한 프린치프는 하나의 도전적 이상, 즉 인종민족주의 이상의 현화現化였기 때문에 합스부르크 군주정은 무자비한 무력을 사용하는 것 외에 다른 대응 방법을 생각할 수 없었다.

* * *

합스부르크왕가 혼자만 민족주의는 이성적 토론을 할 가치가 없는 힘이라고 생각한 것은 아니었다. 1938년 뮌헨 위기가 한창일 때, 영국 총리 네

빌 체임벌린은 체코슬로바키아를 '우리가 아는 것이 전혀 없는 먼 곳에 있는 땅'이라고 말했다. 사람들은 독일인과 체코인이 거주하는 보헤미아는 이성이 아니라 정열에 의해 지배되는 곳으로 생각했다. 1990년대 좋은 교육을 받은 미국 대통령도 남동부 유럽에서 벌어지는 집단학살적 살인을 끝내는 가능성을 포기하고, 이 지역 사람들은 '오랜 혐오'에 지배받고 있어서 "서로를 죽이는 것을 멈출 때까지 나쁜 일이 계속 일어날 것이다"라고 말했다.[3]

그러나 민족주의자들은 역사에 나타난 다른 행위자보다 더 이해하기 힘든 대상은 아니다. 이들은 재구성과 분석이 가능한 동기에 의해 움직인다. 민족 분쟁 한쪽에서 이성적인 것으로 보이는 것은 다른 쪽에는 비이성적으로 보였고, 이들의 행위는 이성적인 것과 비이성적인 것을 구별하려는 시도를 어렵게 만든다.[4]

가브릴로 프린치프의 경우를 예로 들어보자. 한편으로 그의 행동은 이해하기 어렵지 않았다. 오스트리아 당국이 그를 체포한 후, 그는 '시골 마을에서 일어나고 있는 일을' 잘 안다고 말했다. 1878년 이후 보스니아를 통치한 오스트리아 정권이 제공해준 교육 덕분에 그는 오스트리아가 시골 지역의 생활방식을 바꾸려고 거의 시도하지 않았다는 것을 알고 있었다. 그의 부모와 같이 가난한 기독교 소작인은 이슬람 주민이 소유한 땅을 경작하며 낙후된 생활을 해야 하는 운명을 벗어날 수 없었다. 그에게는 아홉 명의 형제자매가 있었는데, 이 중 다섯 명은 어려서 사망했다. 그의 아버지는 몇 가지 일을 했고, 그중 하나는 노년에도 무거운 우편물을 지고 산을 오르내리며 배달하는 것이었다. 프린치프로서는 자신이 황태자에게 쏜 총알은 사회적 불공정을 끝내는 확실한 행동이었다.

그러나 다른 한편으로, 그의 사고의 다음 단계는 자기 이익이라는 냉정한 범주에 쉽게 들어맞지 않았다. 그와 그의 친구들은 남슬라브 국가가 모든 불공정을 기적처럼 없앨 것이라는 것을 당연하게 생각했다. 그 국가는 그의 부모와 다른 농민들이 더 이상 하층민으로 멸시받지 않고, 당당한 인간으로서 오스만튀르크건, 오스트리아-독일이건, 헝가리건을 떠나서 더이상 제국 당국의 모멸적인 시선 아래 살 필요가 없는 장소가 될 터였다. 이들은 자신들의 고유한 문화와 언어가 꽃피는 곳, 모두가 자신들이 사랑하는 고대 세르비아 영웅들의 이야기를 하는 곳에서 완전히 존경받으며 살게 될 터였다. 이 국가는 민족과 사회가 하나이기 때문에 정의가 민족적이고 사회적으로 실현되는 곳이었다. 이 국가에서는 모든 사람이 안정적이고 풍요로운 생활을 하고, 너무 많이 일하거나 너무 적게 일하지 않을 것이었다. 이 국가의 색과 모양은 아직 상상 속에 있지만, 모든 사람의 재탄생을 약속하기 때문에 그 나라를 위해 목숨을 바칠 가치가 있는 곳이었다.

문제는 남슬라브인들의 국가에서 구원이 나올 것이라는 이런 사상이 어디에서 왔는가였다. 그런 일은 역사상 존재한 적이 없었다.

* * *

답은 철학, 독일 철학에 있었다. 1800년대 초 오스트리아 황태자 암살범의 조부모가 오스만튀르크 지배하의 보스니아의 어린이였을 때, 독일과 동유럽의 정치에 관여한 지식인들은 공통의 문제에 직면하고 있었다. 이들은 자신들과 자신과 같은 다른 사람들이 정의롭게 살 수 있는 국가를 원했다. 그러나 이들은 자신들의 국가의 경계가 어떻게 되어야 하는지에 대해서는 확실한 생각이 없었다. 독일인들은 외국인의 경멸적 시선 아래 살아야 한다는 것을 알고 있었다. 프랑스 군대가 1790년대 초반부터 1813년까지 독일 땅 대부분을 통제하고 있었다.

그러나 그 이전에도 독일 지식인들은 오랜 기간 2등 유럽 국민으로서 위대한 프랑스의 그늘 아래 살아왔다. 그 고통은 공부의 필수 과정인 파리 수학여행 때 특히 예민하게 느껴졌다. 슈투트가르트나 뷔르츠부르크에서 온 학생들은 프랑스 패션과 사상을 부러워할 수밖에 없었다. 프랑스 사람들은 이들의 호기심에 맞대응한 경우가 드물었다. 프랑스인들이 보기에 독일 음악과 문학은 촌스러웠고, 독일 물건은 더 시원치 않았다. 프랑스 사람들은 독일 국민들의 신성로마제국을 신성하지도 않고, 로마와 같지도 않으며, 제국도 아니라고 조롱했다. 신성로마제국은 수많은 도시들, 공국들, 주교구들과 몇 개의 왕국으로 구성되어 있었지만, 자신을 방어할 힘을 결집시킬 수 없었다. 나폴레옹은 1806년 신성로마제국의 사망을 선언했지만, 아무도 주목하지 못한 것은 이 제국이 바로 사망한 것은 아니라는 사실이었다.

독일인들이 자신들 세계의 전통과 가치를 발견하면서 1770년대부터 시작된 반작용으로 독일인들은 프랑스인, 영국인 또는 다른 큰 민족과 따로 서는 것이 가능해졌다. 독일인들은 국가는 가지지 못했지만, 자신들만의 고유한 특성을 가지고 있었는데 그것은 독일어였다. 제도와 보편적 원칙에 대한 열정에 신경이 팔린 프랑스인들은 한 민족의 고유어의 독특한 아름다움과 중요성을 주목하지 않았다. 프랑스의 철학 사상과 대조적으로 언어는 다양한 변이가 가능했고, 이로 인해 한 언어에서 수많은 변이형이 나올 수 있었다. 독일 사상가들은 각 언어는 한 국민의 영혼을 표현하고, 이것을 신과의 직접적 관계에 올려놓는다고 주장했다.

19세기 초 독일어와 독일 문화에 대한 숭배는 바이마르 지역 튀링겐에서 발아했고, 이 지역을 고향으로 둔 시인들, 그중에서도 프리드리히 실러와 요한 볼프강 폰 괴테가 큰 역할을 했다. 그러나 이 숭배의 예언자는 이들의 친구인 개신교 사제이자 세계사학자, 국가성에 대한 사상가인 요한 고트프리트 헤르더였다. 그의 사상은 독일인들 사이에서 너무 인기가 높아, 괴테는 후에 사람들이 이 사상의 기원을 잊고 이것이 영원한 지혜를 담고 있는 것으로 생각했다고 말했다.

1815년 나폴레옹이 패배한 후 바이마르에서 반나절 걸으면 닿는 예나대학은 독일 학생들 사이에서 새로운 낭만적 민족주의의 온상이 되었다. 학생들이 바르트부르크성과 다른 장소에서 자신들이 상상한 오래된 독일 제국의 중세 영광을 기념하는 의례적 축하 행사는 일종의 전설이 되었다. 이 시기에 오스트리아제국 내의 수십 명의 슬라브계 학생들이 예나대학으로 와서 대학의 저명한 학자들로부터 개신교 신학을 배웠고, 새로운 민족 숭배의 사도들이 되었다는 사실은 덜 알려졌다. 이들은 보잘것없는 배경을 지닌 학생들이었고, 일부는 보헤미아에서 왔지만 대부분은 지금 우리가 슬로바키아라고 부르는 지방에서 왔다. 이들은 농장에서 일하던 가브릴로 프린치프의 부모 같은 부모 밑에서 자랐고, 많은 형제자매를 가지고 있었으며, 자신들과 다른 언어(통상 헝가리어)를 사용하면서 자신들과 부모들을 하등 인간으로 대하는 지주 밑에서 생활했었다.

헤르더 자신도 독일이 점차 폴란드로 변하는 먼 동쪽의 작은 독일 도시 출신이었다. 그는 중동부 유럽에 슬라브어를 사용하는 사람들이 도처에 살고 있다는 것을 알고 있었고, 수백만 명에 이르는 이들이 어떤 형태로건 국가를 형성할 수만 있다면 유럽에서 가장 강한 민족이 될 것이라고 생각했다.

이렇게 슬로바키아어나 체코어를 사용하는 젊은 신학도들은, 프랑스

중동부 유럽(1818년경)

학생들은 느끼지 못했지만, 예나대학의 독일 친구들과는 같은 문제를 느끼고 있었다. 그것은 그들의 국가는 어디에 있는가였다. 프랑스는 왕국이었다가 공화국이 되기도 했지만 아무도 프랑스가 어디에 있는가를 묻지는 않았다. 프랑스는 수세기 동안 조금밖에 변경되지 않은 국경 안에 있었고, 아무도 의문을 제기하지 않는 유럽 지도의 확고한 사실이었다. 영국, 러시아, 스페인도 마찬가지였다. 그러면 중부 유럽에 살고 있는 독일인이나 오스트리아제국 내에 거주하는 슬라브인들의 국가는 무엇인가?

독일인들은 이 질문에 대한 대답이 쉬워보였다. 그것은 신성로마제국이었다. 그러나 이것은 자세히 살펴보면 피상적인 것으로 드러났다. 만일 민족이 언어에 의해 만들어진다면, 동프로이센에 살고 있는 헤르더의 가족처럼 제국 바깥에 살고 있는 수백만 명의 독일인은 어떻게 되는 것인가? 무슨 근거로 이들을 제외시킬 수 있단 말인가? 이에 대한 철학자 요한 고틀리프 피히테의 답은 독일어가 들리는 모든 곳이 독일이었다. 후에 독일 국가는 독일이 다른 나라에 있는 강인 마스강에서 메멜강까지 뻗쳐 있다고 선언했다.

그러나 슬라브 지식인들에게 이 문제는 훨씬 더 복잡했다. 독일인들과 다르게 이들은 자신들의 언어가 무엇인지에 대한 확신이 없었다. 체코어, 슬로바키아어, 남슬라브어 사전도 없었다. 보헤미아와 슬로바키아의 슬라브어 사용자들은 여러 방언을 사용했고, 단순한 어휘에서도 일치하는 것이 없었다. 오랜 기간 동안 많은 독일어 어휘가 이 언어의 일상적 사용에 침투했고, 어느 누구도 북부 헝가리와 보헤미아에서 사용되는 슬라브어 방언이 두 개의 별개의 언어인지 한 언어의 방언인지 확실하게 말할 수 없었다. 만일 언어가 민족을 만든다면, 그리고 이 언어에 아직 이름이 없다면 그 언어를 사용하는 사람들은 누구인가?

북부 헝가리에서 온 학생 중 한 명인 얀 콜라는 자신이 큰 민족에 속한다는 억누를 수 없는 느낌을 가졌고, 이를 찾기로 했다. 헤르더로부터 받은 가르침 외에 그는 예나대학에서 두 가지를 더 배웠다. 불과 몇 세기 전만 해도 슬라브어 사용자들은 독일 지역을 차지하고 있었는데, 이들은 점차로 사라져버렸다. 슬라브어의 흔적은 지리적 양상과 도시 이름에 남아 있었다. 일례로 '예나'와 '바이마르'는 슬라브어 단어였다. 여기에서 조금 더 동쪽으로 가서 드레스덴 북쪽의 루사티아에서는 시골 마을에 자신들을 소르비아인이라고 부르는 슬라브어 사용자들이 드문드문 있었다. 콜라는 소르비아인의 언어를 이해할 수 있었기 때문에 이들을 '자신의' 민족이라고 간주했고, 이들이 멸절의 위기에 처해 있는 것을 알게 되었다. 만일 자신과 자신의 친구들이 곧바로 행동하지 않으면 북부 헝가리와 보헤미아에서 슬라브어를 사용하는 사람들은 지배적 민족인 헝가리와 독일의 문화에 흡수되어 소르비아와 마찬가지로 소멸될 것이라고 생각했다.

그는 또한 독일어 방언이 매우 다양하다는 것도 알게 되었다. 스와비아 사람들Swabians*이 말할 때 브란덴부르크에서 온 학생들은 이들을 이해하지 못했다. 콜라는 이 독일어 방언들 사이의 차이보다 자신이 사용하는 슬로바키아어가 보헤미아에서 사용되는 언어에 가깝다는 것을 발견했다. 만일 검은숲 지대Black Forest와 포메라니아 사구지대sands of Pomerania의 독일인들이 한 민족이라면, 북부 헝가리와 보헤미아의 슬라브어 사용자도 한 민족이 될 수 있다고 생각했다. 앞으로 이어지는 본문에서 이 이야기가 상세히 다루어질 것이지만, 그와 그의 친구들이 이 사람들을 기술하기 위해 점

---

* 독일 남서부 지역 스와비아(독일어로는 슈바벤) 주민들을 말한다. 이들은 같은 언어를 사용하는 단일 인종집단이다. 현재 이 지역은 바덴-뷔르템베르크와 바이에른으로 나뉘어 있다. 스와비아란 명칭은 독일의 중세 공국이었던 스와비아공국에서 나왔다.

차적으로 합의한 단어는 '체코-슬라브인Czecho-Slav'이었다. 20세기 초가 되자 사람들은 이들을 '체코슬로바키아인'이라고 불렀다.

콜라가 대학 공부를 마치고 페스트(오늘날 부다페스트의 동부 절반)에서 슬로바키아 루터교인들을 위해 목사로 일하기 시작하면서, 그는 젊고 자신과 비슷하게 진지하며 상상력이 풍부하고 재능이 있는 류데비트 가이라는 신학도를 알게 되었다. 그는 헝가리왕국의 남쪽인 크로아티아의 수도 자그레브 출신이었다. 가이는 헤르더의 사상을 잘 알고 있었고, 크로아티아 사람들은 세르비아, 몬테네그로, 마케도니아에 살고 있는 사람들의 말을 이해한다는 것을 알게 되었다. 사실 우리가 오늘날 슬로베니아라고 부르는 지역에서 흑해에 이르는 지역까지 사용되는 언어에는 경계가 전혀 없었다. 그는 이 거대한 공간에 사는 사람들은 한 민족이지만, 이들은 자신들의 정체성에 대해 각성해야 한다고 생각했다. 이것이 그의 개인적 사명이 되었다. 그는 이 사람들을 일리리안Illyrians이라고 불렀고, 가브릴로 프린치프를 포함한 후세 세대들은 이들을 유고슬라브인이라고 불렀다.

한 영향력 있는 책이 민족은 상상 속에 만들어진 공동체라고 불렀다.[5] 여기에서 우리는 1830년대 도나우강 위의 언덕으로 올라가는 길에서 진지한 문제들을 논의한 콜라와 가이 두 사람을 소개했다. 이 두 사람은 1919년 파리에서 우드로 윌슨을 비롯한 정치인들이 생명력을 부여한 두 민족(체코슬로바키아, 유고슬라비아)을 상상했다. 우리는 두 국가가 20세기 말까지 생존하지 못한 것을 알고 있다. 인간은 민족을 상상해내지만 이들이 상상한 모든 민족이 서로 밀접하게 존재하는 일관성을 가진 것은 아니다. 불안정한 화학 성분처럼 일부는 분해되고, 종종 이들은 폭발한다.

✳ ✳ ✳

1차 세계대전 후 파리에서 만들어진 동유럽 국가들은 버지니아 출신의 정치학자 윌슨이 제대로 이해하지 못한 문제들을 안고 있었다. 윌슨과 평화 중재자들은 체코슬로바키아와 유고슬라비아가 콜라나 가이가 꿈꿨던 그런 민족 국가가 될 것으로 생각했다. 그러나 이 국가들은 국경 안에 많은 민족들을 포함한 미니 합스부르크제국이 되었다. 1918년 12월 파리에 도착하기 전 윌슨은 오스트리아-헝가리의 '민족들'은 쉽게 분리될 수 있다고 생각했다. 그러나 그가 파리를 떠날 때가 되자 그는 '매일' 자신을 찾아와서 똑같은 영토를 주장하는 새로운 민족들에 절망을 느꼈다. 그의 잘못은 이러한 상황을 전혀 몰랐다는 것에 있지 않았다. 젊은 학자 시절 그는 자신이 쓴 세계 정부에 대한 책의 한 장章에서 합스부르크제국에 대해 상세히 서술했지만, 이러한 문제를 예측하지는 못했다. 그를 수행해서 파리 평화회담에 참석한 수십 명의 참모들 중 이러한 문제를 예측한 사람은 아무도 없었다. 사실 최근 역사에서 콜라와 가이의 이상을 현실화하는 데 일어날 수 있는 문제를 보여주는 조짐은 단 한 번 있었다. 이것은 1848년 혁명 중 한 번 불꽃이 붙었지만, 1919년 새로운 세계를 만든다는 열광 속에서 무시되었다.

1848년 전반기에 대서양에서 러시아와 오스만제국 영토에 이르는 거대한 공간에 사는 유럽인들이 처음으로 스스로를 조직하고 의견을 공개적으로 말할 수 있었다. 3월 말부터 독일어와 체코어를 사용하는 보헤미아의 민주주의자들은 헌법 제정을 위해 같이 노력했다. 그러나 몇 주 후 이들은 자신들이 어떤 국가에 살기를 원하는가에 대한 생각이 다르다는 것을 발견했다. 보헤미아는 신성로마제국의 중심부였기 때문에(다음에는 독일연방의 일원), 독일인들은 이 지역이 민주화된 독일의 중심이 되어야 한다고 생각했다.[6] 그러나 체코인들은 보헤미아를 자신들의 고향으로 생각했고, 체코어에서 보헤미아를 가리키는 단어는 이 생각을 더 강화해주었다. 그 단어는 체히Čechy였고, 보헤미아왕국은 크라로베츠 체스키Krárovec český 였다. 그들이 밟고 사는 땅 자체가 원래 체코 땅이었다.

독일 애국자들에게 독일은 최소한 신성로마제국의 영토 이상이 되는 것이 자명했다면, 체코 애국주의자들은 자신들의 국가가 최소한 체코왕국은 되어야 한다고 생각했다. 체코 애국주의자들은 체코인들의 땅인 보헤미아는 독일의 일부가 되기보다는 오스트리아제국 내 자치 지역이 되어야 한다고 생각했다. 1848년 6월 합스부르크제국 장군이 제국 질서를 복원하기 위해 프라하를 포격할 때까지 이 문제는 해결되지 않았다. 아무도 보헤미아 지도에서 숫자가 많은 체코인들을 수가 적은 독일인들로부터 분리하는 경계선을 그릴 수 없었지만, 새로 결성된 모든 조직은 인종에 따라 나뉘었다.

자유와 불확실성의 초기 시기에 동쪽에서 오스트리아의 페르디난트 황제는 헝가리 귀족들에게 헌법을 허용하고, 자신은 입헌군주가 되기로 했다. 헝가리 귀족들은 자유주의자들이었기 때문에 왕국을 단일 국가로 만들기를 원했다. 프랑스와 같이 단일적이며 나눌 수 없는 국가가 이들의 목표였다. 국가 영역 전체에는 하나의 언어와 문화만 있어야 했다. 그러나 헝가리왕국의 주민 대부분은 마자르인이었다. 헝가리 관리들과 병사들이 세르비아인과 루마니아인이 다수로 거주하는 남부와 동부 지역에 들어오자, 현지인들은 무장투쟁으로 이에 저항했다. 몇 주 만에 내전이 발생하여 4만 명의 사상자가 났고, 현대 중동부 유럽 역사상 최초의 인종청소가 발생했다. 유대인-헝가리인-오스트리아인 작가인 막스 슐레징어는 "프랑스혁명을 포함한 현대 시대의 어떤 혁명도 이런 처참한 잔혹행위로 더럽혀진 적이 없었다"라고 썼다. 세르비아인과 루마니아인 사이에 '뿌리 깊은, 오래

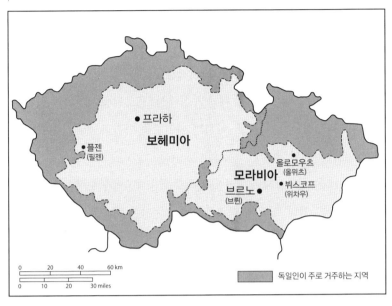

보헤미아왕국(1860년경)

참은 혐오'가 발생했고, 슐레징어는 이들이 한 행위를 '미주 대륙 숲의 휴론부족과 마키부족Hurons and Makis'●의 행동에 비유했다.[7] 다른 증인들도 시체가 쌓이고, 여성과 아이들이 산 채로 불에 태워지며, 수감자들이 처형되고, 전해지는 얘기마다 점점 더 잔혹성이 더해진 여러 잔혹행위에 대해 기록했다.

북쪽에서는 중유럽의 위대한 통합자이자 추방자 오토 폰 비스마르크가 동프로이센의 폴란드인들에 대한 독일인들의 증오에 초점을 맞춘 이와 유사한 잔학한 이야기가 유용하다는 것을 깨달았다. 1848년 봄 폴란드인들이 주민의 다수를 차지하고 있는 포즈나니아에서 독일인과 폴란드

● 완도트(Wyandot)라고도 불리는 휴론 인디언은 세인트로렌스강 유역에 거주하는 부족이고, 마키 인디언은 미시시피강 동부에 거주하는 인디언 부족이다.

인 사이에 내전이 짧게 발행했지만, 결국에는 폴란드인들이 진압되었다. 극보수주의자인 비스마르크는 한 집단에 모든 책임을 돌렸다. 베를린의 '순진한' 민주주의자들이 폴란드 반란자들을 감옥에서 풀어주었고, 이들이 포즈나니아로 돌아가 마적 떼를 구성해서 "프로이센 지방의 독일인 주민들을 약탈, 살인, 살육하고, 여성과 아이들을 야만적으로 살해했다"고 비스마르크는 비난했다.[8]

1848-1849년의 실패한 혁명은 민족주의의 이중적 기능에 대한 확실한 증거를 보여주었다. 처음에 민족주의는 자치라는 이름으로 왕과 제후의 통치에서 주민들을 해방시켜주었지만, 1849년 봄이 되자 프로이센의 국왕과 오스트리아의 황제는 주민들을 서로로부터 보호하려고 나섰다고 주장하게 되었다.

* * *

오스트리아 황제 프란츠 요제프는 러시아 군대의 도움을 받아 다민족 지역인 보헤미아와 헝가리의 질서를 회복하고, 자신이 단독으로 통치하려고 시도했다. 그러나 10년도 지나지 않아 그는 프랑스와의 전쟁에서 패배하여 거의 통치권을 잃을 상태가 되었다. 그는 귀족들에게 한정되기는 했지만 사회의 대표 일부를 불러들여 공동 통치를 하기로 했다. 그는 세금 납부를 거부하는 헝가리 귀족들에게 접근했다. 1867년 양측은 제국을 오스트리아와 헝가리 둘로 나누는 타협을 이루었다. 제국의 절반에서 대부분 귀족 지주들인 헝가리 엘리트는 평화롭게 단계적으로 국가를 건설하는 프로젝트를 떠맡았다. 이들은 학교 교육을 수단으로 슬로바키아인과 루마니아인들을 헝가리인으로 만들려고 시도했다. 그러나 이들은 지주의 땅을 경작하고, 자신의 농지를 갖지 못한 헝가리 농민들을 경멸의 시선으로 바라보았다. 그 결과는 파시즘의 씨앗을 뿌리는 것이었고, 파시즘은 자녀들 세대를 따라다니게 되었다. 자유주의자면서 외형적으로는 민족주의적인 중앙의 정치인들이 국가의 사회적 필요를 도외시할 때 파시즘이 성장했다. 그러나 이러한 결과는 한 세대가 지난 다음에야 분명해졌다.

이전 오스트리아제국의 나머지 절반은 적절한 명칭을 가지고 있지 않았다. 이 나라는 오스트리아를 넘어섰고, 보헤미아, 오늘날의 슬로베니아, 이탈리아, 폴란드의 일부도 소유하고 있었다. 사람들은 이 나라를 시스라이타니아Cisleithania라고 불렀다. 이것은 라이타강 주위의 오스트리아 지역이라는 뜻이었다. 이 다양한 지역을 통합하는 모든 것은 황제의 왕관과 빈의 정부였다. 이 정부는 자랑스러워할 만한 전문적 관료들을 보유하고 있었다. 그러나 점점 커가는 도시 지역에서 일어나는 대규모 동요로 황제와 귀족 엘리트들은 보통선거제 요구에 굴복할 수밖에 없었고, 이렇게 되면서 인종을 기반으로 한 정당들이 난립했고, 마르크스주의 사회민주당도 탄생했다. 1883년 이후 제국의회는 웅장한 신고전 양식의 궁전에 자리를 잡았지만, 독일인들과 체코인들이 보헤미아를 통치하는 방식에 대해 합의를 이루지 못했기 때문에 10년도 지나지 않아 의회는 다수당이 주도하지 못하게 되었다. 보헤미아의 소수파 주민인 독일인들은 어떠한 타협, 특히 체코어와 독일어를 동등한 지위로 만드는 것은 자신들이 민족으로서 소멸하는 첫 단계라고 두려워했다.

1871년 비스마르크는 보헤미아와 오스트리아에 거주하는 독일인들은 외부에 둔 채 독일을 통일했다. 이 두 지역에서는 독일인들을 민족적·사회적 의미에서 보호하는 것을 목표로 한 정치 운동이 전개되었고, 그 명칭은 민족사회주의독일노동자당National Socialist German Workers Party이었으며,

'나치당'이라고 일반적으로 알려졌다. 헝가리에서도 같은 상황이 전개되었다. 하층계급의 독일인들은 빈의 독일 자유주의자들이 주도하는 주류 민족 운동은 자신들과 아무 상관이 없다고 생각해서 이를 벽안시했다.

보헤미아의 체코인들은 다수의 정당을 만들었지만, 이들 중 어느 당도 파시스트당이 되지 않았고, '민족사회당'이라는 명칭을 쓴 당도 없었다. 보헤미아의 민족 운동은 체코어를 사용하고 싶어 하는 — 그렇게 하는 경우 존경을 받고 싶어 하는 — 체코인들의 바람뿐만 아니라 사회적 신분 상승에 대한 욕구도 반영했다. 이 정당들은 체코어 사용자들이 체코어로 익힌 지식을 활용해 사업, 교역, 학문에서 활발히 활동할 수 있도록 체코어로 수업하는 학교를 만들었고, 체코인들이 독일인 자본에 구속받지 않고 자신들의 돈을 저축할 수 있도록 체코 은행도 만들었다. 여기에다가 체코 민족 운동은 철학자들의 대부라 할 수 있는 토마시 마사리크를 보유하고 있었다. 그는 헤르더의 사상을 이용하여 체코인들은 인류에 대한 사명을 가지고 있다고 설파했다. 그는 체코인들은 민주적이고 인도주의적이 되어야 한다고 주장했다. 이러한 그의 사상을 열렬히 지지한 사람은 미국인 아내인 샬럿이었다. 독일 위그노와 양키 배경을 가지고 있는 그녀는 체코어를 완벽히 구사했고, 체코 사회민주주의자가 되었다.

1848년의 체코 애국주의자들처럼 마사리크는 합스부르크제국이 체코의 이상을 지지할 수 있다고 보았지만, 중유럽의 미국처럼 제국이 연방제로 바뀔 때에만 이것이 가능하다고 보았다. 그러나 제국의 재산을 통제하는 독일 정치인과 헝가리 정치인들은 그러한 연방제는 (보헤미아와 헝가리에서) 자신들의 상대적 권력을 약화시킬 것이 분명했기 이러한 계획을 논의하기를 거부했다. 1914년 사라예보에서 페르디난트 황태자가 암살된 직후 마사리크는 오스트리아 당국이 세르비아에서 전쟁을 시작하는 것을 비판하는 동료 슬라브인들을 체포하고, 그중 일부를 처형하는 것을 목격했다. 그는 스위스로 탈출한 다음 프랑스로 갔고, 그곳에서 초기 민족주의자들이 꿈을 실현할 로비 집단을 만들어 '체코슬로바키아위원회'라는 이름을 붙였다. 이와 동시에 유고슬라비아와 폴란드 망명자들도 파리에 자신들의 위원회를 만들고 독립 국가 설립을 위한 운동에 들어갔다.

헤르더의 사상을 윌슨 교수에게 전파한 것은 마사리크 교수였다. 그는 미국 자유주의자들에게 호소하기 좋은 언어로 헤르더의 사상을 포장했다. 그는 윌슨으로 하여금 미국인들이 하나의 국민이듯이 체코슬로바키아인들도 하나의 국민이고, 미국민들이 왕정에서 벗어났듯이 이들도 제왕인 합스부르크제국의 프란츠 요제프 황제의 지배에서 벗어나서 스스로 만든 헌법에 바탕을 두고 자신들이 운명을 결정해야 하는 것으로 생각하게 만들었다. 이 이상은 어설프게 포장된 유토피아였지만, 정치 제도가 해결할 수 있는 것 이상으로 많은 문제를 해결할 수 있는 것으로 주장했다. 스스로를 통치하는 체코슬로바키아인들은 국제연맹에서 민주적으로 통치되는 다른 민족들과 힘을 모아 국가들 간의 항구적 평화를 보장할 수 있다고 주장했다. 그 이유는 스스로를 통치하는 국민들은 전쟁에 관심이 없기 때문이었다.

마사리크는 윌슨에게 (250만 명 이상의) 보헤미아 거주 독일인들에 대해서는 말하지 않았다. 또한 그는 미국에서와 체코슬로바키아에서 다르게 이해되는 '국민'이라는 개념에 대해서도 설명하지 않았고, 만일 체코슬로바키아인이 존재한다면 그것은 언어와 종족적 정체성으로 연합된 국민이라는 것도 설명하지 않았다. 미국에서 거의 유일한 중동부 유럽 전문가이고 파리강화회의 미국 대표단의 일원인 체코계 미국인 로버트 커너(1914년 하버드대학 박사)는 체코슬로바키아를 '과학적 사실'로 묘사하고, 만일 보헤

중동부 유럽(1921-1939)

미아의 국경을 조금만 조절했으면 수십만 명의 독일인이 독일이나 오스트리아에 귀속될 수 있는데, 이 국경을 신성불가침한 것으로 설명했다.

이러한 사실을 염두에 둔 보헤미아의 독일인들은, 라이헨베르크-리베레츠에서 일어난 봉기를 진압하러 나선 체코 병사들과 헌병들이 54명의 주민을 살상하고, 84명을 부상당하게 만든 1919년 3월 4일까지, 오스트리아와 독일에 귀속되기를 원했다.[9] 몇 달 지나지 않아 주도적인 슬로바키아 정치인들은 체코슬로바키아인들이 하나의 민족인가에 대해 의문을 제기했다. 이들은 체코 관리들의 태도가 모멸적이라고 생각했다. 이것은 한 세기 전 나폴레옹의 행정 관료들에 대해 독일인들이 느낀 것과 같은 감정이었다. 왕정인 유고슬라비아에서도 크로아티아인들은 세르비아인들이 거만하고, 부패했으며, '형제'와는 거리가 멀다고 생각했다. 1920년대 중반이 되자 슬로바키아인들과 크로아티아인들 사이에 분리 운동이 일어났다. 얀 콜라나 류데비트 가이가 이를 보았다면 크게 놀랐을 것이다. 같은 언어, 심지어 같은 방언도 하나의 민족을 만드는 데 충분하지 않았다.

그러나 거대한 국가들 사이에 낀 작은 국민들로서 동유럽인들이 겪은 고난은 협력을 촉진했다. 유고슬라비아는 한편으로는 크로아티아인들을 헝가리로부터 보호하고, 다른 한편으로는 이탈리아로부터 보호했다. '미니 합스부르크제국'은 실제로 같은 장점을 가지고 있었다. 그래서 몬테네그로 출신 의원이 크로아티아 지도자 스테판 라디치를 의회 복도에서 저격하자 세르비아 왕가 출신의 유고슬라비아 알렉산드르 국왕은 크로아티아를 독립시키기로 했다. 그러나 라디치는 부상 악화로 죽기 전 이 제안을 거부했다. 그가 생각하기에 크로아티아가 단독으로 존속한다는 것은 불가능한 일이었다. 북쪽 체코슬로바키아에서는 많은 슬로바키아인들이 형제인 체코인들에 의해 차별 대우를 받는다고 느꼈지만, 다른 많은 사람들은

1930년대 체코슬로바키아가 민주 국가로 존속하도록 노력했다. 체코슬로바키아는 브라티슬라바대학 같은 슬로바키아 기관들을 만들어 슬로바키아어 사용자들이 점차적으로 마자르화되는 것을 막았다.

그러나 마사리크의 체코슬로바키아와 대비되게 자치를 표방한 다른 소국들은 여러 형태의 군주정치에 굴복하게 되었다. 1938년 시점에서 보면 민주주의는 대실패로 드러났다(여기서 얻은 교훈을 몇십 년 후 정책입안자들이 또 무시했다). 그러나 체코슬로바키아의 사례는 다민족 문제가 민주주의를 망치는 책임이 있는 것은 아니라는 것을 보여주었다. 체코슬로바키아는 중동부 유럽에서 인종 구성이 가장 복잡한 국가였다. 우리 시대 몇몇 노벨상 수상자들의 의견과도 대조되게 스스로 민족 국가 구성의 책임을 맡은 국가들이 꼭 파시즘으로 귀결되는 운명을 가진 것은 아니었다.[10] 파시즘은 루마니아와 헝가리에서 대중운동으로 부상했지만 어느 곳에서도 권력을 잡지는 못했다. 동유럽 지역 대부분, 즉 폴란드, 체코슬로바키아, 유고슬라비아, 불가리아에서 파시즘은 주변적인 정치 운동에 그쳐서 선거에서 불과 몇 퍼센트 정도의 표를 얻었다. 동유럽의 파시즘은 폴란드, 세르비아, 체코적인 성격과 서로 맞지 않아 실패했다. 바르샤바나 프라하에서 검은 제복을 입고 행진을 하며 한 팔을 들어 올리고 파시스트식 경례를 하는 것은 민족적 구원과 재탄생이 아니라 죽음과 역사적 망각을 마음속에 떠올리게 했다.

동유럽 국가들이 파시즘을 혐오하기는 했지만, 파시즘의 가장 극단적인 형태인 나치주의의 위협 앞에 이들은 단합하지 못했다. 그 이유는 아무리 작더라도 민족의 영토를 회복하고자 하는 열망에서 찾을 수 있다. 전간기 중 체코슬로바키아와 폴란드는 인구의 40퍼센트가 폴란드인인 실레시아 지역의 테쉬첸-테쉰-체신이라는 아주 작은 영토 때문에 동맹이 되지 못했다. 보헤미아와 슬로바키아를 연결하는 철로가 이곳을 통과하고 있기 때문에 체코인들은 1919년 이 지역을 차지했다. 폴란드는 이 영토 상실을 잊지 않았고, 1938년 가을 체코슬로바키아가 나치 독일에게 점령당할 위험에 처했을 때 방관하는 대신에 이 지역에 대한 폴란드 주권을 주장하기 위해 수시로 병력을 국경 너머로 보냈다.

1939년 폴란드는 독일과 암묵적 동맹 상태였지만 히틀러에게 최초로 반기를 든 나라가 되었고, 이로 인해 정복과 점령이라는 엄청난 희생을 치렀다. 이 시점 전에 히틀러는 폴란드를 소련에 대항하는 동맹으로 끌어들이려고 했다. 히틀러는 반공산주의 사상으로 자신이 존경하는 폴란드 지도자들에게 자기 생각으로 그럴듯한 제안을 했다. 폴란드가 독일의 동맹이 되고, 독일이 포메라니아와 동프로이센을 연결하는 고속도로를 건설하는 것을 허용하며, 폴란드가 소유하지도 않은 도시(단치히)를 독일에게 넘겨줄 것을 요구했다. 독일에 복종하게 되면 민족 주권에 대한 자신들의 주장이 조롱거리가 된다고 생각한 폴란드는 이 제안을 단호히 거절했다. 폴란드인들은 1795년부터 1918년까지 외국의 지배하에 살아왔었고, 어느 폴란드 지도자도 독립을 양보할 수 없었다. 여기에다가 폴란드 엘리트는 자국의 동맹이라고 주장한 나라, 즉 영국과 프랑스의 효과적인 지원을 신뢰하고 있었다. 그러나 이 두 국가는 1939년 9월 폴란드가 히틀러와 그의 새 동맹인 스탈린에 의해 네 방향에서 공격을 당할 때 가만히 앉아 있었다.

'보헤미아 상병'(그는 실제로는 오스트리아인이었다) 히틀러가 이 전쟁을 통해 얻은 것은 동유럽 북부 지역을 훨씬 단순하게 만든 것이다. 지역 부역자들의 도움을 받아 히틀러 정권은 동유럽 유대인 절대다수를 분리한 후 멸절했다.[11] 그러나 1945년 적군赤軍이 독일국방군Wermacht을 빈과 베를린으로 격퇴했을 때 수백만 명의 독일인들도 동유럽을 떠나서 다시 돌아오지 않았다. 전쟁이 끝났을 때, 연합국의 결정에 의해 폴란드와 체코 당국은 보헤미아와 동부 독일에 남아 있는 독일인들을 기차에 태워서, 신성로마 제국은 말할 필요도 없이 비스마르크의 제2제국보다 훨씬 축소된 독일로 보냈다.

동유럽인들 중 가장 열정적인 인종청소자들은 폴란드인과 체코인 공산주의자들이었고, 실제로 공산주의자들은 어디에 있건 가장 열성적인 민족주의자들이었다. 이것은 두 가지 이유에서 놀라운 일이었다. 먼저 카를 마르크스와 프리드리히 엥겔스는 민족 정체성에 대해서는 별 관심이 없었다. 노동자들에게는 조국이 없었다. 민족성은 인간의 주관성의 지속적인 특성이 아니고, 자본주의가 발전하면서 중요성이 감소될 일시적인 것이었다.[12] 이들은 자신들의 민족 국가를 원하는 동유럽인들을 거의 조소했다. 엥겔스는 독일 동부의 작은 민족들을 '유물relics'이라고 불렀다.[13] 그는 체코인들은 '더 큰 장애를 극복하도록 만들어주는 더 위대한 생동력을 지닌 다른 강력한 민족의 일부로 흡수될' 운명을 가지고 있다고도 말했다. '이미 지나간 슬라브 민족들의 다른 잔재들인' 세르비아인, 크로아티아인, 슬로바키아인들은 동화될 운명에 처해 있었다. 1852년 엥겔스는 태평하게도 다음 세계 전쟁은 모든 반동적 민족들을 "이 지구상에서 사라지게 만들 것이다"라고 말했다.[14]

두 번째로 세계가 두 진영으로 나뉘었을 때 외양적으로 보면 동유럽 민족주의를 위한 공간은 거의 남아 있는 것 같지 않았다. 1949년이 되자 동유럽 지역의 모든 국가는 축소판 소련이 된 것처럼 보였다. 통치를 담당한 공산당, 5개년 계획, 중공업에 기반한 경제, 집단화된 농업, 사회주의 리얼리즘이 이 국가들의 공통분모가 되었다. 공산당 내에서조차 매년 반복

중동부 유럽(1949~1990)

되는 붉게 장식된 노동절 행진이 모스크바를 신경중추로 하는 교조와 관행을 반영하고 있다는 것을 의심하는 폴란드인이나 헝가리인은 거의 없었다. 사상 처음으로 수백만 명의 동유럽인들이 러시아어를 배웠고, 많은 사람이 소련의 현실을 복제하는 데 아주 능숙해졌다. 수십만 명이 '스스로 소비에트화하는 사람self-Sovietizers'이 되어 러시아식으로 담배를 손에 쥐었고, 볼셰비키당의 군사적 스타일에 따라 옷을 입었다. 모자에 붉은 별을 단 유고슬라비아 공산당원들은 이런 경향이 지나쳐서 소련 당국이 제지하고 나설 정도였다.

그러나 이러한 국가들은 소련의 복제판이 아니었었고, (우크라이나, 발트 국가들, 벨라루스와 다르게) 소련의 실제적 일부도 아니었다.[15] 1949년 바르샤바의 노동절 행진 전면 너머에서는 소련 국기가 아닌 폴란드 국기와 폴란드 영웅들을 기리는 플래카드를 볼 수 있었다. 마르크스주의 정당이 지배하는 폴란드 사회주의 국가의 행진로에서 몇 블록 떨어진 곳에서는 1944년 나치에 의해 파괴된 구舊바르샤바 시가를 복원하는 작업이 진행되고 있었다. 여기에서는 18세기의 원 설계도에 의거해 많은 교회들을 복원하고, 성자들의 광륜光輪을 세심하게 되살렸다. 국가사회주의 세계의 서점들은 얀 콜라와 같은 낭만주의 작가뿐만 아니라, 폴란드, 헝가리, 루마니아 민족 음유시인인 아담 미츠키에비치, 샨도르 페퇴피, 바실레 알렉산드리, 철학자 류데비트 가이, 부크 카라지치, 예나대학에서 얀 콜라와 같이 수학한 인류학자 파벨 샤파리크의 작품들을 판매했다.[16] 폴란드 서부에서 당국은 공동묘지를 포함해서 독일의 과거를 나타내는 모든 상징을 없애는 것을 적극 지원했고, 이 지역이 수세기 동안 독일 영토였음에도 불구하고 새 영토를 철저히 폴란드 영토라고 주장했다.

유고슬라비아 공산주의자들은 맹종해서 스탈린을 흉내 내고, 모스크바가 요구하기도 전에 사회주의를 건설했지만, 이들은 1948년 소련과 처음으로 결별하는 동유럽 국가가 되었다. 이들이 이렇게 한 이유는 스탈린이 유고슬라비아의 민족적 이익을 소련의 이익에 완전히 복종시킬 것을 요구했기 때문이었다. 공개 연설에서 요시프 브로즈 티토는 자신이 마르크스-레닌주의의 이단자임을 선언했다. 그는 사회주의 조국을 사랑할 수 있지만, 자신의 조국을 이보다 덜 사랑할 수는 없다고 선언했다. 그는 크로아티아나 세르비아, 슬로베니아, 몬테네그로를 말한 것이 아니었다. 공산주의 국가 유고슬라비아는 류데비트 가이의 과거 프로그램을 되살리려는 두 번째 시도를 하고 있는 것이었다. 이번에는 유고슬라비아 내 모든 주민들의 민족적 해방이 그 목표였다. 티토의 파르티잔 저항운동은 2차 세계대전 중에 미니 합스부르크제국으로 시작되었다. 그 목적은 세르비아인, 유대인과 기타 민족들을 형제애와 단합의 이름으로 파시스트 집단학살로부터 보호하는 것이었다. 이 공식은 1980년 티토가 사망할 때까지 성공적으로 작동했다.

만일 유고슬라비아가 합스부르크제국의 가장 최근 버전인 유럽연합EU에 가입했더라면, 유고슬라비아는 살아남았을 수도 있었다. 그러나 유럽연합이 동쪽으로 문호를 개방하기 전인 1991년 크로아티아에서 전투가 시작되었다. 오늘날 동유럽 지도자들은 유럽연합이 국가 사회간접자본, 교육, 농업에 많은 투자를 하고 있음에도 불구하고 자국의 존재를 위협하고 있다고 주장하면서 정치적 자산을 모으고 있다. 2018년 6월, 헝가리 대통령 빅토르 오르반은 슬로베니아에서 반유럽연합 후보자를 선출하는 것은 슬로베니아 민족 생존이 달린 문제라고 주장했다.[17]

＊ ＊ ＊

19세기 초부터 현재까지를 연결하는 한 가지 분명한 사실은 다음과 같다. 애국자들이 민족어를 만들어내자마자 민족주의 자체가 정치의 언어가 되었고, 권력을 원하는 사람은 스스로를 자유주의자, 파시스트, 공산주의자로 부르는 것을 떠나서 모두가 이 언어를 말하지 않을 수 없었다. 이 책의 이 중심적 주장은 중동부 유럽에 대한 다른 저작들과 결을 달리한다. 합스부르크제국 전문가들은 이 지역이 민족 국가로 이행한 길을 몇 가지 가능한 선택 중 하나로 묘사했다. 그러나 민족주의자들의 노력이 없었다면 중동부 유럽은 계속 민족들 사이에 경계가 없고, 민족주의에 무관심한 큰 인구를 가진 다민족 국가로 존속했을 수 있었다. 이러한 접근법을 내세우는 한 학자는 자신의 독자들에게 "우리 주변의 민족주의자들이 계속 재생하려고 하는 불필요한 언어의 감옥에서 자신들을 해방시킬 것을 촉구했다".[18]

이러한 새로운 저작들은 의심의 여지가 없는 윤리적 동기에 의해 자극받았다. 민족 국가의 만행과 죄상은 ─ 제도적인 국수주의부터 인종청소, 집단학살에 이르기까지 ─ 민족 국가가 만들어진 기초가 되는 인종적 배타주의 원칙의 논리적 결과였다. 체코슬로바키아는 체코슬로바키아인들의 국가였고, 폴란드는 폴란드인들의 국가였고, 이런 논리는 계속 이어진다. 이뿐만 아니라 우리는 민족 정체성이 학습되는 것이지 자연적인 것이 아니라는 것을 안다. 또한 국경도 인간이 땅에 그리는 것이지 신이 정하는 것은 아니라는 것도 안다. 민족은 인간들이 상상한 공동체이기 때문에 역사가들은 다른 행위자들의 상상을 민족주의자들보다 더 진지하게 반추한다. 여기에는 (다른 민족들의) 민족주의를 제어하고 싶어 했던 제국 당국자들, 사회주의자들, 민족을 선호하지 않았던 동유럽의 수만 명의 개인, 인구조사자들에 의해 '민족적으로 무관심한'이라고 분류된 사람들이 해당된다. 만일 상황이 다르게 전개되었다면, 인간은 민족 공동체를 전혀 상상하지 않았을 것이라는 것이 그들의 주장이다.[19]

이러한 새로운 저작들은 예외적 사례들이 마치 일반적 사례였던 것처럼 보이게 만들었다. 관리들은 한 언어가 다른 언어로 대체되는 국경 지역에서 민족적으로 무관심하다는 보고를 했다. 이 지역들, 예를 들어 상부 실레시아, 보헤미아 삼림지대 일부, 카린티아, 동부 폴란드, 보스니아에서 두 개나 그 이상의 언어를 사용한 주민들은 기회에 따라 여러 민족 중 한 민족을 택하는 자유를 가지고 있었다. 일례로 서쪽으로는 수백 마일 이어지는 독일 지역과 동쪽에는 수백 마일 이어지는 폴란드 사이에 거주하고 있던 상부 실레시아의 소도시 주민들은 집에서는 폴란드 방언을 사용하고, 학교에서는 독일어를 배웠다. 정부 관리들이 이 지역에 오면 주민 중 일부는 자신의 정체성이 무엇인지 알지 못한다고 주장했다. 이것이 그들에게 가장 큰 지렛대를 제공해주었다.

그러나 발트해에서 아드리아해에 이르는 지역 전체를 놓고 보면 이러한 주민들은 숫자가 얼마 되지 않았다. 중부 폴란드, 헝가리, 루마니아의 많은 지역, 세르비아와 크로아티아 땅, 불가리아의 대부분, 슬로바키아와 보헤미아의 상당 부분에서 나타난 일반적 현상은 단일 언어 사용 주민들이 민족주의자들과 민족 국가 프로젝트에 흡수된 것이었다. 이것은 통상 표준화된 민족 언어를 가르치는 학교를 통해서 이루어졌지만, 정치적 동원과 민족 군대로 징집되는 과정을 통해서도 진행되었다.[20] 이것은 18세기 말부터 시작된 패턴이고, 대지 위에서 점차적으로 떠올라 높은 산과 계곡을 비추고, 자기 일을 다 했을 때 드러나지 않는 곳이 없게 만드는 태양처럼 민족주의는 서서히 일어났다. 열기가 민족주의를 번성하게 만든 반면, 이것은 다른 대안들을 시들게 만들었다.

그러나 민족은 인간이 건설했다는 혜안에는 좀 더 깊은 인식적 문제가 있다. 카를 마르크스의 말을 다시 해석하면, 인간은 자신의 민족을 만들지만 이것을 자신이 선택하지는 않는다. 인간은 공동체에 거주하며, 그것이 형성되는 것을 도왔지만, 만들어내지는 않은 언어로 말한다. 민족은 단순한 상상의 허구로 시작되지 않는다. 그 대신에 민족주의자들은 존재하는 민족의 연대기와 이야기를 벽돌로 삼아서 민족을 만든다. 이것은 확실하게 해석되지만, 결코 완전히 새로 만들어지는 것은 아니다. 민족주의자들은 새로운 단어를 만들지만, 기존에 존재하는 구문 위에 만든다. 그들은 농촌 사람들이 자신들이 누구인지, 자신들의 적은 누구인지를(통상 제국 세력) 말하는 데 많이 사용한 아이디어를 이용한다.[21] 지식인들이 상상한 민족의 일부는 제대로 뿌리를 내리지 못하기도 한다. 체코슬로바키아와 유고슬라비아가 두 사례이고, 합스부르크령 보스니아가 또 다른 사례이다.

사람들이 민족을 만든 것처럼, 민족이 사람을 만든다. 다시 말해 민족들은 사람들이 무엇이 중요한지, 무엇이 생을 바칠 만한 것인지에 대한 결정을 내린 공간을 형성했다. 사람들은 민족이란 아이디어에 어떤 위치를 잡아야 할지에 대해 논쟁할 수 있다. 우리 시대의 가장 큰 논쟁거리 하나를 예로 들어보자. 폴란드의 비유대인 시민들은 유대인 학살이 벌어지는 동안 유대인을 구하기 위해 더 많은 일을 할 수 있었다. 폴란드 민족이라는 사실은 특정한 시각을 강요하지 않는다. 일부 사람들은 나치의 공포가 유대인을 돕는 것을 불가능하게 만들었다고 했고, 다른 사람들은 유대인과 좀 더 강한 유대가 있었다면 공포에도 불구하고 생명을 구할 수 있게 만들었을 것이라고 말한다. 그러나 이 질문의 힘은 자신을 폴란드인이라고 부르는 사람이 "나는 그 답에 신경 쓰지 않는다"라고 말하게 허용하지 않는다는 것이다. 이런 의미에서 폴란드는 부정할 수 없는 '실체'이고, 지도 위에 존재하지 않았던 긴 기간을 포함해 오랫동안 실체로 존재했다.

정치적 상상을 추동하는 민족주의 주장의 힘, 다시 말해 실제로 정치가 일어나게 만드는 공간을 만드는 힘은 여러 나라에서 차례로 반복되었지만, 그 중요성은 제한된 시간틀 안에서 국경 지역에 초점을 맞춘 연구에서는 충분히 드러나지 않았다.[22] 자신들의 공동체가 존재한다고 '상상하도록' 하는 데 자신이 수행한 역할을 강조하는 애국자들 자신에게도 분명하게 드러나지 않았다. 1870년대 체코 애국자 프란티셰크 팔라츠키는 한 세대 전에 자신과 동료들이 회의를 하고 있는 방의 지붕이 무너졌다면, 그것으로 민족이라는 무대의 막이 내려왔을 것이라고 말했다. 그러나 같은 시기에 자그레브와 부다페스트에서는 이와 유사한 열성 민족주의자들 집단 속에서 비슷한 종류의 애국적 활동을 발견할 수 있었다. 한 세대 후 우크라이나 애국자들도 이에 비견되는 말을 했다. 만일 자신들이 타고 가는 기차가 탈선하면, 그것으로 우크라이나 민족은 끝이 날 것이라고 말했다. 합스부르크 땅의 반대편 프라하에서 열성 시온주의자들은 팔라츠키의 말을 자신들에게 적용하고 있었다.

역사학자 피에테르 유드슨은 민족주의가 '힘든 일hard work'이라고 썼지만, 우리는 이 경우 수많은 사람들이 이를 위해 나선 것을 본다. 기차가 탈선하면 일부 민족주의자들은 멈춰 세울 수 있지만, 다른 많은 사람들이 나아갈 다른 방법을 바로 찾아냈을 것이다. 민족주의는 1770년대 보헤미아에서 체코어를 말하는 사람들 사이에서 발아하고 성장했다. 이들은 문화, 정치, 사업을 지배하고 있는 독일 엘리트들이 자신들의 언어를 조악한 농민들의 언어로 간주하고 있다는 것을 잘 알았다. 1780년대 합스부르크 당국이 체코어 사용자를 독일어 사용자로 만들기 위해 체코어 고등학교 문을 닫자, 이러한 우월감에 상처받은 감정은 민족으로서 체코인들이 사라질지 모른다는 두려움으로 바뀌었다. 이러한 두려움은 이 지역 전체의 증상이 되어 세르비아, 헝가리, 루마니아와 폴란드 일부로 확산되었다. 프로이센, 러시아, 오스트리아가 1795년 폴란드를 지도에서 사라지게 했을 때, 이 국가들은 '폴란드왕국의 존재에 대한 기억을 되살릴 수 있는 모든 것을 없애버리기로' 합의했다. '멸절'이 실행 단계에 들어서면서 폴란드왕국이라는 이름 자체가 '영구히' 압제받았다.[23]

이러한 언명은 너무 혐오스러워서 비밀로 지켜졌고, 수십 년 동안 제국 검열 당국은 이러한 우려가 공적으로 표현되는 것을 억압했다. 그러나 검열제도가 철폐되자마자 은유가 쏟아져 나왔다. 1848년 4월 체코의 기자 카렐 하블리체크-보로프스키는 "당신의 말과 민족이 지배하지 않는 곳에서 당신은 압제받고 있는 것이다. 이것은 가장 자유로운 나라라 할지라도 맞는 말이다"라고 주장했다. 체코어 사용자들은 외국 지배자들 밑에 아무 힘없는 종복이었기 때문에 그는 이들의 운명을 미국 노예들의 운명에 비견했다. "아무리 자유로운 정부하에서도 검둥이가 되면 무슨 소용이 있는가. … 만일 우리가 하나의 주민으로 자유롭기 원한다면 우리는 먼저 민족을 가져야 한다." 이 시기에 오스트리아, 폴란드, 크로아티아, 루마니아의 작가들도 이와 똑같은 말을 반복했다. 민족으로서 자유가 없다면, 인간으로서도 자유가 없는 것이다.[24]

이러한 격렬한 언어는 하블리체크-보로프스키가 몇 년 전에 들었다면 깜짝 놀랐을 것이다. 그러나 몇 년 전에 그는 민주주의에서 진행된 대중 토론에서 증오에 맞부딪쳤다. 특히 괴로웠던 것은 보헤미아 독일인 자유주의자 프란츠 슈셀카와 벌인 논쟁이었다. 이름이 보여주듯이 그는 슬라브 가족에서 태어난 사람이었다. 슈셀카는 자신들의 언어를 사용하기를 원하는 체코인들을 공개적으로 '체코어 중독자Czechomaniacs'라고 불렀다.

오스트리아제국 내의 슬라브인들은 제대로 된 문학을 만들어내지 못했고, 대학은 물론 고등학교도 가지고 있지 못했다. 이들의 운명은 독일인이 되는 것이었다. 슬라브인들은 한때 베를린과 라이프치히 인근의 독일인 땅 중심지에 거주했고, 서쪽으로 함부르크까지 진출했지만, 여러 세대가 지나면서 이들은 '저항할 수 없는' 독일 문화에 흡수되었다. "자기 자신을 개선하고 완전하게 만드는 것은 모든 인간의 도덕적 의무이기 때문에 그들은 독일화한 것이다"라고 그는 썼다.[25] 다른 독일 민주주의자들은 체코인들을 들판과 부엌에서 일하게 운명지어진 스파르타의 노예, 노예 주민이자 역사와 미래가 없는 민족의 '잔재'로 묘사했다. 제대로 된 체코인은 자연적으로 독일인이 될 터였다.[26]

제국 군대가 민주적 혁명을 진압한 다음 합스부르크 당국은 검열을 다시 도입했지만, 하블리체크-보로프스키는 계속 문제를 일으켰다. 당국은 그를 북부 이탈리아로 유형 보냈고, 4년 뒤 귀환이 허용되어 집에 돌아온 그는 부인이 죽은 것을 알았다. 1년 후 그는 부인이 죽을 때 덮고 있던 그 이불속에서 폐결핵으로 죽었다. 초기 애국자들이 모두 모인 그의 장례식에서 체코의 첫 위대한 소설가 보제나 넴초바는 그의 관에 가시 면류관을 올려놓았다.

이후 수십 년 동안 체코의 공공 생활은 많은 협회와 정당으로 발전되었지만, 어떤 체코 정치인도 하블리체크-보로프스키가 슈셸카와 벌인 논쟁에서 당한 고통을 무시할 수 없었다. 독일인 반대자들이 그러한 상황을 허용하지 않았다. 우리는 1890년대 보헤미아 의회에서 하블리체크-보로프스키에게 고통을 준 같은 말을 들을 수 있었다. 독일인 의원들은 여전히 체코인들은 부엌과 들판의 노동자에 맞는 사람들이라고 말했다. 그 시기, 그곳의 정치인들은 '무당파indifference' 조직을 만들지 못했다. 민족 정체성의 부재는 신념이 아니었고, 더욱이 열정도 아니었다. 이것은 희생이나 행동을 촉진하지 못했고, 역사를 만들지도 못했다. 또한 합스부르크제국을 위한 목표도 없었다. 어떤 체코인 정당이나 독일인 정당도 '제국적'이거나 '오스트리아적'이지 않았다.[27] 부상하는 민족 사이에 실레시아, 보스니아, 마케도니아같이 경계에 대한 정체성이 힘을 얻자 이것이 새로운 형태의 민족 정체성이 되었다. 다른 말로 하면 민족적으로 무관심한 사람들이 정치적이 되고, 민족적이 되었으며, 이들은 동유럽 사람들이 우려하는 것을 우려했다. 그것은 망각이었다.

피상적으로 동유럽의 민족주의는 다른 곳의 민족주의와 같아 보였다. 간간이 강렬한 열정에 사로잡히기도 했지만, 대개 일상생활에서 민족은 사람들의 자기 인식의 한 양상이었지, 가장 중요한 것은 아니었다. 여러 세대 동안 치열한 경쟁이 있었던 여러 민족이 거주하는 지역에서 민족 정체성은 하루하루의 관심사가 아니었다. 사람들은 자신을 연령 또는 성, 마을 또는 직업의 관점에서 인식했다. 그러나 민족주의는 정치인들이 기회를 잡을 때 사용할 수 있는 '위기 프레임'이었다. 그러한 예로 1930년대 지속적인 경제 위기 상황에서 독일 라디오 방송은 체코슬로바키아에 거주하는 독일인들에게 증오 가득한 메시지를 쏟아냈고, 1980년대 세르비아의 초인플레이션 시기에 은행가인 슬로보단 밀로셰비치는 자신 안에서 민족주의자를 발견하고 세르비아인들이 '멸절'의 위험에 처했다는 두려움을 부활시켜서 권력을 잡을 수 있었다.[28]

이 위기 프레임은 서유럽이나 러시아 민족주의에서 찾을 수 있는 것은 아니다. 가장 암울한 2차 세계대전 기간 중에 네덜란드인, 프랑스인, 러시아인이 멸절될 것을 걱정한 사람은 없었다. 그러나 이러한 두려움은 세르비아인, 폴란드인, 체코인, 동유럽 유대인에게는 훨씬 크게 살아 있었다.

폴란드계 유대인 변호사인 라파엘 렘킨은 이러한 동유럽의 우려 속에서 '집단학살(제노사이드)'이란 말을 만들어냈다. 2차 세계대전 후 동유럽 시인들은 역사의 불안정성에 대한 자신들의 특별한 직감을 표현했다. 1944년 바르샤바 거리를 걷던 체스와프 미워시는 포장길과 거리가 액체 같이 느껴져서 현재의 돌과 아스팔트 형태를 벗어날 수 있다고 생각했다.

망각에 대한 두려움은 2차 세계대전 후에도 지속되었다. 1967년 체코 작가 밀란 쿤데라는 국가의 검열제를 공개적으로 비난함으로써 작품을 출판할 수 있는 모든 가능성을 위험에 처하게 만들었다. 그는 소설, 에세이, 시가 없으면, 즉 언어가 없으면 체코인도 없다고 말했고, 자신이 말하는 것이 중요하다는 것을 보여주기 위해 그는 당국이 자신이 쓴 글의 작은 문장 부호 하나도 바꾸지 못하게 했다.[29] 1977년 그는 파리로 이주하여 자신의 조국의 운명을 우울하게 반추했다. 유럽은 체코인들이 존재했다는 사실도 잊고 있었다. 그는 '동유럽'이란 단어가 망각이라는 수치스러운 행동을 공모하기 때문에 이를 거부하고, 대신에 이 지역을 단순히 '중유럽'이라고 불렀다. 결국 프라하는 빈보다 서쪽에 있고, 폴란드와 헝가리는 러시아가 연결되지 않은 서쪽과 연결되어 있었다.

✳ ✳ ✳

오늘날 많은 사람들은 쿤데라의 주장에 따라, 구별되고 하급의 유럽으로 보이는 고정관념을 피하기 위해 '중유럽'이라는 말을 쓴다. 동유럽은 '후진적'이고 민족주의적 열정에 사로잡혔던 곳으로 인식된다. 그러나 이 지역을 '중유럽'이라고 부르는 데에도 문제가 있다. 바츨라프 하벨이 말한 바와 같이 독일은 한 발을 중유럽에 들여놓고 있지만, 이 지역에 속하지는 않는다. 이곳의 감성과는 다르다. 아돌프 히틀러는 이 지역의 독일 인프라를 파괴하려고 했지만, 그는 독일 주민이 존재하지 않게 되리라고는 상상하지 않았다. 좀 더 핵심을 말한다면 아무도 정치적으로 어떻게 되었든 독일이 존재해야 한다고 주장할 필요가 없다. 이러한 종류의 수사적 강요는 체코, 슬로베니아, 마케도니아를 위해 필요하다. 누군가 이러한 주장을 하지 않고, 이것을 강조하기 위해 엄청난 노력을 쏟지 않으면 이들의 존재는 불안전하다. 직업학교, 박물관, 도서관, 극장, 대학 등 체코 민족 운동의 모든 성과는 행동으로 뒷받침된 말의 투쟁이 없이는 이루어질 수 없는 것이었다.

그러나 쿤데라의 염려는 이 지역을 서술하는 문제가 아니었고, 그 존재를 방어하는 것이었다. 그의 전략은 체코슬로바키아, 폴란드, 크로아티아 또는 헝가리가 질적으로 러시아와 다르다는 것이었다. 그리고 그는 이 국가들에서 더욱 고상한 덕목을 찾아냈다. 자유주의, 계몽, 권력분립(위임권 갈등에서 유래된) 같은 긍정적인 유산은 러시아가 결코 도달할 수 없는 서유럽과 가까운 덕목이다. 중유럽은 가장 작은 공간에서 가장 큰 서로 다름이 있는 지역이고, 러시아는 그 반대 원칙을 따른다. 그곳은 가장 큰 공간에서 가장 작은 다름이 있는 곳이다.

이 책은 작은 민족들이 반제국주의 투쟁을 벌인 공간이라는 것이라고 말하는 것 외에 동유럽에 어떠한 고정관념도 적용하지 않는다. 정치적 악몽의 구석에는 더 큰 국가에 흡수될 수도 있다는 희미한 두려움이 자리 잡고 있다. 반제국 투쟁은 민족 문화를 살아남게 만들었지만, 인종주의가 될 수 있는 배타적 이념도 촉진했다. 구제국들, 특히 합스부르크제국은 향수를 불러일으킨다. 그 이유는 이 제국은 후에 나타난 많은 민족 국가들보다 인권과 민족과 주민들을 더 잘 보호했기 때문이다.

이 책은 장황함을 피하기 위해 '동유럽'이란 말을 '중동부 유럽'이란 말과 섞어 쓰지만, 또 다른 이유는 두 용어가 자신들의 운명을 통제하지 못했던 소련의 위성국가들 지역을 지칭하는 것으로 이해되기 때문이다.[30] 이것은 지도 위의 한 공간보다는 공유된 경험을 표상한다. 이것은 문화적·언어적 차이에도 불구하고 이 지역의 반대 끝 편에 있는 국가들과 과거에 대해 공통의 담론을 채택했다. 빅토르 오르반이 민족의 생존을 우려할 때 그는 헝가리와 슬로베니아뿐만 아니라 폴란드와 체코공화국, 세르비아에서도 반향을 일으키는 말을 사용한 것이다.

과거 소련의 공화국이었던 발트 국가들, 우크라이나, 벨라루스는 이 책의 서술에 포함되지 않는다. 그 이유는 이들은 서술된 기간 대부분 동안 다른 이야기를 구성해왔고, 중동부 유럽에서 볼 수 없었던 소비에트화에 시달렸기 때문이다. 같은 이유로 독일민주공화국(동독)은 이 책에 포함된다. 이 작은 나라는 강대국에 흡수되지는 않았지만, 통제를 받은 운명을 다른 동유럽 국가들과 공유했었다.[31] 그러나 동독은 특별한 사례다. 동독 정권은 1968년 체코슬로바키아와 1980년 폴란드의 반체제 운동 진압에 적극적으로 참여했고, 사회주의 조국인 소련에게 진정한 사회주의가 무엇인지를 설교할 만큼 오만에 찬 시시한 제국주의자들의 고향이었다.

동독이 포함된 것은 독일인들이 중동부 유럽의 밖에 존재한다고 생각할 수 없게 만든다. 이것은 단순히 수백만 명의 독일인들이 이 공간에 오랫동안 거주했기 때문만은 아니다. 1806년 신성로마제국이 기능을 멈춘 후 독일이 어떻게 민족 국가를 형성했는지의 문제는 이 지역의 행운과 불운을 형성해왔다. 1871년 비스마르크가 '제2제국'으로 이 문제를 해결한 듯이 보였을 때, 이것은 독일인 세 명 중 한 명이 포함된 합스부르크제국 내 독일인들이 버림받았다는 느낌을 형성했기 때문에 문제를 더 복잡하게 만들었다. 원래의 나치당이 1903년 보헤미아에서 나타난 것은 우연이 아니다. 처음에는 신성로마제국, 다음으로는 합스부르크제국 군주정이 겪은 제국의 쇠락기 동유럽 공간에 독일 민족주의가 침투했을 때 일어난 일은, 슬라브인들을 독일 문화로 흡수하는 오랜 관행에서 독일 공간이라고 간주된 거대한 지역으로부터 이들을 추방시키는 새로운 관행으로 바뀐 것이었다.

＊　＊　＊

이후 일어난 일은 단순히 자기주장의 영웅적 이야기가 아니다. 반제국 투쟁은 자주 민족 운동을 제국주의적으로 만들었고, 잊히지 않기 위한 싸움은, 2차 세계대전 때 동유럽 유대인을 포함한 다른 민족들을 잊히게 만드는 데 동조하는 현상으로 나타났다. 민족주의는 수많은 장애를 넘어서서 자신을 계속 드러냈다. 1849년 전쟁에서 1867년 합스부르크왕가와 헝가리의 타협, 1918년 새로운 국가들의 갑작스런 탄생의 과정을 겪어왔고, 1945년까지와 그 이후에는 자유주의 전체가 사라질 때까지 사회주의를 외곽으로 밀어내고 파시즘을 탄생시켰으며 이후 공산주의 식민화가 진행되었다. 현재 민주주의에 가해지는 일은, '대중영합주의populism'란 말이 더 섬뜩한 서술어가 나타나기를 기다리는 가주어 자리를 차지하고 있다. 동유럽 지역은 쿤데라와 미워시 작품의 예처럼 지워질 수 없는 문학 작품을 만들어냈다. 이 작품들은 동유럽에만 해당하는 고난에 대한 증언을 담고 있지만, 이것은 서방에 있는 사람들은 상상할 수 없는 경험에 속한다.

　그러나 반제국적인 중동부 유럽은 섬과 같은 존재는 아니다. 세계 역사의 많은 부분이 이곳에 집중되었다. 만일 동유럽이 현대 시대를 특별히 집중적으로 경험했다면, 그 이유는 우리의 시간과 그들의 이야기가 많은 사람들의 이야기이기 때문이다. 이것은 민주화와 비식민화, 5개년 계획, 공개재판, 반파시스트 저항운동, 인종청소, 시민사회, 비자유주의적인 민주주의 등 모든 것을 자신들의 땅에서 이방인이 될 수 있다는 두려움이 덮어버렸기 때문이다. 동유럽 사람들은 과거에 집착한다는 비난을 받았지만, 이것은 그들이 과거와 단절하고 싶었기 때문이다. 간간이 이것들은 미래로 가는 길을 보여주기도 했다. 그러나 역사에 대한 대단한 지식을 가지고 있는 사람에게도 기억은 피할 수 없이 현재의 모습을 형성한다.[32]

이것은 다른 누구보다도 마르크스-레닌주의자에게 해당하는 말이다. 마르크스-레닌의 추종자들은 이국적 이익을 대표하는 것처럼 보였기 때문에 어느 누구보다 기억에 더 집착했고, 폭격으로 폐허가 된 도시를 민족적 형태와 색으로 재건하고, 화물칸을 희곡과 시로 가득 채우며, 민족 기념일을 화려하게 장식했다. 이러한 예로 1966년 폴란드 국가 창설 1000년 기념행사를 들 수 있다. 폴란드 공산당은 거대한 축제를 조직하고, 현대 교육의 혜택을 받지 못한 시골 지역에 1000개의 학교를 세우겠다고 약속했다.

우연이 아니게도 이 기념일은 966년 폴란드에 기독교가 도입된 기념일과 일치한다. 폴란드 가톨릭교회는 이 기념일에 자신들의 민족적 상징인 성모 마리아를 내세웠다. 성모 마리아 성화는 1652년 쳉스토호바가 포위되었을 때 폴란드군을 구했다는 전설로 얀 카지미에즈 왕이 폴란드 여왕으로 선언했다. 1957년 폴란드 수석대주교 비신스키는 쳉스토호바 수도원에 걸려 있는 '검은 성모 마리아' 그림을 원작의 불탄 자국을 살려서 복제품을 만들도록 지시했다. 이 복제품은 로마에서 축복을 받은 후 폴란드 전역을 순회했다. 순회 전시는 10년 동안 모든 폴란드인들이 이 그림을 최소한 한 번은 보도록 계획되었다.

1965년이 되자 인내심이 다한 당국은 복제품이 쳉스토호바의 원작이 있는 곳으로 가도록 명령했다. 복제품을 감상하던 지역 사람들은 성모 마리아가 납치되었다고 농담했다. 폴란드인들은 검은 성모 마리아 초상을 들고 순회하는 대신에 초상화가 들어 있던 빈 그림틀을 들고 순회했다. 이것이 무엇을 의미하는지는 모든 사람이 알았다. 빈 초상화를 바라본 폴란드 사람들은 무엇을 보았겠는가? 이들은 오로지 자신들의 것, 즉 1000년 동안 위험에 처해 있었던 민족을 보았다고 주장했다.

이 빈 그림틀을 동유럽 전체로 확대해보면 당신은 이 책의 목적을 알 수 있다. 이 책은 동유럽을 여러 시대에 걸쳐 획득된 정체성에 특별히 예민한 지역으로 그린다. 그리고 이 정체성은 지역 언어에 들어 있기 때문에 그것은 번역이 불가능하고 직접적인 의사소통을 거부한다. 이것이 인종적 민족주의의 핵심이다. 눈에 보이는 경계 너머로 갈 수 없는 무언가를 가지고 있다는 의식이다. 이것은 가족의 요람일 수도 있고, 민족 국가일 수도 있고, 빈 그림틀일 수도 있다.

이 책은 백과사전이 아니다. 이 책은 정해진 수의 민족들의 역사를 서술하지 않는다. 이 책은 특정한 민족이나 민족들에 대한 책도 아니다. 또한 육상의 경계로 표시된 땅의 지리도 아니다. 오히려 제국들 사이 공간에서 사는 것의 특별한 감수성이 만들어낸 고난을 이야기한다. 그리고 그 지역에 살아온 사람들에 대한 이야기이자 그들이 말하는 이야기를 서술한다. 공통의 메시지는 존재론적 위협을 흡수하면서 여전히 살아남은 이야기다. 핵심은 인식이 정확한가 아닌가가 아니라 이것이 어떻게 공통의 인식 틀이 되었는가이다. 이는 신성로마, 합스부르크, 오스만, 나치, 소비에트를 막론하고 제국의 붕괴를 넘어서서 특별한 지지대 없이도 살아남은 인식 틀이다. 이 고난은 영구하면서도 필요한 것으로 보인다. 실제로 이것은 역사적이면서 아주 현대적이고, 2세기 이상 만들어져 왔다.

1부

민족 운동의 부상

중동부 유럽 사람들

서방 사람들은 동유럽을 말할 때 그 복잡성을 강조한다. 끝없이 이어지는 다른 민족들이 같은 장소에 대한 영유권을 주장하는 것처럼 보인다. 너무 많은 서로 다른 민족들이 이런 주장을 하고 있어서 이 지역은 역사적 이해를 거부하는 것처럼 보인다. 유고슬라비아 하나만 보아도 약 10개 민족으로 구성되어 있고, 하위 민족 집단과 소수민족(예를 들어 남부 세르비아 노비파자르의 사냐크 지역 이슬람교도 또는 북쪽 보이보디나의 헝가리인 등)이 있다. 전간기戰間期 체코슬로바키아에는 다섯의 주요 민족이 거주했고, 합스부르크제국에는 훨씬 많은 민족이 있었다. 내가 이 책을 쓰는 동안 세 종족 집단이 작은 보스니아 땅 여러 지역에 대한 영유권을 주장했다. 여기에다가 지난 200년간 경계가 너무 자주, 빠르게 변해서 각 민족을 국가와 연계 짓는 것이 불가능해 보였다. 1세기 전만 해도 폴란드인들은 세 국가에 거주했고, 현재 헝가리인들은 다섯 국가에 거주하고 있다. 알바니아인들은 알바니아에 주로 거주하지만, 또한 코소보, 몬테네그로와 마케도니아 일부

지역에 살고 있다(또한 세 종교로 갈라져 있다).

그러나 전 세계를 배경으로 놓고 보면 동유럽은 아프리카, 아시아 대부분 지역과 그렇게 달라 보이지는 않는다. 이곳에서도 수많은 종족 집단들이 작은 지역들에 복잡하게 정착했고, 역사의 일정 기간 동안 식민제국들이 많은 종족 집단을 동시에 통치하며, 인종적 근거지에 대한 고려 없이 행정적 경계를 만들곤 했다. 1900년경의 아프리카 지도를 펼쳐보라. 서유럽 국가들은 여러 넓은 지역을 차지했고, 정치지도는 인종적 다양성과 어긋나는 단순성을 보여준다. 독일이 차지한 남서부 아프리카, 프랑스의 적도 아프리카, 벨기에가 차지한 콩고가 그러한 예다.

1880년 당시 중동부 유럽 사람들은 단지 네 국가에 속해 살고 있었다. 네 나라는 러시아제국, 오스만제국, 프로이센왕국, 합스부르크왕가(1840년부터 1867년까지 공식적으로는 오스트리아제국으로 알려짐) 영토였다. 국가들 영토 내에서 과거의 정치적 경계를 나눌 수 있었지만, 이것을 조금 더 단순화하면, 이해하기에 크게 어렵지 않은 지도를 볼 수 있었다. 북쪽에는 1795년 오스트리아, 프로이센, 러시아의 분할로 소멸된 폴란드-리투아니아연합왕국이 있었다. 조금 남쪽에는 1526년부터 합스부르크왕가 소유가 된 헝가리왕국과 보헤미아왕국이 있었다. 헝가리는 크로아티아왕국과 트란실바니아공국도 포함하고 있었다. 오스만제국은 앞으로 루마니아의 중심부가 되는 왈라키아-몰다비아공국을 가신국으로 보유하고 있었고, 보스니아, 루멜리아, 실리스트르 지방(이 지방은 보스니아-헤르체코비나, 세르비아, 알바니아, 마케도니아, 불가리아가 되었다)은 직접 통치했으며, 소멸된 중세 불가리아왕국, 세르비아왕국, 보스니아왕국의 땅을 차지하고 있었다. 몬테네그로는 산악 지역에 위치하고 있었기 때문에 명목적으로는 오스만튀르크의 통치하에 있었지만, 사실상 독립국이나 마찬가지였다.[1] 마지막으

중동부 유럽(1795년경)

로 오스만제국은 1526년부터 1680년대까지 중부 헝가리 대부분을 점령하고 있었고, 여기를 발판으로 북쪽의 합스부르크 영토를 침입했다.

여느 제국 공간과 마찬가지로 외부 강대국이 정한 정치적 경계는 오랜 기간 다양한 종족들의 정착과 혼합으로 일어난 언어, 종교, 인종적 다양성을 고려하지 않았다. 이 지역의 상당 부분은 로마제국과 후에는 콘스탄티노플(비잔티움제국; 판노니아와 달마티아, 발칸반도의 마케도니아가 해당)에 의해 통치되었지만, 그중 일부 지역, 특히 도나우강 북쪽은 로마의 통치 범위에서 벗어나 있었고, 그래서 이 지역에 대한 문헌 자료는 희박하다. 그러나 넓은 범위에서 무슨 일이 일어났는지를 우리는 알고 있다.

나사렛 예수가 살았던 시기에 켈트족은 서부 및 중부 유럽과 동유럽의 일부 지역을 지배했다. 1세기를 시작으로 켈트족은 스칸디나비아에서 이주해오는 게르만족에 의해 분산되어 고대 시기 후반에 켈트족 정착지는 유럽의 변방인 스코틀랜드, 아일랜드, 웨일즈, 브리타뉴, 콘월 지역으로 밀려났다. 5-6세기부터 슬라브어 사용자들이 게르만족을 압박하기 시작해서, 이들 중 일부는 비스와강 지역에까지 전진해 정착했고, 이들은 현재의 폴란드, 슬로바키아, 체코공화국뿐만 아니라 불가리아, 유고슬라비아 지역까지 진출했다.

켈트족과 마찬가지로 슬라브족도 다른 민족들을 밀어내고, 흡수하고, 공존하게 되었다. 여기에는 오늘날 알바니아인과 유고슬라비아와 루마니아 지역의 로망스어 사용자들의 조상도 포함되었다. 루마니아는 로마제국 식민정착자들과 '다키아족Dacians' 초기 정착자들의 후손으로 구성된 나라라고 훨씬 뒤의 민족주의자들은 주장했다.[2] 그러나 문헌 자료가 부족한 상태에서, 분명한 것 하나는 오늘날 루마니아어는 발칸 지역 주민들에 대한 그리스와 라틴 문화적 영향을 구분한 '지레체크 라인Jireček line'[3] 북쪽의 라틴 방언에서 유래한 언어라는 것이다. 동쪽으로는 슬라브족이 오늘날 우크라이나의 남南부크강과 드네프로강 사이에 거주하게 되었고, 1세기 후이 중 일부는 북쪽으로 이동하여 현재 서부 러시아 지역에 정착했다.

슬라브족 정착 양상은 다소 복잡하지만, 한 비슬라브/비유럽 종족은 서슬라브어와 남슬라브어 사용자들이 거주하는 중간 지역에 정착했다. 이 부족은 마자르족 또는 헝가리족으로 890년경부터 약 20년 동안 중앙아시아에서부터 이주해온 유목 전사 부족이었다.[4] 로마 시대 때 판노니아라고 알려졌던 지역은 마자르족이 거주하는 거대한 헝가리 평원으로 바뀌었다. 마자르족도 중앙아시아의 다른 종족의 압박으로 밀려나서 수십 년 동안 서쪽으로 전진해오면서 이 지역을 침공했고, 이동하는 지역에서 여자들을 납치해 와서 자신들 영토의 인구를 늘렸다. 이런 과정은 955년 오토 프랑코니아 왕이 지휘하는 게르만 병력이 마자르족을 패퇴시키고 여러 명의 부족장을 살해하여 마자르족의 침입을 완전히 저지하면서 막을 내렸다. 평화적 정착에 초점을 맞춘 산악 지역 헝가리 부족들의 지도자들은 저지대에 거주하던 기존 정착민들을 동화시켰다. 그러나 북쪽, 동쪽, 남쪽의 산악지대에 거주하는 주민들은 자신들의 문화와 언어를 보존했고, 이 언어들은 오랜 시간이 지나면서 현대 슬로바키아어, 루마니아어, 세르보-크로아티아어가 되었다.[5]

개괄적으로 말해 슬라브어 사용자들 사이에 서슬라브어, 동슬라브어, 남슬라브어라는 세 개의 어군語群이 발전했다. 마자르족이 정착한 북쪽과 북서쪽에는 폴란드어, 체코어, 소르브어●와 슬로바키아어가 나타났고 서

● 독일 동부 지역의 루사티아 지역에서 쓰이는 서슬라브어에 속하는 언어로 고지대 소르브어와 저지대 소르브어로 나뉜다. 일명 루사티아어나 벤트어라고도 불린다. 고지대 소르브어는 작센 지방에서 약 2만-2만 5000명이 사용하고, 저지대 소르브어는 브란덴부르크 지방에서 약 7000명이 사용하는

중동부 유럽의 인종언어 집단(1880년경)

부 방언에서 언어로 발전했다. 남쪽에서는 슬로베니아어가 세르보-크로아티아어, 불가리아어, 마케도니아어와 함께 발전했다. 폴란드와 헝가리 국가가 나타난 지역 동쪽에서는 동슬라브군 방언에서 러시아어, 우크라이나어, 벨라루스어가 개별 언어로 발전했다.

우리가 앞으로 자세히 보게 되겠지만, 19세기 민족주의자들은 슬라브어 사용자들이 조금만 노력하면 서로의 언어를 배울 수 있기 때문에 슬라브족의 정치적 단합성을 주장했다. 이 언어들은 약 40퍼센트의 어휘를 공유하고 있고, 이 비율은 서슬라브어군, 동슬라브어군, 남슬라브어군 내에서는 훨씬 높다. 조금만 노력을 기울여 진지하게 배우면 체코인은 폴란드어를, 또한 세르비아인은 불가리아어를 반년 정도면 배울 수 있다.

동유럽 슬라브 언어에는 중요한 방언 연속체가 있다. 하나는 현재의 슬로베니아에서 흑해에 이르는 지역의 남슬라브어 사용자들 사이의 연속체이고, 다른 하나는 서부 보헤미아에서 오늘날의 폴란드, 슬로바키아를 지나 우크라이나, 벨라루스와 더 동쪽으로 이어지는 방언 연속체이다. 이 연속체의 양 끝 지역에서 온 화자들은 서로를 이해하기 힘들지만, 한 끝에서 방언 연속체를 단계적으로 이동하면, 이웃한 마을이나 소도시 사람들은 서로를 거의 완벽하게 이해한다. 이것은 독일어군 언어들의 방언 연속체와 유사하다. 이와 비슷하게 독일 남쪽의 티롤 지방에서 바이에른과 헤센을 거쳐 북쪽의 작센, 동쪽의 메클렌부르크 지역과 서쪽의 저지대 국가들로 이어지는 언어 연속체도 끊어지지 않고 이어진다.[6]

후세에 언어가 정치적 민족을 통일하는 데 사용될 때 지식인들과 정치인들은 방언 연속체 양 극단 중간에 있는 방언을 표준화했고, 이것은 수천

것으로 알려져 있다.

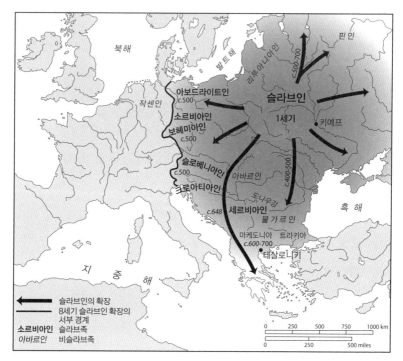

지도 내 텍스트:

북해
발트해
핀인
리투아니아인 *c.500-700*
슬라브인
1세기
키예프
아보드라이트인 *c.500*
작센인
소르비아인
보헤미아인 *c.500*
슬로베니아인 *c.500*
크로아티아인 *c.648*
아바르인
도나우강
세르비아인
불가르인
흑해
마케도니아 *c.600-700* 트라키아
테살로니키
지 중 해

슬라브인의 확장
8세기 슬라브인 확장의 서부 경계
소르비아인 슬라브족
아바르인 비슬라브족

0   250   500   750   1000 km
0   250   500 miles

슬라브족의 정착 지역

만 명의 사람들이 사용하는 근대 표준어가 되었다. 이는 마르틴 루터가 중부 독일어 방언으로 성경을 번역하면서 의도하지 않게 성취한 일이다. 이러한 배경에서 우리는 마자르족이 슬라브 종족들 사이에 쐐기를 박은 사건이 일으킨 획기적인 중요성을 알 수 있다. 이 사건으로 슬라브어 연속체가 파괴되었고, 몇 세기 후 남슬라브인과 서슬라브인들 사이에 중심적이고 통합적인 방언이 떠오르는 것을 방해했다.

많지 않은 문헌 증거로 판단하자면, 1000년경 슬라브어 사용자들, 일례로 후에 폴란드어와 불가리아어가 된 언어 사용자들은 종족 내, 종족 간 통일성을 깨달았다. 이뿐만 아니라 7세기에 현대의 유고슬라비아 지역에

방언 연속체

정착한 원元 크로아티아어, 원 세르비아어 사용자들은 서로가 다르면서도 밀접하게 연결되었다는 느낌을 갖게 되었다. 고대로부터 이 종족들은 현재의 폴란드에서 남쪽으로 이동해 지금의 크로아티아와 세르비아로 이동하면서 서로 접촉을 유지했다. 서부 유럽 지역(일례로 카스티유, 동안글리아, 버건디)과 유사하게 심각한 종족 갈등 시기에 강력한 지도자들이 나타나 종족들을 더 큰 정치적 단일체로 통일했고, 이 통일체는 지도자의 생애 동안만 유지되기도 했다. 이런 식으로 중세 초기부터 폴란드왕국, 불가리아

왕국, 세르비아왕국, 보스니아왕국, 크로아티아왕국, 헝가리왕국이 일어나게 되었다. 9세기에 서슬라브인 족장들이 현재의 체코공화국과 슬로바키아공화국이 된 지역을 통치하는 대★ 모라비아제국이 나타났다(모라비아는 현재 체코공화국의 한 지역이다).

✲ ✲ ✲

이 왕국들의 주민들은 현대적 의미의 국가를 구성하지는 않았다. 이들의 종속적 지위는 모든 사람이 언어나 국적으로 결합된 집단의 일원이라는 믿음을 갖게 하지 못했고, 이 국가들도 주민들에게 이러한 믿음을 심어주려고 하지 않았다. 이러한 노력은 상상할 수는 있지만, 실제 시도되었어도 아무 의미가 없었다. 19세기가 한참 지난 시점에도 대부분의 슬라브어 사용자들은 문자해독을 하지 못했다. 예측 불허의 왕권 상속 때문에 이 단일체는 여러 다른 방식으로 서슬라브어 사용자들을 통합시켰다. 일례로 폴란드의 볼레스와프 흐로브리 왕(992-1026; 일명 용맹왕 볼레스와프)이 자신의 통치 영역을 좀 더 잘 유지할 수 있었다면, 폴란드는 현재와 아주 다른 모양이 되고 오늘날의 보헤미아와 슬로바키아를 포함하게 되었을 것이다. 그렇게 되었다면 프라하는 서부 폴란드의 지방 도시가 되었을 것이고, 체코어는 서폴란드어 방언이 되었을 것이다. 그러나 폴란드 국가는 시간이 지나면서 오늘날 우크라이나, 벨라루스, 리투아니아 방면인 동쪽으로 확장했다.

거대한 영역의 주민들을 통치하는 명분을 강화하기 위해 초기 왕들은 기독교 확산을 지원했다. 왕들은 세력이 커지는 교회 위계질서를 지원하고, 교회는 이들의 통치가 정당하다고 선언했다. 우리는 9-10세기 크로아티아인, 세르비아인, 폴란드인, 체코인, 불가리아인, 헝가리인들이 대규모로 세례를 받은 것을 알고 있다. 유럽에서 지배 왕조가 다른 국가들과 동등한 대우를 받기 위해서는 기독교 수용이 필수적이었다. 폴란드의 경우 로마와의 밀접한 연계는 독일 지역으로부터 오는 종교적·정치적 간섭으로부터 폴란드왕국을 보호해주었다.[7] 그러나 기독교의 주요한 균열선이 콘스탄티노플 총대주교와 로마의 주교가 서로를 파문하고, 기독교 세계가 동방 교회와 서방 교회로 갈라진 1054년 이후 중동부 유럽을 가르고 지나갔다.

동방 정교가 주도권을 잡은 지역에서는 왕권과 교권의 관계가 특히 가까웠다. 첫 세르비아왕조의 창시자인 스테판 네마냐 대공은 많은 교회와 수도원을 세운 것으로 유명하다. 기독교와 특정 민족의 관계는 서방 기독교 지역보다 세르비아에서 훨씬 밀접해서, 종교 정체성과 민족 정체성은 서로 분리할 수 없게 되었다. 이러한 관계는 권력의 분리라는 결과도 가져왔다. 서방 기독교 지역에서는 수세기에 걸쳐 세속 권력과 종교 권력의 투쟁이 지속되어서 각각의 자치와 이로 인한 권력 분리를 인정하기에 이른 데 반해, 동방 기독교 지역에서는 두 권력의 관계가 '너무 조화로울 정도로' 형성되었다.[8] 1219년 서방 기독교로 기운 스테판 네마냐 대공의 동생 사바 대주교는 비잔티움 황제로부터 세르비아 교회의 자치성을 인정받기에 이르렀다.

1236년 사망한 사바 대주교는 성인으로 시성되었고, 그의 형과 아버지도 시성되었다. 이렇게 해서 세르비아왕가는 교회 의례에 들어오게 되었고, "교회와 수도원을 장식한 프레스코에 불멸의 존재로 남았다".[9] 성인으로 시성된 왕들은 서방 기독교 전통에는 없는 일이었지만, 세르비아 성인 시성에서 왕족이 차지하는 비중이 높아서 그 친밀감도 달랐다. 58명의 세르비아 성인 중에는 차르, 왕, 여왕, 대공, 대귀족이 많이 포함되었다. 왕족

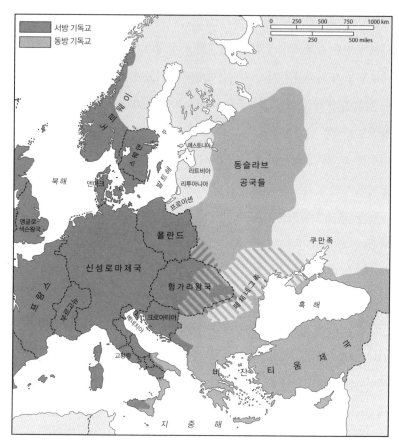

서방 기독교와 동방 기독교

성인 숭배는 오랜 기간 지속된 오스만튀르크 통치 시기에 세르비아 주민들에게 한때 기적을 행하는 성인과 함께 신의 축복을 받은 독립적 왕국이 존재했었다는 사실을 말해주었다.[10]

세르비아 초기 국가는 1355년 두샨 왕이 사망하면서 쇠퇴하여 오스만 제국에 의존하게 되었다가 이후 가신국이 되었다. 역사 기억에서 전환점이 된 것은 1389년 6월 28일 코소보 들판 전투battle of Kosovo polje였다. 이 전투에서 세르비아의 라자르 왕자는 전력이 우월한 오스만튀르크군에게 패배하고 그 자신도 목숨을 잃었으며, 그의 아들은 오스만 술탄의 가신이 되었다. 얼마 후 세르비아 정교회는 라자르를 순교 성인으로 시성했고, 세르비아 총대주교 다닐로는 "만일 죽음의 어두움이 우리에게 온다면 우리는 그것을 그리스도와 우리 조국의 신성을 위해 달게 받을 것이다. 수치 속에 사는 것보다 전투에서 죽는 것이 낫다"[11]라고 선언했다. 이후 많은 세대를 거치는 동안 라자르는 지상의 왕국이 아니라 천상의 왕국을 선택해서 스스로 죽음을 택했다고 설명하는 거룩한 죽음이라는 사상으로 세르비아 주민들 사이에 신화가 탄생했다. 어느 날엔가 세르비아는 부활할 것이다. 형이상학적으로 의미가 부여된 이 시나리오의 필요성에도 불구하고, 이 서사는 세르비아 지도자들을 오스만 정복자들에게 팔아넘긴 유다 같은 인물도 만들어냈다. 이 이야기들은 여러 세대를 거쳐 일현 악기인 구슬리gusle의 반주에 맞추어 각 가정에서 조용히 불리는 민중 시가로 전해졌다.

이 시가들은 읽고 쓸 줄 모르는 농촌 주민들 사이에 강력한 정체감을 만들어주었다. 이 시가들은 세르비아인들에게 자신들은 기독교인이고 세르비아인이며 '거룩하고', 정복자들과 같은 언어를 사용하는 이슬람화된 현지 슬라브인들(이들은 오늘날까지도 세르비아 민족주의자들로부터 '튀르크인'으로 불린다)은 속임수를 쓰고 다른 사람의 노동을 착취한다는 인식을 갖게 해주었다. 오스만제국의 지배는 끝이 없어 보였지만, 외국의 통치라는 기본적 불의에 기초하고 있기 때문에 일시적 통치로 묘사되었다. 튀르크인들이 이 세상의 보상을 즐기는 동안, 신앙심이 깊은 세르비아인들은 천상 왕국에서 영원히 지속되는 삶을 살게 될 것이라는 믿음도 심어주었다.[12] 이 이야기는 오랫동안 큰 인상을 남겼고, 여러 세대 동안 민족주의자들에 의해 이용되었다.[13]

민족적 성인은 특별한 존재였고, 이들의 숫자는 모자라는 일이 없었다. 1992년 루마니아 정교회는 폴란드, 헝가리, 오스만제국의 침략으로부터 조국을 구한 루마니아의 스테판(1433-1504)을 시성했다. 시성식에서 루마니아 총대주교 테옥티스트는 "과거에 스테판이 우리를 한 깃발 아래 모이게 한 것처럼, 신은 우리를 같은 하늘 아래 모이게 하셨다"[14]라고 선언했다. 1997년 교황 요한 바오로 2세는 폴란드에서 가장 사랑받는 군주인 야드비가 '왕'을 시성하기 위해 크라쿠프를 방문했다. 성인은 교회가 구원을 확실히 얻은 것으로 선언한 사람이었다. 야드비가는 무슨 일을 했는가? 교황 요한 바오로 2세의 말에 의하면 "그녀는 민족적·국제적 영역에서 위대한 일을 했고, 자신을 위해서는 아무것도 바라지 않았다. … 외교의 달인인 그녀는 15세기 폴란드의 위대성의 기초를 놓았다". 이보다 더 중요한 것은 17세기 쳉스토호바 성모 마리아에 대한 숭배이다. 1652년 모든 희망이 사라졌다고 느껴졌을 때 이 '검은 성모 마리아' 초상을 들고 행진한 후 폴란드군은 스웨덴군을 격파할 수 있었다. 그해에 국왕 얀 카지미에즈는 이 성모 마리아를 '폴란드의 여왕'으로 선언했고, 뒤이어 로마도 이를 승인했으며, 오늘날까지 크라쿠프를 방문하는 사람들은 이 오래된 도시의 가장 높은 첨탑 위에서 그녀를 상징하는 왕관을 볼 수 있다.[15]

중세 후반부터 정치적 생활의 주요한 사실 때문에 고대의 성자들에게 기억이 고정되거나 특별한 숭배가 지속되었다. 아무도 동유럽을 하나의 구별되는 지역으로 상상하지 않았을 때, 동방 기독교나 서방 기독교에 속한 것과 관계없이 동유럽 사람들을 단합시킨 것은 위태로운 정치적 생존이었다. 14세기부터 18세기까지 오스트리아제국, 오스만제국, 러시아제국은 초기 중세 국가들을 정복하고 복속시켰으며, 여기에서 살아남은 것은 후기 역사학자들이 자신들의 민족이 영원한 정치적 단일체에 속한다

성모 마리아 성당에 있는 왕관, 크라쿠프

는 담론을 고정시킨 전설들이었다.[16] 야드비가나 라자르는 다른 아무런 증거가 나오지 않는 오랜 세월 동안 성스러운 은혜의 증거였다. 독일어를 사용하는 병사들과 행정가들 떼가 그 아래 시내를 활보하는 오스트리아의 통치하에서도 성모 마리아의 왕관은 크라쿠프 성모 마리아 성당 첨탑 위에 그대로 남아 있었다.

오스만제국 베오그라드 파샬라크(술탄이 직접 관할하는 총독령)의 세르비아인들이 1804년 지역 군사통치자인 예니체리의 학정에 항거해 봉기를 일으켰을 때, 이들은 라자르 왕자의 유업을 수행한다고 선언했다. 이들은 전혀 읽고 쓸 줄 몰랐지만, 민족 정체성과 자신들의 구전에 의해 몇 세기에 걸친 공유된 역사에 대한 분명한 인식을 가지고 있었다. 폴란드 국가가 1795년 지도에서 사라진 후, 이어진 각 세대는 자신들이 옛 국가를 재건하고, 그 국가의 임무는 서방 기독교의 자유를 지키는 것이라고 주장하며 정치·군사 음모를 만들어냈다. 역사는 이 국가가 부활하고, 폴란드는 유럽 국가들 사이에 자신의 정당한 자리를 차지할 것을 '요구한다'고 주장했다. 세르비아에서와 마찬가지로, 강력했던 자신들의 국가가 무너진 것은 내부의 반역자 때문이었다는 것을 폴란드인들에게 들려주는 이야기들이 생겨났다.

그러나 전설을 넘어서서 초기 시대는 언어와 인종적 유산을 물려주었고, 이것은 후에 한 민족으로 구성된 국가, 즉 민족 국가를 만드는 것을 몇 배 어렵게 만들었다. 근대 국가 의식이 전혀 없이 서로 다른 언어를 사용하고 다른 종교를 신봉하는 사람들이 로마제국 붕괴 후 여러 세대와 오랜 기간 동안 중동부 유럽 모든 곳에 서로 섞여 살았다. 이로 인해 이들은 몇 세기 후 민족 국가를 요구하는 반제국주의 운동이 일어났을 때 명확한 국경선으로 구분될 수 없었다.

✳ ✳ ✳

중세 시대부터 중세 후반 시기까지 세 가지 추가적 과정이 동유럽 지도를 더욱 복잡하게 만들었다. 하나는 독일계 정착자들이 대규모로 그러나 아주 단계적인 이주를 통해 동쪽으로 이동해서 폴란드왕국과 헝가리왕국으로 들어간 것이었고, 다음으로는 수백만 명의 유대인이 중부 유럽과 서부 유럽에서 폴란드로 이주한 것이었다. 그리고 세 번째로는 오스만 지배 지역, 특히 불가리아, 보스니아, 노비 파자르 사냐크라고 알려진 세르비아와 몬테네그로 중간 지역에서 주민들의 이슬람 개종이 일어난 것이었다.[17]

12세기부터 독일인들은 사람이 넘치고, 점차 번영하는 서부 지역에서 인구가 희박한 동쪽으로 이동하기 시작하여 헝가리왕국 땅인 트란실바니아와 바나트 지역, 폴란드 왕의 영토인 실레시아와 포메라니아 지역으로 들어왔다. 이 지역에 정착하여 봉건 공납을 납부하는 대가로 이들에게는 농지를 경작하고, 자신의 종교를 신봉하고 생업을 영위하며, 자신들의 언어를 사용할 권리가 주어졌다. 시간이 지나면서 독일 장인들이 이들의 기술을 높이 평가하는 이 지역 대부분의 도시에 들어왔다. 17세기가 되자 일례로 리투아니아의 빌노(오늘날 빌니우스)에는 독일인뿐만 아니라 몇 개의 신앙을 신봉하는 폴란드인, 두 종류의 신앙을 가진 우크라이나인, 유대인, 리투아니아인, 벨라루스인, 이슬람교도들이 거주했다.[18] 18세기 말이 되자 자그레브, 부다페스트, 프라하는 크로아티아어, 헝가리어, 체코어를 사용하는 농민들이 거주하는 마을들에 둘러싸인 독일어 사용 도시가 되었다.

후에 역사가와 언론인들은 독일인의 정착 과정을 '동쪽으로의 압박', 즉 동쪽 지역으로 독일인들이 꾸준하게 밀고 들어간 현상이라고 불렀다. 이 과정은 폴란드인이나 다른 민족주의자 그룹에서는 공격적 과정으로 해석했지만, 독일 학자들은 고급문화가 평화적으로 동쪽으로 전달된 것으로 해석했다. 이주의 동인으로는 네덜란드를 비롯한 서부 지역에서 높은 출산율에 의해 압박받은 인구학적 문제와 농경지를 소유하고 경작하고자 하는 젊은 세대의 욕망이 큰 작용을 했다. 한편 동유럽 왕과 공후들은 자신들의 땅에 더 많은 사람이 정착하기를 원했다.

시간이 지나면서 동쪽 지역에 독일인이 정착한 것은 독일어와 슬라브어 사용자 언어 경계를 동쪽으로 이동시킨 결과를 낳았다. 이전에(1200년) 뤼베크, 베를린, 드레스덴이었던 경계는 이후에(1400년) 단치히, 토른, 브레슬라우로 200마일 이상 동쪽으로 이동했다.[19] 이 독일인 정착 과정에서 정확한 수를 알 수 없는 슬라브어 사용자들이 독일 문화에 흡수되었고, 한때 번성했던 슬라브인 정착 지역은 일부 고대 묘지 비석, 매장터, 예나·

노르웨이왕국

스웨덴

북 해

덴 마 크 왕 국

●함부르크

프리슬란트

●위트레흐트 작센공국

런던●

슬 라 비 아

루사티아
군주국

바이센군주국

영국해협

플랑드르공국

저지
로레인공국

엑스라샤펠●

동프랑켄

노르망디

랭스●
●파리

서프랑켄

노르가우군주국

브리타니

고지
로레인공국

알레만니아공국

프란시아공국

●랭스

부르고뉴공국

프 랑 스

바이에른
공국

보르도●

리옹●

롬바르디

밀라노●

케른텐공국

레온왕국

카스티야왕국

나바라
왕국

가스코니
공국

툴루즈

●아비뇽

베네치아●

바르셀로나

리스본●

톨레도●

코 르 도 바

발레아레스제도

코르시카

교회국가

로마●

베네벤토

●나폴리

칼 리 프 국

사르데냐

지

중

시칠리아

파 티 마 인 지 역

1000년경의 유럽

볼 가 인

노브고로드

에스토니아인

리보니아인

리투아니아인

몰 도 바 인

발 트 해

스몰렌스크

민스크

그단스크

포메라니아 프로이센인

마조비아

핀스크

키 예 프 루 스

포즈난

폴란드공국

실레시아

호로바티아

크라쿠프

키예프

모라비아
공국
오스트리아
군주국

브라티슬라바

헝 가 리

왕 국

트란실바니아

페 체 네 그 인

헤르손 헤르손

흑 해

자그레브

베오그라드

크로아티아
왕국

세 르 비 아

시노프

라구사

콘스탄티노플

테살로니키

룸

제 국

롬바르디

비

잔 티

아테네

타르수스

필로폰네소스

해

사이프러스

크레타

1장 중동부 유럽 사람들 71

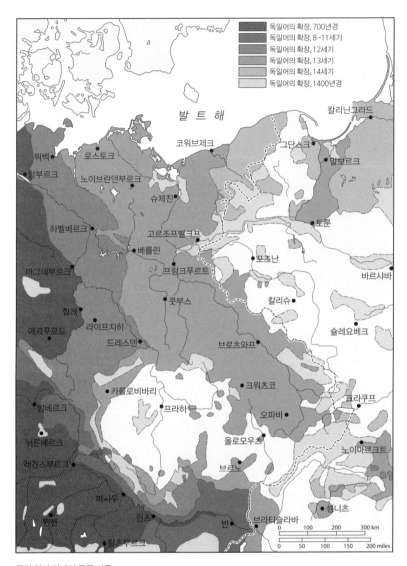

독일 언어 경계의 동쪽 이동

라이프치히·포츠담 같은 지명으로만 남았다. 슬라브인 정착 지역이 존재 했었다는 사실에 대한 인지는 후에 서슬라브인 민족주의자(대표적으로 얀 콜라) 세대로 하여금 '독일화'로부터 자신들을 보호해야 한다는 감정을 심어주었다. 그러나 다른 지역에서는 독일 정착자들이 어떤 때는 동화되고, 어떤 때는 독일어와 문화 '섬'을 만들면서 현지 주민들과 같이 뒤섞이고 혼합되었다. 보헤미아, 헝가리, 트란실바니아 그리고 후에 러시아제국의 일부 지역이 이런 예가 되었다.

그러나 폴란드 왕들이 자신들의 영역으로 초청한 종족 집단은 독일인 만이 아니었다. 11세기부터 시작되고 16세기에 가속화된 과정으로 폴란드 왕들은 유대인들, 특히 독일에서 핍박을 피해 나온 아슈케나지Ashkenazi 유대인을 받아들였다. 이들은 이디시라고 알려진 독일어 구어를 가지고 왔고, 폴란드는 전 세계에서 가장 큰 유대인 공동체를 가진 나라가 되었다. 숫자는 적지만 중요한 라딘어Ladin*를 사용하는 유대인 공동체는 가톨릭을 신봉하는 스페인에서 추방당한 15세기부터 남동부 유럽으로 들어왔다. 20세기가 되었을 때 사라예보 주민 7명 중 1명은 세파르드Sephardic 유대인 이나 아슈케나지 유대인 후손이었고, 이들은 이슬람교도, 세르비아 정교 도, 로마가톨릭 교인과 함께 이 도시에 거주했다.[20]

폴란드 왕들이 유대인들을 초청한 이유는 독일인과 마찬가지로 인구가 희박한 지역에 기술을 가지고 들어왔기 때문이었고, 그래서 이들의 권리 를 대부분 존중해주었다. 그러나 폴란드도 기독교 세계의 일부였기 때문 에 유대인들을 도시의 일정 지역에 거주하게 하면서 분리시켰다. 유대인

---

* 북부 이탈리아 돌로미테 산악 지역에서 사용되는 로망스어족에 속하는 언어로, 남부 티롤, 트렌 티노, 벨루노의 라딘계 주민들이 주로 사용한다.

들은 농촌 지역에 거주하거나 농촌에서 토지를 소유하는 것이 금지되었고, 특정한 의복을 입고 표식을 달도록 했다. 서유럽에서와 마찬가지로 유대인이 기독교 아동을 살인하는 의례를 행하거나 성스러운 기독교 기념물을 훼손한다는 등의 악의적 구설이 퍼져나갔다. 1399년 후자에 대한 소문으로 폴란드 포즈난에서는 십여 명의 유대인 지도자와 이들을 도운 기독교인 공범들이 체포되어 처형당했고, 유대인 공동체는 영성체 주관자로부터 빼앗았다고 주장하는 금액을 교회에 세금으로 바쳐야 했는데 이 관행은 300년간이나 지속되었다.[21] 역사가들은 1530년대부터 17세기 초까지 약 50번의 유대인 학살을 기록했고, 여기에는 1648년 우크라이나 땅의 폴란드 통치에 대항해 일어난 코자크 병사들과 농민 반란으로 인한 유대인 학살도 포함되었다. 그러나 이런 상황 속에서도 상대적으로 관용적인 법적 환경 덕분에 유대인 공동체는 경제적·문화적으로 성장하고 번영했다. 일부 랍비는 폴란드를 유대인의 이상향이라고 말하기도 했다.[22]

중동부 유럽 전체를 보면, 유대인은 언어(대부분 이디시어), 종교, 직업, 의복, 거주 장소로 인해 다른 어떤 종족 집단보다 선명하게 드러났다. 민족주의 시대 훨씬 이전에 유대인은 궁극적인 '이방인'으로 간주되었고, 19세기에는 지속적으로 폭력의 대상이 되었으며, 이들이 새로운 민족주의 운동에 어떤 입장을 취하건 상관없이 위기와 혼란 시기에는 더욱 그랬다. 앞으로 서술하는 바와 같이 종교적 관용의 확대는 유대인을 보호하지 못했다. 이것은 단지 종교적 왜곡을 세속적 편견으로 바꾸어서 유대인들은 무엇으로도 용서받을 수 없는 먼 과거의 죄악 때문에 고통받아야 할 운명을 타고났다는 믿음이 계속 지속되게 만들었다. 이것은 기독교의 반유대주의가 근대적 유대인 배척주의로 바뀌는 과정이었다.

그러나 당분간 폴란드 왕들은 자신들의 신민들이 무슨 종교를 신봉하

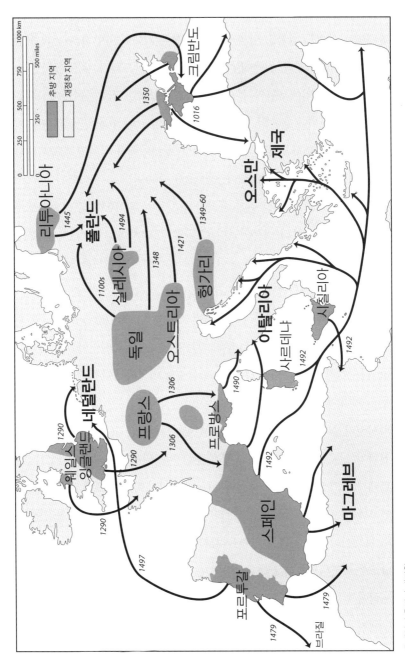

유대인의 추방과 재정착

는지, 무슨 언어를 사용하는지에 큰 신경을 쓰지 않았다. 다른 군주들과 마찬가지로 폴란드 왕들도 상속과 결혼을 통해 거대한 다민족·다인종 유산을 얻게 된 것이었다. 최근에 시성된 폴란드의 야드비가 왕은 1386년 브와디스와프 야기에우워와 결혼하여 폴란드왕국과 리투아니아대공국을 결합시킴으로써 폴란드의 근대 국가 기초를 놓았다. 1569년 그의 후손이 단절되자 폴란드와 리투아니아 귀족들은 왕조연합을 국가연합으로 전환하고 왕을 선출하기로 결정했다. 이 국가는 200년간 더 존속했지만, 러시아가 귀족들에게 뇌물을 주어 자신이 추천하는 왕 후보자를 선출하도록 만들면서 내부로부터 전복되었다. 그런 다음 러시아는 1771년, 1792년, 1795년 세 번의 분할을 통해 폴란드를 복속시켜서 폴란드를 사라지게 만들고 그 영토를 분할 공모국인 프로이센, 오스트리아와 나누어가졌다.

초기 근대 합스부르크왕국의 성장은 이보다 더 화려했다. 1517년 빈의 성스테판 성당에서 진행된 두 쌍의 합동결혼식에서 보헤미아와 헝가리의 왕 루이 야기에우워는 합스부르크의 공주인 매리와 결혼했다. 두 사람 모두 나이가 불과 9세였다. 그리고 루이의 누나인 안나는 합스부르크 황제 막시밀리안과 결혼했다. 안나는 12세 막시밀리안은 56세였다. 그러나 이 연합왕조는 안나가 1521년 실제 결혼한 막시밀리안의 손자인 페르디난트에게 넘겨질 것으로 모두 이해했다. 페르디난트는 1526년 자신의 매부인 루이가 모하치 전투에서 오스만의 술레이만 대제와 싸우다가 전사하자 보헤미아와 헝가리의 왕관을 차지하게 되었다. 일부 헝가리 귀족들이 합스부르크가 헝가리 왕좌를 차지하는 것에 반대했지만, 150년 후 오스만 세력이 헝가리 영토에서 쫓겨나자 이 왕좌가 합스부르크 가문 남자 후손들에게 상속된다는 것은 유럽에서 당연히 여겨졌다.

루이의 비극이 합스부르크왕가를 만든 셈이다. 보헤미아는 오늘날 체코공화국을 포함하고 있었지만, 헝가리왕국은 거대한 영역을 차지하고 있었다. 오늘날 헝가리뿐만 아니라 슬로바키아, 트란실바니아, 북부 세르비아(보이보디나)와 서부 우크라이나, 슬로베니아, 오스트리아의 일부를 차지하고 있었다. 또한 크로아티아 귀족들이 12세기에 헝가리 왕을 자신들의 왕으로 추대했기 때문에(자신들의 권리를 보호하는 조건으로) 크로아티아도 보유하고 있었다. 그래서 합스부르크 가문의 수장은 헝가리의 왕이자 크로아티아의 왕이었다.

합스부르크왕가는 오스만 세력인 발칸 군대의 지속적인 침공을 막아내려는 절박한 시도로 루이왕가와 결합했다. 이 세력은 14세기부터 주로 기독교 국가들의 불협화음을 이용하며(일례로 헝가리와 세르비아 사이) 북쪽의 영토를 흡수하기 시작했다. 1683년 빈에서 격퇴되고, 후에 점차적으로 밀려난 오스만튀르크인들은 후에 그리스, 루마니아, 불가리아, 알바니아, 유고슬라비아가 되는 영토와 헝가리의 상당 부분을 점령했었다. 이들은 정복한 지역 주민들을 강제적으로 개종하게 하거나 튀르키예어를 배우게 만들지는 않았지만, 비이슬람 주민은 토지를 소유하거나 국가 공무에 종사할 수 없었다. 시간이 지나면서 수십만 명의 주민들이 기독교에서 이슬람으로 개종했다. 많은 사람들은 이슬람에 매력을 느껴서 개종했고, 특히 보스니아의 사냐크 지역은 17세기가 되자 주민의 79퍼센트가 이슬람 신자가 되었다. 나머지는 세르비아 정교도, 로마가톨릭 교인과 유대인이었다.[23] 오랜 세월 동안 오스만제국은 기독교 가정으로부터 약 20만 명의 소년들을 빼앗아 이들을 이슬람으로 개종시키고 교육시킨 후 이들이 군대와 공직에서 최고의 자리에 오르는 길을 열어놓았다.• 이러한 혈통

• 이들이 술탄의 근위대이자 후에 특권 계급이 되는 예니체리를 형성했다.

공납blood tax*을 시행한 이유는 새로운 인재들을 계속 오스만 국가에 수혈하고, 제국 중앙 권위에 복종하고 충성하는 젊은이들을 공급하기 위한 것이었다. 이 제도는 엽관주의와 후견인 제도를 흔들어놓았다.[24]

그러나 오스만제국 정복 이전에도 종교는 동유럽 종족 집단을 분리시켰다. 동방 기독교와 서방 기독교의 경계선은 보스니아에서 북쪽으로 출발하여 폴란드, 체코, 슬로바키아, 슬로베니아, 세르보-크로아티아 가톨릭교인과 불가리아어, 세르보-크로아티아어, 마케도니아어, 우크라이나어, 러시아어를 사용하는 정교회 주민과 분리시켰다. 루마니아인들도 절대다수가 정교도였다. 통치왕가가 정교도였던 러시아는 동유럽 정교회 주민들, 특히 세르비아인, 루마니아인, 그리스인, 불가리아인과의 친연성을 주장했다. 1774년 체결된 쿠츄크-카이나르지조약Treaty of Küçük Kaynarca**에서 오스만제국은 자신의 영역 안에 거주하는 정교도들을 위해 러시아가 간섭하는 권리를 인정했다. 그러나 러시아의 간섭은 나름의 목적이 있었다. 러시아는 세르비아, 루마니아, 불가리아의 독립을 지원하며 남서쪽 발칸반도로 주도권을 확장하려고 시도했다. 가신 정권이나 영토의 직접 지배를 통한 이러한 영향력 확장은 궁극적으로 오스만제국을 통제하고 지중해로 진출하려는 희망에서 비롯된 것이었다.[25]

몇 세기에 걸쳐 수십만 명의 정교도 기독교인들은 오스만 지역을 떠나 북쪽으로 이주하여 국경 바로 넘어 합스부르크제국 지역에 정착했다. 일부는 크로아티아, 일부는 남부 헝가리에 정착하여 국경 지역을 방어하는

• 튀르크어로 데브쉬르메(devşirme)라고 불린 이 제도는 발칸 지역 피지배민들의 아동을 강제로 빼앗아 병사나 관리로 양성하는 제도를 말한다. 일명 'child levy'라고도 한다.
•• 1768-1774년 러시아와 오스만제국의 전쟁 결과로 맺어진 조약으로 오스만제국 몰락의 시작을 알렸다. 오스만 당국은 제국 내 정교도 주민에 대한 직접적 책임을 지게 되었고, 러시아는 코카서스의 카바르디아를 획득하고, 아조프항, 케르치항 등에 대한 접근권을 얻었다.

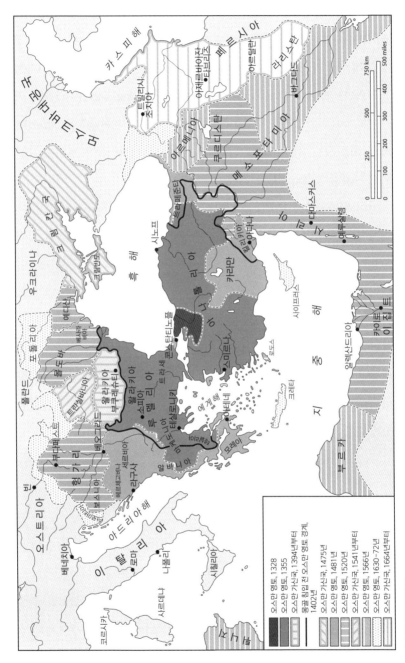

오스만 세력의 전진

범례

- 오스만 영토, 1328
- 오스만 영토, 1355
- 오스만 가신국, 1394년부터
- 몽골 침입 전 오스만 영토 경계, 1402년
- 오스만 가신국, 1475년
- 오스만 영토, 1481년
- 오스만 영토, 1520년
- 오스만 가신국, 1541년부터
- 오스만 영토, 1566년
- 오스만 영토, 1630~72년
- 오스만 가신국, 1664년부터

의무의 대가로 농지를 하사받았다. 그 결과 정교회 기독교인 공동체는 크로아티아와 슬라보니아에서는 보스니아와의 국경을 따라, 또한 도나우강 동쪽 지역과 베오그라드 바로 북쪽에 발달했다. (보스니아 인근에서 동쪽으로 오스만 세르비아 변방까지 이어진 이 방어적 완충지대를 지칭하는 독일어는 '군사지대Militärgrenze'고, 세르보-크로아티아어로는 보이나 크라이나Vojna krajina이다. 252쪽 지도 참조.) 합스부르크제국 통치하의 세르비아인들은 토지 소유권 외에 자치와 종교의 집단 권리를 부여받았다.

언어와 마찬가지로 종교는 기회를 만나면 수단으로 사용할 수 있었다. 러시아는 불가리아나 세르비아에서 탄압받는 정교도 슬라브인들의 지원자를 자처하고 나섰지만, 이익이 있을 때는 비정교도 국가들과도 기꺼이 협력했다. 18세기 말 3차에 걸친 분할에서 러시아는 개신교 국가인 프로이센과 가톨릭 국가인 오스트리아와 협력하여 (주민 대부분이 가톨릭 교인인) 폴란드를 지도에서 지워버렸다. 이제 폴란드 대부분의 지역은 종교적으로 외세인 국가들의 지배를 받게 되었고, 이것은 폴란드인들의 정체성을 강화해주었다. 이는 이슬람 지배가 남슬라브인들 사이에 별도의 정체성을 갖게 만들어준 것과 마찬가지였다.

∗　∗　∗

남동부 유럽을 몇 세기에 걸쳐 오스만제국이 지배한 유산에 대한 논의만큼 논쟁거리가 되는 주제는 없다. 대부분의 통치 지역에서 오스만제국은 국가가 하는 일을 했다. 제국은 질서를 보장하고 어느 정도의 성장을 주관했다. 오스만제국은 서유럽 열강보다 종교적 자유를 좀 더 효과적으로 보장했다고도 볼 수 있다. 강제적 이슬람 개종은 주로 오스만 국가의 공직에 끌어들인 소년들에게 제한되었고, 프랑스나 오스트리아에서 일어난 것과 같은 유대인과 개신교도의 추방은 없었다. 마녀 심판도 일어나지 않았고, 이교도를 나무 기둥에 묶어 화형에 처하는 일도 없었다. 15세기와 17세기 중유럽의 인구를 크게 감소시킨 종교 전쟁도 없었다.

그러나 이 지역 대부분, 특히 세르비아, 몬테네그로, 그리스, 불가리아, 헝가리의 기독교 주민들 사이에서 역사적으로 오스만제국 지배에 대한 '기억'은 부정적이다.[26] 이것을 서술하는 이 지역의 용어는 대동소이하게 '노예 상태'라는 말로 표현되었다. 이 이야기는 맞거나 틀리다고 말할 수 없다. 이러한 것에 신경을 쓰는가 하는 문제 자체도 인종적 관점에 달려 있다. 다시 말해 이것을 믿을 것인가 아닌가는 세르비아나 불가리아 사람이 역사에서 생존하고 발전할 인본적 가치가 있는가, 또는 남부 판노니아 평원이 인종적 헝가리인들의 확고한 정착지인가, 아니면 가장 핵심적으로는 지구상에 불가리아, 헝가리, 세르비아 문화가 정치적 보호를 받으며 발전할 수 있는 공간이 있어야 한다는 것을 중요하게 생각하는가에 달렸다.

이러한 담론 속에 사는 사람들에게 이러한 사실은 단순하고 결론은 분명하다. 통치 초기 오스만제국은 학살, 약탈, 노예화, 토착 귀족과 상인계급의 파괴와 침식을 가져왔고, 현지 기독교 주민들을 거대한 농민 소작인인 하층계급으로 만들었다.[27] 예술품은 파괴되었고, 토착 문화와 언어는 정체되었다. 토착어로 교육이 진행되는 학교제도는 전혀 없었고, 문학도 전혀 없었다. 초기 근대 국가성을 만들어낸 차이에 대해 이해하려면, 토착 엘리트를 보존하고 문학은 물론 고등교육 기관과 대학, 사법제도, 군대, 현재까지 그 흔적이 살아남은 정치문화를 만든 폴란드를 보면 된다.

우리가 본 바와 같이 남슬라브 지역에서 농민 문화는 늘 존재해왔었다. 민중시가 전통은 오스만 제후들을 방해하지도 않았고, 이들의 관심도 끌지 못한 농촌 가정에 계속 전승되어왔고, 고대 세르비아왕국과 불가리아 제국에 대한 기억도 계속 이어져 왔다. 남슬라브인들에게 토착 고급문화가 있었다면 이것은 오스만제국 경계 밖에서 발전되었다. 예를 들어, 세르비아 문학과 학문은 합스부르크 당국이 오스만 지역에서 온 난민들이 정착하는 것을 허용한 제국 남쪽 국경 지역에서 발전했다. 이 지역 출신 학생들은 이탈리아나 프랑스를 여행하여 학문, 과학, 국가 운영의 현대적 조류에 대한 견문을 넓혔다. 18세기 말 세르비아 계몽운동이 슬라보니아 지방의 스렘스키카를로브치(합스부르크령 헝가리의 일부)에서 발전했다. 계몽운동의 등대 격인 디미트리예 '도시테이' 오브라도비치(1740-1811)는 독일의 할레에서 배운 프랑스 계몽사상을 전파했고, 특히 도덕적 이야기와 우화를 통해 이 운동을 전개했다. 19세 초 세르비아 반군들이 오스만튀르크로부터 독립 영토를 획득했을 때 그는 국경을 넘어가 고등학교를 세우고 세르비아인 교육기관을 설립하는 것을 도왔다. 이와 유사하게 18세기 말과 19세기 초 불가리아에서 진행된 계몽운동도 주로 불가리아 영역 밖에서 성장하고 발전했다.[28]

오스만 지배의 폐해를 강조하는 담론은 서유럽에서는 기술과 과학 발전에 자극된 경제가 도약을 시작한 데 반해, 남동부 유럽은 비생산적인 체제에 묶인 채 경제적·군사적으로 쇠퇴하기 시작했고, 역설적이고 동정적이게도 오스만제국이 17세기 말부터 제국 공무에 봉사시키기 위해 소년들을 데려가는 것을 중단하면서부터 오스만제국의 쇠퇴가 시작되었다고 보았다. 그 이후 만성적인 부패가 남동부 유럽 현지 지배 엘리트층에 만연해서 앞에 언급한 대로 1804년 세르비아 지역에서 시작된 봉기를 촉발시켰다. 작동하는 정치 질서를 원하고 혁명가들의 도움으로 이를 성취하기 원했던 술탄은 처음에는 혁명가들의 편을 들었다.

＊　＊　＊

'민족nation, natio'이란 단어는 근대 이전에도 존재했지만, 오늘날과 같은 의미를 가지고 있지는 않았다.[29] 크로아티아, 헝가리 또는 폴란드 지역에서 '민족'은 세습적인 엘리트, 상류층, 귀족이었고, 이들은 '일반' 주민들과 자신들을 구별하는 특권을 누리고 있었다. 일례로 이들은 동료들에 의해 재판은 받되, 기소 없이 투옥되지 않을 권리, 사병私兵을 유지하고 근친결혼을 할 수 있는 권리를 가지고 있었다. 일부 경우, 특히 폴란드 중부 지역에서는 이러한 귀족의 수가 상당히 많아서 주민의 약 4분의 1을 차지했다. 헝가리에서 귀족은 주민의 6퍼센트를 차지했지만, 이와 대조되게 프랑스에서는 인구의 1퍼센트도 되지 않았다.[30] 폴란드와 헝가리에서 자치 권리는 상당히 커서 세습 귀족들은 러시아는 말할 것 없고, 프랑스 귀족들보다 훨씬 큰 권력을 누리고 있었다. 16세기가 되자 폴란드 귀족들은 국왕을 선출하게 되었고, 17세기에는 의회Sejm에서 입법은 '자유비토권liberum veto'이라고 불린 권리를 통해 만장일치로만 진행되었다.

17세기가 되자 폴란드 귀족들은 정치적·문화적으로 강한 결속감을 갖고 넓은 영토를 통제하고, 점점 더 로마가톨릭 신앙을 강화했다. 프로테스탄트 개혁파는 초기에는 인기를 끌며 용인되었다.[31] 폴란드 귀족들은 기독교 초기에 슬라브 종족들을 복속시켰던 이란계 종족인 '사르마티아인'에서 유래한 신화를 발전시켰다. 이 신화로 귀족들은 폴란드 내 다른 모든 주민에 대항해 더욱 강한 집단유대감을 발전시켰고, 특권의식을 강화하고 민족이라는 사고에서 다른 모든 주민들을 배제시키는 경향을 보였다.[32]

그러나 귀족 민족들의 문화적 정체성은 전근대적이었다. 폴란드와 헝가리 시인들은 15세기부터 자국어를 시를 쓰기 시작하며(토박이 예배 의례서는 이보다 훨씬 오래전부터 있었다) 중요한 문학 작품들을 창작했지만, 이들은 언어에 대한 숭배는 만들어내지 않았다. 19세기의 자유민주주의적 애국자들과는 다르게 초기 근대적 귀족들은 폴란드어나 헝가리어로 말하는 모든 사람이 폴란드나 헝가리 '민족'을 구성한다고 믿지는 않았다. 17세기 이후 이들은 자기들끼리는 프랑스어와 라틴어를 사용하며, 다른 유럽 엘리트들과 문화적 동질감을 느꼈다. 이들은 서로 건축과 음악에 대한 취향을 공유했고, 귀족들의 아들들은 프랑스와 이탈리아의 대학에서 서로 어울렸다.

근대 민족주의와 다르게 민족이라는 사상은 한 인종으로 보이는 다양한 주민들을 모두 포함하기보다는 하나의 사회집단에만 한정된 것이었다. 근대 초기 폴란드나 크로아티아 귀족들은 폴란드어나 크로아티아어를 사용하는 농민들을 자기 민족의 일부로 생각하지 않았고, 종종 이 농민들을 하층 인간으로 생각했다. '농민'이라는 단어는 종종 '노예'와 동의어로 취급받았으며, 거칠고 어떤 취미도 없는 사람들이라는 느낌을 불러일으켰다.[33] 서유럽 농민들이 농토와 의무 노동에서 해방되던 시기에 '두 번째 농노제'가 동유럽 많은 지역에서 자리를 잡고 있었다. 농지를 경작하는 사람들은 거기에 묶여서 주인의 허락 없이는 떠날 수 없었다. 이들은 주인이 채찍으로 때리고, 그렇지 않으면 수많은 방법으로 모욕을 줄 수 있는 대상이었다. 농업 체제란 관점에서 보면 동유럽과 서유럽을 구별하는 분명한 경계선은 존재하지 않지만, 동쪽으로 이동할수록 농민의 자유는 줄어드는 경향이 있고 농업 생산성도 줄어들었다.[34]

폴란드나 헝가리 귀족들이 영토 소유권을 주장할 때, 이것은 같은 언어를 쓰고 같은 '혈통'인 주민들을 통합하기 위한 것이 아니었다.[35] 이들은 자신들 인종의 모든 사람들을 하나의 특정 국가에 포함시킨다는 생각은 전혀 없었다.[36] 그러나 이러한 근대 초기 귀족 민족 정체성은 근대 민족주의와 같이 인종적으로 배타적이지도 않았다. 갈리시아 지방에 거주하는 우크라이나어를 사용하는 토박이 귀족들은 자신들을 폴란드 귀족 민족의 일원이라고 생각했고, 이들은 시간이 지나면서 아무 의문도 제기하지 않고 문화적으로 폴란드인이 되었다. 16세기와 17세기 바티칸은 (폴란드령) 우크라이나와 (헝가리령) 트란실바니아의 정교회 신도들이 자신들의 예배 의례와 사제의 결혼을 포함한 관습을 유지한 채 로마가톨릭과 '재연합되는' 것을 허용했다. 교황의 권위를 인정하며 비잔티움 의전을 지키는 이 교회는 일반적으로 '연합교회'로 알려졌다.

오래된 귀족 권리의 유산의 중요성은 귀족을 지원하는 정치적 구조가 쇠퇴하고 완전히 사라진 후에도 집단적 정체성과 특권의식이 사회적 집단 가운데 살아남았고, 대체적으로 아주 느리고 다양한 수준으로 다른 사회 집단에도 확산되었다. 이렇게 폴란드, 헝가리, 크로아티아 귀족들은 초기 중세와 근대 국가가 무너진 다음에도 자치권과 '자유'를 계속 주장했다.[37] 1795년 3차 분할로 폴란드 국가가 붕괴한 다음에도 폴란드 귀족 중에는 폴란드는 사고와 관습의 공동체와 공통 문화로 지속되고 있고, 1840년대 파리에 망명한 폴란드 작가들 사회에 여전히 존재하며, 오스트리아와 러시아에 병합된 폴란드 지역의 폴란드어 사용자들 사이에 존재한다고 주장하는 사람들이 있었다. 폴란드는 사라지지 않았고, 인류에 대한 임무를 가지고 있다는 '위대한 파리 이민Great Parisian Emigration'이라는 이 사고는 다시 폴란드로 수입되어 농민을 포함한 다른 계층의 젊은이에게 영감을 주었다. 특히 폴란드 교육제도가 널리 확산되면서 이러한 경향은 강화되었다 (이 교육은 종종 지하에서 활동하는 민족 운동가들에 의해 수행되었다).

그러나 소도시와 농촌 지역의 특권 없는 계층이 더 큰 인종, 문화, 언어 집단에 소속되었다는 감각이 없다고 말하는 것은 잘못된 것일 수 있다. 합스부르크제국이 1620년 프라하 외곽의 백산White Mountain, Bila hora 전투에서 보헤미아 근대 초기 엘리트의 상당 부분을 제거한 후에도 체코어를 사용하는 일반 주민들은 특별한 정체성을 가지고 있었다. 물론 이것은 아직 다른 체코어 사용자들을 포함하는 국가를 만들고 싶다는 욕구로 발전되지는 않은 상태였다. 이러한 원元 민족 정체성은 한 사람의 충성을 배타적으로 주장하고 일상생활과 상관이 없는 것은 아니었다. 그러나 보헤미아 농민들은 체코 왕들 통치하의 '좋았던 옛 시절'에 대한 이야기를 후손들에게 전하고 자신들의 '조국'의 전통을 존중했다. 이들은 독일어를 사용하는 지배계급인 귀족, 행정·군사 관료 또는 고위 성직자는 압제자로 간주했다.[38] 이들은 비록 문맹이었지만 예전의 토착 프로테스탄트 전통에 대해 잘 알고 있었고, 수세기 전에 체코 부대들이 종교개혁가 얀 후스의 가르침을 수호하기 위해 반란을 일으킨 것도 잘 알고 있었다. 이들은 또한 가톨릭 교인인 합스부르크 통치 세력이 토착 유산에 반대하고 있다는 것도 알고 있었다. 그러나 이러한 소외감은 완전히 새로운 것은 아니었다. 예전에 후스파 전사들은 철저하게 반독일적이었고, 얀 후스(1410년 사망)는 원조 애국자였다. 그는 체코어로 설교를 하고, 표기법을 크게 단순화하기 위해 하체크haček• 발음구별기호를 도입해서 체코어를 현대화했다(그 이전에 체코

• 슬라브어에서 구개음화로 생긴 음운을 표시하기 위해 기존의 라틴 알파벳 위에 붙인 기호이다. 체코어에서는 치찰음(affricate) č와 떤음(trill) ř가 해당된다.

어는 폴란드어처럼 표기되었다).[39]

마찬가지로 트란실바니아에서도 공유한 종교는 인종적 소속과 겹치며 정교도인 루마니아어 사용 농민들이 칼뱅파 마자르족 지주들에 대항하는 원π 민족의식을 만들어주었다.[40] 17세기 말 루마니아어 사용자는 인구의 절반에 달했지만, 이들은 아직 농지를 소유하고 있지 못했을 뿐 아니라 합스부르크 당국은 이들의 존재를 공동체로 인정하지 않았다. 마자르족, 세클러족, 삭슨족만을 권리가 있는 '정치적 민족'으로 간주했다.[41] 그러나 1700년 이후 합스부르크 국가는 연합교회 예배 수행 사제들을 서유럽으로 보내 교육을 받게 했고, 이곳에서 이들은 자신들의 종속적 지위에 의문을 갖게 만들어준 계몽사상 서적을 만나게 되었다. 그 결과는 루마니아인들의 권리를 요구하는 운동으로 나타났다.[42]

1790년대 독일에서 출간된 한 학술적 설명에 의하면 마르크강 유역에 거주하는 슬로바키아인들은 블라흐 고지대에 사는 힘이 넘치는 주민(루마니아인들)에 비해 '무기력하고, 실의에 빠져 있고, 부드러운' 것으로 묘사되었다.[43] 많은 슬로바키아 사람들은 헝가리인들을 '폭력배'라고 생각했고, 헝가리인들은 슬로바키아인을 '아무 쓸모도 없는 인간들', 루마니아인을 '가난한 악마들'이라고 생각했다.[44] 이런 것은 잘 알지 못하는 외국인에 대한 고정관념이 아니라, 옆 마을이나 소도시 혹은 옆집이나 다음 거리에 사는 이웃에 대한 고정관념이었다.

자신들을 하나로 묶는 느낌을 넘어서서 루마니아인이나 다른 동유럽 주민들은 다른 종족 집단과 구별된다는 감각을 가지고 있었다. 슬로바키아어 사용자나 슬로베니아어 사용자들은 자신들이 헝가리인이나 이탈리아인이 아니라는 것을 잘 알고 있었고, 근대 초기 크로아티아인들은 세르비아인을 라시안Rascians(세르비아 지역 사람), 블라흐Vlachs(보스니아-헤르체고비나 지역 사람)라고 불렀다. 15세와 16세기 크로아티아 문학의 르네상스 시기에 반反베네치아, 반反오스만 주제가 유행했고, 모국어를 포기한 사람들을 비난했다.[45] 역사가들은 다음과 같은 2행시가 16세기 중반에 유래한 것으로 본다. "세상이 세상으로 남아 있는 한 독일인은 절대 폴란드인의 형제가 될 수 없다."[46] 이미 12세기부터 폴란드 엘리트들은 이웃보다 우월하다고 느꼈고, 체코인들과 아직 원시 신앙을 벗어나지 못한 북쪽 지역 사람들을 경멸했다.

루마니아 농민들이 1784년 자의적인 지주-소작인 관계에 불만을 품고 봉기를 했을 때, 이들의 적대감은 가톨릭교도이자 외지인인 헝가리인 '폭군들'에 초점이 맞추어졌다.[47] 세르비아 지역에서 이슬람교도들은 지주와 도시 주민을 구성했고, 농민은 세르비아인과 동의어가 되었다.[48] 정교도 슬라브인들은 슬라브인 이슬람교도를 '세르비아인도 아니고 튀르크인도 아닌, 죽도 밥도 아닌' 혐오스러운 변절자로 보았다. 오래된 교회는 목이 잘린 튀르크인과 튀르크인처럼 보이는 병사를 칼로 찌르는 '전사-성자 warrior-saints' 모습의 장식을 보존하고 있었다.[49] 국경 지역 주민들은 사악한 것을 표현할 때 이슬람교도를 인용하며 '튀르크인보다 더 악한 존재'라고 말했다.[50]

보헤미아에서는 토지 임대 제도가 좀 더 평등적이었지만, 이 지역을 방문하는 여행자들은 체코어 사용자들이 하층계급을 이루고 있다는 것을 분명히 알 수 있었다. 프로이센 작가이자 모험가인 바론 폰 필니츠는 1730년 보헤미아 지방 여행에서 받은 두 가지 인상을 기록했다. 하나는 프라하의 상류층만큼 화려한 생활에 취한 상류층은 지구상에 없다는 것이었다. 두 번째는 이들은 아무 의무도 수행하지 않는다는 점이었다. 보헤미아의 귀족은 거의 국가 공무를 수행하지 않았다. 왜냐하면 "이들은 농민들이 노예처럼 일하는 자신의 영지에서 절대 주인 노릇을 하고, 소군주처럼 프라하의 시민들로부터 세금을 받는 데 너무 익숙해져 있어서, 이들은 빈에 살거나 다른 신민처럼 주군이나 장관에게 경의를 표할 필요도 없었다".[51] 보헤미아는 온천과 안락함이 넘치는 부자들을 위한 놀이터가 되었다.

영국의 사제 조지 그레이그가 1세기 후 이 땅을 밟았을 때, 교육받은 체코인들은 보헤미아 독립 시절에 대한 기억조차 압제받고 있는 것에 분개하고 있었다. 고위 성직자들은 자신들의 소중한 언어가 사용 금지되고 특권이 사라진 것에 대해 분노를 표현했다. "우리는 사람들이 모두 이해할 수 있는 언어로 모든 곳에서 법이 집행되고, 우리가 우리 일에 대해 일정한 통제를 할 수 있도록 허용될 때까지 절대 만족하지 않을 것이다"라고 말했다. 좀 더 신분이 낮은 사람들도 이에 동의했다. "우리는 더 이상 민족이 아니다. 외부인이 우리를 통치하고, 우리 발목에는 족쇄가 채워졌다."[52] 이 사람들에게 동정을 표시한 그레이그 자신도 종속 민족의 고난에 예민한 스코틀랜드 사람이었던 것 또한 우연이 아니었다. 그는 영국의 인도 지배에 관한 네 권짜리 책도 썼다. 그의 동족들처럼 체코인들도 자신들의 일을 좀 더 통제할 수 있기를 원했다.

에티엔느 바리바르는 "모든 근대 민족은 식민화의 산물이다"라고 쓴 바있다. 모든 근대 국가는 식민 국가였거나 식민화된 국가였다. 두 번째 범주는 중동부 유럽 주민들에게 적용될 수 있었다.[53] 식민주의가 전 세계로 확대되면서 압제의 정도는 서로 교차하거나 서로를 강화시켰다. 이것은 문화와 언어, 행정, 경제, 사회 모든 분야에 적용되었다. 중동부 유럽 대부분 지역에서는 외부에서 온 지주들이 (현지인을 통해) 신민들의 삶을 통제했고, 이들과 국왕 사이의 중간자 역할을 했다.[54] 대중들의 분노는 문화와 언어 압제에 가장 집중되었다. 그 이유는 이것이 외부인의 경멸로서 가장 고통스런 부문이었기 때문이었다. 이것은 정체성과 의미의 근원인 부모와 조부모의 세계인 가정을 모욕하는 것이었다. 19세기에 들어오면서 체코 운동의 기본 목표는 체코어가 보호되는 곳에서 정치적 단일체를 만드는 것이었다. 이 운동에 가장 앞장선 언론인인 카렐 하블리체크-보로프스키는 그렇게 하지 않으면 다른 사람의 언어와 문화의 '노예'가 된다고 기록했다. 이 말은 과장법처럼 느껴지지만, 이는 그가 한 말 그대로의 의미였다.

＊ ＊ ＊

빈과 이스탄불에 있는 통치자들은 폴란드, 보헤미아, 헝가리와 과거 세르비아 지역 어디건 자신들이 획득한 지역을 식민지로 만들고 있다고 생각하지 않았다. 그러나 이들이 자신들의 통치영역에서 거대한 공간을 통합하고, 사상, 사물, 행정가들의 자유로운 통행을 허용하면서 (그것이 무엇을 의미했는지를 떠나서) 오랜 세월에 걸쳐 이 지역들을 놀라울 정도로 무질서하고 복잡하게 만드는 데 성공했다. 그래서 빈은 19세기 말에는 체코인, 폴란드인, 남슬라브인, 유대인, 이탈리아인, 우크라이나인들의 '식민지'가 있는 작은 시카고가 되었다. 유대인 공동체 자체도 체코인, 독일계 유대인뿐만 아니라 동부 폴란드의 소도시 출신 유대인으로 구성되었다. 1878년 이후 합스부르크제국은 이미 종교와 언어의 다중우주였던 보스니아-헤르체고비나를 합스부르크 관리들과 제국 영역 도처에서 오는 사업가들의 유입으로 더욱 다양하게 만들었다. 1차 세계대전 발발 시점에 합스부르크제국 군주정은 아마도 이 지구상에서 종교적·인종적·언어적으로 가장 복합적인 거대한 공간이 되었고, 이것은 중동부 유럽의 본질이 되었다.

중동부 유럽을 다른 지역과 다르게 만드는 것은 서방의 끝에 있다거나 어떤 경계 너머에 있다는 입지, 혹은 합스부르크 총리 메테르니히가 빈 동쪽에 있는 모든 것을 서술할 때 쓴 '아시아' 쪽에 있다는 사실이 아니었다. 동로마제국과 서로마제국을 가르고, 후에는 동방 기독교와 서방 기독교를 가르는 선은 동유럽과 서유럽을 나누는 것이 아니라 중동부 유럽의 한 가운데를 지나간다. 중동부 유럽은 압도적으로 농촌 사회이지만 그렇다고 '후진성'으로 정의할 수 없다. 영불해협에서 동쪽으로 이동할수록 도시가 적어지고, 농장의 생산성도 떨어지며, 길도 적고 형편없어지고, 문자해독률과 기대 수명도 낮아진다. 그러나 이러한 감소는 특별한 경계 없이 아주 조금씩 일어난다. 중동부 유럽은 높게 발전한 서부 중심지역과 외곽 변방 사이 어딘가 중간에 있다. 낮은 사회경제적 발전으로 여기를 정의할 수 없다. 더 동쪽에 있는 지역은 더 농촌적이었다.

중동부 유럽은 서방의 변방 끝이라기보다는 동부와 서부, 북부와 남부의 중간 공간이다. '교차로'라는 말은 너무 약한 단어다. 이 지역은 항시 모든 방향에서 오는 통제하기 어려운 이동이 일어나는 뉴욕의 그랜드 센트럴 역이나 타임스 스퀘어와 마찬가지다. 남쪽으로부터는 세르비아인이 이주하고, 북쪽에서는 유대인이 이동하고, 서쪽으로부터는 독일인이 이주해 오고, 아나톨리아의 영향을 받으며, 러시아와 이탈리아뿐 아니라 발트해와 중부 독일의 영향을 끌어들인다. 이 지역은 19세기 말 엘리트 지식인들이 상트페테르부르크에서 몇 학기를 공부한 다음 빈, 프라하 또는 파리의 대학으로 옮겨가고, 영민한 변호사나 의사가 보헤미아 변경 지역에서 자라난 다음 오늘날의 리투아니아나 아드리아해의 트리에스테에서 경력을 쌓는다. 로자 룩셈부르크 같은 폴란드계 유대인은 바르샤바, 베를린, 취리히에서 공부를 한 다음 러시아, 폴란드, 독일 사회민주당에서 동시에 지도적 인물이 될 수 있는 곳이기도 했다. 하나의 사회와 문화로서 사상과 사람이 살고 번성했기 때문에 이러한 사상과 사람의 이동은 끊임없이 이어졌다. 중동부 유럽은 사실상 경계가 없었다.

＊ ＊ ＊

하지만 중동부 유럽은 인종적으로, 문화적으로, 언어적으로, 종교적으로, 경제적으로 경계가 있는 일정한 장소이다. 어느 사람이 아주 다른 방법으로 역사를 만들고 상상을 하는 1평방킬로미터 안에 살고 있는 다양한 사람들을 더 이상 찾을 수 없다면, 그는 더 이상 자신이 중동부 유럽에 있지 않고, 하나의 주도적 언어와 문화가 있고 도시가 시골 지역으로 흘러가도 이국적 문명이 이를 막지 않는 모스크바나 만하임, 밀라노, 파리, 리스본에 있다는 것을 깨닫게 될 것이다.

역사는 서유럽을 다르게 형성했고, 이 지역은 중동부 유럽에 상응하는 인종적 복잡성을 보이지 않는다. 로마제국이 무너진 후 오랜 기간 동안, 프랑크족, 갈리아족, 노르만족이 영국에 이주한 것처럼 여러 부족의 이동이 있었다. 그러나 이러한 인종적 단층은 시간이 지나면서 문화적으로 흡수되었다. 똑같은 일이 독일 동부 지역에도 일어나서 수백만 명의 슬라브인들이 오랜 시간이 지나는 동안 문화적으로 독일화되었다. 또한 오늘날 오스트리아와 슬로베니아 고지대에서는 여러 고립된 지역에서 로만스어를 사용하는 소수의 주민들이 여러 세대가 지나면서 독일 문화와 슬라브 문화에 흡수되었다.

바스크족이나 브레튼족 또는 좀 더 큰 카탈로니아 집단처럼 아직 남아 있는 몇 개의 '이국적' 언어 집단이 서유럽 변경에 살고 있지만, 우리는 스칸디나비아와 이베리아반도를 포함한 서유럽 전체에서 동유럽에서 아직 일반적 현상과 같은 복잡성을 볼 수 없다. 일례로 서유럽 어느 곳에도 빌노 (빌니우스) 같은 곳은 없다. 이 도시에서 사용되는 언어는 폴란드어, 독일어, 프랑스어, 이디시어, 러시아어지만, 주변 시골 지역에서는 리투아니아어와 벨라루스어가 주로 사용된다. 프랑스, 영국, 스페인 또는 독일에는 트란실바니아나 보스니아 같은 지역은 없다. 이 지역에서는 인종적 조각보가 후에 동유럽 전체를 통해 모델로 받아들여진 프랑스식 민족 국가의 창설을 가져왔다. 이러한 민족 국가 건설은 강력한 힘을 적용하지 않고는 불가능한 모델이었다.[55] 일례로 마자르족 엘리트는 1867년 헝가리왕국의 통제권을 확보한 다음 마자르어 이외의 언어를 습득하는 것을 어렵고 비용이 많이 들게 만들었다. 1914년 시점에 마자르인들이 북헝가리라고 부른 슬로바키아에는 200만 명이나 되는 슬로바키아인들이 다닐 수 있는 고등학교가 단 한 곳도 없었다. 이런 상황에서 사회에서 성공하는 유일한 방법은 마자르인이 되는 것이었다.

프랑스, 스페인, 영국, 덴마크, 스웨덴 왕정은 강력한 국가를 건설하고, 지방 문화와 언어를 지원했으며, 이들을 자국 내에서 힘을 들여 보호하기보다는 외국으로 이동시켰다. 이 국가들은 식민화된 국가가 아니라 식민화시키는 국가였다. 마자르인의 국가처럼 19세기 말 프랑스 국가는 농민들을 국가의 완전한 구성원으로 만드는 도전에 직면했었다. 그러나 학교 교육이 이 농민들을 비민족화하기보다는 민족화했다. 이때 농민들에게 주입된 표준 프랑스어는 대부분의 프랑스인들이 가정에서 쓰는 방언의 한 종류였지, 체코어와 슬로바키아어 사용자에게 주입된 독일어나 마자르어처럼 완전한 외국어는 아니었다. 프랑스 국가는 지역 정체성을 거부하기보다는 이미 존재하고 있던 기초를 바탕으로 민족 국가를 건설하고 정체성을 강화했다. 프랑스 농민들과 그 조상들은 아주 오랜 시대부터 프랑스에 거주했고, 자신들에게 끌어올 다른 기억은 없었다.

프랑스와 독일 땅에 남아 있던 언어적 다양성은 방언적 변이를 따라 존재했지, 발칸 지역의 특징이 된 기독교와 이슬람 사이, 또한 기독교 내에서는 동방 기독교와 서방 기독교 사이의 뿌리 깊은 종교적 분할로 인해 상황이 더 복잡해지지는 않았다. 1871년까지 독일은 중앙화된 국가가 없었지만, 대신에 다종다양한 신성로마제국(그리고 그 후계인 독일연방)이 민족적 정체성이라는 감정을 제공했다. 신성로마제국은 수도와 황제, 의회, 공통의 법과 중앙법원, 샤를마뉴 대제로 거슬러 올라가는 역사가 있었고, 공통의 고급 언어가 출판사, 독서회, 고등학교, 대학교를 통해 확산되었다. 독일의 국경이 정확하게 어디인지, 즉 독일과 덴마크 사이에 어디인지, 독일과 프랑스 사이에는 어디를 지나가는지에 대해서 끝없는 논쟁이 있었지만, 이러한 '예민한 문제'가 전쟁을 유발하지는 않았다. 프랑스, 독일, 덴마크는 오랫동안 존재해왔고, 앞으로도 그럴 것이라는 것에는 아무 의문이 없었다.

＊　＊　＊

아주 다양하고 잠재적으로는 긴장에 차 있었지만 1700년대 말 중동부 유럽은 안정적으로 보였고, 그 주민들의 생활은 평화롭고 질서 있게 영위되는 것처럼 보였다. 체코어를 사용하는 농민들은 착취당하는 하층계급이었지만 평화롭게 지주의 땅을 경작하며 마을과 소도시에서 자신의 생업을 이어가고 있었고, 아직은 유럽이라는 의식의 끝자락에 있었다. 이들은 프랑스인, 영국인, 네덜란드인과 비교되는 민족으로 간주되지는 않았다.[56] 1840년대까지도 당시 '슬라보니아인Slavonians'이라고 불린 이들은 서유럽 사람들의 마음에 각인되지 않았었다.[57] 모든 사람이 생각하기에 보헤미아는 신성로마제국(후에는 독일연방)의 한 지방이었고, 브레슬라우와 뉘른베르크로 이어지는 도로와 빈과 베를린으로 가는 도로가 교차하는 독일의 한가운데에 있었다. 좀 더 동쪽에서는 '루마니아'라는 단어가 아직 만들어지지 않았고, 슬로바키아와 슬로베니아는 아직 지도에 없었으며, 폴란드는 곧 사라질 터였다. 유아사망률은 높았고, 학교는 거의 없었으며, 생산성은 낮았고, 작은 공방은 많았지만 산업은 거의 존재하지 않았다. 그러나 사람들은 다른 현실은 알지 못했다. 엘리트들은 자신의 영지에서 일하도록 강요된 농민들의 노역 덕으로 생활하고 있었고, 이들은 라틴어와 프랑스어로 다른 나라 귀족들과 서신을 교환했다.

분쟁과 소요가 있다면, 이것은 주로 외국의 정복 군대 때문에 일어난 일이었다. 오랜 기간 오스만튀르크 군대, 1600년대에는 스웨덴과 프랑스 군대, 1740년 이후에는 프리드리히 대왕의 프로이센 군대, 수십 년 후에는 예카테리나 여제의 러시아 군대가 이런 문제를 일으켰다. 쇠퇴하는 오스만튀르크건, 부상하는 패권국인 프로이센이나 러시아건, 외국 군대의 행동은 거대한 합스부르크 통치영역을 늘 불안하게 만들었고, 부와 세금을 생산하고 군대를 재정 지원하는 국가를 조직해야 한다는 시급한 압력을 만들어냈다. 헝가리나 보헤미아 마을들의 평온한 외양은 현실을 감추고 있었다. 이 마을들은 국가가 스스로를 방어하거나 아니면 사라지는 홉스식 약육강식의 중동부 유럽에 존재하고 있었던 것이었다.

이것이 18세기 중동부 유럽의 기만적 안정 속에 부상한 도전이었다. 1740년 이후 합스부르크 지도자들, 특히 요제프 2세(재위: 1780-1790)는 자신의 통치영역의 언어와 문화의 복잡성을 존중하는 대신, 이것을 약점으로 여겼다. 그는 프랑스와 러시아를 보면서 그 국가의 관료들이 하나의 언어를 사용하며 거대한 영토를 지배하는 능력을 부러워했다. 그는 이러한 원칙을 자신의 복잡다단한 영토에 적용하기로 결정했다. 그가 합리적 통치를 위해 택한 언어는 합스부르크왕가의 언어인 독일어였다. 그러나 그의 계몽적 국가 건설 프로그램은 원하지 않는 결과를 가져왔다. 이것은 중동부 유럽 주민들의 가슴과 생각에 공포를 심어주었다. 처음에는 주로 지각이 예민한 지식인들에게 이런 반응이 일어났다. 이들은 자신들의 민족이 독일인이 되고 역사에서 사라질 것을 두려워했다.

요제프 2세 황제는 곧 정치 무대에서 쓸려나갔다. 그는 죽기 전에 자신이 한 모든 일이 실패로 돌아갔다고 말했다. 그러나 그것은 사실이 아니었다. 공포는 그대로 남았고, 그것은 학교, 민간사회, 신문, 다음으로는 정당에 의해 자라나고 수행되었다. 사실상 중동부 유럽을 근대적이고, 문자해독이 가능한 시민적이고, 자유로운 표현의 자치 사회로 만들려는 모든 시도는 이 지역의 놀랄 만한 복잡성에 의문을 제기하고, 이를 침해하고 축소하려는 노력 속에 커진 세력을 만들어냈다.

2장

소멸의 위기에 처한 민족

24세의 합스부르크 공주 마리아 테레사(재위: 1740-1780)보다 더 비극적 환경에서 권력을 이어받은 통치자는 거의 없을 것이다. 1740년 10월 아버지 카를 6세가 사망한 지 불과 몇 주 만에 프랑스의 지원을 받은 프로이센, 작센, 스웨덴, 바이에른과 스페인은 새 여왕의 거대한 땅에서 가능한 한 가장 많은 영토를 장악하려고 공모를 꾸미기 시작했다. 1713년 〈국본조칙Pragmatic Sanction〉•에서 유럽의 단 두 국가, 스페인과 프로이센만이 카를 6세에게 합스부르크 땅의 여성 상속자로서 그의 딸의 권리를 인정하겠다고 약속했다. 그러나 이제 기회가 유일한 법률이 되었고, 그림그리기, 춤, 궁정연회, 그리고 무엇보다 남편을 사랑하고, 국가 운영과 전쟁에 대해서

• 레오폴트 1세가 신성로마제국 차기 황제로 지명된 맏아들(요제프 1세)과 둘째 아들(카를 6세)의 후손들이 유사시 상호상속권을 가질 수 있도록 규정한 1703년 〈상호계승약관〉이 1713년 〈국본조칙〉의 모태이며, 여계는 남계가 단절된 경우에 한하여 상속을 받을 수 있게 규정되었다. 카를 6세가 〈국본조칙〉으로 합스부르크왕가 계승 규정을 완성했다.

는 거의 아는 것이 없는 이 공주가 대여섯 적국들에 강력하게 대항할 것이라고 생각한 사람은 거의 없었다. 하지만 이것은 심각한 오판으로 드러났다.

첫 도전은 냉소적인 프로이센의 프리드리히 2세가 제기했다. 그는 마리아의 가장 풍요로운 지방 중 하나인 실레시아를 얻는 대가로 독일 내의 합스부르크 영토 소유권을 보장하고, 바닥 난 오스트리아의 국고에 200만 탈러Thaler를 제공하겠다고 제안했다. 마리아로부터 결연한 거부 통지를 받은 프리드리히는 1740년 12월, 잘 훈련된 자신의 대군을 합스부르크의 경계를 넘어 실레시아로 진주시켰고, 현지의 개신교 주민들은 이들을 환영했다. 1741년 1월 3일, 독일의 가장 크고 부유한 도시 중 하나인 브레슬라우는 파란 모자를 쓴 프로이센군에게 대문을 활짝 열었고, 그해 후반 바이에른군과 프랑스군이 보헤미아의 나머지 지역과 오스트리아 북부 지역 및 티롤로 진주했다(실레시아는 보헤미아의 일부였다).[1]

1741년 9월, 프랑스군과 바이에른군이 오스트리아를 위협하자 마리아 테레사는 도나우강을 따라 1526년부터 합스부르크 소유가 된 헝가리왕국의 수도 포즈소니(오늘날 브라티슬라바)로 갔다. 어린 아들인 요제프를 팔에 안은 채 그녀는 헝가리의 공식 언어인 라틴어로 귀족들에게 연설을 하며 이들의 보호를 요청했다. 그녀의 감정과 결의에 감동을 받은 것으로 알려진 귀족들은 자신들의 칼을 빼들고 자신들의 '피와 생명'을 내놓을 것을 약속했고, 외국 군대가 빈을 점령하면 여왕에게 피난처를 제공하겠다고 제안했다. 이들은 곧 5만 명이 넘는 군대를 모았다. 이 군대는 헝가리왕국 밖에 파견할 최초의 헝가리군이 되었다.[2] 역사적으로 이 사건은 합스부르크 군주정의 운명을 구한 전환점으로 평가되었다.

그러나 이러한 합의는 하나의 거래였다. 헝가리의 귀족들은 합스부르크 군주정이 성스테판의 성스러운 왕관 통치 땅lands of the holy crown에 대한 자신들의 지속적인 통제를 가장 잘 보장하는 국가였기 때문에 이를 지지한 것이었다. 불과 수십 년 전에 합스부르크 군대가 오스만제국과 일진일퇴의 전쟁 끝에 헝가리를 해방시켰다. 오스만제국은 남부 헝가리 대부분에서 삼림 벌채를 했고, 경제적 쇠락을 가져왔으며, 많은 도시들이 사라지게 만들었다. 많은 헝가리인들이 이 지역에서 도망갔고, 질병으로 사망했으며, 노예로 오스만제국에 끌려갔다. 이 지역에 다시 주민을 거주시키는 과정은 느리게 진행되었고, 주로 다른 인종들이 지역 주민이 되었다. 더 남쪽과 동쪽의 오스만 통치를 피해 이주해온 세르비아인이 주류를 이루었지만, 루마니아인도 많았다. 그래서 헝가리 귀족들은 자신들의 땅에 대한 안정적 지배가 지속되기를 원했고, 마리아 테레사를 압박해서 자신들의 역사적 권리를 존중하도록 만들었다. 헝가리의 궁정 재무국은 헝가리에서 모은 수입을 계속 관리하고, 마리아는 트란실바니아를 포함한 모든 헝가리 영토의 통합성을 유지하기 위해 노력하기로 했으며, 이 나라의 여왕으로서 주기적으로 헝가리에 거주하기로 약속했다.[3]

이로부터 2년 안에 헝가리 군대는 상부 오스트리아 지역과 티롤을 다시 차지하고, 프랑스군과 바이에른군을 보헤미아에서 밀어냈다. 그러나 프로이센군은 실레시아 지역 대부분을 여전히 통제했다. 더 이상의 위협에서 자국을 보호하기 위해 마리아 테레사는 1742년 7월 프리드리히 2세와 강화조약을 맺어 실레시아의 7분의 1만 남기고, 리그니츠, 브레슬라우, 오텔른을 포함한 나머지 땅을 양도했다. 이 지역을 획득한 프로이센은 영토가 3분의 1이나 늘어났다. 이제 프로이센은 독일 안에서 오스트리아의 주요 경쟁자가 되었고, 이 경쟁은 1866년 사도바(보헤미아 동북 마을) 전투에서 승자가 결정되었다. 이후 프로이센은 오스트리아를 독일에서 쫓아냈다.

이 시기 산업가들은 실레시아가 유럽에서 가장 풍부한 석탄광을 가지고 있다는 것을 알게 되었다.

보헤미아 귀족들은 마리아 테레사의 황위 계승에 헝가리 귀족과는 아주 다르게 반응했다. 헝가리와 마찬가지로 보헤미아도 합스부르크가 차지한 왕국이었고(1526), 헝가리와 마찬가지로 오래된 국경과 왕국을 유지해왔었다. 그러나 프랑스 군대가 보헤미아를 점령한 1743년 보헤미아 귀족들은 프라하에서 만나서 4세기 동안 보헤미아왕국에 속했던 땅을 조용하게 프로이센 왕에게 양도하기로 결정했다. 이들은 헝가리 귀족들을 자극한 단결력과 자신들의 왕국에 대한 자부심을 전혀 보여주지 않았다.[4] 2년 전인 1741년, 자신들의 재산을 잃을 수 있다는 위협과 프라하 대주교(라인란트 태생)의 압력 아래 보헤미아 귀족들은 바이에른의 카를 알베르트를 자신들의 국왕으로 선출하기까지 했다. 대부분의 독일인들은 보헤미아를 마치 독일(다시 말해 독일 민족의 신성로마제국)의 어느 지방과도 맞바꿀 수 있는 지역처럼 취급했고, 많은 독일인들은 엘베강을 이용한 교역을 위해 북쪽 작센의 자신들의 땅을 연결하는 것을 원했다.

일부 보헤미아 귀족들은 보헤미아왕국에 대한 충성심을 느꼈지만, 이들도 헝가리 귀족들이 성스테판왕가에 대한 충성심을 보인 것과 같은 방식으로 보헤미아의 성벤체슬라우스왕가에 충성하지 않았다. 보헤미아 귀족들의 애국심은 훨씬 덜 일관적이었고, 초점도 약했다. 이들은 분명히 정의된 영토보다는 자신들 지역의 전통과 문화에 충실했지만, 경계에 대한 분명한 의식도 없었다. 이들은 자신들의 조국이 누구에 대항하여 이어져왔는지 또는 실제로는 자신의 조국이 무엇인지에 대한 분명한 인식을 결여했다. 이들은 아마도 두 개의 조국을 가지고 있었을 수도 있다(예를 들어, 독일과 보헤미아 또는 보헤미아와 오스트리아).

헝가리 귀족들과 보헤미아 귀족들이 이렇게 다른 정체성 의식을 갖게 된 이유는 마리아 테레사의 증조할아버지인 광신적 가톨릭 옹호자 페르디난트 2세(재위: 1619-1637) 때문이었다. 그는 당시 대부분 개신교였던 보헤미아 귀족들의 종교적 권리를 제한하면서 이들의 불만을 불러일으켰다. 1620년 프라하 외곽의 백산 전투에서 페르디난트는 보헤미아 반군을 격파하고, 27명의 반란 지도자를 프라하의 구광장에서 처형하고 이들의 재산을 몰수했다.

이후 수십 년 동안 영지 절반 정도가 주인이 바뀌었고, 약 15만 명의 보헤미아 주민들이 이 지역을 떠났다. 여기에는 귀족뿐만 아니라 지도적인 지식인도 포함되어 있었다.[5] 새로 이주한 사람들이 거대한 영지들을 차지했고, 이들 중에는 합스부르크왕가의 30년 전쟁에서 싸운 귀족과 병사들도 있었다. 이들은 멀리 이탈리아, 스페인, 아일랜드에서 오기도 했지만 대부분은 독일의 다른 지역에서 온 가톨릭교도들이었다.[6] 엘리트는 이제 인종적으로 외국인들이었고, 이것이 이후 발생한 토착 언어인 체코어의 쇠락을 설명해준다. 체코어는 더 이상 상류사회나 행정에서 사용되지 않았다. 이 지역을 다시 가톨릭화하기 위해 들어온 사제들도 절대다수가 보헤미아인이 아니어서 나라가 외국의 점령하에 있다는 인식을 강화시켰다(민족주의 역사학에서 보는 외국인 점령은 1918년까지 지속되었다). 사제가 완전히 토착민인 경우조차도 가톨릭교회는 완전히 체코적인 것으로 받아들여지지 않았다.

페르디난트는 새로운 지역 헌법을 도입했지만, 반란을 일으킨 지방은 고래의 권리를 상실하고, 새로 얻은 권리는 황제가 하사한 것이었다. 이제 왕좌는 합스부르크가의 세습유산이 되었고, 가톨릭과 유대교만 합법적 종교로 인정되었다.[7] 의회는 계속 존속했지만 거의 소집되지 않았고, 그 기능은 일부 재정 문제로만 축소되었다. 헝가리 지방과 크게 대조되게 지역 자치는 약해졌다. 합스부르크제국이 반개신교 복수를 시행한 보헤미아보다 1세기 반 동안 오스만 지배를 받은 헝가리가 지역 전통을 좀 더 잘 보존할 수 있었다. 헝가리는 보헤미아와 같은 귀족 전체의 대체를 경험하지 않았고, 그래서 헝가리 귀족 대부분은 아주 오래전 시기까지 자신의 조상을 추적할 수 있었으며, 그래서 자신들을 이 땅의 당연한 소유자로 여겼다.[8]

그러나 페르디난트는 보헤미아의 민족적 감정을 완전히 소멸시키지는 않았다. 보헤미아가 국가로 유럽 역사에 다시 돌아올 것을 마리아 테레사와 그녀의 팔에 안겨 있던 어린 아들인 요제프는 확신했다. 요제프는 어려서부터 군주가 될 훈육을 받았고, 1765년 마리아 테레사가 지극히 사랑한 남편 로레인 공 스테판이 사망하자 신성로마제국의 왕관을 이어받았다.

1740년대 생사를 좌우하는 왕위 계승 전쟁의 위협을 겪은 합스부르크 통치자들은 자신들의 통치영역이 살아남으려면 강력한 중앙집권국가에 의해 통치되어야 한다고 확신하게 되었다. 마리아 테레사와 그녀를 이은 요제프는 당시 다른 강대국들이, 즉 영국, 프랑스, 러시아가 자국에 비해 상대적으로 단일적이라는 것을 잘 알고 있었다. 오스트리아는 일부는 정복에 의해, 일부는 상속과 결혼에 의해 획득한 뒤죽박죽의 영토를 가지고 있었고, 이 영토에는 가망 없이 분열된 다양한 법률과 토지 임차제도, 교회를 포함한 지방 영주들의 권리가 혼재하고 있었다. 다양하고 서로 상충되는 권한이 뒤죽박죽 섞여서 빈은 자신의 통치영역에서 광물, 농업, 인적 자원을 효과적으로 모으는 데 어려움을 겪었다. 농지는 귀족계층이 통제하고 있어서 여전히 비효율적으로 경작되고 있었다. 귀족들은 영농방법을 개선할 동기가 없었고, 농지는 매매로부터 보호되어 있었다(그래서 시장과 좀 더 합리적으로 영농할 경쟁의 압력에서 보호되고 있었다). 대부분의 지역에서 농민들은 자신의 농토를 떠날 수 없었다. 귀족계층은 사병 징집도 통제하고 있어서 오스트리아 군대에 동원할 수 있는 인적 자원에 제약을 가했다.

마리아 테레사는 서로 어설프게 연결된 영토들을 모아놓은 것을 국가로 만들기 시작하는 개혁을 1749년에 도입했다. 그녀는 보헤미아 궁내성을 해체하고 이것을 오스트리아 궁내성과 결합하여 보헤미아왕국을 자신의 세습 제국에 통합시켰다. 그녀는 통치 기간 동안 관리의 수를 5000명에서 2만 명으로 늘렸고, 이들 대부분은 빈에 집중되었다.[9] 확대된 관료제가 해야 할 일 중 일부는 새로운 '내정 및 재정 관리국'에 책임을 지는 지방, 지역 정부 네트워크를 이용해 군부대를 조직하는 것이었다. 그녀와 참모들은 중앙정부를 효율화하고 중상주의 정신으로 국가 기관을 개혁할 국무평의회(추밀원)를 조직했다. 이것은 모든 방법으로 통치영역을 개선할 정교하게 훈련받은 전문가들의 집합소였다. 이들은 보건소, 학교, 구제소를 만드는 것부터 시작해서 노동 의무를 부과하고 산업마다 적정한 노동자 수를 정하고, 학생들의 고삐 풀린 여가활동을 통제하는 일까지 맡았다. 학생들은 술을 마시고, 여자를 만나면서 저녁 시간을 낭비하는 대신, 공원에서 오래 산책을 하도록 지도되었다.[10]

농촌 지역에서 지주는 더 이상 자기 영지의 반半주군이 될 수 없었다. 그리고 사제들에게도 세금을 부과하고 농민들이 더 생산적이 될 수 있도록 농민의 생활을 향상시키는 조치도 도입되었다. 마리아와 그녀의 아들 요제프는 증가된 세수를 이용해 교육을 지원하고, 도로를 건설하며, 강둑을 준설하고, 군사 개혁을 추진했다. 이들은 또한 학교 교육과 행정에서 독일어의 사용을 권장하기는 했지만 프랑스어와 독일어를 사용했고, 궁정에서는 독일어의 빈 방언을 사용했지만 독일 민족주의자는 아니었다. 요제프가 국무평의회에 '민족정신'을 일깨우라고 지시했을 때 그가 대상으로 삼은 것은 제국 전체의 주민이었지 특정한 종족 집단은 아니었다.[11] 그는 고위공직자를 임명할 때 인종에 따른 차별을 하지 않았고, 그와 마리아 테레사는 언어를 주로 의사소통의 수단으로 보았다. 특정한 언어가 이러한 목표 달성에 도움이 되면, 그 언어는 더욱 유용성이 컸다. 이들은 제국 내에 사용되는 모든 언어로 실용적인 잡지와 소책자를 인쇄하는 것을 지원했고, 그 주제는 양봉, 원예, 소방에서 군사 문제까지 다방면에 걸쳐 있었다.[12]

요제프는 다른 나라의 여행 경험을 통해 단일의 지배적 언어가 유럽의 강국들을 통일시키는 힘이 있는 것을 보고 이를 부러워했다. "만일 하나의 언어가 전 통치영역에서 사용된다면 공공선에 얼마나 많은 이익이 있겠는가. … 왕국의 모든 지역들은 얼마나 더 가까이 연결되고, 주민들은 더 강한 형제적 사랑으로 맺어질 것이다. 프랑스, 영국, 러시아 사람들의 예를 본 사람이라면 누구나 이를 이해할 것이다."[13]

이와 유사하게 합스부르크제국 내 영토를 통합할 수 있는 유일한 후보는 독일어였다. 헝가리어나 슬라브어 중 어느 언어도 제국 전체에서 사용되지 않았고, 실제적으로 체코어와 헝가리어는 수십 년간 지역 엘리트들의 무관심으로 농민 방언으로 전락했다.[14] 요제프는 독일 문화로 통합된 정부 관리들이 오스트리아, 보헤미아, 오늘날의 슬로바키아, 크로아티아, 트란실바니아를 포함하는 거대한 영역에 뻗어 있는 헝가리에 자신의 의지를 전파하는 핵심 세력이 되기를 바랐고, 또한 현대 국가의 학교, 행정기구, 사법기관을 설립하는 기초가 되기를 바랐다.[15]

언어를 주입시키는 핵심 수단은 교육이었다. 1777년 테레사와 요제프는 학교 제도를 초등학교, 중등학교, 대학교로 나누는 교육 개혁을 주도

했다. 학생들은 초등학교에서는 토박이어로 공부를 시작하고, 중학교에 와서는 독일어로 전환해야 했다. 어린이들은 독일어를 배우기 전에 자신이 알고 있는 언어로 문자해독을 해야 했다. 그렇지 않으면 이들은 이해할 수 없는 독일어 소리에 어리둥절한 채 교실에 앉아 있게 될 것이었다.[16] 그러나 학생들이 토박이어인 슬라브어로 읽고 쓰는 것을 배운 다음에는, 독일어를 통한 통치영역의 문화적 통합의 디딤돌이 되는 토박이어를 무시할 수 있었다.

보헤미아에서 정부 관리들은 체코어로 진행되는 초등교육은 장려하면서도 몇 개 존재했던 체코어 고등학교의 문을 닫게 했다. 이 학교들은 더 이상 실질적 효용이 없었다. 어느 아동도 독일어를 습득하지 않고는 이후 고등학교에 들어갈 수 없었고, 독일어는 라틴어와 체코어를 몰아내고 지방 행정에서 쓰이는 유일한 언어가 될 터였다. 합스부르크 영역 모든 지역의 엘리트는 라틴어를 이해했지만, 요제프 황제는 이것을 구태의연하고 진보에 방해가 되는 언어로 여겼다. 학문과 과학에서도 라틴어는 독일어에 자리를 내주어야 했고, 그렇게 함으로써 높은 수준의 지식도 점점 더 문해가 되는 주민들이 접근할 수 있어야 했다.[17]

이런 정책에 맞추어 요제프는 프라하 소재 대학들의 신학을 제외한 강의와 보헤미아의 행정도 독일어로 수행하도록 만들었다. 그러나 지방 교사들에게 기술을 가르치는 데(예를 들면 가축사육업) 있어서 체코어의 힘은 사라지지 않았다. 그래서 요제프는 빈과 프라하의 대학들에 체코어 강좌를 만들었다. 그 시점에 저급 체코어가 보헤미아 의회에서 부속적 지위를 지닌 채 여전히 공식 의사소통에 사용되고 있었다. 대부분의 체코어 어휘는 낡아 보였고, 현대적 발명과 사상을 제대로 표현할 수 없었다.

그러나 체코어를 아직 교육을 받지 않은 체코인들이 독일어를 읽고 쓰게 만드는 수단으로 폄하한 것은 요제프가 의도한 중립적인 국가 건설 행동이 아니었다. 그는 체코어 사용자들에게 자신들이 언어가 더 이상 가치가 없고 곧 사라질 수 있다는 신호를 보낸 것이었다. 개인 수준에서 그가 장려한 독일화는 전혀 새로운 것이 아니었다. 여러 세대 동안 체코어나 슬로베니아어 사용자들은 사회적 계단을 올라가고 도시로 이주하여 라틴어와 독일어로 학교 교육을 마치면서 자신의 가족과 마을 문화에서 소외되어갔다. 그러나 이제 달라진 것은 아동 연령층 전체가 동시에 비민족화된다는 것이었고, 이것은 누군가는 심각한 주의를 기울여야 하는 가능성이었다. 가장 큰 역설은 요제프가 체코어를 말하는 어린이들이 체코어로 읽고 쓰는 것을 배우는 학교 수를 늘리는 동안, 체코어의 소멸을 우려하는 소책자를 발간하는 작은 지식인 집단들이 생겨났다는 사실이다. 합스부르크제국이 제공한 문해의 선물 덕에 학생들은 이 국가가 자신들 부모와 조부모가 사용하는 언어가 비표준적이고 초등교육 이상은 사용하는 데 적당하지 않은 언어로 간주하고 있다는 것을 알게 되었다.

✳　✳　✳

이제 체코어를 옹호하고 나선 지식인 소집단은 계몽 원칙에 헌신했다. 이들은 인류를 향상시키는 데 이성을 사용하기를 원했다. 체코어는 이러한 작업에 실제적 효용성이 있었고, 이 언어는 보존되고 존중될 가치가 있다고 믿었지만, 대부분은 체코어를 제대로 구사하지 못했다. 체코어를 보호해야 한다는 이들의 관심은 과거와의 완전한 단절은 아니었다. 백산 전투 후 여러 세대 동안 슬라브 구어를 지키고 보존하려고 노력한 유별난 사제들과 학자들이 있었다.[18] 1773년부터 1793년 사이 체코어 사용자들이 자

신의 언어를 사용하고 존중하며 전파해야 한다고 촉구하는 10여 권의 책이 출간되었다.[19]

이러한 저자 중에 가장 눈에 띄는 사람은 귀족 장군인 프란츠 요제프 킨스키 백작(1739-1805)이었다. 그는 마리아 테레사가 신뢰하는 참모인 필리프(1749년 사망)의 아들이었다. 그는 영국 주재 오스트리아 대사를 역임했고, 요제프 황제의 친구였다. 그의 가족은 보헤미아에 수천 명의 농민을 거느린 거대한 영지를 보유했지만, 다른 보헤미아 귀족들과는 다르게 킨스키 집안은 아주 유서 깊은 가문이었다. 1620년 위기에서 살아남은 이 가문은 스스로를 유럽 가문이자 보헤미아 가문이라고 생각했다. 킨스키 백작은 바이에른 왕위 계승 전쟁(1778)에서 합스부르크 군대를 지휘했고, 그가 탄 말은 최소한 세 번 총에 맞은 것으로 알려졌다. 1773년 빈의 테레사 군 사관학교장을 맡은 그는 근대적인 인종적 보헤미아 민족성의 여명을 알리는 소책자를 익명으로 출간했다.[20]

그는 보헤미아 동포들은 어려서부터 자신의 언어를 배워야 한다고 책에 썼다. 프랑스 사람들이 프랑스어에 대해 특별한 애착을 가지고 있는 것처럼, 그와 같은 슬라브 후손들은 자신들의 '토박이'어를 사랑해야 한다고 주장했다. 보헤미아는 이중 언어 사용 지역이 될 수 있지만, 체코어는 보헤미아의 진짜 언어이고 독특한 장점을 가졌다. 계몽사상의 옹호자인 킨스키는 유용성을 강조했다. 체코어는 지주가 농민들과 효과적으로 의사소통하는 것을 가능하게 해주고, 체코어의 어려운 음성 때문에 학생들이 고전어를 학습하는 데 도움을 주었다. 그는 이러한 사고가 상류사회에서는 이상하게 들릴 수 있다고 보았지만, 여기에 신경을 쓰지 않았다. 보헤미아인은 특별한 재능을 지녔고, 시골 지역을 여행해보면 이것을 확인할 수 있었다. 독일인들이 많이 사는 지역에서는 '완전한 보헤미아인' 지역보다 음악

적 재능을 지닌 사람이 훨씬 적었다.[21]

킨스키의 정신은 합리적이었고 과장이 없었다. 그가 체코 마을의 오래된 덕목을 선전하는 이미지는 아주 보수적 성향을 대변했다. 그러나 그의 주장이 보헤미아의 진정한 언어와 문화는 체코어와 체코 문화라는 것을 암시한 면에서는 혁명적이었다. '독일인 보헤미아인'은 덜 순수하기 때문에 더 낮은 지위에 만족해야 했다. 다음 세기의 체코인 애국자들과 비교할 때 킨스키의 주장은 국수주의적은 물론 아니고 충분히 용인할 수 있었다. 그는 체코인들의 우월성은 혈통이 아니라 아름다운 체코어에 있다고 주장했다. 만일 체코인들이 자신들의 역사를 소중히 여긴다면 이것은 그들의 영웅들이 이들에게 더 가깝고 그래서 위대한 행동을 고무시킬 수 있기 때문이었다. 그러나 보헤미아는 보편적 기준은 아니었다. 이것을 고집하면 보헤미아 밖에서 만날 수 있는 고상한 민족을 설명할 수 없게 된다.[22]

킨스키가 군대를 훈련시키고 전투를 치르는 동안 다른 선각적 애국자들은 인용과 원전을 표시하며 객관적으로 서술된 책에서 조국과 모국어 문제를 탐구했다. 이들 마음속 깊은 곳에는 자신의 조국에 관련된 모든 것을 찾겠다는 계몽적 열정이 타올랐다. 이러한 저자 중 일부는 보잘것없는 배경을 지닌 사제들이었다. 이들은 교회에서 교육을 받았고, 제대로 된 학자로 대접받기를 원했다. 가톨릭 사제인 겔라시우스 도브너(1719-1790)는 자신이 사랑하는 조국의 역사에 대한 책을 쓰기 위해 고대 문서들을 샅샅이 뒤졌다. 비판적 서평에 맞서기 위해 보헤미아의 아름다움을 순진하게 찬양하거나 보헤미아와 폴란드는 '체흐Czech'와 '레흐Lech' 형제가 건설했다고 주장하는 애매한 동화들을 배격했다. "진실이 모든 역사의 영혼이 되어야 한다. 역사가는 조국에 대한 사랑과 지식에 대한 사랑으로 후세에 가공된 모든 것을 지워서 그의 민족을 외국인들의 조롱으로부터 구해야 한다"[23]라고 그는 썼다.

도브너는 많은 제자를 가지고 있었고, 이 중 가장 널리 알려진 인물은 프란티셰크 마르틴 펠츨이었다. 출신 배경이 보잘것없는 그는 교회에서 교육을 받았고, 다른 사람과 마찬가지로 우화와 진위가 증명되지 않은 사실에 의존했다. 그는 슬라브 종족들이 534년경에 보헤미아에 도착했고, 스스로를 '체코인'이라고 불렀다는 자료를 인용했다. 그러나 이들이 역사에서 배운 교훈은 자랑스럽지만은 않았다.[24] 일부 조상들은 자만심 또는 개인적 이익에 눈이 멀어 나라를 배신했고, 다른 사람들은 정의, 용기, 따뜻한 애국주의를 몸소 구현했다. 고대 체코 악당들과 영웅들에 대한 그의 이야기는 프랑스나 영국에 대해서는 아는 것이 많지만 자신의 고국에 대해서는 거의 아무것도 모르는 젊은이들을 자극하기 위해 서술된 것이었다.

도브너 학파에서 두 번째로 유명한 인물인 미쿨라시 아다우크트 보이그트는 보헤미아 역사에 대한 우려를 정치 영역으로 가져가서, 19세기 독일인과 체코인 사이에 벌어진 영토에 대한 비극적 전투를 미리 암시했다. 그에 따르면 체코인들은 다른 나라 제도(독일, 러시아, 프랑스)와 다르고 특별한 자신들의 법제도를 가지고 있었다. 자신들 땅의 과거에 깊이 자리를 잡고, 슬라브인으로서 자신들의 특성에서 나온 역사를 가지고 있었다. 그들은 오랫동안 독일인들과 가까이 살아왔지만, 다른 문화와 감수성을 가지고 있었기 때문에 독일인과 합쳐지지는 않았다. 이것의 한 예는 자유에 대한 생래적 사랑으로 표현되었다. 그는 또한 그들이 독일인에 대한 자연적인 경멸감을 가지고 있었다고 말했다.

체코인과 독일인 사이의 뚫고 들어갈 수 없는 장벽에도 불구하고 보이그트와 다른 초기 체코 애국자들은 거의 전적으로 독일어로만 글을 쓰고 말했다. 이들은 기존의 숭배의 집을 포기할 수 없는, 새로운 신앙의 사도들이었다. 후기의 비평가에 의하면, 그들은 9개의 독일어 단어가 머리에 떠오를 때 하나의 체코 단어만을 생각할 수 있었다. 펠츨은 체코어에 대한 존경을 갈망하고, 독일인들은 발음을 할 수 없는 고대 철자법을 사용했다. 그는 15세기 영웅의 이름을 훨씬 발음이 쉬운 'Joannes Schischka' 대신에 'Jan Žižka'라고 썼다. 그는 자기방어를 위해 독일인들이 'Rousseau' 대신에 'Russo'라고 쓰면 프랑스인들이 어떻게 느낄 것인지 물었다. 그러나 그는 자신의 이름을 체코어식인 'Pelcl' 대신에 독일어식인 'Pelzel'로 썼다.[25]

그러나 1790년대에 들어서면서 무언가 변화가 일어나기 시작했다. 펠츨은 프라하대학 첫 체코 문학 교수가 되었고, 점점 더 커가는 불안으로 그는 어색하게 말하는 체코어로 역사 연구서를 쓰게 되었다. 연구를 통해 그는 수백만 명의 서슬라브인들이 한때 베를린 인근과 더 서쪽 지역에 정착했지만, 이들은 시간이 지나면서 독일 문화에 흡수되었다는 것을 알았다. 함부르크 남쪽 지역에서 슬라브어 방언을 마지막으로 사용한 사람이 불과 한 세대 전에 사망했다.[26] 체코인들의 운명도 이렇게 될 것인가? 1794년 볼프강 아마데우스 모차르트의 개인 교사였던 프란츠 자버 니에메체크는 "자신의 조국에서 자신의 언어 말고 다른 모든 언어가 존중받고 있다. 우리의 언어는 끝났다. 그 언어는 너무 적은 수의 사람이 좁은 공간에서 사용하고 있어서 계속 쇠락하고 줄어들 것이 분명하다"고 한탄하며 '진정한 체코인'의 고통을 상기시켰다.[27]

그러나 펠츨과 니에메체크는 그렇게까지 걱정할 필요가 없었다. 요제프 2세와 그의 어머니인 마리아 테레사는 체코어가 소멸하지 않도록 학교를 만들었다. 이 학교 졸업생들 중에 그들과 다른 체코 애국자들이 쓴 체코 민족 역사와 문학 독자들이 생겨났다. 두 번째로 많은 수의 다음 세대학자들이 나타나서, 체코어가 망각되지 않도록 많은 노력을 기울였다. 이들은 어휘를 만들고 사전을 편찬했다. 이렇게 새로운 체코 역사와 문학은 가장 섬세하고도 세련된 표현을 할 수 있는 언어로 편찬되었다.

당시에 유행하던 계몽사상의 조류 속에서 요제프와 마리아 테레사는 역사에 대한 비평적 접근을 장려했고, 여기에는 보헤미아왕국의 과거에 대한 평가도 들어 있었다. 이러한 정신으로부터 자긍심도 나왔지만 열등감도 탄생했다. 한편으로 애국자이자 언어학자인 요세프 도브로프스키는 1790년 11월 자신들의 조국의 영광에 대해 편지를 썼다. 보헤미아는 아름다운 땅이고, 많은 작가들을 탄생시켰으며, 이들은 그들의 '위대한 수도'인 프라하 출신이 많았다. 만일 기회가 주어진다면 보헤미아인은 모든 사람을 능가할 수 있다고 그는 편지에 썼다. 그러나 다른 한편으로 모든 사람은 이것이 아직 현실이 아니라는 것을 알았다. 겔라시우스 도브너는 자신의 조국을 '외국인들의 조롱으로부터' 보호해야 한다고 느꼈다.[28]

'실제로 일어난 일로서' 역사에 대한 매료는 난제도 제기했다. 예를 들어, 한때 보헤미아 궁정에서 왕들이 썼고, 최고의 교회에서(일례로 얀 후스의 베들레헴 교회)에서 사용되던 언어가 어떻게 지금은 농민의 언어가 되었는가이다. 얼마 되지 않아 체코 애국자들은 왜 보헤미아가 서유럽보다 덜 존중받는지, 여기에 합스부르크왕가는 어떤 책임이 있는지를 생각하게 되었다.

새로운 애국자-지식인 세대가 이런 문제에 예리한 주의를 집중하면서 상실감은 점점 더 고통스러워졌다. 카렐 이그나스 담(1763-1816)은, 아버지는 귀족인 발트슈타인 가족을 위한 요리사였고, 어머니는 하녀였지만 뛰어난 언어학자가 되었다.[29] 비상한 지적 재능 덕분에 그는 고등학교를 졸업한 다음 대학에서 공부했지만, 신분 상승을 위해 이런 단계들을 밟기 위해서는 자신의 토박이 언어를 버려야 한다는 것에 마음이 쓰였다.[30] 1780년대 프라하 도서관에서 사서로 일하면서 오래전 두꺼운 책들의 먼지를 털어내던 그는 지금은 공방, 마구간, 부엌에서 주로 들을 수 있는 언어의 섬세함을 발견하고 충격을 받았다. 도서관 서고는 이미 오랫동안 사용되지 않은 어휘를 담은 잊힌 책들의 보고였다. 이것들은 체코어가 고상한 문학을 만들어낼 수 있다는 것을 의문이 여지없이 보여주었다.[31] 스물한 살의 담은 《체코어 보호Defense of Czech》라는 소책자에서 소멸 직전의 언어를 되살려야 한다고 강력히 주장하고, 소중한 세습유산을 제대로 돌보지 않은 보헤미아 귀족들을 맹비난했다. 일례로 그의 부모의 주인이었던 발트슈타인은 라인란트의 '더 좋은' 주소로 옮겨가서 조국을 배신했고, 그곳에서 그는 베토벤의 후원자로 유명해져 역사에 이름을 남겼다.

조사를 하면 할수록 담은 더 가슴 아픈 발견을 하게 되었고, 문제의 근원에 더욱 다가갈 수 있었다. 그 근원은 합스부르크왕가였다. 보헤미아 영광의 시기에 룩셈부르크 가문으로 신성로마제국 황제였던 카렐 4세(1316-1378)는 프라하 시의회에서 자신을 체코어로 호칭하도록 명령을 내렸고, 체코어가 법률의 언어가 되도록 했다. 그러다가 옛 귀족들이 페르디난트 합스부르크와의 전투에서 패배한 1620년 비극이 일어났다. 페르디난트는 이 땅을 다시 가톨릭화하고, 다른 것보다도 체코어로 쓰인 책을 파괴하는 만행을 저질렀다. 담에 의하면 제스위트 반개혁 선교단Jesuit Counter-Reformation missionary은 이단을 뿌리 뽑기 위한 시도로 6만 권의 체코어 서적을 불사르는 것을 지지했다.[32] 책을 불태우는 것은 민족을 죽이는 것이나 마찬가지였다.

'인종학살genocide'이라는 단어는 여러 세대가 지난 다음에 만들어졌지만, 새로운 종류의 섬뜩한 범죄에 대한 감각이 담의 논증을 지배했다. 이런 상황을 방관한 사람들은 자신의 조국을 사랑하지 않은 것이었다. 그는 이 중 언어 사전을 발간하고, 체코어를 독일어로부터 분리해야 한다고 주장하게 되었다. 독일어 단어가 체코어에 침투하게 만든 죄인들은 체코인 자신들이었다. 독일어를 잘 알고 게을러진 체코인들은 경박하게 독일어 단어를 일상 체코어에 섞어 썼다. 담은 킨스키보다 훨씬 더 열정적으로 체코어의 장점을 강조했다. 체코어에는 정관사가 없고, 더 많은 문자를 가지고 있어서 더 많은 말소리를 낼 수 있고, 더 많은 말소리를 아는 체코인들은 독일인보다 외국어를 쉽게 배울 수 있었다. 체코어는 더 귀에 듣기 좋은 소리를 만들어내고, 다른 어느 언어보다 체코어로 좀 더 쉽고 자연스럽게 또한 완벽하면서 정확하게 말을 할 수 있었다.

자신의 땅에서 이방인이 된 체코인에 대한 담의 주장을 가장 확실히 보여주는 증거는 그 자신이 보헤미아 학교에서 일자리를 찾을 수 없었다는 사실이었다. 그는 여러 언어를 구사했지만, 그의 전공은 체코어였다. 보헤미아를 떠난 그는 빈에서 일자리를 찾았으나 성공하기도 하고 실패하기도 했다. 그는 열정적으로 계속 글을 썼다. 그가 쓴 책 중 하나인《3개월 만에 체코어 배우기》는 독일어만 아는 동포를 대상으로 한 것이었다.[33] 늘 돈이 부족했던 담은 폐결핵에 걸려 사망했고, 다른 애국자인 요세프 도브로프스키의 도움으로 품위 있는 장례식을 치를 수 있었다.

병사의 아들로 태어난 도브로프스키도 비범한 재능을 가진 언어학자였다. 그는 1792년 첫 체코 문학사 책을 썼고, 1809년 제대로 된 첫 체코어 문법책을 썼으며, 모든 슬라브 언어들의 보편적 어휘론도 썼다.[34] 도브로프스키도 담과 마찬가지로 고통스런 상실감 때문에 이런 작업을 했고, 그는 "오스트리아 정부는 보헤미아의 자유, 종교, 언어를 도둑질해갔고, 좀 더 최근에는 은제품을 훔쳐갔다"라고 썼다.[35] 도브로프스키의 동료 애국자이자 그와 마찬가지로 뛰어난 재능과 지칠 줄 모르는 열정을 가지 요세프 융만은 대가족 제화공 집안에서 태어났다. 그는 체코어를 배우려고 하지 않고 대신에 자신들의 언어로 '짖고 으르렁거리는 소리를 내는' 보헤미아 독일인들을 혐오했다. 이런 보헤미아 사람은 자신들 조상의 유산을 배신하고 있는 것이었다.[36] 담, 도브로프스키, 융만은 오늘날 모든 체코인들이 잘 아는 이름이다. 이들은 사전과 문법책을 만들어서 체코어를 유럽어로 부활시켰다.

✳ ✳ ✳

마리아 테레사는 헝가리 귀족의 권리를 존중하기로 약속했기 때문에 거대한 헝가리왕국에 언어 개혁을 실시하지 않는 조심성을 보였다. 그러나 1780년 그녀가 죽고 나서 요제프는 자신의 개혁적 열정을 합스부르크 통치영역 구석구석에 적용했다. 그는 제국의 업무를 수학 공식과 유사한 것으로 보았고, 그의 과제는 앞으로 전진하는 가장 합리적인 길을 찾는 것이었다. 마리아 테레사가 관찰과 폭넓은 자문으로 배운 데 반해, 요제프는 자신의 최고위 측근인 벤첼 안톤 폰 카우니츠만을 신임했다. 그래서 요제프가 국정을 맡은 다음 합스부르크 땅은 반봉건적이고 비체계적인 국가 건설 사상에서 자신의 국가를 유럽 국가의 높은 발전 경지로 움직이겠다는 신념가 정권으로 바뀌었다.

요제프가 취한 조치 중 일부는 아직도 칭송을 받고 있고, 그중 대표적인 것이 농노제 철폐이다. 합스부르크제국의 지속적 염려는 거대한 영토의 농경지를 유용하게 활용하는 것이었다. 농지의 생산성은 농민을 지주에게 예속시킨 법적 제도에 의해 제자리걸음을 하고 있었다. 이로 인해 작물 생산이 제약을 받을 뿐만 아니라 농민들이 자존감도 추락했다. 지주는 농지를 소유했을 뿐만 아니라 농민들을 세습적 노예제도에 묶어두었다. 일부 지역에서는 '농노 신분제'도 있어서 지주들은 농민의 육체와 생명을 소유했다. 농민은 주인의 허락이 없으면 결혼을 하거나 경작지를 옮길 수도 없었다. 농노 주인은 법을 집행하여 농노를 공개적으로 태형에 처하도록 할 수도 있었다.

요제프 황제는 프랑스인 교사로부터 뛰어난 교육을 받았고, 계몽 원칙을 잘 알고 있었다. 그는 농노를 이렇게 대우하는 것은 인간 존엄성을 파괴하는 것이라고 생각했다. 그는 태생에 의해 누리는 특권을 혐오하고 우리가 부모로부터 물려받은 것은 '동물적 생명'뿐이라고 쓰기도 했다. 그는 곧 태형과 고문이 횡행하는 농촌 지역의 노예와 같은 생활방식을 척결했다. 그는 또한 검열제를 완화하고 유대인을 포함한 비가톨릭 주민에 대한 관용을 고무했다. "사람이 생래적으로 가진 자유는 그에게 최대한 보장되어야 한다"라고 그는 말했다. 인간은 오직 신 앞에서만 무릎을 꿇어야 하기 때문에 그는 신하들이 자신에게 무릎 꿇는 것을 허용하지 않았다.[37] 그러나 이렇게 하는 목적은 인간이 존엄을 유지하게 하는 것뿐만 아니라 국가에 더 잘 봉사하게 만들기 위함이었다. 인간의 지성과 영혼에 사용하는 위력은 역효과를 가져올 뿐이었다.

요제프가 생각하기에 합리적 행정은 강압이 아니라 필요에 의해서 펼쳐질 수 있었다. 그러나 이것을 헝가리에 적용하면서 그는 헝가리를 거의 반란 상태로까지 가게 했고, 마리아 테레사에게 생명과 피로 헌신하기로 약속한 귀족 계급은 요제프가 아닌 합스부르크, 아니면 또 다른 대안, 일례로 프로이센을 중심국가로 생각하도록 만들기도 했다. 보헤미아에서와 마찬가지로 새로운 감정의 촉매는 언어였다. 그러나 여기에서 말하는 언어는 적어도 처음에는 구어가 아니었다.

수세기 동안 헝가리 내에서의 교신과 헝가리와 빈 사이의 교신은 라틴어로 진행되었지만, 요제프는 라틴어를 죽은 언어로 보았고, 그가 만들어 나가려는 국가를 방해하는 언어였다. 그래서 요제프는 독일어를 헝가리의 공식 행정 언어로 만드는 칙령을 발표했다. 그러나 헝가리의 상황은 독일어가 이미 광범위하게 사용되어 라틴어를 점차 없애는 조치가 항의를 불러일으키지 않은 보헤미아와는 달랐다. 헝가리의 언어 상황은 훨씬 다양했다. 동부 지역 주민들은 루마니아어를 사용했고, 북부에서는 슬로바키아어와 루테니아어가 사용되었으며, 남부에서는 크로아티아어와 세르비아어가 사용되었고, 독일어와 이디시어는 모든 지역에서 조금씩 사용되었다. 라틴어는 전통일 뿐만 아니라 실용적으로 쓰이는 언어였다. 라틴어는 요제프 황제가 보기에는 죽은 언어였지만, 오랜 세대에 걸쳐 라틴어는 헝가리 영역을 통합한 소중한 공용어였고, 단지 수백 개의 단어밖에 모르고, 독특한 억양으로 말을 하는 사람들도 사용하는 언어였다. 사실상 헝가리의 모든 공식 업무는 라틴어로 기록되었다.[38]

이제 헝가리 관리들은 이러한 변화에 적응하기 위해 3년 안에 독일어를 배워야 했다. 요제프는 독일어를 학교 교육 언어로 지정하는 부수적 조치도 취했다. 예외적으로 종교는 토박이어로 교육될 수 있었다. 그는 현명치 못하게 헝가리의 전통적 자치주인 코미타트comitat를 없애는 정치적 '개혁'을 단행했다. 이 제도도 라틴어와 마찬가지로 독특한 헝가리식 생활방식으로 소중하게 지켜져 오던 것이었다.[39]

이러한 조치로 요제프는 의도하지 않게 활발한 민족 운동을 촉발시켰다. 요제프는 이에 크게 당황했는데, 헝가리 귀족들이 특별히 소중하게 여기고 있지 않은 헝가리어가 아니라 라틴어를 대체하려고 한 것이기 때문이었다. 일상생활에서 헝가리어를 쓰는 사람들은 종복들과 얘기할 때 주로 헝가리어를 썼다. 그러나 독일어를 헝가리의 공식 언어로 선언하면서 요제프는 중유럽 지역에서 헝가리가 독일어를 사용하는 지역이 되도록 만드는 유령을 불러낸 것이다. 헝가리 전역에서 이에 항의하는 청원서가 빈으로 쇄도했다. 한 북부 지역 주민들은 에트루리아 베이*의 경우를 예로 들었다. 누가 지금 이들을 기억하고 있는가? 이들과 마찬가지로 마자르인들은 역사에서 사라지지 않을까 우려하게 되었다. 요제프는 "깊숙이 있는 신경을 건드리는 바람에 잠자고 있던 감정이 표면에 나오게 만들어서 민족 발전의 새로운 국면을 스스로 시작했다". 마자르인들은 보헤미아에서보다 더 강하게 언어와 정체성의 연계성을 깨달았고, 청원자들은 마치 자기 가족에 대한 공격이 시작된 것처럼 크게 항의했다.[40] 청원에 대해 요제프는 아래와 같이 반응했다.

내가 이미 내린 결정을 번복하도록 요구하는 사람은 논란의 여지가 없는 이성의 증거를 통해 자신의 주장을 제기해야 한다. 그러나 나는 당신들 민족이 제기하는 주장에서 이런 것을 전혀 찾아볼 수 없다. 독일어는 내 제국의 보편적 언어다. 왜 내가 한 지역의 민족 언어에 따라 그 지역의 법률과 공무를 다루어야 하는가?[41]

19세기에 이성 숭배는 낭만적 감정 숭배를 촉진시켰다. 그 이유는 이성은 인간의 경험을 완전히 포착하지 못했기 때문이다. 그러나 1780년대에

• 이탈리아 투스카니와 움브리아, 포 평야 지역에 존재했던 고대 왕국 에트루리아(Etruria)는 고유의 언어를 사용했고, 기원전 700년부터 기원후 50년까지 수많은 비문 등에 언어를 남겼지만 라틴어가 지배적 언어가 되면서 사라졌다. 베이(Veii)는 이 지역의 도시 중 하나였다.

헝가리의 항의자들은 요제프의 이성에 가득 찬 개혁을 거부할 실용적 근거가 있었다. 라틴어는 헝가리의 다양한 영역에서 사용되는 언어였고, 이것은 '다른 민족들'의 존경을 받았으며, 오랜 과거로 거슬러 올라가는 지역적 주권이었다. 이에 더해 헝가리 지방의 지도자들은 3년 안에 이 개혁을 완수할 정도로 독일어를 알고 있지 못했다. 이들은 헝가리에서 사용되는 언어들이나 지역 사정을 모르는 신참 관리들이 독일에서 밀려들어 올것을 염려했다.[42] 요제프는 청원에 대한 답변에서 헝가리의 많은 주민들이 이미 독일어를 알고 있고, 이것이 행정을 위한 최선의 선택이라고 주장했다. 어찌되었건 죽은 언어를 계속 사용하는 것은 헝가리의 '문화적 수준'을 부정적으로 반영한다고도 말했다.[43]

헝가리인들은 요제프의 목표가 자신들의 땅을 오스트리아에 완전히 복속시키려는 것이라고 생각했고, 여기에 독일어가 국정을 지시하고 '읽는' 수단으로 사용된다고 보았다. 그들은 식민지가 되는 것을 두려워했고, 이 두려움은 오스트리아 상품을 헝가리에서 판매하고, 헝가리에서 오스트리아로 가는 농산물에는 관세를 부과한 마리아 테레사 시기로 거슬러 올라간다.[44] 이러한 변화는 헝가리 귀족들로 하여금 자신들 조상이 합스부르크 가문 사람을 왕으로 선택하되 오스트리아 왕가는 헝가리 민족의 권리와 관습을 존중하고, 다른 지역처럼 통치하지 않기로 약속한 것을 떠올리게 만들었다. "만일 공후들의 약속이 신민의 약속보다 지켜지지 않는다면 인류에게 큰 불행이다"라고 한 귀족은 썼다. 언어와 같은 관습은 3년 동안 변할 수 있는 것이 아니라 평생의 시간 동안 변할 수 있는 것이고, 주민들은 군주정을 위해 존재하는 것이 아니라 군주정이 주민들을 위해 존재하는 것이다.[45]

헝가리 자치주 지역에서 터져 나온 불만에 대한 짜증으로 요제프는

1785년 자치주 제도를 철폐하고 빈의 직접 통치를 받도록 만들었다. 그는 헝가리와 크로아티아-슬라보니아를 10개 지역으로 재편하고 자신에게 충성하는 사람들을 관리로 임명했다. 그러나 이것은 헝가리 귀족들이 보기에 너무 과한 '개혁'이었고, 1787년 오스만튀르크와 전쟁이 발발한 후 헝가리 귀족들은 외국 군대의 도움을 청하고, 외국 귀족을 자신들의 왕으로 추대하는 것을 고려했다. 1780년대 말이 되자 요제프는 중병에 들었고, 죽기 직전 그는 자신의 개혁을 취소한다는 편지를 헝가리 자치주들에 보냈다.[46]

보헤미아에서는 중앙집권 조치가 훨씬 일찍 시작되었지만, 이에 대한 귀족들의 저항은 주로 말로 그쳤다. 고상한 사교 생활에서는 사용하지 않고 마구간지기와 말할 때 사용하는 체코어를 빈의 궁정에서는 작은 목소리로 말했다. 합스부르크왕가의 시혜로 가문이 일어선 대부분의 보헤미아 귀족들은 자신의 조국에 대한 사랑 말고도 범오스트리아 애국주의와 독일 애국주의도 알고 있었다. 1790년 황제가 된 요제프의 동생 레오폴트는 신속한 화해 조치로 요제프가 빈에 방치해놓았던 보헤미아 왕관을 가지고 프라하로 와 대관식을 거행했다.[47] 주로 독일어를 사용하던 보헤미아 귀족들은 헝가리 귀족들이 자신들의 자치주 지역에서 누리던 자치 전통이 없었다. 보헤미아 귀족들은 도브로프스키나 융만 같은 학자들이 자신들 땅의 역사와 언어에 대해 연구할 공간과 자금을 마련해주었지만 이것을 개인적 영예로 여기지는 않았다. 이들은 축소된 자신들의 특권과 중앙화에 대한 우려는 있었지만, 민족을 통치하는 주권을 요구하지는 않았다.

그러나 보헤미아와 헝가리 모두에서 합스부르크왕가는 언어를 언어 이상의 중요한 문제로 만들었다. 헝가리를 통제하려는 노력의 일환으로 독일어를 사용하게 만들면서 사실상 이들은 헝가리인들이 자신들의 낡은 구어를 자기방어의 수단으로 사용하는 데 단결하도록 만들었다. 언어는 단순히 어휘와 구문이 아니라 지역적 존중의 소중한 상징이었다. 헝가리 귀족들은 헝가리어는 잘 구사하지 못했지만, 자신들이 독일인이 된다는 전망은 정체성 상실의 두려움을 불러일으켰다. 지난 500여 년의 역사가 보여주듯이 이러한 변화는 잠자고 있던 희미한 민족에 대한 감각을 적극적이고, 어느 면에서는 공격적인 의식으로 바꾸어놓았다. 헝가리 사람 모두가 헝가리어가 사라질 것을 염려한 것은 아니었고, 헝가리의 모든 주민이 헝가리인이었던 것은 아니다. 이러한 사실 인식은 점점 더 근대화되어 가는 민족에 대한 감정이 용인할 수 없는 것이었다.[48]

주도적인 애국자들은 헝가리어가 위기 상황에 있기는 하지만, 라틴어처럼 죽지는 않았다고 주장하기 시작했다. 헝가리어는 다시 생명을 찾을 수 있었다. 몇 년 안에 이들은 헝가리어가 부활했을 뿐 아니라 헝가리 모든 지역에서 사용된다고 주장하게 되었다. 이와 대조적으로 체코 운동은 이런 배타성을 달성하지는 못했다. 보헤미아 애국자들은 어려움에 처한 민족을 위해 언어를 회복해서 독일어와 대등한 위치를 얻게 하려고 노력한 데 반해, 헝가리에서는 독일어와 다른 모든 언어를 추방하고 자신들의 민족적 권리를 완전히 주장하기 위해 헝가리를 사용하려고 했다. 프랑스어가 프랑스에서 배타적으로 사용되는 것처럼 헝가리어도 헝가리에서 배타적으로 사용되어야 했다. 1790년대 이후 헝가리 대귀족들조차도 의도적으로 민속 의상을 입고, 민족 전통을 찾아냈다. 보헤미아에서와 마찬가지로 헝가리에서도 문학 부흥은 관심과 헌신을 촉발시켰고, 귀족들 사이에 이것이 확산되었다. 요제프는 마자르인과 체코인을 오스트리아-독일인으로 만들 의도가 아니라 그렇게 보이도록 시도하다가 마자르 민족주의와 체코 민족주의를 깨어나게 했다.[49]

애국자들이 생각하기에 합스부르크왕가는 보헤미아와 헝가리 민족을 폄하하여 독일과 러시아 사이에 있는 개별 가문이나 서로 떨어진 지역보다 더 모멸감을 느끼게 만들었다. 이것은 인간 역사에 상처를 입히는 일이었다. 보헤미아는 한때 유럽에 대한 사명을 가지고 있던 곳이었고, 애국자들의 과제는 그것을 찾아내고 다시 살려내는 것이었다. 그것이 무엇이든 프랑스어나 독일어는 아니었고, 그것이 무엇이든 오스트리아는 그것을 보호할 수 있었지만 오스트리아어는 아니었다. 그것은 체코어나 마자르어였다. 이제 민족성에 대한 새로운 사상이 서쪽에서 들어왔고, 그 시작은 프랑스혁명에서 왔다. 이 사상은 독일의 대학들을 통해 독일의 사고에 침투했고, 슬라브 애국자들 3세대는 '재건' 시기로 알려진 나폴레옹 전쟁 직후 독일의 대학으로 가서 수학했다. 이때는 새로운 사상을 퍼뜨리는 게 어려운 시기였고, 특히 민족에 대한 사상은 더욱 그랬다. 마리아 테레사의 후계자들과 그녀의 아들인 요제프와 레오폴트도 강력한 국가와 중앙통제를 원했지만, 이들은 인간의 이성에 대한 동일한 믿음을 가지고 있었다. 이로 인해 국가 심장부에 대립 상태가 조성되었다. 사상과 산업의 성장과 시간을 멈추고 관료제는 성장시키려는 군주정이 대립했다.

애국자들의 서로 다른 정체성 때문에 헝가리와 보헤미아에서 민족 사상과 프로젝트는 다르게 나타났다. 헝가리에서 발아하는 민족 운동은 귀족이 주도했고, 민족에 대한 고대 사상을 다른 계층에 확산시키려고 노력했다. 보헤미아에서는 애국자들의 보잘것없는 출신 배경으로 인해 이 사상이 원래 귀족이 아니라 평민들, 체코어를 말하는 모든 사람들에게 내재해 있었다고, 민족성에 대한 사상을 다시 만들어냈다. 이들은 이것이 중세

법보다 더 오래된 근원에서 나왔고, 체코 땅이 왕국이 되기 이전에 체코 땅의 영유권을 차지한 초기 체코 부족의 후손들에게 전승되어왔다고 주장했다. 체코인들은 독일인이 아니었지만, 역설적이게도 민족은 언어로 통합된 부족에서 탄생한다는 것은 체코인이나 기타 슬라브인들이 아니라, 체코인들과 슬로바키아인들이 독일, 특히 예나에서 만난 요한 고트프리트 헤르더 일원에 속한 독일 사상가들에게서 나온 것이었다.

3장

언어 민족주의

요제프 2세는 프랑스에서 혁명이 일어난 직후 사망했다. 그는 또한 오스
트리아령 네덜란드와 헝가리에서 일어난 자신의 개혁에 대한 저항과 튀
르키예와의 전쟁에서 대실패로 심신이 완전히 소진되어, 라인강 서쪽에
서 일어나는 일을 거의 감당할 수 없었던 것 같았다. 아마도 그는 국내에
서 자신을 그렇게 괴롭힌 구체제에 대한 혁명적 도전에 대해 동정을 가졌
던 것 같았다. 그의 동생이자 후계자인 레오폴트 2세(재위: 1790-1792)는
처음에는 입헌 정부와 귀족·교회의 특권 철폐 소식을 반겼고, 프랑스 왕
에게 신민들과 타협을 이루도록 촉구했다.[1] 합스부르크왕가가 배출한 가
장 재능 있고, 공정한 생각을 가진 지도자였던 레오폴트는 이미 자신의
직할령인 투스카니에 입헌 통치를 도입했고, 1786년 그는 유럽의 군주 중
처음으로 사형제를 폐지했다. 그는 고문도 없애고, 장애인을 위한 시설도
만들었다. 그런 와중에 프랑스혁명은 중유럽의 진보주의자들도 큰 공포
를 느끼는 방식으로 진행되었다. 레오폴트의 여동생 가운데 한 명이 마리

앙투아네트였다.

1791년 여름 그녀와 남편 루이 16세는 반혁명을 시작할 생각으로 파리를 탈출했지만, 바렌느에서 체포되어 파리로 돌아와 감금되었다. 이제 레오폴트의 생각은 바뀌었다. 8월 그와 프로이센 국왕은 작센 필니츠에서 프랑스의 합법적 통치를 보호하기 위한 군사행동을 선포했다.

9월에 레오폴트는 보헤미아의 국왕 제관식을 위해 프라하를 방문했지만, 정치적·지적 소요는 그에게 평화를 주지 않았다. 그는 왕립 보헤미아 지식협회에서는 환영을 받았지만, 요제프 2세가 개방한 자유로운 토론에 도전받았다. 학자이자 사제이고, 체코 애국자인 요세프 도브로프스키는 슬라브 문화를 찬양하고 레오폴트 2세가 체코 언어를 '부적절한 압제와 잘못 생각한 탄압'으로부터 보호해줄 것을 탄원했다.[2]

프라하 방문 둘째 날 저녁 레오폴트와 신하들은 모차르트의 마지막 오페라 〈티투스의 자비La Clemenza di Tito〉 공연을 관람했다. 그러나 여기에서도 정치는 단순한 여흥조차도 비켜가지 않았다. 모차르트는 예술적 자유를 이용해서 로마 황제 티투스를 반란을 일으키는 신민들에게 관용을 베풀며 성장한 인물로 묘사했다. 황제 일행은 이를 달가워하지 않았다. 소문에 의하면 황후 마리아 루이자는 이 오페라가 자신의 올케인 마리 앙투아네트를 사실상 납치하는 것으로 절정에 오른 그 문제를 경솔하게 축하하고 있다고 비난했다고 한다.[3]

이후 몇 달 만에 황후, 황제뿐 아니라 모차르트도 당시 치료약이 없던 전염병에 걸려 모두 사망했다. 모차르트의 아들들은 체코 애국자인 철학자 니에메체크가 보호했고, 그는 그들의 두 번째 아버지가 되었다. 합스부르크 왕좌는 레오폴트의 아들인 속이 편협한 프란츠에게 넘어갔고, 그는 1835년까지 통치했다. 그는 계몽교육을 받고 자랐지만 프랑스에서 전해져 오는 과격한 뉴스로 인해 공포에 휩싸였고, 자신의 통치 시기 동안 입헌 통치는 억압하고 철저한 검열이 시행되는 경찰국가로 만들었다. 당대 사람들은 그를 무색무취하고 덕도 악도 없는, '그의 타고난 무관심을 자극할' 아무런 열정도 없는 인물로 기억했다.[4]

프란츠가 대관식을 한 지 몇 주 안에 프랑스 입법회의는 필니츠에서 레오폴트 2세가 선전포고를 한 것에 대응해서 오스트리아를 상대로 선전포고를 했고, 혁명을 동쪽으로 전파시키겠다는 의지를 표현했다. 그러나 오스트리아와 프로이센 동맹이 먼저 행동을 취했다. 두 국가는 라인강 서쪽을 휘감은 '혼란' 가운데 쉽게 자신들의 의사를 주장할 수 있을 것으로 낙관했다. 두 나라 군대는 프랑스 국경을 넘어가 요새화된 거점들을 점령하기 시작했다. 그러나 이것은 프랑스 정부로 하여금 그때까지 활용하지 않았던 자원을 동원하게 만들었다. 그것은 성인 남자들이었다. 프랑스는 이들을 징집하고 훈련시킨 후 전투에 내보냈고, 이들은 혁명을 지킨다는 확신으로 전선에 나갔다.

1794년 시점에 프랑스 병력은 80만 명에 이르러 대부분의 전투에서 2대 1의 수적 우세를 유지했다. 프랑스군은 침략군을 프랑스 영토에서 몰아낸 후 저지대 국가와 라인강 서쪽 독일 영토를 점령했고, 이 지역을 1815년까지 장악하게 되었다.[5] 이 기간 동안 유럽 국가 대부분이 일곱 번의 동맹을 맺으며 프랑스와 싸웠다. 처음에는 혁명에 대항해 싸웠고, 1799년 후에는 프랑스의 나폴레옹 보나파르트를 상대로 싸웠다. 뛰어난 군사 지도자인 나폴레옹은 1804년, 중동부 유럽의 가신국들로 영토가 확대된 프랑스 영토로 구성된 '프랑스제국'을 선포했다. 이 국가들에는 새 독일(라인연방), 새 폴란드(바르샤바공국), 그리고 최초의 남슬라브국가(일리리아)가 포함되었다.

오스트리아는 반프랑스 동맹의 주력이었으나 1805년 아우스터리츠 전투와 1809년 바그람 전투에서 패한 후 영토를 할양해야만 했다. 그러나 오스트리아는 아직 프랑스의 직접적 점령을 당하지 않았기 때문에 프랑스가 통치하며 전통적·법적·사회적 체제가 혁명화된 서부 독일과는 크게 다른 상태를 유지했다. 나폴레옹 덕분에 사상 처음으로 합스부르크, 브레멘, 라인란트 상당 부분에 있는 모든 사람이 법 앞에 평등해졌다. 개신교도뿐만 아니라 소도시 주민, 귀족, 사제도 평등했고, 유대인도 기독교인과 평등했다. 모든 사람이 자신이 원하는 것을 자유롭게 할 수 있었다. 지도 위 어디든지 여행하고, 결혼하고, 재산을 사고팔 수 있었다. 봉건적 특권이 철폐되면서 처음으로 이 독일인들은 배경에 관계없이 시민이 되었다.

나폴레옹은 또한 유서 깊은 신성로마제국의 존재를 없애며 혁명화하는 작업을 시작했다. 그는 라인강 서부에 새로 만들어진 새 연방으로 영토를 잃은 소규모 독일 국가들에게 라인강 동부의 종교 도시와 자유 도시를 주어 보상했다. 몇 년 안에 아주 작은 주교구, 수도원, 소도시들은 바이에른, 작센 또는 바덴으로 흡수되어서 근대적 민족 국가로서 통일되기 쉬운 좀 더 단순한 독일을 만드는 과정의 중요한 첫발을 떼었다. 1804년 여름, 나폴레옹이 몇 달 전 스스로 프랑스 황제에 즉위한 것에 대한 대응으로 프란츠는 자신을 오스트리아 황제로 선언했다. 합스부르크왕가의 일원인 그는 '로마 황제'로 남았지만, 이 제국이 소멸을 향해 가고 있는 상황에서 코르시카 출신 신출내기에 대항해서 유럽 무대에서 자신의 지위를 확고하게 만들고 싶었다. 합스부르크왕국의 공식 명칭은 '오스트리아제국'이 되었지만, 그 목적은 프랑스, 영국 또는 러시아를 자극시킨 종류의 공격적이고 자신감에 찬 제국 프로젝트를 추가하는 것이 아니라, 왕조적 권위의 일정한 기준보다 처지는 자리에 서 있지 않다는 것을 보이기 위한 것이었다.

그러나 자체 대관식은 하마터면 늦을 뻔했다. 나폴레옹은 1806년 신성로마제국 헌법의 기능이 정지했다고 선언했고, 라인연방의 몇 공국이 8월 1일 제국에서 탈퇴했다. 닷새 후 빈의 키르케 암 호프 궁전의 발코니에서는 신성로마제국이 더 이상 존재하지 않는다고 선언되었다. 사실 신성로마제국은 오랫동안 독일 땅을 방어할 능력이 없는 작은 정치체들의 조잡한 연맹이었다. 제국 해체로 인한 실질적인 결과 중 하나로 독일에서 오스트리아의 주도적 지위는 막을 내렸고, 독일은 모든 확정적인 정치 형태를 상실했다. 제국 헌법은 효과적인 행정 권력은 갖지 못했지만 도시들과 영토들의 권리를 균형 잡아왔고, 대중들의 인식 속에는 완전히 감지할 수 없는 국가를 구현해왔다.

1806년 여름의 보도들을 보면 독일 땅 전역의 주민들은 제멋대로인 정복자가 자신들의 제국을 해체한 것에 격분했다. 당시 보도는 요제프가 헝가리에서 라틴어를 독일어로 대체했을 때 일어난 분노를 연상케 하는, 그때까지 숨겨져 있던 감정적 집착을 보여주었다. 죽은 언어나 마찬가지인 라틴어처럼 신성로마제국은 정체성의 기본 좌표였다. 요한 볼프강 괴테의 성격이 쾌활했던 어머니인 카타리나는 마치 오랜 친구가 불치의 병에 쓰러진 것처럼 슬픈 감정을 표현했다. 그녀는 고향인 프랑크푸르트 주민들이 느낀 슬픈 감정을 감지했다. 이들 생애에 처음으로, 또한 몇 세기 만에 처음으로 제국은 교회에서 드리는 기도에서 빠지게 되었고, 독일 땅 전역에서 미묘한 항의운동이 일어났다.[6] 이제 각 주민은 단순히 프로이센인이나 바이에른인인가? 그 사람이 독일인이라면 그것은 무엇을 의미하는가?

라인란트 주민들은 나폴레옹의 통치가 자신들의 자유를 증진시켰기 때문에 그의 통치를 환영했지만, 곧 지지는 약화되기 시작했다. 나폴레옹은 더 많은 영토를 통제할수록 점점 더 욕심이 생겼고, 그의 '동맹들'에게 돈과 병사를 점점 더 요구했다. 서부 지역 독일인들은 프랑스가 영토가 큰 동부의 독일 국가들에 승리를 거둔 것에 모욕감을 느꼈다. 1806년 나폴레옹은 예나와 아우어슈테트에서 프로이센군을 격파하고 베를린을 점령했다. 2년 후 그는 오스트리아로 하여금 영국에 대한 대륙봉쇄에 가담하도록 만들었다. 다음해 오스트리아가 나폴레옹에 대항해 일어나자 그는 다시 한 번 오스트리아를 제압했다. 1812년 러시아를 침공한 나폴레옹 대육군Grand Armeé의 3분의 1은 독일 병사였고, 사상자도 그 비율만큼 나왔다.[7]

이러한 상실과 모욕에서 독일 애국자들의 새롭고 저항적인 운동이 시작되었다.[8] 프랑스군은 구제국을 파괴하고 독일 땅을 점령하기는 했지만 독일인들을 독일인으로 만든 것, 즉 그들의 문화는 건드리지 못했다. 1813년 유럽 여러 곳에서 모인 군대가 라이프치히에서 처음으로 나폴레옹군을 격파하자, 시인인 에른스트 모리츠 아른트는 이렇게 물었다. "무엇이 독일인들의 조국인가?" 그는 독일을 영토에 묶는 것은 어리석은 일이라고 썼다. 왜냐하면 독일인은 이름을 붙일 수 있는 것을 넘어서기 때문이었다. 티롤과 스위스는 말할 것도 없고 프로이센이나 바이에른을 넘어서는 것이었다. 독일은 "그것보다 훨씬 크다"라고 그는 후렴에서 말했다. 그것은 독일어가 사용되는 모든 곳이었다. 그렇다. 독일은 거대한 옛 제국이었지만, 프로이센과 오스트리아의 동쪽 경계를 넘어서서 오늘날의 발트 국가에까지 뻗친 더 큰 것이었다. 그곳에서 독일적이 아닌 것은 사라졌다. 특히 프랑스적인 것이 그랬다.

분노가 외국의 하찮은 것을 말살시키는 곳
모든 프랑스인이 적이라고 불리는 곳
모든 독일인이 친구라고 불리는 곳

바로 그것이다!

독일 전체가 그래야 한다![9]

세련된 철학자인 프리드리히 슐레겔과 요한 고틀리프 피히테는 프랑스인을 '멸절시켜야' 하는 필요를 설파하고, 예민하고 고뇌에 찬 시인 하인리히 폰 클라이스트는 단순하게 "그들을 쳐서 죽여라, 심판의 날 아무도 그 이유를 묻지 않을 것이다"라고 썼다.[10]

＊　＊　＊

그러나 독일 민족주의는 분노의 분출에 힘을 다 쓰지는 않았다. 그 사상은 수십 년 동안 진보해왔고, 프랑스에의 도전에 대한 직접적 반응의 형태로도 나타났다. 지금은 널리 알려지지 않은 사상가이지만 이마누엘 칸트와 가까웠던 18세기 중반 경건파 개신교 사상가인 요한 게오르크 하만을 예로 들어보자. 하만은 자신의 동포들이 이성 숭배를 비롯해서 라인강 서쪽에서 밀려오는 사조에 머리를 숙이는 것을 혐오했다. 그가 보기에 프랑스인들은 너무 합리성을 추구해서 진정으로 인간적인 것에서 분리되었다. 모든 경험은 추상으로 환원될 수 있다고 전제한 그들은 인간사에서 개별적이고 중요한 것을 희생했다. 그는 특히 언어는 일정한 표현을 놓고 서로 치환될 수 있고, 근본적으로 복제할 수 있으며, 각각이 특이하지 않은 것이라는 주장을 혐오했다.

하만의 제자로서 철학자이자 신학자이고 세계사학자인 요한 고트프리트 헤르더는 이러한 경향을 몇 발자국 더 발전시켰다. 헤르더는 리가의 성당에서 설교자로서 명성을 얻었고, 바이마르 궁정에서 괴테와 실러와 가까이 사귀며 경력을 쌓았다. 그러나 그는 프로이센 동쪽 끝의 궁벽한 소도시인 모루겐 출신으로, 이곳의 독일인들은 폴란드인, 이디시인, 리투아니아인과 매일 부대끼며 살았고, 이곳의 고급문화는 프랑스 문화였다.[11] 하만의 영향과 젊은 시절의 다양한 문화 경험 덕분에 헤르더는 각각의 개별 언어가 사람의 자기표현에 중요하다는 것을 확신하게 되었다. 글로 쓰이지 않아도 농민들이 말하는 방언들은 '전통, 역사, 종교, 생활의 원칙'의 성스러운 보고寶庫가 되었다. 이것들은 전능하신 신이 인간에 대한 자신의 뜻을 보여주는 수단이었다. 한 민족의 영혼은 그 민족의 언어였다.[12]

이런 이유 때문에 국가들은 언어와 민족을 보호해야 할 성스러운 의무를 지고 있었다. 국가는 주민을 위해 존재하는 것이지 주민이 국가를 위해 존재하는 것이 아니었다. "신이 세계의 모든 언어를 인정하듯이 통치자는 자신의 신민들이 사용하는 다양한 언어를 인정해야 할 뿐만 아니라 존중해야 한다"고 그는 설파했다.[13] 그는 언어는 공공의 복지를 위한 의사소통 수단일 뿐이고, 그 목적에 이바지한 후 없어져도 되는 것이라는 생각에 반대했다(일례로 요제프 2세는 주민들이 독일어를 해독할 때까지만 체코어를 장려하려고 계획했다).

헤르더의 사상은 독일 사상에 스며들었고, 한 세대 만에 역사와 사회에 대한 인식을 변화시켰으며, 이것은 피히테와 아른트 같은 민족주의자들에게만 영향을 끼친 것이 아니었다.[14] 역사상 가장 위대한 언어학자 중 한 사람이며 시적 몽상가인 빌헬름 폰 훔볼트를 예로 들어보자. 그는 독일인들 사이에는 뭔가 유일무이한 것이 존재한다고 썼다. '관습, 언어, 문학의 공통성, 공동체로서 누린 권리와 자유에 대한 기억, 얻은 명성과 극복한 위험, 조상들이 형성했지만 손자 세대의 갈망에만 살아 있는 밀접한 연맹에 대한 기억'을 그는 꼽았다.[15] 1830년 나이 많은 괴테는 "헤르더의 사상은 대중의 의식 속에 너무 깊이 침투해서, 오늘날 그의 글을 읽는 사람들은 이것이 계몽적이란 생각조차 하지 않는다"라고 썼다. 헤르더의 사상은 "수천 명의 다른 사람들이 폭넓게 빌려와서 이제는 상식처럼 보인다". 이제 헤르더의 《인류의 역사History of Humanity》는 "민족을 교육하는 과업을 달성해서, 거의 잊히다시피 했다"라고 평가했다.[16]

헤르더가 알을 낳은 언어·문화 민족주의는 1813년 라이프치히에서 벌어진 민족들의 전투에서 크게 성장했다. 처음에 독일인은 서로 충돌한 양국 군대에서 싸웠으나 전투 중간에 편을 바꾸어 프랑스 병사들에게 총을 겨누었다. 이것이 나폴레옹의 급속한 몰락의 시작이었다. 1814년 유럽 열강들은 빈에 모여 지도를 다시 질서 상태로 돌려놓고, 군주정을 되살렸지만 단순해진 독일은 그대로 두었다. 되돌아보면 두 가지는 분명했다. 언어 민족주의는 중유럽에서 압제할 수 없는 힘으로 부상했고, 유럽의 군주들은 이 힘이 정치적으로 불안정을 초래하지 않도록 최선을 다했다. 이들이 사용한 방법은 검열과, 독일 대학의 학생과 교수 사이에 정보원을 심는 것이었고, 특히 피히테와 헤겔이 강의를 하고 괴테와 헤르더의 바이마르공국에서 멀지 않은 곳에 있는 예나대학이 집중적인 감시 대상이 되었다.

* * *

대학이 감시 대상이 된 것은 당시에 생긴 민족주의자 학생조직인 대학생학우회Burschenschaften 때문이었다. 여기에는 라이프치히 전투 참여 퇴역병이 일부 포함된 학생들이 독일 민족에 헌신을 하고, 아른트의 시를 노래하며, 사라진 제국 숭배에 나서고, 마르틴 루터가 성서를 번역한 아이젠나흐 위의 중세 성 바르트부르크에서 매년 횃불을 들고 모였다.

이 잘 알려진 이야기에서 덜 알려진 것은 이 행사에 참여한 사람들은 독일인만이 아니었다는 사실이다. 예나의 교수진에는 유럽 전역에서 학생들을 오게 만든 개신교 신학자들이 있었고, 합스부르크제국 출신의 수십 명의 슬라브인도 있었다. 슬로바키아어와 체코어를 구사하는 이 젊은 교수들은 당시 영국인이나 프랑스인 지식인들과 다르게 헤르더의 사상을 적극 수용했다. 실제로 괴테는 헤르더의 사상이 프랑스에서 거의 알려지지 않은 것을 알고 충격을 받았다. 그 이유는 실용적인 것이었다. 프랑스 지식인들은 언어 민족주의를 필요로 하지 않았다. 프랑스 왕들은 여러 세대전에 프랑스 국경을 확정했고, 그 안에서는 누가 신민이나 시민인지, 어떤 언어를 사용해야 하는지에 대한 아무런 의구심이 없었다. 대신에 민족 투쟁은 왕이나 국민 중 누가 프랑스 영토를 통치할 것인가를 놓고 벌어졌다. 영국에서도 민족주의의 논리는 이와 유사했다.[17]

그러나 합스부르크제국 내 슬라브인들은 프랑스의 그늘 아래 살고 있는 독일 지식인보다도 자신들의 민족에 대해 더 불안해했다. 이들은 민족국가 내에 살고 있지 못했을 뿐만 아니라 자신들 민족의 명칭도 가지고 있지 않았다. 헤르더가 제시한 사상은 거부할 수 없을 만큼 매력이 있었다. 이것은 당위성의 문제였다. 민족은 국가가 아니라 언어를 통해 진정으로 살아남는다는 메시지 외에도 헤르더는 슬라브 민족들의 위대한 운명에 대해 말했다. 역사를 공부한 후 헤르더는 오래전 중동부 유럽에 정착한 슬라브인들은 이 지역을 포기하고 떠난 다른 민족들에 비해 이 지역을 훨씬 풍요롭게 만들었다고 결론 내렸다. 순종적이고 평화를 사랑하는 슬라브인들은 도적질이나 약탈을 경멸하고 이방인을 따뜻하게 맞이하고 즐겁게 생활한다고 그는 보았다. 그러나 이러한 개방성 때문에 슬라브인들은 공격적인 이웃들의 정복의 희생자가 되었다. 특히 독일인들은 슬라브인에게

'심각한 죄'를 저질렀다.[18] 슬라브인들은 숫자가 많고, 베를린과 캄차카 사이의 거대한 공간에 살고 있기 때문에 역사는 아직 슬라브인들의 마지막 말을 듣지 않았다고 헤르더는 생각했다.

예나에서는 젊은 슬라브인 신학자들이 헤르더 가르침을 중심으로 모여들었다. 헤르더의 《인류의 역사》 편집장인 애국적인 역사학자 하인리히 루덴의 강의는 너무 인기가 있어서 학생들은 사다리를 타고 올라와 열린 창문 밖에서 강의를 들을 정도였다. 그는 제대로 이해된 역사는 조국에 대한 적극적인 사랑을 일깨워야 한다고 주장했다. 그는 비독일계 민족들은 민족 발전을 달성할 권리가 있다고 주장하고, 놀랍게도 백산 전투에서 체코인들을 압제한 것을 비판했다.[19] 수십 년간 헤르더가 살며 설교를 하고, 많은 친구가 있는 바이마르는 반나절이면 걸어갈 수 있는 가까운 거리여서 젊은 신학자들은 이미 세상을 떠난 헤르더의 개인 친구들을 만나러 갈 수 있었다.

이들 중에 네 명의 재능 있는 시인, 언어학자, 역사학자가 나왔고, 이들은 중동부 역사에서 아주 중요한 인물이 되었다. 이들은 얀 콜라, 얀 베네딕티, 파벨 샤파리크, 유라이 팔코비치였다. 콜라와 팔코비치는 아직도 슬로바키아 학교에서 읽히고 있는 시들을 썼고, 샤파리크는 19세기 가장 영향력 있는 지리학자 중 한 사람이 되었다. 네 사람 모두 평범한 집안 출신이었다. 팔코비치와 콜라는 농민 가족 출신이었고, 샤파리크와 베네딕티는 사제 집안 출신이었다. 샤파리크는 성마른 아버지를 거역해서 '도움을 구하는' 거지 학생으로 생활해야 했다. 그는 휴일이면 학교가 알려준 기부자들을 찾아다니며 생활비를 구걸해야 했다.[20] 처음에 이들 중 누구도 민족이란 사상에 특별한 애착이 없었고, 당시의 관행에 따라 생활했다. 이들은 예나대학에 과거의 민족 소속으로 등록해서, 이들은 '헝가리인'이었다.

얀 콜라

북부 헝가리에서 온 30여 명의 학생 중 자신과 베네딕티만이 체코-슬로
바키아의 문학에 관심이 있었다고 콜라는 후에 회고했다. 후에 나머지 학
생 대부분은 완전히 마자르화되었다.[21]

괴테는 콜라가 번역한 슬라브 민속 시가를 읽고 진정한 민중 정신에 다
가갈 수 있었다. 그러나 이 위대한 시인을 만나러 가는 길에서 콜라와 베
네딕티는 비독일어 소도시와 마을 이름을 많이 보았다. 예나는 슬라브식
이름이라, 원래 슬라브인들이 정착했던 곳이라는 것을 보여주었다. 다른
튀링겐 소도시들도 마찬가지였다. 게라, 로베다, 아폴다, 카흘라, 바이마르

가 그런 이름이었다. 슬라브인들은 어디에 있었던 것인가? 여기에 대한 대답은 슬라브인들에 대한 헤르더의 서술에 있었다. 이들은 오랜 기간 침략을 받아왔고, 민족으로서는 멸절된 것이었다. 한참이 지난 후에 콜라는 자신이 동족들의 거대한 무덤 가운데 생활했던 예나 시절에서 느낀 애처로움을 회상했다. 슬라브 이름을 가진 모든 마을, 언덕, 강은 그에게 묘비와 같이 다가왔다.[22]

그는 자신과 친구들 출신 지역인 북부 헝가리 일부 지역에 대해 경각심을 가지고 돌아보았다. 소도시 주민들은 독일어를 사용했고, 콜라는 주변 마을들의 슬라브어 사용자들은 중부 독일에 정착했던 부족들과 같은 운명을 맞을 것을 우려했다. 이들은 역사 기록에서 사라질 터였다.

콜라는 서사시인 〈슬라바의 딸Daughter of Slava〉에서 자신의 두려움을 시로 승화시켰다. 이러한 영감은 우연히 찾아왔다. 1818년 하숙집 여주인이 콜라의 방을 두드리고, 로베다의 목사인 자신의 남편인 게오르기 프리드리히 슈미트가 병이 나서 주일 설교를 대신해줄 사람이 필요하다고 부탁했다. 그와 저녁 커피를 마시면서 콜라는 슈미트 가족이 독일인이 아니고 드레스덴 바로 북쪽 루사티아 출신의 소르브인이라는 것을 알게 되었다. 이곳에서는 고대 슬라브 정착자들의 강인한 후손들이 동화를 거부하며 살고 있었다. 슈미트 가족은 기쁨을 이기지 못한 젊은 콜라에게 소르비아어로 쓰인 오래된 기도서를 보여주고 콜라를 자신들의 동포라고 불렀다.

다음날 아침 콜라는 요한복음 2장 11절 말씀을 바탕으로 설교하며 이렇게 물었다. 그리스도를 따르는 사람들이 생명을 내놓을 수 있는 일은 무엇인가? 그의 설교에 큰 감명을 받은 교인들은 콜라를 항구적인 설교자로 초빙하려고 했지만, 그는 이의를 제기하며 자신은 슬로바키아인이기 때문에 멸시받는 자신의 민족을 위해 목숨을 내놓아야 한다고 말했다. 그러나 그가 밝히지 않은 것은 자신이 목사의 딸인 빌헬미네 프레데리케와 사랑에 빠졌다는 사실이었다. 그가 보기에 그녀는 그 땅과 마찬가지로 영혼 속 깊은 곳이 슬라브인이었다.

콜라의 5연 시인 〈슬라바의 딸〉에서 빌헬미네는 슬라브의 여신인 미나로 나타나서 살레강, 엘베강, 도나우강을 따라 상상 속의 슬라브 땅을 방랑하는 이름 없는 가수의 여신으로 행동한다. 그러나 이 땅은 지금 독일 침입자들이 대거 거주하고 있다. 사라진 민족에 대한 그리움이 가득 찬 이 시는 슬라브 전원의 아름다움을 일깨우며 체코인과 다른 슬라브인들을 위대한 과업으로 불러냈다. 시의 끝부분에서 미나는 가수를 따라 슬라브 천국과 슬라브 지옥으로 동행한다. 이곳에서는 "다른 누구보다 슬라브인들로 하여금 많은 피를 흘리게 한 독일인들을 위해 특별한 형벌이 준비되어 있었다". 이 시는 또한 오스만 땅으로 배신자처럼 흘러 들어가는 도나우강을 책망했다.[23]

콜라는 초기 체코와 슬로바키아 민족주의자들의 경멸로 가득 찬 방어기제를 전형화했다. 이들은 독일 문화에 겁을 먹고 이것 없이는 살 수 없었다. 콜라는 미나라고 부른 빌헬미네가 죽는 것을 두려워했다(이것이 그의 시의 갈망이다). 그러나 두 사람은 다시 만나 1835년 결혼을 하고 독일어를 사용하는 헝가리 도시인 페스트로 이사했고, 콜라는 그곳에서 슬로바키아 루터 교회의 목사가 되었다. 콜라의 부인은 노력은 했지만 슬로바키아어를 제대로 배우지 못했고, 두 사람은 결혼 생활 내내 독일어로 대화를 했다. 그러나 콜라는 슬로바키아어가 아니라 성서 체코어로 시와 수필을 쓰며 이해할 수 없는 사실을 지적했다. 왜 초기 체코 민족주의자들은 슬로바키아인이며, 왜 이 슬로바키아인들은 체코어로 글을 썼는가?[24]

여기에 대한 최선의 답은 중부 독일이 자신의 조상들이 묻혀 있는 묘지라는 콜라의 비유로 되돌아온다. 고대 슬라브인들은 베를린에서부터 남쪽으로는 아드리아해까지, 동쪽으로는 아직 개척되지 않은 태평양에 이르는 광활한 지역에 퍼져 있던 위대한 민족이었다는 역사와 지리에 있는 힌트가 그의 상상력을 자극했다. 슬로바키아인들이 루사티아 소르비아어를 쉽게 이해할 수 있었기 때문에 슈미트 목사는 콜라를 고향 사람이라고 불렀다. 예나에서 콜라는 독일 친구들로부터 위대한 민족은 놀랄 정도로 다양할 수 있다는 것을 배웠다. 바덴, 튀링겐 또는 포메라니아에서 사용되는 독일어의 변이형은 체코인, 슬로바키아인, 크로아티아인, 러시아인이 말하는 언어보다 차이가 적지 않았다. '헝가리' 학생들은 전 독일에서 예나로 온 학생들 사이에 범독일주의에서 자신들만의 범슬라브주의가 자라나는 것을 목격했다. 이들 중 가장 영향력이 컸던 인물은 콜라의 친구인 파벨 샤파리크였다.[25]

＊ ＊ ＊

1826년 샤파리크는 자신의 애국적 확신과 철저한 학술 연구를 결합해 슬라브 민족들과 그들의 언어에 대한 개척자적인 연구를 발표했다. 그는 독일인이나 이탈리아인과 마찬가지로 슬라브인들이 한 민족을 이룬다는 것을 당연하게 생각했다. 그는 열 개가 넘는 언어에 대한 연구에서 슬라브인들의 엄청난 다양성도 조사하며 언어 발전에 대한 깊은 지식을 드러냈고, 수많은 문법표를 만들었다. 그러나 그는 이를 또한 단순화시켰다. 그의 연구에 따르면, 슬라브 언어에는 세 가지 분파가 아니라 단 두 분파만 있다. 남동 분파에는 오늘날의 슬로베니아어, 세르보-크로아티아어, 불가리아어가 들어가고, 서부 분파에는 러시아어, 폴란드어, 체코어가 들어갔다.

샤파리크는 요한 고트프리트 헤르더로부터 물려받은 대략적인 고정관념을 재생시킨 인류학적 관찰을 했다. 슬라브인들의 뛰어난 자질인 명랑성과 따뜻한 인생관, 폭넓은 관심과 능력, 느낌의 생동성과 순진함은 교육으로 만들어진 것이 아니라 '순수한 본성'이었다. 이러한 태생적 특질은 발트해로부터 카르파티아산맥과 남쪽으로 아드리아해에 이르기까지 왜 이들이 공격의 목표가 되었는지를 설명해준다. 슬라브족이 평화롭게 농사를 지을 때 훈족, 고트족, 아바르족, 프랑크족, 마자르족이 이들을 공격했고, 이들에 대한 경멸은 독일어와 헝가리어로 쓰인 수많은 글에 남아 있다.[26]

샤파리크는 민족의 특성을 상상하는 오랜 예술을 사용했지만, 그는 헤르더의 암묵적인 인종주의를 한 단계 더 높였다. 일례로 그는 슬라브인 전체가 음악과 무용에 재질이 있다고 하거나 세르비아인들은 서사시를 음악에 적용하는 능력이 있다는 식의 서술을 했다.[27] 헤르더는 인간들 사이의 차이는 '하나의 동일한 거대한 그림의 그림자'이기 때문에 '인종'이라는 단어를 거부했다. 그러나 중국인에 대해 말할 때는 이들이 과학과 예술을 발전시키지 못하는 것을 그들의 '천성적 본질' 탓으로 돌렸다.[28] 헤르더나 샤파리크 둘 다 노골적인 인종주의를 보이지는 않았다. 민족들은 자연의 사실이고, 샤파리크는 이들 사이의 경계는 투과적이라고 보았다. 그와 콜라는 다민족 환경에서 살았고, 마자르인, 독일인과 다른 많은 민족들이 슬라브 민족으로 동화되는 것을 보았다.

샤파리크는 슬라브 민족이 평화롭게 공존하며 서로를 풍요롭게 하고 서로 가까워지면서도 최종적으로는 각자의 개성을 보존한 미래를 상상했다. 그가 콜라와 같이 개발한 '슬라브 상호성Slavic reciprocity'이라는 개념에서 이들은 서로 말을 주고받을 수 있었다. "모든 종족과 방언은 원래 오래된 장소에서 흔들림이 없지만, 상호 자양분과 모방, 공동의 민족 문화를 꽃피우는 방식으로 성장할 수 있다."[29] 공동의 정치 프로그램에서 이것이 무엇을 의미하는지는 불분명했지만, 그 가능성은 아주 매력이 있었고, 특히 통역 없이 서로 의사소통할 수 있는 체코인과 슬로바키아인 같은 집단들 사이에서는 더욱 그랬다.

일부 애국자들은 더 큰 슬라브 민족의 존재를 강조했고, 다른 이들은 작은 종족을 강조했다. 콜라는 네 방언, 즉 러시아어, 폴란드어, 체코슬로바키아어, 일리리아어를 말하는 부족들로 구성된 '한 혈연, 한 몸체, 한 민족'을 믿었다. 이것이 체코슬로바키아, 또는 그가 말한 바에 따르면 체코슬라브Czechoslav 발상의 시작이었다. 보헤미아, 모라비아, 오스트리아령 실레시아, 그리고 북부 헝가리 지역의 슬라브어 사용자들은 사실상 하나의 민족이었다. 그의 견해에 의하면, 슬로바키아인들은 일반적 공통점을 찾기 힘든 너무 많은 하위집단으로 구성되어 있었다. 그래서 그는 체코어와 슬로바키아어가 '동등한 조건으로 융합되게' 서로에게 적응할 것을 제안했다.[30] 콜라는 북부 슬로바키아 출신이었지만, 시를 쓸 때 체코인들이 이해할 수 있는 어휘를 골라 썼다.

콜라의 발상이 안고 있던 문제는 체코어의 현대화가 슬로바키아어에 좀 더 가까이 가는 노력이 없이 진행된다는 것이었고, 체코인들은 슬로바키아인들보다 슬로바키아어에 관심이 덜했다. 이것은 체코어를 바로 이해할 수 있는 슬로바키아인들이 체코어에 대해 관심을 가진 것에 대조되었다. 여전히 많은 불확실성이 있었다. 사람들은 지역의 종족 집단을 여전히 실레시아인, 모라비아인이라고 불렀다. 이들은 폴란드어와 체코어 방언을 사용하는 사람들이었다. 그러나 20세기 초 이들은 슬로바키아어 사용자처럼 별도의 집단으로 보였고, 설상가상으로 이들 사이에서도 지역적 분화가 있었다.

모든 분화나 통일에 대한 생각은 해석의 문제였다. 왜냐하면 지금도 보헤미아 서쪽 끝에서 모라비아를 거쳐 슬로바키아로 여행을 하는 사람은 수백 마일에 걸쳐 언어가 이어져서 한 마을 주민은 다음 마을 주민이 사용하는 언어를 완전하게 이해한다는 것을 알 수 있다. 실제로 이 연속성은 우크라이나와 러시아 땅까지 계속 이어진다. 이것은 독일어나 이탈리아 땅의 남쪽에서 북쪽으로 이어지는 방언 연속체와 똑같은 슬라브 방언 연속체이다. 지구 위 훨씬 더 넓은 지역에 살고 있던 슬라브인들은 독일인이나 이탈리아인보다 더 수가 많고 더 강력해질 수 있었다. 샤파리크의 학술적 작업은 슬라브 세계에서 큰 성공으로 인정받아 그는 러시아 차르의 사절도 만났다. 그러나 그와 그의 친구들은 오스트리아 왕정의 충실한 신민으로 남았다.

하지만 군주는 이들에게 관대하지 않았다. 1817년 샤파리크는 예나를 떠나야만 했다. 그 이유 중 일부는 재정적 문제였고, 일부는 오스트리아 정부가 '헝가리' 학생들이 이 자유로운 분위기의 독일 대학에서 나가기를 원했기 때문이다. 샤파리크는 고향으로 돌아오기 전 프라하로 순례 여행을 떠나 언어학자인 요세프 융만과 요세프 도브로프스키, 후에 보헤미아 박물관의 사서가 되는 바츨라프 한카를 만났다. 그런 다음 그는 헝가리에서 교사직을 물색했다. 처음에는 프레스부르크(브라티슬라바)의 귀족 집안에서 교사로 일했고, 다음에는 남부 헝가리인 노비사드(오늘날 세르비아 보이보디나 지방 수도)의 세르비아 정교회 고등학교 교장으로 일했다. 프레스부르크에 머무는 동안 그는 모라비아 출신의 재능 있는 젊은 개신교 학생으로서 당시 태동하던 체코 민족 운동의 지도자인 프란티셰크 팔라츠키를 만났다.

경계를 늦추지 않고 있던 오스트리아 당국은 1832년 두 번째로 샤파리크의 행동에 간섭해서 슬라브 민족주의를 차단하려는 목적으로 개신교 헝가리인들이 정교회 고등교육 기관에서 일하는 것을 금지시켰다. 경찰은 샤파리크가 러시아 지원자들로부터 재정 지원을 받고 있는 것을 적발했다.[31] 샤파리크는 러시아에서 일자리를 알아보다가 실패하자, 팔라츠키가 저명인사로 활동하고 있던 프라하에서 일자리를 찾았다. 팔라츠키는 《보헤미아 박물관 잡지》의 편집자로 일하면서 체코 운동을 전개하며 처음에는 수천 명, 이후에는 수만 명의 지지자를 확보하고 있었다. 여덟 자녀의 아버지인 샤파리크는 절대적으로 돈이 필요했고, 팔라츠키가 그에게 구명줄을 던져주었다. 팔라츠키는 샤파리크가 체코어로 글을 쓰는 조건으로 그에게 공동의 관심인 프로젝트를 제안했다.

* * *

체코 운동과 슬로바키아 운동의 다른 천재적 인물들과 마찬가지로 팔라츠키도 보잘것없는 집안 출신이었다. 그의 아버지는 양복 재단사이자 채소 판매상을 겸했다. 그는 교육을 조금밖에 받지 못했지만, 그의 공동체에서는 그를 마을 루터교 학교의 책임자로 선출했다. 이때는 요제프 2세가 합스부르크제국의 유일 통치자였고, 개신교도들이 음지에서 나올 수 있었던 1780년대였다. 1620년 백산 전투 이후 팔라츠키 가족은 기도서를 숲속에 은닉해 보관하며 보헤미아형제회Bohemian Brethern의 의식을 수행해왔었다. 젊은 팔라츠키는 11명의 형제자매 중에 가장 재능이 뛰어나서 다섯 살 때 성서를 읽을 줄 알았다.[32]

모라비아에서의 가톨릭의 영향을 의식한 팔라츠키의 아버지는 재능 있는 아들을 개신교가 좀 더 자리를 잡은 경계 넘어 북부 헝가리의 슬로바키아 땅으로 보냈다. 팔라츠키는 처음에는 트렌친에서 신학을 공부했고, 다음으로 프레스부르크의 루터교 김나지움에서 공부하며 4, 5개의 언어가 일상적으로 사용되는 환경 안으로 들어갔다. 그는 이 언어 모두를 익혔다. 자선을 베푸는 귀족 여인의 지원을 받은 그는 헝가리 귀족 서클에 들어갔고, 언어가 파괴되는 것을 막겠다는 이들의 일편단심 결의를 존경하게 되었다.

훨씬 후에 팔라츠키는 자신이 민족주의에 헌신하게 된 계기를 격동의 1813년 가을 슬로바키아 도시 트렌친에서 친구들과 보낸 한 밤으로 기억했다. 그 집의 주인은 경계 너머에서 진행되는 체코어 부흥에 관심을 가졌고, 모라비아 출신인 팔라츠키가 체코어를 알 것이라는 전제하에 그에게 언어에 대한 소개를 부탁했다. 그러나 팔라츠키는 자신의 모국어를 모른다고 실토해야 했다. 프레스부르크로 돌아온 팔라츠키가 착수한 첫 번째 일은 슬로바키아 학자 유라이 팔코비치로부터 체코어 수업을 듣는 것이었다. 팔코비치를 통해 그는 이제 막 예나에서 온 콜라, 샤파리크, 얀 베네딕티를 모두 알게 되었다. 이 소집단 젊은이들은 함께 어떻게 체코 민족을 부활시킬 것인가를 논의하기 시작했다. 이들은 팔라츠키를 요세프 도브로프스키에게 소개하는 추천서를 써주었고, 도브로프스키를 후원하는 프라하의 귀족 자선가 카스파르 스테른베르크에게 보내는 소개서도 써주었다.

1823년 팔라츠키가 프라하로 떠날 때, 그는 이미 대중을 위한 보헤미아 역사서를 계획하고 있었다. 이들의 슬로바키아 친구들은 대학을 갓 졸업한 자신들의 공동의 지혜를 내세우며 팔라츠키의 생각을 꺾으려 했다. 체코는 위대한 역사가 없기 때문에 위대한 역사가가 나올 수 없다는 것이 이들의 논리였다. 그러나 팔라츠키는 모든 의구심을 물리쳤다. "민족의 영광은 숫자나 물리적 힘에 있는 것이 아니라, 그들의 생활, 그들의 정신에 있다.

민족의 정신은 하나의 사상을 위해 죽고 살 준비가 되어 있는 곳에 나타난 다"라고 그는 말했다.[33]

사실 이러한 확신이 없었더라면 그는 페스트보다 더 독일적인 도시 프라하에서 제대로 활동을 하지 못했을 것이다. 팔라츠키는 후에 "멋진 코트를 입은 사람은 모두 공공장소에서 감히 체코어를 사용하지 못했다"라고 회고했다.[34] 프라하의 체코 애국주의자들은 신념을 잃어가고 있었다. 1825년 성탄절 만찬에서 스테른베르크 백작은 자신의 보헤미아 박물관이 대중의 관심을 별로 끌지 못한다고 불평을 했다. 팔라츠키는 자신이 이 건물을 체코 문화 부흥의 중심부로 만들겠다고 말했지만, 백작은 너무 늦었다고 답했다. 젊은 팔라츠키는 위대한 사람들이 스스로 하는 일이 너무 없다고 비난했다. 도브로프스키는 자신에게 편하다는 이유로 독일어로 글을 썼다. 팔라츠키는 자신이 마지막 집시족이 되더라도 인류의 역사에 대해 영예로운 언급을 하는 것이 자신의 의무라고 생각한다고 말했다. 스테른베르크는 그 자리에서 그에게 박물관 잡지의 편집 일을 맡겼다. 몇 년 만에 이 잡지는 체코 문화를 부흥시키면서 이익을 내기 시작했다. 이와 대조적으로 이 잡지 독일어판은 판매가 줄어들어 절판해야 했다.[35]

팔라츠키의 낙관적인 항의는 민족의식이 '깨어나기'를 원하는 체코 독자들이 늘어난 것과 시기가 맞아떨어졌다. 헤르더는 자신의 일반 역사서에 슬라브인들에 대해 세 페이지만을 할애했을 뿐이었다. 그래서 애국주의자들이 자신들의 과거에 대해 상상하는 위대함을 문서로 만드는 과제는 팔라츠키가 맡아 진행해야 했다. 그의 역사서는 독일 이상주의와 계몽주의 학문 정신을 따랐고, 70개 이상의 문헌 자료를 활용했다. 이 책은 또한 새로운 이념적 특성을 나타내며 민족 집단들의 순수성과 다른 민족과의 혼합이 아무리 진행되더라도 그 특성은 지속된다는 것을 강조했다.

그는 체코인들이 독일인보다 이 지역에 먼저 도착했기 때문에 보헤미아의 원주인이라고 썼다.[36]

혜겔의 정신을 따라 팔라츠키는 독일인과 슬라브인들이 서로 반대되는 극점을 구현하고, 여기에서 한 단계 높은 종합이 일어난다고 보았다. 슬라브인들에게 맡겨진 역할은 고결한 것이었다. 슬라브인들은 근면하고, 평화를 사랑하며, 지속적으로 외부 공격의 희생자가 된 민주적 국가의 주민들이었다.[37] 로마가 멸망한 후 독일인들은 중앙집권화된 통치자로 그 지역을 장악했지만, 체코인들은 조용히 땅을 일구었다. 중세 초기 독일인들은 봉건주의로 체코인들의 '민주적' 질서를 전복했다. 그런 다음 이들은 후스파의 종교개혁(1400년대), 다음으로 체코형제회의 종교개혁(1620)을 진압했다. 이제 새로 발아하는 체코 민주주의 운동은 오스트리아-헝가리 군주적 통치의 반정립을 형성했다.[38]

팔라츠키의 생각에 이것은 편견에 사로잡힌 역사가 아니고, 편견이 제거된 역사였다. 그때까지 수도사들과 예수회 사제들이 주로 체코 역사에 대한 글을 썼지만, 이들은 '우리 조상들의 정신'을 이해하거나 평가할 수 없었다. 팔라츠키는 애국주의자들에게 "분파주의가 가져온 수많은 유령을 없애버리고, 평범한 진리를 인류의 친구들에게 보여줄 것"을 촉구했다.[39]

✴ ✴ ✴

이러한 스스로 만든 해석의 문제는 항구적으로 보이는 체코-독일의 갈등 초기를 다룬 문헌이 거의 없다는 것이었다. 라틴어 연대기와 체코 예배서는 민족의 영혼을 들여다볼 수 있는 내용을 거의 담고 있지 않았다. 그러나 몇 년 전 보헤미아의 두 성에서 세간을 흔든 발견 소식이 전해졌다.

몇 세기 동안 누구의 손도 닿지 않았던 상자에서 애국주의자들은 폴란드와 타타르에 대한 체코의 승리를 축하하는 문서와 이보다 더 가슴 떨리는 문서인 정의롭고 현명한 리부셰 여왕의 궁정 이야기를 담은 문서를 발견했다. 두 번째 문서는 9세기의 것으로 추정되었고, 초기 체코인들이 '우리의 선한 조상들이 아주 오래전부터 전해준 자신들의 법률'을 가지고 있었다는 사실을 '증명해주었다'. 다시 말해 이들은 6세기, 더 동쪽 지역에 있던 원 거주지에서 가져온 슬라브 법률에 의해 통치되었다는 것이다. 리부셰 여왕은 독일인들로부터 문물을 수입하지 말라고 후손들에게 경고한 것으로 알려졌다. 그들에게 정의를 구하는 것은 '저속하다'는 것이었다.[40]

처음부터 이 고문서의 신빙성에 대한 의문이 제기되었다. 언어학자인 도브로프스키와 예드레이 코피타르는 이것을 명백한 위작으로 간주했다. 그러나 이들의 의견은 당시 주목받지 못했다. 체코 운동의 주류파는 크게 흥분하여 이 발견물을 마치 자신들의 성서처럼 취급했다. 팔라츠키와 샤파리크는 두 자료에 대한 철저한 분석을 독일어로 작성했고, '고대' 언어에 대한 어휘집과 독일어와 라틴어 번역본, 그리고 이 양피지 문서가 진본인지를 과학적으로 설명하는 해제를 달았다.

이후 수십 년 동안 이 문서에 대한 의구심이 증폭되었지만, 팔라츠키는 정체가 불분명한 이 글들은 '체코 고문서의 특별한 학파'에 속하는 것이고, 여기에 실려 있는 역사적 자료들은 1829년까지 알려지지 않았던 것이라고 틀린 주장을 하며 자신의 의견을 굽히지 않았다.[41] 그는 반대 의견들은 이 문서들의 진실성을 더욱 확인해주고, 고문서적 관점이 아니라 이 문서들이 전해주는 메시지에 그 진실이 담겨 있다고 말했다. 이 문서들은, 독일인들은 슬라브인들이 문화와 교육을 증진할 능력이 있다는 사실을 결코 받아들이지 않았다는 것을 보여주었다. 독일의 '교조doctrine'에 의하면 슬라브인들이 가진 조금이라도 가치 있는 것은 모두 '차용해온' 것이었다.[42] 그리고 팔라츠키는 독일 회의주의는 체코 운동에 이익이 되어 돌아올 것으로 예측하고, 이 측면에서 자신이 옳다고 주장했다. 진실이나 거짓 모두 체코 운동의 성장을 막을 수 없다고도 주장했다.

25년 후인 1880년대 중반 팔라츠키가 죽은 후에 이 문서가 위작이라는 것은 더 이상 논쟁의 여지가 없게 되었다. 초기 애국주의자, 아마도 보헤미아의 도서관 사서인 팔라츠키의 친구 바츨라프 한카가 이 양피지 문서를 위조하여 고대 문서라는 인상을 주기 위해 '벌레 구멍'을 만들어 한 귀족에게 익명으로 보냈다는 증거가 나타났다. 체코 운동에 나선 사람들이 이 사실을 인정하기 위해서는 용기가 필요했다. 이 일을 정확하게 한 사람은 체코 민족 운동의 두 번째 '아버지'인 철학자이자 정치인 토마시 가리크 마사리크(1850-1937)였다. 다른 선택의 여지는 없었다. 팔라츠키가 가장 존경한 얀 후스의 핵심 가르침은 '진실이 이긴다'는 것이었다. 많은 사람이 성스럽게 여긴 문서가 위작인 것을 폭로하면서 마사리크는 민족주의의 교활함에 대한 증거를 제시했다. 불편한 진실을 받아들이는 덕망이 있는 행동은 체코의 덕을 더 높은 수준에서 증명해주는 것이었다.[43]

이렇게 해서 팔라츠키와 그의 친구인 샤파리크는 이 투쟁에서 궁극적 승자가 되었다. 늘 독일인에 반대한 땅, 법률, 언어, 문화에 대한 고래의 원초적인 체코의 권리를 믿으면서 체코 운동은 성장했다. 한 애국주의자는 1872년, 이 문서들이 "우리의 분리할 수 없는 민족적 권리에 대한 강화된 열정을 고무시켰다"라고 회고했다.[44] 마사리크는 위조를 거부했지만, 여기에 내포된 메시지는 열렬히 수용했다. 인종적 체코인들이 보헤미아의 원 정착자이고, 독일인들은 이후에 온 사람들이자 식민정착자이며 '손님들'이라는 사상을 고수했다.[45]

체코의 사례가 특이한 것인가? 이 시기에는 프랑스의 프로스페르 메리메와 스코틀랜드의 오시안의 것으로 간주된 수많은 위조 작품이 나왔다. 민족주의적 신화들은 통상적으로 동화에 바탕을 두고 만들어지지 않았는가? 영국에는 아서 왕 이야기가 있고, 독일에는 니벨룽의 이야기가 있다. 보헤미아의 전설들은 두 가지 면에서 이런 것들과 달랐다. 첫째, 체코 애국주의자들은 전설을 완전히 허구로 만들어냈다. 이것은 창작으로서 거짓 이야기다. 그러나 둘째, 이 신화들은 허구가 아니라 당대 최고의 역사가들의 작품에 바탕을 둔 사실로서 제시되었다. 이 역사가들은 당대 위대한 역사가인 독일의 레오폴트 랑케처럼 역사를 '일어난 일 그대로' 작성한다고 맹세했다.

팔라츠키가 사실로 여긴 것은 다시 소설, 문학, 음악, 예술로 돌아가는 특이한 운명을 맞았다. 당시 세기의 위대하거나 덜 유명한 작곡가들이 위조된 문서를 바탕으로 오페라와 노래를 만들었고, 우리는 체코공화국 전역의 공원과 박물관에서 위조된 영웅들의 조각상과 그림을 발견할 수 있다. 대표적 예로 비셰그라드 국립묘지에 횃불처럼 서 있는 용맹한 전사인 자보이와 슬라보이를 들 수 있다. 이들로부터 멀지 않은 곳에 이 영웅들을 만들어낸 것으로 추정되는 바츨라프 한카가 매장되어 있다. 그는 첫 위대한 근대 체코인으로 1861년 이곳에 매장되었고, 후에 안토닌 드보르작과 베드르지흐 스메타나 같은 인물들의 묘지로 둘러싸였다. 이들은 한카의 상상력에서 나온 역사에 영감을 받은 음악을 작곡한 작곡가들이다. 한카를 기념하며 높이 솟은 기념비의 비문에는 이렇게 쓰여 있다. "언어가 살아 있는 한 민족은 사라지지 않는다."[46]

그러나 체코 운동은 더 넓은 양태에 들어간다. 팔라츠키가 펜을 들기 전 다른 체코 애국주의자들은 검열의 눈을 피해 교만한 독일인들에 대한 경멸적 감정을 퍼뜨렸다. 이러한 독설은 이 애국주의자들이 체코 땅이라고 부른 곳에서 발견되는 체코어의 종속적 지위로부터 연유한 것이다. 다른 모든 곳의 신화학처럼 체코 운동은 표면적인 '조국'에 속한다는 의미와 감정을 위한 대중적 필요에 반응했다. 2장에서 본 바와 같이 언어학자 융만이 말한 대로 체코어 사용을 거부하고 대신에 독일어를 '짖고 으르렁거리는 소리를 내는' 프라하 주민들은 자신의 '조상들'의 유산을 배반한 것이었다.[47] 다른 모든 곳의 민족주의자들과 마찬가지로 문제는 자신들의 혐오 자체가 아니라 '경멸받는' 다른 사람들이 자신들에 대해 가지고 있는 혐오라고 이들은 생각했다.

1840년대 얀 콜라는 이탈리아 여러 곳을 여행하고 다녔지만, 독일인-슬라브인의 경쟁으로 마음의 평화를 유지할 수 없었다. 그는 조금이라도 가치 있는 것은 모두 좀 더 깊은 슬라브 기원에서 연유한다고 주장했고, 아벨리노와 폼페이의 고대 명문銘文들이 그러한 예였다. 그는 라틴어도 고대 슬라브 방언이었다고 주장했다. 그가 북쪽 티롤('슬라브 이름') 지역으로 들어서자 그의 주의는 독일인들과 그들이 계속 고수하는 슬라브인에 대한 혐오에 집중되었다. 독일인들 얼굴은 흉측했고, 그들이 사는 땅인 오스트리아령 알프스는 슬라브의 타르타보다 보기 좋지 않았다. 바이에른인과 오스트리아인은 언어를 말하는 것이 아니라 "신음소리처럼 발음했다".[48] 곧 그는 독일인들의 신체에서도 '문제'를 찾아서 크기, 피부, 머리색, 두개골 모양과 피도 다르다고 구별했다. 그들의 다른 모든 장점을 가능하게 해준 것은 슬라브인들의 신체적 우월성이었다.

콜라는 이런 감상을 체코어로 썼지만, 부다페스트의 교회 회중에게는 슬로바키아어로 설교했고, 이들을 슬로바키아어로 동화시키려는 주장을 강하게 펼쳤다. '근면하고 평화로운 슬로바키아인'은 마자르화의 '격렬한'

시도의 첫 목표가 되고 있다고 그는 주장했다. "나는 내가 자유로워지고, 노예가 되지 않는 곳의 공기를 그리워한다"라고 그는 1828년 친구에게 보내는 편지에 썼다. 독일인들이 독일화되고 싶어 했듯이, 헝가리인들은 마자르화되고 싶어 한 것이라고 그는 덧붙였다.[49]

＊　＊　＊

그러나 슬로바키아인에 대한 이런 공감은 당시 일반적인 것은 아니었다. 전체적으로 체코와 슬로바키아 애국주의자들(예를 들어 팔라츠키와 한카)은 슬로바키아인들이 헝가리 문화로부터 받고 있는 압력은 자신들이 독일 문화로부터 받고 있는 압박과 유사하다고 생각했다. 그러나 그들은 잘못 알고 있었다. 중동부 유럽의 모든 민족 운동 중에 마자르 운동보다 문화적으로 더 공격적이었던 것은 없었고, 1840년대 슬로바키아인들이 정치, 경제, 교육, 심지어 종교까지 모든 부문에서 느끼는 압박은 슬로바키아 운동을 벌이는 소수의 지도자들로 하여금 체코인들과 자신들을 분리시키는 방법으로 적응할 수 있는 특별한 위협을 제기했다.

1840년대에 성년이 된 소수의 슬로바키아인들은 자라나는 슬로바키아 민족주의에 기여했고, 특히 루도비트 슈투르(1815-1856)의 활약이 컸다. 전 세대의 '선각자들'과 마찬가지로 슈투르도 프레스부르크 라이시움의 학생이었다. 콜라가 1828년 방에서 뛰쳐나오면서 신선한 공기를 느꼈다면, 1840년대 슬로바키아인들은 마개가 덮힌 방에서 계속 살아남으려고 시도했다. 언어 공동체 의식, 보헤미아에서 모라비아, 슬로바키아까지의 방언 연속체라는 단순한 사실은 하나의 민족을 만드는 데 충분하지 않았다. 슬로바키아는 오스트리아 행정 당국이 아니라 마자르의 통치 아래 있었고, 헝가리 정부는 수많은 슬로바키아인들의 민족성을 탈피시키고 있었다. 팔라츠키와 샤파리크처럼 프라하의 체코인들과 슬로바키아인들은 꿈의 세계에 살고 있었다. 문맹인 슬로바키아인을 문자해독을 하는 마자르인으로 개종시키는 것을 막기 위해서는 서로 단결할 수 있는 언어가 필요했지만, 성서 체코어가 그 언어가 될 수는 없었다. 슈투르는 자신이 존경하는 프라하의 체코 애국주의자들과 얀 콜라의 반대에도 불구하고 중부 슬로바키아 지방의 구어를 기본으로 하고 서부 슬로바키아어 요소를 결합한 새로운 표준 슬로바키아어를 구성해냈다.[50]

유용한 언어를 만들어내려는 슈투르의 실용적 노력은 혁신적인 새로운 발견으로 그를 이끌었다. 그것은 얀 콜라가 주장한 것이 틀렸다는 것이었다. 슬라브인은 하나의 민족이 아니라는 결론에 그는 도달했다. 러시아인, 폴란드인, 세르비아인이 있는 것과 마찬가지로 체코인과 슬로바키아인도 있는 것이다. 이 민족들은 형제자매처럼 서로 협력해야 하지만, 서로 다른 역사와 미래로 가는 다른 노정을 가지고 있는 것이다. 체코어 사용자들과 슬로바키아어 사용자들이 한때 '대大 모라비아'제국에 같이 살았다는 것이 두 민족을 결합하는 경험이 되었다는 프란티셰크 팔라츠키의 주장은 천 년 후 슬로바키아인들의 생활에 아무런 영향을 주지 않는다고 슈투르는 주장했다.

고대 역사가 아주 중요하다는 것은 아무 이론이 없었다. 체코인들이 보헤미아에 일찍부터 거주했다고 서술한 담Tham이나 팔라츠키처럼 슈투르는 슬로바키아인들이 다른 민족들보다 먼저 자신들의 지역에 거주하기 시작했다고 주장했다.[51] 그리고 언어가 민족정신의 표현이라고 주장했다. 그러나 궁극적으로는 언어가 결정적인 것은 아니었다. 슈투르는 헤르더의 언어적 민족주의에서 벗어나서, 언어는 민족의 정신을 중재하지만 이러한 정신의 구체적 증거는 민족의 역사, 즉 공통의 고난, 믿음, 가치, 관습이라고 주장했다. 한 민족이 특정한 역사를 가지고 있다면, 그 민족은 공통의 유일무이한 소유물로서 특정한 언어도 갖게 된다고 보았다. 물론 이 언어의 많은 단어들은 다른 민족들과 공유할 수 있었다.

체코인, 모라비아인, 슬로바키아인들은 서로의 말을 다 이해할 수 있었다. 이들을 구별하는 분명한 언어적 경계를 지도에서 어느 지점에 표시하는 것은 불가능했다. 그러나 슬로바키아와 동부 모라비아 사이에 정치적 경계가 지나가고 이 경계 양쪽의 세계는 다른 방식으로 나타났다. 헝가리 왕국이 동부의 슬로바키아인에게 영향을 미친 것처럼, 보헤미아왕국은 서쪽의 체코인과 모라비아인에게 영향을 미쳤다. 모라비아제국이 무너진 후 많은 일이 생겼고, 이 중에 가장 중요한 것은 슬로바키아에서 가톨릭의 지배권을 떨쳐버리는 개혁운동이 실패한 것이었다.

이 사실로 인해 개신교 슬로바키아인들이 초기 슬로바키아 민족 운동의 지도자가 된 것은 더욱 흥미롭다. 이들은 자민족 내에서 아주 작은 소수집단을 대표했고, 이들이 체코인들과 공통성을 느꼈다면 그것은 체코 애국주의자들과 종교적 공통점이 더 많았기 때문일 것이다. 체코 애국주의자들의 민족 영웅은 원 개신교도인 얀 후스였다. 이 슬로바키아인들은 자신들의 동포보다 숨어 있는 개신교도인 팔라츠키 같은 체코인들에게 더 친밀감을 느꼈다. 이것은 앞으로 변화하게 된다. 얀 콜라와 함께 초기 슬로바키아 민족주의자들이 루터교 사제복 깃을 입었다면, 두 세대 후 슬로바키아 민족주의 지도자들은 가톨릭 사제 가운을 입었다(1939년, 이들 중 한 명인 요세프 티소는 아돌프 히틀러라는 '보헤미아 상병'의 자비로 표면적으로만 독립된 슬로바키아 국가를 얻었다).

이러한 초기의 도전에도 불구하고, 체코슬로바키아의 통합성에 대한 발상은 당분간 살아남았다. 슈투르조차도 양 민족의 협력으로 많은 것을 얻을 수 있다고 주장했다. 여기에 대한 반향은 양측 모두에 있었지만, 모든 반대에도 불구하고 뭔가 중요한 것이 체코인들(모라비아인과 슬라브 실레시아인도 포함한)과 슬로바키아인들을 연결시키고 있어서 공통의 미래를 만들어나갈 수 있고, 아마도 연방국가를 형성할 수 있다는 막연한 생각이 나타났다.[52]

이 생각은 실용적 이유로도 매력이 있었다. 거대한 제국들 사이에서 독립된 보헤미아는 살아남기에는 너무 작아 보였다. 자신들과 아주 유사한 서슬라브어 방언을 말하는 다른 사람들과 연합하는 것은 제각각 독립 상태에서 살 때 생각할 수 없는 힘을 각 민족에게 줄 수 있었다.

* * *

슈투르에게 슬로바키아 정체성을 일깨워준 공격적인 마자르 민족주의는 힘이 아니라 두려움에서 자라난 것이었다. 새로 일어나는 민족주의자 지식계층(인텔리겐치아)에 대한 헤르더의 영향력은 다시 한 번 중요해졌다. 헤르더는 슬라브인들의 영광스러운 미래를 예측했지만, 그는 1791년 헝가리인들은 몇 세기 안에 슬라브인, 독일인, 루마니아인의 바다에 함몰되어 더 이상 존재하지 않게 될 것이라고 썼다.[53] 이러한 시각이 널리 알려지게 되자, 언어에 관심을 가지고 있던 소수를 열성주의자로 만든 민족주의는 귀족들 사이에서 대중운동으로 발전했고, 이들은 헝가리어가 주민들의 일상생활에 깊이 뿌리 내려서 헤르더의 예언이 현실이 되지 않도록 만들어야 한다고 굳은 결의를 하게 되었다.[54]

콜라와 슈투르의 사상은 19세기 초 슬로바키아 대중 사이에서 거의 반향을 일으키지 못했지만, 헝가리 민족주의자들이 보기에 이것은 메마른 들판에 날아드는 불꽃처럼 슬로바키아 민족주의를 불길에 휩싸이게 만들 수 있었다. 문제는 슬로바키아어 사용자에게만 한정된 것이 아니었다. 남부 헝가리 지역에는 남슬라브인들이 대거 거주했고, 트란실바니아의 동쪽에는 수백만 명의 루마니아인들이 거주하고 있었다. 세르비아인들은 몇 세기 전에 이주해 와서 1820년대 파벨 샤파리크가 가르쳤던 노비사드 인근에 다수 주민이 되었다. 남서부 헝가리의 상당 부분은 700년 동안 헝가리에 통합된 상태로 있는 크로아티아-슬라보니아왕국을 구성했다. 크로아티아 귀족들은 독일어, 라틴어, 민중 크로아티아어를 사용했지만 고대의 정치적 권리에 바탕을 둔 확고한 정체성을 가지고 있었다. 이들은 헝가리인과 마찬가지로 의회를 가지고 있었고, 헝가리인과 마찬가지로 합스부르크왕가를 자신들의 왕으로 선출했다.

그리고 독일인들이 있었다. 체코인들과 마찬가지로 헝가리인들은 왕국의 거의 모든 도시에서 지배적이고, 자신감이 넘치는 독일 문화를 상대해야 했다. 수도인 프레스부르크(브라티슬라바), 오덴부르크(소프론), 카스카우(코쉬체), 오펜(부다)과 페스트에서도 독일 문화가 지배적이었다. 여기에다가 자신들의 생활방식이 우월하다고 확신하고 있는 독일인 농촌 주민들도 있었다. 이들을 자발적으로 마자르 문화로 동화시키는 방법을 알고 있는 사람은 없었다. 한 독일 농부는 애국주의자에게 자신은 동물이 아니라 사람처럼 살고 싶다고 말했다. 헝가리는 이들에게 경제와 문화로 무엇을 제공할 수 있는가?[55] 이 말을 들은 대화 상대자는 마지못해 여기에 동의했다. 1822년 빈에는 22개의 책방, 프라하에서는 10개의 책방이 있었지만 헝가리왕국 전체를 통틀어 12개의 책방이 있을 뿐이었다.[56] 도로 사정은 열악했고, 산업은 존재하지 않았으며, 사방에 빈곤이 넘쳤다.

이전 수십 년 동안 헝가리 민족주의자들의 노력은 조울증의 긴 톱날에 비유될 수 있었다. 처음에는 미친 듯한 에너지로 환상적인 프로젝트에 헌신한 다음 열정이 소진되어 자신들의 노력이 성공할 가능성이 있는지에 대한 의구심에 싸였다. 톱날은 닳아버렸고, 19세기 말이 되자 귀족들은 소극적이 되었다. 이들은 동등한 권리를 가진 시민들로 구성된 좀 더 단합된 현대적 마자르 민족을 만드는 대신에 국가 관직을 얻고, 다른 민족들이 부상하는 것을 막는 데 노력을 집중했다.

미친 듯한 에너지와 낙담이 교차하는 현상은 체코 애국주의자들보다 마자르인들에게 더 심했는데, 그 이유는 슬라브인들은 보헤미아에서 다수를 차지했고(중동부 유럽 전체에서도), 마자르인들은 자신들 국가에서도 소수였기 때문이었다.[57] 팔라츠키 같은 체코인들은 프라하가 부분적으로는 현대화 과정의 일부로 꾸준히 체코어를 사용하는 대도시가 되어가는 것에 만족했다. 부다페스트는 비슷한 속도로 독일적 외양을 잃어갔지만, 북쪽, 동쪽, 남쪽의 광활한 지역에서 마자르화는 인종적으로 '외국적 요소들'이 다수를 차지한 환경에서 너무 느리게 진행되고 있었다.[58]

계몽주의 보편주의와 민족주의 사이의 갈등은 헝가리에서 훨씬 현저했다. 마자르화는 다른 민족들의 교육 권리와 자신들의 언어를 공식으로 사용하는 것을 부정하는 것이었기 때문이다. 보헤미아에서 체코 운동과 독일 운동은 서로를 완전히 동화시키려고 시도한 적이 없었다. 체코인들의 주요 목적과 또한 얼마 후 독일인들의 목적은 집에서 체코어와 독일어를 사용하는 사람들이 각각의 민족 운동을 인지하게 만드는 것이었다. 이와 대조적으로 헝가리에서의 민족주의자들은 외국적 요소를 밀어내거나 자신들이 그것에 의해 밀려난다는 느낌 중 하나였다. 헝가리어도 확산되었고, 특히 도시에서 그 속도가 빨랐지만, 헝가리어가 사라질지 모른다는 두

려움은 사라지지 않았다.[59]

　그러나 헝가리 애국주의자들은 단순히 관용심이 없는 민족주의자들이 아니라 힘보다는 이성에 호소하는 사람들이었다. 도브로프스키와 융만이 체코어에 한 것 같은 일을 한 페렌츠 카진치는 자신을 세계주의자라고 불렀다. 진리가 많은 신앙고백에 의해 인식될 수 있는 것처럼, 진실은 모든 민족주의자들에게 열려 있었다. 신은 그의 언어가 다른 언어의 파괴를 대가로 증진되도록 허락하지 않았다. 카진치의 가까운 친구들 중에는 독일인 시인, 세르비아인 시인들이 있었고, 트란실바니아에 거주하는 자신의 딸 중 한 명은 루마니아어를 배워야 한다고 주장했다. 그와 가까운 친구 요한 키스는 자신의 아들이 슬로바키아어를 배우도록 프레스부르크/포즈소니로 보냈다. 그러나 카진치는 표준 헝가리어를 사어에서 되살려내는 데 힘겹게 성공했고, 이 언어가 보호되기를 바랐다. 특히 우려되는 것은 헝가리어 사용자가 된 사람도 정신은 독일식으로 남아 있는 것이었다. "나는 마자르화된 독일어보다 순수 독일어를 더 사랑한다"라고 그는 한 편지에 썼다.[60]

　헝가리 지식인들은 자신들의 국가라고 안심할 수 있는 나라에서 살 수 없을 것으로 우려하고 있었기 때문에 커져가는 슬라브인의 힘에 대한 소문이 다양성에 대한 관용을 침식했다. 우리는 헝가리 민족을 건설하는 데 누구보다 많은 에너지를 쏟아부은 귀족 개혁가인 이슈트반 세체니 속에서 비관주의와 낙관주의가 충돌하는 것을 느낄 수 있다. 카진치와 마찬가지로 그는 중용과 이성을 갖춘 사람이었지만, 낙담은 멀리 있지 않았다. 1829년 6월 세체니는 자신의 일기에 "날이 갈수록 나는 헤르더가 옳았다는 것을 점점 더 분명히 느낀다. 곧 헝가리 민족은 존재하지 않을 것이다"라고 적었다. 위대한 애국주의자였던 그도 헝가리어는 외국어로 배워야 했고, 일기는 독일어로 썼다. "나는 헝가리를 잠에게 깨운다. 헝가리는 돌처럼 죽어 있다. 독일 지성에 익사했다."[61]

설상가상으로 헝가리 영역 내의 슬라브인들은 모든 곳의 슬라브인들과 연맹을 맺고 있는 것처럼 보여서, 헝가리를 안팎에서 전복할 것 같은 위협을 제기했다.[62] 1830년대 러시아 사절이 동유럽을 돌아다니며 러시아를 거대한 슬라브제국의 중심으로 하는 연방을 만드는 희망을 전파하고 다닌다는 소문이 돌았다. 슬라브인들은 형제고, 차르 니콜라이 1세는 그들이 지도자였다.[63]

헝가리인들은 슬라브인들이 부상하는 것에 대한 증거를 찾아 멀리 갈 필요도 없었다. 헝가리 작가 가보르 되브렌테이(1786-1851)는 1806년 프라하를 방문하여 이탈리아 연극 극장을 찾아갔다. 그러나 "그곳에는 체코 극장도 있었다"라고 그는 기록했다.

> 페스트가 우리 조국의 수도인 것처럼 이 도시는 보헤미아의 수도이다. 그러나 이것은 더 행복한 곳이다. 프라하에서 사람들은 독일어보다는 체코어를 더 많이 사용한다. 페스트에서 사람들은 대부분 독일어 소음을 듣고 있다. 그럼 헝가리 극장은 어디에 있는가? 우리가 노력을 하지 않으면 외국인들이 우리를 홍수처럼 덮칠 것이다. 나는 토박이 독일인들을 존경하지만, 나의 조국의 흙을 밟을 가치가 없고, 하고 싶은 대로 하며 헝가리 문화를 압제하는 그런 사람을 나는 사랑할 수 없다.[64]

헤르더의 이념은 '더 높은 의미'를 거부하는 기본적 구조를 제공했다. 사람은 자신의 조국에 살아야 한다. 빵과 흙, 공기조차도 자신의 것인 곳 말이다. 그러나 이방인들이 상업과 정부 업무에서 자유롭게 아무 거리낌 없이 자신들의 언어를 사용하며 공공 영역을 지배한다면 이것이 무슨 조국이란 말인가? 독일어 사용자들은 헝가리인들의 소유물에 대한 주인 노릇을 하고 있다. 1808년 시인 알렉산더 키스는 페렌츠 카진치에게 이렇게 썼다. "헝가리어를 위해 나는 기꺼이 행동하는 심복이 될 것이다. 헝가리 빵을 먹고 헝가리 공기를 숨 쉬며 행복하게 살면서 헝가리어를 배우려고 하지 않는 사람을 나는 조국에서 모두 쫓아낼 것이다. … 헝가리에서 헝가리인이 된 것은 너무 운이 나쁜 것이다. 나는 내 안에서 이런 고통을 느끼지 않는다면 내가 제정신인지를 의심할 것이다."[65]

19세기 동안에 조국은 가장 깊은 의미에서 자신의 것인 장소를 의미하게 되었다. 타민족 사람들은 언제 그 조상들이 이곳에 정착했는지를 떠나서 지역 관습에 적응해야 하는 새 이주자로 간주되었다. 이러한 사실은 크로아티아에도 적용되었다. 크로아티아 귀족들은 여러 세기 전에 상호성의 원칙을 기초로 마자르왕국에 들어왔다. 1820년대 헝가리 애국주의자들은

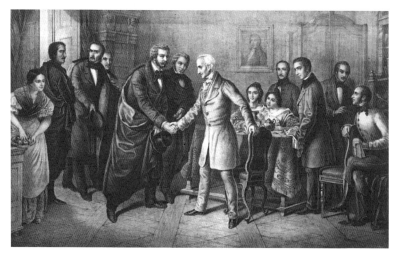

페렌츠 카진치와 카롤리 키스팔루디의 만남(1828)

자신들의 조상이 크로아티아인들을 '손님으로' 헝가리의 '품안에' 받아들였다고 주장하기 시작했다. 이런 배경에서 크로아티아인들이 헝가리어를 사용하는 것이 무엇이 나쁘다는 것인가? 이들은 헝가리인들로부터 법률과 자유를 받아들이지 않았는가?[66] 11세기에 크로아티아인들은 헝가리어의 우월적 위치를 당연한 것으로 받아들였고, 그래서 헝가리인이 아니라 크로아티아인이 스스로 마자르화하는 것을 거부함으로써 평화를 깨뜨리고 있는 것이다.

이러한 주장에서 우리는 언어에서 혁명적 변화를 볼 수 있다. 자신들의 국가에서 '마자르인 또는 민족적 헝가리인'이 일종의 우선권을 가지고 있다는 인식이 헝가리의 인종적 사상으로 처음 나타난 것이다. 처음으로 헝가리인들은 민족이 단순히 귀족을 뜻하지 않는다는 것을 당연하게 받아들였다.[67] 보헤미아에서와 마찬가지로 중세 시대부터 '토착민들'이 이방인들, 특히 독일인들과 적대적 관계였다는 잘못되거나 반만 진실인 이야기로부터 민족의 과거가 재구성되었다. 헝가리 애국주의자들은 아담이 마자르인이었다고 주장했고, 일부 체코슬라브 언어학자들은 라틴어가 슬라브어에 뿌리를 두고 있다고 주장했다.[68]

＊ ＊ ＊

헤르더의 천재성은 지역적·민족적 특권이 보편적이고, 시간 제약이 없으며, 인류에 이익이 된다는 집착을 투사한 것이었다. 헝가리인들이 자신들의 땅이라고 생각한 곳을 통제하고 싶은 욕망은 초월적인 면이 있었다.[69] 이와 동시에 19세기는 유럽 전역에서 위조범들의 황금시대였고, 일부 애국주의자들은 초월적 목적이 아닌 것으로 큰돈을 벌었다. 헝가리인 칼만

탈리와 사무엘 리테라티 네메스는 중세 시대의 것으로 추정된 수십 종의 문헌을 돈을 벌 목적으로 매각했다. 이 문헌들은 너무 진본같이 보여서 현재의 역사가들도 헷갈리게 만들고 있다.[70] 네메스의 목적은 과거에 대한 이해를 바꾸는 것이 아니라 적은 돈을 만드는 것이었다. 결국 민속 의상, 민속 음식과 음료를 판매하는 사람들은 애국주의를 내세워 은행 금고를 채웠고, 동족의 신체를 건강하게 만드는 체조협회에 장비도 팔았다. 선전물이 가득 찬 책과 잡지를 파는 사람들도 돈을 벌었고, 화려한 배지와 깃발을 만드는 사람들도 창고를 싸구려 예술품으로 채웠다.

초기 운동의 핵심은 물질적 자기 이익이 아니었다. 카진치나 팔라츠키, 콜라가 당시 상황이 요구하는 것을 따랐다면 오랜 기간 동안 시시포스의 신화에서와 같은 힘든 노력을 아낄 수 있었을 것이다. 여러 세대 동안 보헤미아 엘리트가 되는 것은 스스로 독일화하는 것을 의미했다. 동부 폴란드에서 우크라이나어와 벨라루스어 사용자들은 폴란드화하는 것을 의미했다. 이것은 사회계층 사다리를 타고 올라가기 위해 치르는 적은 대가처럼 보였다. 실제로 대부분의 경우 치러야 할 대가는 전혀 없었다. 괴테와 실러를 만들어낸 문화의 아들딸로 자신을 드러내기보다는, 체코어보다 독일어를 더 잘 말하는 보헤미아인들은 사실상 백지에서 체코 시를 만들어내기 위해 투쟁했고, 언어적 순수성에 강박관념이 있는 기괴한 숭배자로 낙인찍히는 것을 견뎌내야 했다. 콜라의 소네트와 마찬가지로 이들이 작성한 작품 대부분은 지금은 거의 잊힐 만했다(역사적 호기심을 제외하고는).

선각자들을 일반화하는 것은 어렵지만 '숭배cult'가 나타난 것은 이들이 무엇에 자극을 받고 있는지에 대한 실마리를 준다. 이들은 스스로를 '민족적으로 성화된 자'로 부르고, 다른 사람에게 설교를 하고픈 사제와 같은 성격을 갖게 되며, 성스러운 것을 수호하고 계시를 전파하고 영혼을 구원하고 싶어 했다. 신분 상승의 '이익'을 거부하는 것은 단지 이성적인 것이 아니라 당연히 요구되는 것이었다. 이것은 자신들만 완전히 이해하고 있고, 이것을 달성하기 위해 자신의 생을 바치기로 약속한 성스러운 계획을 수행하는 데 당연히 필요한 것이었다. 샤파리크는 1817년 체코인 친구에게 이렇게 썼다. "인간은 사상을 위해서 죽을 수 있기 때문에 인간이다." 그의 필생의 과업은 조상들의 명성을 회복하는 것이었다.[71]

애국주의자들은 민족주의자가 되기 전에 종교적 열성으로 유명했다. 융만은 원래 사제가 되기를 꿈꾸었다가 대신에 학자가 되었고, 도브로프스키는 사제가 되었지만 선교사로 활동하고 싶어 했다. 얀 콜라는 목사였고, 후에 남슬라브 애국주의자로 활동한 요시프 유라이는 주교였다. 근대 크로아티아 민족주의의 창시자인 안테 스타르체비치는 목사가 되기 위해 신학을 공부했다.[72] 사실상 모든 민족주의자들이 지식인이었고, 평범한 가정 출신으로 마구간에서 태어났지만 구세주가 되었다. 독일인이 되는 것을 거부하는 것은 단순히 비이성적 결정이 아니었다. 이것은 혁명적이었고, 역사를 제대로 된 길로 되돌려놓는 것을 의미했다.

애국주의자들은 다언어가 사용되는 지역 출신이 많았고, 가족 배경으로 다른 종족 집단과 연계되었으며, 자신들 종족 집단의 변두리에 있었다. 슬로바키아와 폴란드 주민들은 대개 가톨릭이었지만, 슬로바키아 민족 선각자 얀 콜라와 파벨 샤파리크는 루터교 교인이었으며, 첫 폴란드 사전 편찬자인 사무엘 린데와 근대 폴란드 국가 창설자인 유제프 피우수트스키도 루터교 교인이었다. 린데는 폴란드 서쪽 끝에 있는 프로이센령 소른/토룬 출신이었고, 피우수트스키는 리투아니아와의 경계 지역 출신이었다. 프레데리크 쇼팽은 프랑스인 아버지와 폴란드인 어머니 사이에서 태어났고, 시인 아담 미츠키에비치는 변경 중에 변경인 리투아니아 끝 지역에서 태어났다. 토마시 마사리크의 아버지는 일자무식인 슬로바키아 마부였고, 독일어로 기도하는 법을 가르쳐준 그의 어머니는 모라비아인이었다. 그는 보헤미아왕국 끝에서 세상을 처음 알게 되었다. 이곳에서 독일 문화를 지원하는 유대인 사업가가 그를 후원했다. 마사리크의 부인은 미국 여자였다. 크로아티아 민족주의자 중 가장 위대한 두 사람은 독일 부모 밑에서 태어났고, 가장 반세르비아 경향이 강했던 세 번째 사람은 세르비아인 정교회 어머니 밑에서 태어났다.[73]

민족에 대한 중요한 사고는 종종 그 국가의 '고유' 영토가 아니라 밖에 있는 땅 빈, 부다페스트, 파리에서 탄생했다. 폴란드 낭만주의 사고는 종종 리투아니아와 우크라이나 땅 출신 남녀에 의해 '상상되었고', 이들은 파리에 살며 프랑스 환경 속에서 활동했다. 외부인들이 보기에 슬라브 국가성의 기본적 성취는 독일 학자들의 작업이었다. 부크 카라지치, 사무엘 코트리프 린데, 요세프 도브로프스키는 자신들이 세르비아어, 폴란드어, 체코어 사전을 빈에서 출간했고, 이곳에서 이들 서클은 독일 엘리트 서클(랑케, 괴테, 그림 형제를 포함한)과 교류했으며, 이들은 독일어와 프랑스어로 교신을 했다. 류데비트 가이와 얀 콜라는 근대 유고슬라비아와 체코슬로바키아 국가에 대한 사상을 독일어로 작성했고, 독일적 도시인 부다와 페스트를 산책하며 서로 의견을 나누었다.[74] 프란티셰크 팔라츠키는 보헤미아 역사의 첫 부분을 다룬 책들을 독일어로 출간했고, 한 세대 후 토마시 마사리크조차도 초기 저작은 전적으로 독일어로 저술했다.

1830년대 주도적인 폴란드 시인들은 '우크라이나'파를 구성했고, 자신들의 고향인 우크라이나의 역사에서 폴란드 이상에 대한 영감을 끌어냈다. 아담 미츠키에비치(그는 리투아니아를 자기 조국이라고 불렀다)가 이끄는 리투아니아 시인 '군단'은 폴란드어로 시를 썼고, 여기에는 이그나치 크라제프스키도 포함되었다. 그러나 중부 폴란드 지역은 이 정도 천재성을 지닌 시를 만들어내지 못했다. 폴란드의 낭만주의 시기 대표적 역사가인 요아킴 렐레웰(팔라츠키와 비슷한)은 리투아니아 출신이고, 폴란드인들이 지배한 오늘날 리투아니아 수도 빌노(빌니우스)에서 경력을 쌓았다.[75]

19세 초는 같은 생각을 가진 선교사적 열정가들이 맹렬히 활동한 시기였다. 우리는 이들의 네트워크를 '초국가적'이라고 말할 수 있지만, 이들 대부분은 한 국가, 즉 오스트리아에서 살며 일했다. 그러나 당시 뛰어난 유럽 지식인들과 마찬가지로 이들은 쉽게 지도 위 여러 곳, 파리, 로마, 모스크바 등을 여행하며 자신들의 지적 호기심을 채웠다. 역설적이게도 이러한 복잡성에서 생활한 사람이 궁극적으로 단순한 사상, 다시 말해 통합적 사상을 만들어냈다. 이들은 다언어를 사용하는 단일언어주의자monolingualist였다. 이들은 여러 언어를 사용했지만, 자신들의 표면적 문화를 공유하는 사람들이 한 언어를 선택할 것을 주장했다.[76]

다른 많은 열렬한 신념가들과 마찬가지로 이들은 자신들의 조국에서 태어난 것이 아니라 여러 유혹을 모두 물리친 다음 스스로 조국을 선택했다. 이들은 자신의 선택을 자연적이고 필요한 것으로 묘사하고, 자신의 진정한 정체성에 대한 혜안을 갖추며, 생애 나머지 시간을 자신의 동포가 될 사람들에 대한 선교 활동에 바쳤다. 그러나 이들은 민족은 선택의 문제가 아니라고 주장했다. 체코어 사용자는 선택할 것이 없었다. 그것은 인정하는 것이었다. 즉, 자신의 더 깊은 정체성을 인정하는 것이었다. 그러나 애국주의자들만이 그 정체성을 보여줄 수 있었다. 변방성이 이들로 하여금 민족성에 대해 깊은 인식을 하도록 만들었다. 이것은 정체성은 말할 필요도 없고 언어가 경쟁 상태에 놓여 있지 않은 사람은 느낄 수 없는 것이었다. 이들은 이중적으로 소외된 삶을 살았다. 외부인으로서(외국인 부모나 소수 종교에 속하는 사람으로) 이들은 크로아티아나 체코-슬로바키아 민족의 일원이 되고 싶어 했다. 이것은 종종 가족들로부터도 조롱을 받은 열망이었다.

이것은 자기희생을 필요로 하지만, 궁극적으로는 이기적이지 않은 작업이었다. 애국주의자들은 자신을 찾아 회귀하는 방법으로 민족을 발견하고 '각성했다'. 이것은 지구상의 모든 민족주의 지식인들이 마주쳤던 딜레마였다. 자기 집에서 말하는 언어를 사용하는 일반 사람들로부터 소외당할 뿐만 아니라 그 언어를 사용하지 않는 엘리트들로부터도 소외당하는 경험을 해야 했다. 민족주의 운동은 이들을 온전하게 만들어주었다. 언어를 발견하고 현대화하는 것은 먼 오지에서 보잘것없는 태생인 이들이 다시 자신의 근원과 연결하는 것을 허용해주었고, 이것은 이들이 서사시와 민요를 수집하는 것을 사랑한 이유를 설명해주는 사실이다. 이와 동시에 이들은 자신들이 '재발견'하거나 '창조한' 민중 문화의 보호자라는 역할을 자신에게 부여하거나 여기에서 의미 있는 목적을 찾았다.[77]

＊　＊　＊

발트해에서 아드리아해에 이르는 지역에서 전개된 이러한 민족 찾기 이야기의 중심에는 두 사례가 있다. 그것은 보헤미아 사례와 헝가리 사례이다. 두 경우 모두 요제프 2세의 언어 개혁에 의해 촉발되었고, 잠자고 있다고 생각되는 '민족을 일깨운' 학자들의 집중적인 노력이 있었다. 헝가리의 경우 다른 점은 헝가리 내에 있는 모든 주민은 언어와 문화에서 헝가리인이 되어야 한다는 주장이 원인이 되었다.[78] 사람들은 전前 인종적pre-racial 의미에서 헝가리인들은 공동의 '인종'을 구성한다고 말했다. 그러나 귀족적 애국주의자들은 계몽된 자유주의자들이지만, 헝가리 안에 있는 모든 사람은 말하는 언어나 신봉하는 종교를 떠나서 모두 헝가리인이 될 수 있다고 믿었다. 이와 대조적으로 체코 애국주의자들은 보헤미아는 두 민족의 고향이라는 것을 항상 인정했다. 그러나 이들이 요구한 것은 체코인들이 독일인에게 종속되지 않는 것이었다.

두 사례에 공통적인 것은 토착 민족인 체코인과 헝가리인이 이 지역의 원 정착자이고, 슬라브 민족과 마자르 민족은 7세기에서 9세기에 이 지역에 도착했다는 것을 그 근거로 내세웠다. 이러한 주장은 체코의 경우 보헤미아를 나타내는 토박이 단어의 언어적 일치에 의해서 강화되었다. '체코인Čechy'이란 단어는 보헤미아가 체코인들의 땅이라는 것을 증명하는 듯이 보였다. 보헤미아의 독일인들은 그 조상들이 이 지역에 늦게 들어왔기 때문에 손님과 마찬가지라는 논리도 제기되었다.

다른 두 사회집단이 유사한 주장을 내놓았다. 대부분 문화적으로 독일화된 보헤미아 귀족들은 체코 권리 확보를 위한 운동을 이끌지 못하고 민족 구원의 이상을 다른 사람들에게 넘겼다. 즉, 농민과 소도시 출신 애국주의자들이 이 과제를 수행했다. 그래서 체코 운동은 사회적 신분 상승을 재정의하는 것과 깊이 연관되었다. 이 운동은 독일어와 경쟁하는 체코어에 대한 존중을 이끌어내는 것도 목표로 했다. 체코왕국에서 체코 평민들은 버티지 못할 것이라는 입장은 절대 주장할 수 없었고, 몇 세대 만에 체코 운동은 국가 행정기관에서 일하는 체코인 수와 재산과 은행 구좌를 보유한 체코인 비율을 통계 낼 수 있게 되었다. 헝가리에서 귀족 민족주의자들은 민족을 대표하고 항상 민족을 소유했던 계급으로서 자신들의 권리를 주장했다. 중부 헝가리 인구 중 10퍼센트를 차지하는 거대 계층인 귀족 중 자유주의자들의 관점은 귀족들의 권리의 일부를 재산을 보유한 성인 남성들에게 이전하자는 것이었다(이와 대조적으로 보헤미아 귀족은 인구의 1-2퍼센트를 차지했다).

이 운동들의 아이디어는 합스부르크 군주정의 틀을 급진적으로 변화시켰고, 오스트리아를 효과적으로 작동하는 현대적 국가로 만들려는 시도를 좌절시키려 했지만, 스스로 애국주의자를 자처하고 나선 사람들은 대체적으로 분리·독립 요구를 벽안시했다. 그러나 군주정을 '제국'이라고 부르는 것은 오도된 것이었다. 프란츠 황제가 자신의 통치영역을 '오스트리아제국'이라고 명명하기는 했지만, 그 실체는 영국제국, 프랑스제국, 심지어 러시아제국과 경쟁하는 국가를 만드는 것이 아니었다. 그것은 단순히 왕조적 어휘 관점에서 열등하게 보이지 않으려는 것이었다.[79] 합스부르크 가문은 '제국'을 강제적이거나 자신감에 찬 프로젝트로 만들지 않았다. 그들은 자신들이 소유한 영토를 통제하는 데 최선을 다했다.

4장

민족 투쟁: 사상에서 운동으로

자신의 민족을 위대한 역사적 행위자로 만들려고 하는 헝가리 애국주의자들과 체코 애국주의자들은 같은 기본적 도전에 당면했다. 민족들은 자신의 언어를 통해 살아남기 때문에, 이들은 오랜 세월 동안 고급문화에서 사용되지 않은 언어들을 회생시켜야 했다. 이들의 열성적 노력에도 불구하고 느린 진전만 이루어졌고, 특히 보헤미아 상황이 더 그랬다. 1830년대에 보헤미아를 찾은 영국 여행가 조지 글레이그는 '보헤미아어는 가장 낮은 계층과 멸시받는 농민들만이 사용하는 방언'이라고 기록했다. 그는 대학에서 "이 나라의 구어로 진행되는 단 하나의 강의도 없다"는 것을 발견하고 놀랐다.[1]

만일 글레이그가 강 건너에 있는 보헤미아 박물관을 방문했었다면 그는 자신의 암울한 서술에 대한 도전을 발견했을 것이다. 박물관에서는 체코어로 쓰인 잡지가 발행되고 있었고, 독일어로 쓰이기는 했지만 애국적 감정에 가득 찬 팔라츠키의 역사서 몇 권이 출간된 상태였다. 가장 인상적인 것은 언어에 기반한 민족에게 꼭 필요한 기초인 4권으로 된 체코어-독일어 사전이었다. 이것은 언어를 사랑하는 사람들의 수십 년에 걸친 노력으로 이루어진 것이었고, 많은 체코어 단어는 이들이 만들어낸 것이었다.

요제프 2세의 학교 교육 개혁에도 불구하고 보헤미아 전역의 농민들과 소도시 주민들은 저속한 체코어를 사용하고 있었다. 이 언어는 기본 표현을 나타내는 독일어가 많이 섞여 있었고, 좀 더 고상한 개념에 대한 표현을 결여하고 있었다. 새로운 체코어 규범을 만들어내고 있던 예수회 사제 요세프 도브로프스키와 그의 젊은 동업자 요세프 융만은 몇 가지 방법을 동원했다. 이들은 자주 카렐 이그나츠 담을 매혹시켰던 고서적으로 돌아가 잊힌 단어를 찾아내어 이것을 자신들의 사전에 넣었다.[2] 이들은 다른 슬라브어에서도 자신들이 사용할 수 있는 단어를 차용했다. 당시 체코어는 '공기', '자연'이란 단어가 없어서 러시아어에서 vozduch를 치용해 vzduch를 만들었고, 러시아어의 priroda에서 příroda를 만들었다. 이와 유사하게 '사물'과 '과학'을 나타내는 폴란드어 pomiot와 wiedza에서 체코어의 podmět와 věda를 만들었다. 이들은 다른 슬라브어를 잘 알고 있었기 때문에 새로운 단어가 체코어처럼 소리 나게 만들었고, 신조어는 시간의 검증을 받았다. 그래서 여러분은 오늘날 프라하의 거리에서 이 단어들을 들을 수 있다.

헝가리에서는 개신교 귀족이자 학교 장학관인 페렌츠 카진치가 이와 유사한 역할을 수행하여 고대 문헌에서 잊힌 단어를 발굴하고, 새 단어를 만들어내며, 라틴어를 민족어에서 몰아내고, 모국어의 정자법과 문법을 표준화하는 작업을 했다. 전체적으로 그와 언어를 다루는 그의 친구들은 1만 개에 이르는 새 표현을 만들어냈다.[3] 카진치는 외국 문학 작품을 헝가리어로 번역하고 1790년대 초 셰익스피어 작품 공연을 지원했다. 그러나 그의 작업이 절정이 달한 1794년 오스트리아 당국은 카진치가 프랑스 혁명에 자극받은 자코뱅 음모에 가담했다는 혐의를 씌워 체포했다. 당국은 이 음모자들의 지도자들을 교수형에 처하고 카진치와 그의 공모자들은 7년 징역형에 처했다.[4] 석방된 후 카진치는 자신의 노력을 배가하여 '정신적 활동 정지와 민족의 몸에 떨어진 무거운 도끼'에 반격을 가했다. 수십 년 후 그의 비판자들조차 카진치가 없었다면 헝가리 문학은 새로운 개화기를 맞지 못했을 것이라고 평가했다. 1814년까지 그의 번역 작품이 9권의 책으로 출간되었고, 여기에다가 그는 수십 편의 에세이와 시를 썼다. 낭만적 시와 역사 소설을 쓰는 작가들이 그의 노력에 동참하여 한때 헝가리를 차지했던 토박이 부족을 찬양하고 독일인에 대한 감정을 자극하면서 과거로부터 영감을 얻었다.[5]

언어가 만들어진 다음에는 이것이 사용되어야 했고, 여기에서 보헤미아와 헝가리의 이야기는 다른 양상을 보인다. 보헤미아 애국주의자들은 미천한 출신으로 대부분이 민족주의의 사도가 된 사제나 목사였다. 이들은 자신들의 언어를 전파할 재력이나 정치권력을 가지고 있지 못했다. 헝가리에서 이런 운동을 전개한 사람들은 귀족이었고, 이들은 자신들의 전통적 의회를 통해 법령을 개정했다. 이들은 오스트리아가 튀르키예와의 전쟁에 당면했을 때 프로이센으로 이탈한다고 위협한 계급이었기 때문에 요제프 황제는 이들에게 독일어를 강요하는 시도를 포기했다. 그의 동생인 레오폴트는 계속 화해 정책을 유지하며 헝가리의 왕권을 프레스부르크로 귀환시켰다. 1790년 의회가 소집되어 민족어는 국가의 관심 사항임을 선언하고, 2년 후 헝가리어는 문법학교의 일반 과목이 되었다.[6]

이후 수십 년 동안 프레스부르크/포즈소니의 귀족들뿐만 아니라 각 자치주의 의회는 헝가리 영토 내 모든 거래, 공공장소, 주민들을 마자르화하는 행동을 취했다. 요제프 황제와 마찬가지로 이들은 라틴어가 문제라고 생각했다. 요제프에게 라틴어가 오스트리아 국가 형성을 방해했다면, 헝가리 애국주의자들은 라틴어가 근대 헝가리 민족 형성을 방해한다고 보았다. 1805년부터 각 자치주는 왕정 행정 당국과 라틴어뿐만 아니라 헝가리어로도 교신할 수 있게 되었고, 의회 의사진행에서도 헝가리어와 라틴어가 나란히 사용되었다. 1830년 마자르어는 모든 관리의 필수어가 되었고, 1835년 마자르어는 법원에서 라틴어의 대용어로 사용되었으며, 모든 공식 문서에서도 대안적 언어가 되었다. 1839년부터 의회에서 황실에 보내는 문서는 헝가리어로 작성되어야 했고, 1840년 헝가리어는 라틴어를 대신하여 정부와 의회의 언어가 되었다. 사제들은 마자르어를 배워야 했고, 모든 증명서는 3년 안에 헝가리어로 작성되어야 했다. 그러나 요제프는 헝가리인들이 독일어를 배우는 시한도 3년으로 성했다. 1843년부터 마자르어는 정부, 의회, 행정, 공공 교육의 유일한 공식 언어로 정해졌지만, 자치주에서는 오래전에 마자르어가 행정과 교육의 언어가 되었다.[7]

보헤미아도 란트스타크Landstag라는 의회를 가지고 있었다. 이곳에 자리를 차지하고 있는 귀족, 도시민, 사제들은 자신들을 보헤미아인이라고 불렀지만, 자신을 체코인으로 생각하는 사람은 거의 없었다. 귀족은 체코건 독일이건 민족주의에 별 관심이 없었다. 이들은 서로 프랑스어로 말하고 쓰며 소통하고, 독일어를 사용하는 문화와 고등교육 기관을 이용했다. 이들은 헝가리 귀족들보다 약한 집합적 권력 정체성을 가지고 있었다. 오스트리아 정부는 보헤미아의 권리를 존중해야 한다는 소수 애국주의자들의 주장에도 불구하고, 1790년대 프라하 의회는 합스부르크 가문으로부터 얻은 작은 양보에 만족한 상태였고, 다소 약해지기는 했지만 1849년 마리아 테레사가 강요한 중앙집권 통치를 계속 주장했다.[8]

1803년 페스트에 세워진 민족박물관과 1820년에 프라하에 세워진 민족박물관은 이 두 상황의 차이를 잘 드러냈다. 1802년 페렌츠 세체니 백작은 자신이 보유한 예술품, 지도, 필사본, 동전, 서적 소장품을 '나의 사랑하는 조국과 주민들이 사용하고 이익이 되도록 영구히 반환할 수 없게' 기증했고, 5년 뒤 헝가리 의회는 페스트의 이 박물관을 자치적 기관으로 인정했으며, 이를 전 대학 건물에 설치하고 각 자치주로부터 기부금을 청했다. 30년 후 의회는 인상적인 신고전주의 박물관 건물을 건설할 예산을 책정했고, 1846년 박물관 건물이 완공되었다. 헝가리 정부는 1813년 박물관 토지를 구입했었다.[9]

프란츠 안톤 콜로브라트 백작과 카스파르 슈테른베르크 백작은 1820년 프라하에 보헤미아 박물관을 설립했다. 이 박물관은 빈 정부의 중앙화 야망으로부터 자신들 조국의 정체성을 방어하는 문화적 요새가 될 터였다. 세계주의자인 두 백작은 보헤미아의 권리에 대한 공통의 관심으로 인해 체코 애국주의자들을 지원했다. 슈테른베르크는 프라하의 작은 구역에 있는 자기 궁전에 박물관을 만들었지만, 1847년 박물관은 다른 귀족의 궁전으로 옮겨갔다가 1890년대가 되어서야 프라하 구시가지를 내려다보는 벤체슬라스 광장 꼭대기의 현재 위치로 옮겨가게 되었다.

프란티셰크 팔라츠키가 슈테른베르크 백작에게 박물관 학술잡지를 이용해 박물관을 체코 문화를 전파하는 장소로 이용하라고 제안한 사실을 기억할 필요가 있다. 그래서 초기부터 민족 운동은 이 지역적이지만 비민족주의적인 기관의 일부가 되었다. 1827년 잡지를 발행하기 시작하면서부터 박물관은 체코인들에게 그들의 현재와 과거에 대한 지식을 전파하는 주요 수단이 되었다. 1831년 이후에 박물관 운영진은 체코어를 지원하기 위해 세르비아 모델을 흉내 내어 마티체 체스카Matice Česká('체코 조직'이라는 의미)라는 특별 재단을 만들었다. 엄격한 검열이 시행되는 시기였기 때문에 팔라츠키는 이 재단의 목적을 '유용하고, 학술적이며, 순수문학적인 양질의 체코 책'을 출간하는 것이라고 내세웠다. 박물관은 도서상을 후원하고, 사전·백과사전의 출간을 지원했다. 박물관은 보수적인 귀족들의 지원을 받았기 때문에 팔라츠키 자신은 민족주의를 전파하고 있다는 의심을 받지 않도록 조심했다. 민족주의는 반동적인 메테르니히Klemens von Metternich(1773-1859)°가 총리를 맡고 있는 동안 가장 중대한 정치적 범죄로 간주되었다.[10]

헝가리의 박물관과 다르게 보헤미아 박물관은 의회의 관심을 끌지 못했고, 대부분의 운영 자금은 소액 기부자들로부터 모아졌다. 이것은 체코 민족주의의 더 폭넓고, 더 '민주적인' 기반을 반영한 것이었다. 1840년 시점에 박물관은 522명의 창립회원과 1735명의 소액 기부자를 가지고 있었다. 체코 민족주의 담론에서 후스의 유산이 중심을 차지하면서 운동의 메시지는 점점 더 반사제적이 되었음에도 불구하고, 박물관 지원의 40퍼센트는 가톨릭 사제들이 제공했다. 보헤미아의 상류층 귀족들은 엄청난 부를 소유했지만, 헝가리 귀족에 비해서는 기부를 훨씬 적게 했다. 일례로 세체니의 아들인 이슈트반은 헝가리 박물관의 학술적 작업을 주도할 헝가리 아카데미에 1년 수입액인 6만 플로린을 기부했고, 세 명의 그의 귀족 친구들은 추가로 5만 8000플로린을 기부했다. 보헤미아에서 프라하의 소수의 귀족 기부자들은 100에서 1000플로린을 기부했다.[11]

전반적으로 보헤미아의 귀족들은 정치·민족 문제 등에 대한 관심이 훨

• 1809년부터 오스트리아의 총리를 맡았고, 1814년 빈회의에서 유럽의 세력균형 조성에 결정적 역할을 했다. 1848년 혁명으로 물러났다.

GRÓF SZÉCHENYI ISTVÁN 1825-dik évi nov. 4-ikén Pozsonyban az országgyülés kerületi ülésében a magyar akademia megalapitására egy évi jövedelmét (akkor 60 ezer forint) felajánlja.

헝가리 아카데미 창립을 위해 1년 수입을 기증하는 세체니 백작(1825)

씬 적었다. 학교를 위한 세금 수납 법률을 포함한 정치적 조치들은 빈 당국이 주도했고, 귀족, 사제, 도시민을 포함한 보헤미아의 기득권은 이러한 법령을 큰 반대 없이 받아들였다. 정신적 장애가 있었던 합스부르크 황제 페르디난트 1세(재위: 1835-1848)는 1836년 보헤미아왕국의 왕으로 즉위했고, 귀족들은 의회에 좀 더 정기적으로 출석했지만, 이들은 체코인이 다수인 소도시나 농민들 대표들이 발언권을 갖는 것을 막았다. 이런 점에서 이들은 반민족적이었다.[12]

＊　＊　＊

헝가리 의회의 귀족들은 자신들 계층뿐만 아니라 유럽의 민족을 대표한다고 생각했고, 자신들의 국가성 의식을 다른 사회계층으로 확장시키기를 원했다. 그러나 헝가리의 국제적 상황을 평가할 때 두 가지가 이들을 괴롭혔다. 첫째, 이들이 마자르어를 전파하고 다른 경쟁적 언어들을 억압하려고 계속 노력하지 않으면, 헝가리는 민족으로서 사라질 것 같았다. 두 번째는 만일 이들이 헝가리의 처절한 경제적 낙후성을 개선하기 위해 뭔가를 하지 않으면, 헝가리는 서유럽의 위대한 국가들과 나란히 설 수 없었다.

헝가리 귀족들은 영국을 방문한 후 자신들이 본 모든 것을 부러워했다. 영국 귀족과 이들의 풍요롭고 자신감 넘치는 생활양식에서부터 하루에 수천 켤레의 신발을 생산하며 정신없이 가동되는 공장 등을 부러워했다. 1822년 애국주의자인 미클로스 베셀레니는 영국에서 자신이 받은 인상을 친구에게 이렇게 썼다. "유리 공장, 탄광, 철강 공장이 나란히 서 있었다. 지역 전체가 불길과 연기에 싸여 있어서 마치 최후의 심판 날 정경 같았다." 서인도회사, 동인도회사의 부두에 수백 척의 선박과 창고들이 늘어서 있었고, 포장된 도로가 도시와 연결된 모습에 그는 충격을 받았다. "나는 주일 정장을 입고, 터무니없이 경직되어 움직이기를 무서워하는 작은 도시에서 온 상인처럼 느껴졌다."[13]

체코 애국주의자들과 마찬가지로 헝가리 귀족 활동가들은 헝가리 주민들이 민족주의에 눈을 뜨도록 '각성시키려고' 노력했다. 그러나 이 단어는 그들에게 특별한 반향이 있었다. 보헤미아에서 선각자들은 농민과 소도시 주민들이 자신들의 정체성을 더 큰 민족의 일원으로 여기도록 문학과 언어를 이용한 데 반해, 헝가리에서 선각자들은 좀 더 실용적인 일을 했다. 위대한 행동가이자 박식한 지식인이며 전쟁 영웅인 이슈트반 세체니 백작이 거대한 헝가리의 곡물 농장을 보았을 때 그는 비극적으로 비생산적인 노동자들과 농지를 발견했다. 그는 농민들을 강제 노동에서 해방시키고 토지가 시장에서 매매되도록 하고, 지주와 농민들이 생산을 다양화하고 생산성을 높이는 데 관심을 갖게 만들려고 했다. 귀족들이 소유한 농지를 매매가 가능하게 하면 신용 시장도 형성될 수 있고, 지주들은 이곳에서 농업 상황을 개선할 자금도 조달할 수 있었다. 농민들은 해방시키면 이들의 노동력도 해방될 것이었다. 세체니는 사람을 고용하건 자신의 토지에서 농사를 하건 농민의 강제 노동은 자유노동에 비해 생산성이 3분의 1에 불과하다고 계산했다.[14]

헝가리의 복지에 관련된 것은 그의 관심을 전혀 끌지 못했다. 대학 학업 후 외국에 머무는 동안 그는 과학과 기술에 특별한 주의를 기울였다. 샤를 10세의 대관식에 맞춰 프랑스를 방문한 그는 뒤 미디du Midi 운하를 연구하는 데 시간을 보냈고, 여기서 자신의 고향에 있는 도나우강을 치수하는 아이디어를 얻었다. 그는 페스트에서 도나우강을 따라 여행해 이스탄불까지 갔다 온 다음 요제프에게 이 프로젝트의 가치를 설득해서 도나우강 항행위원회Danube Navigation Committee를 설립하여 10년 만에 이를 완료했다. 영국에서 그는 사교 클럽이 독서, 토론, 사업 거래로 회원들의 상호 이익을 증진시키는 것을 보았다. 그래서 그는 1827년 영국 클럽을 모델로 페스트에 '카지노'를 만들었다. 약 10년 뒤 이곳을 방문한 영국 여행가 줄리아 파도는 자신이 받은 인상을 이렇게 적었다.

홀과 당구장은 아주 멋졌다. 귀족과 고급 직군의 사람들만 드나들 수 있어서 '국영'이라는 이름이 붙은 카지노가 1층 전체를 차지하고 있었다. 2층에 있는 카지노는 카우프맨니시 카지노라고 불렸고, 상인, 도시의 상업과 관련 있는 존경받는 시민이 사용했다. 지하실은 레스토랑으로 사용되었다. 여기서는 저녁이 아주 멋진 스타일로 제공되어 페스트에서 최고의 식당으로 불렸다.

전문직 계층이 늘어나면서 이 클럽은 헝가리 여러 곳에 만들어졌고, 후에 보헤미아 지역에도 퍼졌다. 헝가리와 보헤미아에서 이 클럽을 통해 정치적 생활이 형성되었다.[15] 1833년 헝가리에는 29개의 카지노와 독서회가 존재했고, 1848년 기준으로 이러한 사교 클럽은 1만 명 이상의 회원을 보유하고 있었다. 민족 운동에서 세체니의 커다란 경쟁자인 러요시 코슈트(1802-1894)는 이 클럽들이 '다른 어떤 것과 비교할 수 없는 강하고 영향력이 센 강력한 수단'이라고 말했다.[16]

파도가 관찰한 대로 클럽 생활은 교육을 받고 재산이 있는 사람들만 가입할 수 있었고, 이들은 의사소통의 편의를 위해 독일어를 사용하는 계층이었다. 그러나 놀라운 것은 1848년 시점에 애국 운동이 얼마나 광범위한 기반을 가졌는가이다. 귀족뿐만 아니라 모든 특권 계층과 자유직업을 가진 다양한 도시민이 여기에 참여했다. 이들 모두 마자르 기관에서 교육을 받았고, 헝가리어 연극, 잡지, 백과사전을 이용했다. 1860년대가 되자 페스트에는 소비자 클럽과 음악 클럽도 나타났고, 의사, 지리학자, 승마 클럽도 구성되었다. 헝가리 유대인들은 수공업과 농업 증진을 위한 클럽을 구성했고, 가톨릭 남성교인 클럽, 작가들을 지원하는 클럽, 유아 돌봄 클럽도 나타났다. 페스트와 부다 모두에 여성 클럽이 구성되었다.[17]

놀랍게도 귀족들은 같은 민족의 일원으로 평민들과 기꺼이 교류했을 뿐만 아니라 자신들이 보호받는 세계를 전복하는 개혁을 옹호하여 토지와 노동 시장에 대한 압력을 거부하지 않는 귀족들도 있었다. 이러한 압박은 모두가 생각하기에 절대 변화하지 않던 생활양식에 위험부담을 가져왔다. 그러나 민족 이념은 이 집단에 강한 영향을 미쳐서 아직 존재하지 않은 헝가리를 위해 자신들의 특권을 포기하게 만들었다.[18] 세체니는 귀족의 특권이 헝가리를 약하게 만들고, 더 성장하거나 자신을 방어하는 것은 불가능하다고 말하면서 개혁을 거부하는 사람들을 부끄럽게 만들었다.

정치적 귀족 주류층은 대체적으로 자유주의의 급진적 경향의 영향을 받았다. 이들은 법적 평등권에 입각한 사회 달성이라는 공동의 비전을 가지고 있었다. 이 사회에서는 모든 사람이 동등한 권리를 가지며 거기에는 이동, 결혼, 자신의 재산을 사고팔 수 있는 권리가 포함되었다. 그러나 이들은 동등한 의무도 지고 있었다. 사제뿐만 아니라 귀족도 면세 특권을 상실해야 했고, 이것은 국가가 하천을 준설하고 하수구를 설치하며, 도로, 학교, 도서관을 만들고, 과학 연구를 재정 지원하는 것을 가능하게 해주었다.

이러한 개혁 사상이 점점 더 자명해질수록, 가장 기본적인 문제점이 귀족들의 상상력을 괴롭혔다. 그것은 자신들의 나라가 이러한 개혁과 의무를 수행할 국가적 기구를 가지고 있지 못한 것이었다. 상하원으로 구성된 헝가리 의회가 계속 존재해왔고, 귀족들은 농촌 지역의 행정을 통제했지만 최종적인 결정권은 외국 도시에 있는 외국 왕조가 행사하고 있었다. 일례로 통상의 경우를 보아도 분명했다. 헝가리인들이 보기에 헝가리왕국과 오스트리아의 관계는 식민지와 종주국 관계와 같았다. 1841년 오스트리아가 헝가리로 보내는 상품 2900만 플로린어치 중 2740만 플로린이 공산품이었다. 그러나 역으로 오스트리아가 헝가리에서 수입하는 재화 중 공산품은 2퍼센트도 차지하지 않았고, 나머지는 농산물과 천연 원료였다.[19] 이러한 관계는 오스트리아 및 보헤미아와 비교했을 때 헝가리의 낙후성을 심화시켰고, 앞의 두 지역은 서부 독일과 북부 독일에 비해 발전이 뒤처졌다. 헝가리는 서부 유럽에서 동부 유럽으로 가면서 뒤떨어진 발전 단계의 중간 정도를 차지했다.

가톨릭 귀족들과 과거 합스부르크 정부 관리였던 세체니는 중도온건파였다. 그는 헝가리와 오스트리아가 서로 협력할 수 있는 방법을 찾기를 희망했다. 그는 대귀족의 정치적 패권이 제국 당국과 농촌 상류층 간의 폭력적 충돌을 예방하고 좀 더 독립적인 헝가리로 이행하는 것을 보장할 것이라고 보았다.[20] 세체니의 경쟁자인 러요시 코슈트는 가난한 소귀족 가문 출신의 변호사이자 루터교도였다. 그는 30세의 나이에 자신이 재산을 관리하는 미망인을 대신해 의회에 들어갔다. 그는 명석하지만 위험한 정치 평론가라는 명성을 얻었고, 반란 혐의로 감옥 생활을 했다.

* * *

정치적 행동 양식은 서로 크게 달랐지만 코슈트와 세체니는 민족 정치의 중요한 문제에 대해서는 서로 의견이 일치했다. 두 사람 모두 역사적 헝가리는 정치적으로 또 문화적으로 헝가리가 되어야 한다고 생각했다. 두 사람은 코슈트가 표현한 바와 같이 '자유로운 땅과 자유로운 사람들'로 구성된 시민들의 민족을 만들기 위해 귀족과 사제들이 특권을 보유한 봉건적 정권에서 해방되어야 한다고 전제했다. 두 사람은 슬로바키아어나 루마니아어를 사용하는 문맹의 농민들에게는 국가성을 부여하는 것이 가당치 않다고 생각했기 때문에 이들의 민족 인식은 인종적 한계를 벗어나지 않았다.[21]

크로아티아는 다른 사례였다. 귀족층natio을 가지고 있는 크로아티아왕국은 1106년 자발적으로 헝가리에 병합될 때부터 권리를 보장받아왔다. 그러나 코슈트를 포함한 헝가리 자유주의자 중 급진파들은 크로아티아에게 제공할 수 있는 권리의 한계는 도시 권리 정도라고 생각했다. 1847년 의회에서 행한 연설에서 코슈트는 "그러나 여기에 단 하나의 민족만 있다. 나는 헝가리 신성 왕관 아래 마자르라는 하나의 민족과 민족 정체성 외에는 아무것도 인정하지 않을 것이다"라고 선언했다. 이 몇 년 전에 의회는

크로아티아 관리들이 3년 안에 마자르어를 배우도록 요구했다.[22]

세체니는 헝가리 내 한 민족이 다른 민족에 대항하는 열정이 분출하는 것뿐만 아니라 가난한 사람들이 부자들에 대해 반기를 드는 것도 우려했다. 그는 코슈트가 빈의 보복이나 더 심각하게 헝가리의 다른 민족들이 마자르인들에 대해 반기를 일으키도록 만드는 선동적 수사를 사용하는 것을 비판했다.[23] 역사에 대한 심사숙고 없이 코슈트는 합스부르크의 계몽 군주인 레오폴트가 남부 헝가리에 거주하는 세르비아인들이 민족 의회를 구성하는 것을 허용하고, 이들은 크로아티아가 누리는 것과 같은 별도의 지위를 요구하도록 만들 수 있다고 우려했다.[24] 현재의 합스부르크 지도부는 헝가리를 통제하기 위해 분리정복 정책을 쓸 수 있었다(앞으로 보게 되는 바와 같이 실제로 이 정책을 썼다).

그러나 요제프 황제의 독일화 정책은 헝가리 귀족들에게 큰 두려움을 불러일으켜서 이들이 마자르화 정책의 위험성을 간과하게 만들었다. 이들은 눈에 보이는 모든 문화, 교육 기관을 비독일화한 다음 러시아가 주도한다는 혐의를 받고 있는 범슬라브주의에 몰입하여 의도치 않게 왕국 내 슬라브 종족 집단들 사이에 민족주의를 일깨우고 확산시키는 결과를 가져왔다.[25] 1815년 막 부상하기 시작한 헝가리 내 슬라브 애국주의자들은 자신들을 헝가리왕국에 충성하는 신민인 '헝가리인'이라고 불렀다. 그러나 이후 수십 년의 시간이 흐르면서 이들은 남쪽에서는 자신들을 세르비아인, 북쪽에서는 슬로바키아인으로 인식했다.[26] 1833년 익명의 크로아티아 저자는 6년이라는 짧은 기간 동안에 페스트는 중부 독일 지방에서 '마자르의 엘도라도'로 변했다고 불평했다. 의사소통을 위해 독일어를 사용했던 사람들은 경멸의 대상이 되었고, 헝가리어를 사용하고 마자르인이 되는 것이 유행이었기 때문에 많은 사람들이 독일어를 버렸다. 자신이 선량한 헝가리 사람이고 동시에 슬라브어를 말할 수 있다고 주장하는 사람들은 시대에 뒤떨어진 사람 취급을 받았다.[27]

마자르 국수주의자들은 요제프 2세가 자신들의 조부들에게 한 것과 마찬가지로 슬로바키아인과 크로아티아인들의 주장에 귀를 닫았다. 프랑스의 주민들은 당연히 프랑스어를 사용하지 않는가? 이 주장은 또한 민주주의를 명분으로 내세웠다. 공통의 언어가 없으면 시민들은 자신들의 공통의 정치체 업무에 참여할 수 없다고 주장했다. 그러나 이제 다른 민족들은 (헝가리인의 조부들이 요제프 황제에게 요구한 것처럼) 언어는 자신들의 전통의 중요한 한 부분이라고 주장했다. 이제 헝가리를 다민족 국가로 만들어야 하지 않겠는가?[28]

이 시기에 크로아티아인인 류데비트 가이(1809-1872)가 페스트에 도착하여 법률 공부를 하면서 마자르어가 독일어와 슬라브어들을 대체하는 것을 보았다. 그는 자기 민족에 대한 중대한 위협을 감지하고 국립 도서관에서 오랜 시간을 보내며 크로아티아의 과거에 대한 먼지 쌓인 문헌들을 뒤지기 시작했다. 그가 헝가리를 정복하려고 한다는 헝가리 친구들의 농담에 자신은 단순히 크로아티아를 보호하려는 것뿐이라고 응수했다. 그는 동포들에게 마자르어가 자신들을 먼지로 갈아버리지 않도록 나서라고 촉구하는 시를 쓰기도 했다. "우리는 우리의 언어를 빼앗기느니 단결된 채로 죽는 길을 택할 것이다."[29]

1830년 가이는 자신보다 16세 연상인 슬로바키아인 얀 콜라를 만났고, 두 사람은 바로 서로 마음이 통하는 것을 느꼈다. 두 사람은 오랜 시간 같이 산책하며 자신들의 민족이 국가성을 어떻게 준비해야 할지를 토론했다. 콜라는 가이에게 슬라브인들의 상호성을 가르쳤다. 슬라브인들은 여러 종족으로 구성된 한 민족이고, 공통의 위대성을 공유하기 위해 각 종족은 희생을 해야 한다고 주장했다.[30] 콜라가 슬로바키아인들이 공동의 민족 생활을 위해 체코 단어들을 수용할 것을 원한 것을 보고, 가이는 크로아티아인이 다른 남슬라브인들, 특히 세르비아인과 공유할 국가를 위해 자신들의 언어를 적응시키는 방법을 생각하기 시작했다. 헝가리어가 헝가리 모든 신민에게 필요하다고 주장하는 사람들을 그는 단도직입적으로 비판했다. "마자르인들은 슬라브 바다에 있는 섬과 같다. 나는 이 바다를 만들지 않았다. 그러나 이 바다가 당신들을 덮쳐서 삼키지 않도록 주의해야 한다."[31]

체코 애국주의자들과 슬로바키아 애국주의자들은 자신들이 통합시키기를 원하는 더 큰 민족을 '체코-슬로바키아인' 또는 '체코-슬라브인'이라고 불렀고, 가이는 자신이 통합시키기를 원하는 남슬라브인들을 '슬라브-크로아티아인'이라고 부르다가 후에는 '일리리아인'이라고 불렀다. '일리리아'는 발칸반도 서쪽 끝을 지칭하는 고대 명칭이었지만 1809년 나폴레옹이 류블랴나를 수도로 하는 괴뢰 정권의 명칭으로 사용했었다. 프랑스가 슬로베니아, 크로아티아, 세르비아 주민들 사이에 지역 문화를 증진시켰던 이 정치체는 남슬라브인들이 단일한 국가에 살 수 있다는 것을 제안하는 것이었다.[32] 가이는 이런 일반적인 접근을 취하고, 이것을 언어가 민족을 만든다는 헤르더의 사상에 접목시켰다.

지금은 화려한 크로아티아 수도지만 당시 시골 오지였던 자그레브로 돌아온 가이가 당면한 문제는 '일리리아' 주민들이 사용해야 할 언어가 무엇인가였다. 그는 대부분의 크로아티아인과 사실상 모든 세르비아인이 사용하는 슈토카비아 방언Stokavian dialect•을 선택했다. 그러나 이 선택은 풍부

• 세르보-크로아티아어의 주요 방언 중 하나로 세르비아, 몬테네그로, 보스니아-헤르체고비나와 크로아티아 일부 지역에서 사용된다. 차카비아 방언(Chakavian), 카이카비아 방언(Kajkavian)과 대비된다. 방언 명칭은 '무엇(što)'을 의미하는 단어 발음에 따른 것이다.

한 문학적 유산을 가진 자그레브의 방언을 희생하는 것을 의미했기 때문에 쉽지 않은 결정이었다. 하지만 그는 다른 슬라브인들, 특히 세르비아인들을 공동의 정치 생활에 끌어들이기 위해 그렇게 할 용의가 있었다. 그가 제안하는 언어는 마르틴 루터의 독일어가 독일인들을 위한 '고급' 공통어가 된 것처럼 표준 일리리아 언어가 될 것이었다.

일리리아의 통합을 위한 가이의 노력은 강제적인 마자르화로 크로아티아인들 사이에 촉발된 소요에서 힘을 얻었다. 1847년 가이가 발행하는 저널 《다니카Danica》는 1000명 이상의 구독자를 확보했다. 다음해 '일리리아인들'이 크로아티아의 의회를 장악하고, 라틴어 대신 크로아티아어를 사용했다.[33] 자그레브 중심 광장에서 학생들은 헝가리어 교과서를 거대한 모닥불에 던져 넣었다. 그러나 빈이 제국의 어떠한 재구조화에도 반대하는 것을 고려할 때, 당분간은 어떤 일도 이룰 수 없었다. 하지만 일리리아 아이디어는 남슬라브 통합을 의제로 만들었고, 공통의 선을 위해 크로아티아인들이 희생한다는 생각을 고결하게 만들었다. 이 운동은 군주정을 전복하는 것을 목표로 하지 않았다. 가장 급진적인 일리리아인들도 합스부르크 군주정은 지속될 것이고, 그들의 프로그램은 지식인들이 대중과 거의 접촉이 없도록 만들게 하는 것이라는 것을 알고 있었다.[34] 통합 아이디어에 남슬라브인들이 어떻게 반응할지는 아무도 알 수 없었고, 특히 오스만 통치하에 살고 있는 남슬라브인들의 반응을 예측하기는 어려웠다.

남슬라브 통합에 대한 경쟁적 아이디어도 이 지역에서 탄생했다. 가이가 빈의 학술 모임에서부터 잘 알고 지내던 세르비아 언어학자 부크 카라지치는 몇십 년 전에 슈토카비아 방언을 이용하여 세르비아어를 표준화했다. 1830년대 그는 이 방언을 사용하는 사람은 이슬람교도건, 정교도건, 가톨릭교도건 떠나서 사실상 세르비아인이라고 주장했고, 코소보, 마케도니아, 세르비아, 보스니아와 크로아티아와 남슬라브인들이 거주하는 헝가리 내 모든 지역에 있는 이들 모두를 위한 공동의 미래를 구상했다. 1848년 혁명 전에, 5장에서 자세히 설명하는 바와 같이, 크로아티아, 헝가리, 달마티아의 합스부르크 통치하의 남슬라브인과, 보스니아와 세르비아의 오스만 치하 남슬라브인 사이에 긴장이 발생해 같은 방언을 쓰는 같은 민족을 통합하는 것에 문제가 발생했다. 두 경향은 1918년 유고슬라비아 국가 아이디어를 잉태하는 것을 가능하게 만들었지만 통치는 극도로 어렵게 만들었다.

✳ ✳ ✳

헝가리에서 민족 분규는 1848년까지 세 단계를 거쳤다. 첫 단계로 애국주의자들은 자신들을 독일화하려는 합스부르크의 계획을 막기 위해 마자르 문화 기관들을 만들었다(1780-1830년대). 두 번째 단계로 그들은 경제 발전을 위한 민족 정치를 만들어내기 위해 정치적 기관을 사용했다(1830-1840년대). 세 번째로 그들은 현명하지 못하게 자신들이 마자르화하려는 종족 집단으로부터 반발을 불러일으켰다. 1848년이 되자 크로아티아, 슬로바키아, 세르비아, 루마니아 애국주의자들은 자신들 나름의 문화적·정치적 권리를 주장하고 나섰다. 보헤미아에서의 투쟁은 좀 더 단순했다. 이곳에서 애국주의자들은 체코어에 대한 존중과 이의 연장으로 체코인들에 대한 존중을 요구했다. 이들은 노예 민족보다 더 나은 상태를 원하는 체코인들은 독일인이 되기를 원한다는 믿음을 거부했다. 헝가리에서와 마찬가지로 이 투쟁은 합스부르크 당국이 독일 학교를 이용하여 이 지역을 중앙 통제 아래 두려고 시도한 데서 촉발되었지만, 체코인들은 헝가리 내의 슬로바키아인이나 루마니인에게 강요된 마자르화에 의해 당면했던 탈민족화 압력을 받은 적은 없었다.

우리가 본 바와 같이 보헤미아 전역에 문화 기관들이 있었고, 무엇보다도 학교 연계망뿐만 아니라 많은 연극 극장, 도서관이 딸린 보헤미아 박물관, 보헤미아 왕립학술회가 존재했다. 그러나 이 기관들은 체코어를 사용하기는 해도 문화적으로 독일적인 시민들을 위해 만들어졌거나 그들에게 봉사한다는 전제가 있었다. 이에 대응해서 압도적으로 비귀족 출신인 체코 애국주의자들은 이 기관에 직접 들어가 자신들의 문화와 언어를 위한 공간을 확장했다. 그러나 이들은 모든 지역에서 거센 저항을 받았다.

교육을 예로 들어보자. 1790년대 헝가리 의회는 학교 교육은 '민족' 언어로 수행되어야 한다고 규정했고, 어떤 세력도 이에 반대하지 않았다. 보헤미아에서 초등교육은 마리아 테레사 시기 이후 꾸준히 확장되었다. 1787년 보헤미아에는 총 2221개의 각종 학교가 있었고, 1828년에는 그 숫자가 3252개로 늘어났다.[35] 보헤미아의 체코인 지역 학교들은 체코어를 사용했지만, 그 목적은 항상 같았다. 학생들을 독일어로 교육시키기 위해서 먼저 그들의 토박이어로 가르친다는 것이 체코어를 사용하는 목적이었다. 그리고 학교는 가톨릭교회가 운영했기 때문에 신을 두려워하고, 체코 조국보다는 하늘이 권력을 내려준 당국에 복종하는 것을 가르쳤다. 1859년까지 당국은 체코어로 교육하는 중등교육 기관을 허가하지 않았기 때문에 체코 애국주의자들은 기존의 학교에서 체코어 교육 시간을 조금 늘리는 것을 위해 투쟁했다. 이들은 독일어를 제대로 쓰기 위해서는 뛰어난 체코어 실력이 필요하다는 주장을 펼쳐야 했다.[36] 이들은 자신들의 목표를 위해 정부가 관리하는 기관뿐만 아니라 정부가 공식으로 내세우는 주장을 이용해야 했다.

당시는 낭만주의가 절정인 시기였지만, 이런 힘든 싸움에 낭만적인 것은 없었다. 점점 수가 늘어나는 체코 도시 주민들은 상업에 종사하려는 젊은이들을 교육시키고 싶어 했다. 그래서 애국주의자들은 보헤미아의 산업진흥회(1863년 보헤미아 귀족들이 설립)에 침투해 들어갔고, 체코인 상업학교 설립을 위한 운동을 펼쳤다. 2000명 이상의 상인들이 여기에 동참했지만, 1847년 4월 당국은 이 조직을 해산시켰다. 그러나 이 운동의 지도자인 A. P. 트로얀(1815-1893)과 F. L. 리거(1818-1913)는 애국주의자들을 동원하는 경험을 얻게 되었고, 1860년대 이후 이들을 자유주의 시기 체코 정치인으로 활용했다.[37]

학교 다음으로 애국주의적 메시지를 전하는 데 가장 효과적인 방법은 극장이었다. 오래전부터 중유럽에는 이동극단이 존재했으며 세속어로 연극을 공연하여 수익을 올렸다. 그러나 민족 운동은 대도시의 연극 무대를 통제하기 원했다. 요제프 2세는 바덴과 그라즈에서부터 렘베르크(리비우), 카사(코쉬체), 헤르만슈타드(시비우) 등 제국 서쪽에서 동쪽으로 극장을 세워서 연극 붐을 일으켰다. 1783년에는 프라하에도 귀족(또는 노스티츠) 극장이 세워져서 볼프강 아마데우스 모차르트의 오페라 〈돈 조반니〉를 초연했다. 앞으로 일어날 일에 대한 신호로서 체코어 작품이 일주일에 한 번 공연되어 매번 좌석이 매진되었지만, 이 연극 극장은 이후 두 세대 기간 동안 독일인들이 소유했다. 1787년 체코 연극인들이 이 극장에서 쫓겨나자 이들은 요제프 2세에게 청원을 제기해 오늘날 벤체슬라스 광장에 자신들의 무대를 여는 데 성공했다. 나무로 만들어진 이 극장은 '오두막'이라고 불렸다. 2년 후 이 극장도 폐쇄되었다.

역사가인 팔라츠키와 사전 편찬자인 융만처럼 체코 극장의 선구자들은 보잘것없는 가족 출신이었다. 대표적인 선구자인 얀 네포무크 슈테파네크

(1783-1844)는 사제가 되는 훈련을 받았지만 새로운 소명을 찾았다. 그는 배우로서만이 아니라 해설가, 재정가, 운영자, 그리고 번역가, 작가, 프로듀서 역할을 했다. 슈테파네크는 1804년 프라하 중심에서 벗어난 곳에 연극 극장을 만들었지만, 5년 뒤 폐쇄되었다. 1812년 그와 소수의 열성가들은 애국적 주제의 연극을 공연하는 아마추어 극장을 만들었고, 일요일과 공휴일만 공연을 했지만 극장은 늘 만석을 이루었다. 1812년부터 1823년까지 슈테파네크는 69개의 공연을 후원했고, 이후 노스티츠 극장으로 옮겨가서 1834년까지 300번 이상의 연극을 체코어로 공연했다.[38]

슈테파네크는 융만 같은 운동가들의 영향을 받아서 빈 스타일의 저속한 연극을 프라하로 도입했지만 '도덕적 에너지'를 끌어모으는 데는 실패했고, 비극 연극을 발전시키는 데 기여하지는 않았다.[39] 그러나 그는 뛰어난 사업가로서, 점점 커지는 체코 청중이 원하는 것을 보여주었다. 기사도 넘치는 도둑 소재 연극과 동화 같은 연극은 독일-체코 관계를 건드리는 반란적 주제가 유머를 담고 제시되었다.[40] 그의 연극 중 하나는 체코어를 이해하지 못하는 독일인들이 겪는 에피소드를 담았지만, 해피엔딩으로 젊은 체코인과 독일인은 결혼한다. 수십 년 후 빈에서 치열한 민족주의 투쟁이 전개될 때 민족 간 결혼 장려는 폭동의 원인이 되기도 했다.

슈테파네크의 연극은 희극이었지만, 그는 진지한 공동체 지도자이기도 했다. 그는 과부와 고아를 돌보는 기관의 공동 책임자였고, 빈곤구제협회를 이끌었다. 그는 또한 프라하 고아원을 설립했다. 1812년 그는 프라하의 명예시민이 되고 국왕 훈장을 받았다. 그의 친구들은 그를 기리는 칸타타를 만들었다. 그러나 공공 생활은 체코 연극 공연과 분리될 수 없었다. 1820년대 노비치 극장에서 체코어 연극을 추방하려는 시도에 끈질기게 저항하면서 그는 독일어를 비롯한 서구 언어로 쓰인 자신이 좋아하는 오

페라를 계속 체코어로 번역했다.[41]

프라하의 교육기관을 졸업한 학생들은 슈테파네크가 시작한 운동이 프라하 너머 지역으로 확산되도록 노력하며 이동극단이라는 아주 오래된 전통을 재건했다. 검열에도 불구하고 심각하지 않은 연극들이 보헤미아와 모라비아 시골 지역 전역을 이동하며 공연되었고, 빈의 희극 오페라를 번역한 작품도 선보였는데, 점차로 독일어 공연을 대체했다. 애국주의자들은 낙관적인 생각을 갖고 있었다. 공연에 열광하는 청중들은 독일의 문화, 관료 엘리트의 표층 아래에서 체코 중산층이 백산 전투 이후 살아남았다는 것을 보여주었다. 이들은 또한 점점 독자층이 커지는 보헤미아 박물관의 대중적 체코어 잡지의 구독자였다.[42]

많은 소도시 공동체의 거주민들은 공공 생활을 위해 독일어를 사용했지만, 가정에서의 친밀한 생활에서는 체코어가 사용되었기 때문에 독일어는 깊은 충성심을 자극하지 못했다. 시골 주민들은 가정생활의 연장인 연극을 보기 위해 이동극단 공연에 몰려들었다. '이동극단 민족'에서 사람들은 같이 노래 부르고, 즉각 비유를 알아차리고, 희극이고 비극이고를 떠나 중요한 메시지에 고개를 끄덕였다. 중요한 대사가 연이어 나오고, 공동체 의식을 형성하는 데 도움을 주었다. 체코인들은 농담을 즐기고, 주체할 수 없을 정도로 웃음을 터뜨리는 민족인 반면, 그들보다 '더 낫다고 젠체하는 민족'은 술에 취한 듯이 이를 바라보았다.[43]

체코 운동은 상하관계와 재산 소유 상황에 저항하며 서서히 움직였다. 보헤미아와 모라비아의 모든 제대로 된 극장은 독일인들 소유였다. 수많은 청원이 제기된 끝에 제국 당국은 프라하에 체코 극장을 설립하는 것을 허가했지만, 여기에 아무런 예산 배정을 하지 않았다. '민족주의적' 사업에 대한 지원은 염려할 필요가 없었다. 당국은 동일한 배우가 독일어와 체코어 오페라에 출현하는 프라하의 귀족 극장에서처럼 두 민족이 협조하기를 바랐다.[44] 그러나 궁극적으로 보헤미아의 두 집단이 분리되는 것을 막을 수 있는 세력은 없었다. 체코 애국주의자들은 기회를 얻자마자 독일인들에서 떨어져 나왔고, 연극을 시작으로 문화, 과학, 경제, 경제 또는 정치 등 모든 분야에서 이런 현상이 일어났다.

✳　✳　✳

19세기 초반 연극 극장은 헝가리 도시인 페스트와 프레스부르크로 확산되었고, 마자르어 연극이 빠르게 독일어 연극을 대체해나갔다. 그러나 1830년대가 되자 투쟁할 대상은 거의 없었다. 만일 헝가리 운동이 헝가리 극장을 원하면 의회는 이것을 법령화하면 되었다. 의회를 동세하는 귀족 정치 엘리트들 자체가 헝가리 운동이었고, 그 핵심 노력은 공공 생활의 영역으로 옮겨갔다. 이것은 코슈트의 최근 연설이나 신문을 채운 좀 더 온건한 반대파 사이의 정치 개혁에 관한 논쟁으로 옮겨져 갔다.

　1830년대가 되자 헝가리 운동은 영국이나 프랑스와 나란히 설 수 있는 민족 국가 기관들을 어떻게 통제하거나 세울 수 있을지 상상하게 되었다. 이것은 체코 정치인들 사이에서는 두세 세대 뒤에나 가능했던 일이었다. 이 시점에 헝가리 운동과 체코 운동은 상대편이 당연하게 여기고 있는 것을 부러워하게 되었다. 체코 애국주의자들은 헝가리왕국 여기저기에 세워지고 있는 박물관, 고등학교, 카지노, 극장을 부러워한 반면, 마자르 활동가들은 오스트리아제국에서 가장 경제적으로 발전한 장소인 보헤미아의 산업, 도로, 다리, 도시의 번영을 부러운 눈으로 바라보았다.

　보헤미아는 오랜 세월 동안 교역로의 교차점에 자리 잡았고, 산업과 다양하고 집중적인 농업, 수많은 소도시와 도시에서 교육받은 노동력을 소유하고 있었다. 요제프 2세 시기부터 한 세대만 지나면 보헤미아를 알아볼 수 없게 만든 성장의 폭발을 추적할 수 있다. 모라비아의 직조기 수는 1775년 8769개에서 1780년 1만 412개, 1798년 1만 4349개로 계속 늘어났다. 모라비아 방직 산업의 노동자수는 1780년에 28만 8000명에서 1789년 50만 4000명으로 늘어났다. 유리, 모직, 면직, 문구 생산도 18세기 말 늘어났고, 농업 생산은 풍부해져 갔다. 이러한 생산 증가로 지역 내, 지역 간 시장도 확대되었고, 이것은 교통을 늘리고, 주민들이 농촌 지역에서 성장하는 도시로 이동하는 것을 촉진했다.[45]

이 시기에 헝가리에서는 농촌 생활에서 현대적 생활로의 변형이 고통스럽도록 느리게 진행되고 있었다. 이슈트반 세체니 같은 일부 열성적인 노력가들을 통해 이루어진 개혁 중에 가장 눈에 띄는 것은 1849년 부다와 페스트를 연결하는 쇠사슬 다리가 건설된 것이었다. 이 다리는 스코틀랜드 기술자가 설계하고 그리스 자본으로 건설되었다. 그러나 1840년대 겉만 번지르르한 헝가리의 개혁 의회는 상업 분쟁의 중재를 돕는 조치 이외에는 현대화를 진척시키는 일을 거의 하지 않았다. 이들의 중요한 성취는 교육 체계에서 헝가리어를 사용하도록 하는 조치를 확고하게 한 것이었다.[46]

헝가리는 압도적으로 비생산적인 농업 사회로 남아 있었고, 현대화에 대한 생각조차도 막는 엄청난 법적 장애에 당면해 있었다. 영주제 토지는 매매할 수 없었고, 농민들은 부상하는 산업의 노동력으로 전환될 수 없었으며, 지주의 노예로 묶여 있었다. 세체니는 농경지는 발전하기 위해서 투자를 끌어들여야 한다는 것을 알고 있었지만, 영주의 권리가 폐지된 1848년 이후에도 헝가리는 제대로 된 외국 투자를 끌어들이지 못했다. 서방 자본 시장은 미발달된 국가의 농업에 돈을 투자하느니 좀 더 번영하는 지역의

교통과 산업에 자금을 투자했다.[47]

헝가리 의회는 수백 시간의 시간을 들여서 지주와 농민의 관계를 혁명적으로 바꾸는 경작 칙령Urbarial Act을 만들었지만, 최종적으로는 너무 내용이 약화되어서 각 지주가 자기 농민의 봉건적 세금을 구제할지를 결정하게 만들었다. 대부분의 지주들은 여기에 관심이 없는 듯한 태도를 보였다. 1830년대가 되자 귀족들의 사업가 정신은 이미 쇠퇴하기 시작했고, 귀족들은 자본 투자가 아니라 강제노역을 통해서 이를 달성하려고 했다. 개혁 과정이 지지부진한 이유는 모든 애국주의적 감정에도 불구하고 그 바탕에는 코슈트, 세체니, 페렌츠 데아크가 옹호하고 나선 계층의 이익에 반대하는 경향이 있었다. 선동적인 연설가인 코슈트는 농촌 지역에서 착취 관계에 대해 대중들의 우려를 촉구하려고 애썼지만, 1848년 이전 그가 의회에서 동원하는 데 성공한 유일한 집단은 빈한한 '샌들' 귀족들〔돈이 없어서 부츠 대신에 샌들을 신는 귀족을 뜻함〕뿐이었다. 1843-1844년 헝가리 상원과 하원 모두 합스부르크제국의 다른 지역과 구별되는 내부 세금 제도를 수정하기를 청원했지만 뜻을 이루지 못했다.[48]

당시 헝가리는 한두 개의 현대적 공장과 약 3만 명에 불과한 새로 형성되는 노동계급을 보유하고 있었다. 산업 생산은 요제프 2세 시기보다 네 배 늘어났지만, 헝가리가 합스부르크제국 영토의 40퍼센트를 차지한 데 비해 제국 전체 산업 생산의 7퍼센트만 생산해냈다. 합스부르크제국은 영국이나 벨기에 같은 서유럽 국가에 비해서 훨씬 낙후된 상태에 있었다. 헝가리 도시 인구는 약 60만 명이었는데, 이것은 귀족 숫자와 비슷했다. 그러나 산업이 대지주 손에 들어가 있었기 때문에 가장 수지맞는 산업은 곡물 교역이었고, 사업가 기질 및 대의 기관과 관련된 도시민들은 여전히 세력이 약했다. 페스트와 부다는 1848년 헝가리의 수도로 선언되었을 때 인구가 15만 명으로 늘어난 상태였다. 하지만 하수도가 현대식 공원과 함께 건설 중이었다. 이 시점에 도로의 절반만 포장되고 조명이 설치되었다.[49]

보헤미아와 헝가리의 발전 과정 차이가 가장 극명하게 나타난 곳은 교육 분야였다. 1840년대가 되자 보헤미아왕국의 취학 연령 아동 95퍼센트는 학교를 다녔고, 그래서 1850년대가 되자 문맹은 사라졌다. 헝가리에서는 1869년 취학 연령 아동의 47.9퍼센트만 학교를 다녔고, 전체 인구 중 27.2퍼센트만이 읽고 쓰기가 가능했다.[50] 그러나 교육은 두 지역의 민족 투쟁에서 각기 다른 역할을 수행했다. 헝가리 엘리트들은 국가 행정을 장악했기 때문에, 숫자가 적기는 해도 학교를 마자르화하는 데 사용했다. 그래서 슬로바키아어를 강의하는 고등학교는 1900년이 되자 하나도 없게 되었다. 보헤미아의 행정 당국은 독일어 학교를 선호했기 때문에 체코 운동은 새로운 고등학교를 세우는 것도 투쟁을 통해 얻어냈다. 학교를 설립하는 운동가들의 열정은 늘어나고 인내심은 줄어들었다.

1840년대가 되자 문자를 해독하는 체코인들은 연극 무대나 학교 교과서 속에서 실현되는 체코 생활에 만족하지 못했다. 이들은 경제, 정치, 문화에서 아무 제약이 없는 체코 생활을 영위하기 원했다. 체코인들은 카페, 클럽, 카지노에서 자신들의 조상들로부터 물려받은 언어를 사용한다고 해서 사람들의 이상한 눈초리를 받는 것을 원치 않았다. 이제 이들의 갈망은 사도나 순교자를 넘어서서 소도시 엘리트와 대중에게 확산되기 시작한 것을 이해하는 것이 어렵지 않았다. 애국주의자들의 노력을 넘어 이러한 운동은 현대화라는 개인과 상관없는 에너지에 의해 추동되었다. 특히 도시의 성장과 발전의 영향이 컸다. 다른 말로 이를 설명하면 1840년대가 되자 체코 민족주의자들은 자신들의 통제와 이해를 넘어서서 자신들 뒤에 형성된 파도에 올라탔다.

오랜 기간 동안 인구 증가와 경제성장은 느리고 꾸준하게 진행되었고, 도시와 소도시는 주변 농촌 지역 주민들에게는 이질적인 언어를 사용하는 엘리트들을 보존하는 장소였다.[51] 이런 상황에서 상업을 배우거나 국가 공무원으로 일하기 위해 프라하로 오는 젊은 체코인들은 새로운 환경의 언어로서 독일어를 택해서 배웠고, 이들 가족도 독일어를 사용하게 되었다. 인구 유입은 느리게 진행되었고, 새로 도시에 온 사람은 바로 이런 환경에 흡수되었다. 도시는 주변의 농촌 지역은 물론 봉건적 엘리트를 위해 하는 일이 거의 없었다(외국 시장을 위해서 하는 일도 없었다). 이러한 상황은 보헤미아만 해당되는 것은 아니었다. 독일어가 주도하는 도시는 브라티슬라바/프레스부르크(슬로바키아인들 사이에서), 류블랴나/라이바흐(슬로베니아인 사이에서), 폴란드인들이 다수를 차지한 빌노/빌니우스(리투아니아인과 벨라루스인 사이에서) 또는 리비우/르비프(우크라이나인 사이에서)를 쉽게 찾을 수 있었다.

보헤미아에서 특이한 것은 도시 거주지가 점점 더 조밀해진 것이었고, 1820년대와 1830년대 도시와 도시를 잇는 포장도로가 다리와 함께 건설되었다. 여기에다가 1827년부터 1836년 사이 유럽대륙에서 두 번째로 건설된 철로가 상부 실레시아 지역과 남부 보헤미아 지역을 연결했고, 이곳에서부터는 해운이 프라하를 통해 북쪽으로 움직였다. 1836년 증기기관차가 이끄는 기차가 빈에서 브르노에 도착했고, 프라하에서 브르노에 이르는 기차도 1840년 운행되었다. 전보통신선도 철도와 함께 설치되었다.[52]

봉건 제도가 쇠락하고 도시와 농촌 사이의 교역이 늘어나면서 농촌 마을은 중산층 상인들과 도시로부터 온 장인들의 고객이 되었다. 도시 지역이 확장되고 도시로 몰려드는 노동자들이 숫자가 너무 많아지면서 이들은 쉽게 도시에 흡수되지 않았다. 상업이 팽창하면서 인근 농촌 주민들과 체코어로 의사소통을 할 수 있는 장인들과 상인들이 독일어를 사용하는 사람보다 이익을 얻게 되었다. 이제까지의 과정은 이제 역전되었다. 도시는 더 이상 농촌에서 몰려오는 사람들을 독일화하지 못했고, 반대로 체코어를 말하는 사람들이 물결처럼 몰려들자 새 유입자들은 도시를 탈독일화시키기 시작했다.

보헤미아 출신인 다른 학자들과 마찬가지로 정치학자 카를 도이치는 민족주의의 이런 양상을 소통의 편이라는 관점에서 논의했다. 사회가 점점 더 도시화되고 현대화되면서 한 주민 집단과 소통하는 것이 다른 집단과 소통하는 것보다 더 효율적이고 이익이 된다. 이런 집단이 현대적 민족이다. 일상생활에서 슬라브어를 사용하는 도시 주민이 늘어나면서 학교, 신용조합, 합자회사, 법률사무소들이 생겨나서 이들에게 봉사하고 문화, 사업, 정치에서 사회적인 다양한 종류의 거래를 촉진시켰다. 소통의 장애가 되는 언어를 제거하면서 체코어를 사용하는 술집, 식당, 광고, 상가 간판, 거리 표시 등 한마디로 체코어 세계가 탄생했다.[53]

그러나 이것이 다가 아니었다. 점차 농촌과 결합된 도시는 문화생활의 중심지가 되어 민족 문화가 되살아나 번창했다. 도시는 단순히 사업을 효율적인 방법으로 할 수 있는 장소에 그치는 것이 아니라 조직화된 종교의 영향력이 감소하는 배경에서 의미를 만들어내고 발견하는 공동의 기반이 되었다. 자신의 존재의 의미를 찾는 사람들은 자신들의 눈앞에서 떠오르는 민족에게서 답을 찾았다. 민족은 가치의 근원이 되고, 다른 모든 선이 흘러나오는 가장 중요한 근원이 되었다. 민족은 종교를 개혁시키는 구조가 되었고, 일례로 마사리크의 사고에서 다른 모든 사회적·문화적, 아니면 성별이 관련된 요구를 지탱하는 것이 되었고, 살고 죽을 수 있는 이상이 되었다.[54]

이것이 수십 년 동안 애국주의자들이 설교해온 내용이었지만, 이제 이것이 드디어 현실로 나타났고 크게 역설적인 방법으로 실현되었다. 도시 환경이 점점 더 현대화되고, 과거의 흔적이 없어지며, 3-4층 건물이 오랜 가옥을 대체하자 체코어 사용자들은 자신들의 민족이 고대부터 존재한 깊은 뿌리를 가진 민족이고, 독자적이고 중요한 민족이라고 생각하도록 설득되었다. 전통적 농촌 생활이 외양을 상실할 정도로 변화하자, 민족 운동은 체코인들 마음에 자신들보다 몇 세기 전에 살았던 사람들, 즉 기사, 종교개혁가, 고대 부족장들과의 역사적 관계 위에 살고 있다는 급진적으로 새로운 이미지를 만들어냈다.

민족 운동은 영민하게 모순을 해결해나갔다. 19세기 중반 이후 시 당국은 프라하의 옛 대문을 고딕 양식으로 강조하여 개수했고, 이것을 원 대문보다 더 오래된 것처럼 보이게 만들었다. 그러나 민족적 과거가 민족적 현재를 빛나게 만드는 과정은 늘 간단하지는 않았다. 처음에 체코 민족주의자들은 독일 고딕 양식보다 프랑스 고딕 양식을 사용할 것을 주장했지만, 후에는 르네상스 구조를 재건하는 데 힘을 쏟았다. 그 이유는 이것이 자신들이 재현하고자 하는 체코 영광의 시기를 더 잘 반영한다고 보았기 때문이다.[55]

19세기 중반부터 민족주의는 가장 실용적이면서 동시에 비실용적인 방법으로 인간의 필요에 반응했기 때문에 보헤미아에서 급성장했다. 사람들은 돈과 출세로 미래를 생각하기 시작했지만, 이와 동시에 돈과 출세를 2차적인 것으로 보이게 하는 의미를 찾았다. 억압받는 민족은 신이 정해준 목표가 있다는 헤르더의 사상은 교육의 확대와 함께 전파되었고, 국가 관리들은 체코어 구어를 제대로 구사해야 한다는 요구도 확산되었다.[56] 이것은 공유된 아픔이라는 불씨를 통해 전파되어 민족 운동을 설파하는 서적, 소책자, 그림에 나타난 시와 전설과 역사에 의해 뜨거운 불길로 타올랐다.

민족 건설을 전진시키는 현대화가 비개인적이었다면, 그 과정은 수천 명의 애국주의자들의 노력을 실체가 없게 만드는 자동적인 과정은 아니었다. 뛰어난 지도자들은 특정한 결과를 만들어내기 위해 제도를 이용했다. 체코 역사가인 미로슬라프 흐로흐는 작은 민족들의 민족 건설은 세 단계에 걸쳐 일어난다고 말했다. 첫 단계는 지적 자원을 만드는 것이고, 두 번째 단계는 애국주의자 지지층을 형성하는 것이고, 세 번째는 대중운동으로 민족 사상을 전파하는 것이었다. 두 번째 단계에서 가장 중요한 것은 학교 당국의 노력 집중이었다. 1차 세계대전 전 약 10만 명의 체코어 사용자들이 빈에 거주했고, 이에 불안감을 느낀 독일어를 사용하는 당국자들은 빈이 체코어 도시가 되는 것을 막기 위해 법적·재정적 수단을 동원했다.[57] 북쪽에 있는 프라하나 브르노는 체코 운동이 교육을 재정 지원하지 않았더라면 체코 도시가 될 수 없었을 것이다. 우리는 조금 늦기는 하지만 남부와 동부 슬라브 땅에서도 이러한 흡수 과정을 관찰할 수 있었다. 1900년 세르보-크로아티아 지역에서 이탈리아 도시 트리에스테로 이주한 사람 중에 일상어로 세르보-크로아티아어를 사용한다고 밝힌 사람은 5퍼센트에 불과했고(대부분은 이탈리아어를 사용했다), 우크라이나 지역에서 태어나 리비우로 이주한 사람 중 27퍼센트만이 우크라이나어를 사용했다(대다수는 폴란드어를 사용했다).[58]

체코 땅에서 민족적 억압과 사회적 억압이 동시에 진행되었기 때문에 민족 발전과 사회 발전은 서로를 강화해주었다. 여러 세대 동안 체코어 사용자들은 엄청난 불의를 느껴왔다. 지위와 부를 소유한 사람들은 독일어를 사용하는 계층이었기 때문만이 아니라 독일어를 사용해야만 했기 때문이었다. 좀 더 나은 상태를 원하는 체코어 사용자들은 기꺼이 민족주의를 수용했다. 민족주의의 진실은 자신들의 목표를 고상하게 만들어주었고, 프란티셰크 팔라츠키의 산문이나 얀 콜라의 시에 표현된 과거의 이야기가 현재의 불평등을 설명해주었다. 이들의 이야기의 요체는 슬라브인들은 항상 민주적이고 평화적이었던 데 반해 독일인은 그렇지 않았다는 것이었다.

그러나 이에 대한 응답은 혁명이 아니라 경쟁이었다. 19세기 초반부터 체코인들은 자원을 절약하고 모으고 축적했다. 19세기 말이 되자 체코인들은 보헤미아 산업과 상업의 상당 부분을 차지했고, 1차 세계대전 직전 200억 크라운을 은행과 저축 구좌에 보유하고 있었다(오스트리아 전체에는 630억 크라운이 은행 구좌에 예치되어 있었다).[59]

경제적 불평등을 극복하기 위한 운동은 정치·문화 기관에 대한 통제를 확보하는 투쟁과 병행되었다. 프라하에는 독일 카지노와 체코 카지노가 있었지만 1850년대부터 체코 카지노가 독일 카지노를 압도하기 시작했다.[60] 1868년 체코 국립극장 착공식이 드디어 열렸다. 그러나 이것은 헝가리 국립극장과 다르게 정부 예산이 아니라 수많은 사람들의 기부로 건설되는 것이었다. 1862년 규모가 작은 임시 극장이 완성되었지만, 1881년 신르네상스 양식의 거대한 건물이 블라타 강변에 완공되어 베드르지흐 스메타나의 음악을 공연했다. 두 달 후 화재가 발생해 내부를 불태웠지만, 더 많은 기부금이 쇄도해서 건설 조직자들은 더 이상 돈을 기부하지 말도록 요청해야 할 지경에 이르렀다.[61]

* * *

체코 국립극장 착공식(1868년 5월 16일)

이 시점에 체코 민족주의는 자신들의 부모가 사용하던 언어를 사용할 때
존경을 받기를 원한 모든 사회계층 사람들의 과업이 되었다. 국립국장 착
공식에서 프란티셰크 팔라츠키는 운집한 군중들에게 40년 전에는 상황이
얼마나 달랐는지를 회고했다. 애국주의자들은 이 건물의 지붕이 무너지면
이것은 체코 민족의 끝이 될 것이라고 농담했다. 팔라츠키는 그런 일이 일
어난다면 하늘이 무너질 것이라고 말했다(이렇게 되면 적들도 같이 파괴될 것
이라고 그는 덧붙였다). 그러나 그의 생각은 틀렸다. 그 지붕 아래 있던 그가
이끄는 역사가, 언어학자 집단이 없었더라면 다른 집단이 그 일을 했을 것
이고, 그들은 평범한 배경을 가진 사람들이었을 것이다. 농민, 장인, 방앗
간 아니면 별종 같은 교사의 자녀들이 그 일을 했을 것이다. 낮은 사회적
지위가 체코 애국주의자를 만드는 필요조건은 아니었지만, 모든 초기 체
코 애국주의자들은 가난을 경험했다.[62]

헝가리 애국주의자들의 사회적 배경은 이보다 더 다를 수 없었다. 이들
은 당연히 자기 것이라고 생각한 사회의 위치를 요구했을 뿐만 아니라, 학

교, 박물관, 대학과 같은 기관을 만들고 아무 저항을 받지 않고 이를 통제했다. 이들은 자신의 나라 안에서 묵시적 존경을 누렸고, 1780년대부터는 이 나라를 마자르 국가로 만들려고 노력했다.

1830년대에 이들은 페스트를 '마자르 엘도라도'로 만들었지만 만족하기에는 거리가 멀었다. 체코 민족주의자들이 보헤미아에서 동등한 지위를 원했다면, 헝가리인들은 유럽에서 존경받기를 원했다. 그러나 그들을 괴롭힌 것은 열악한 도로, 먼지, 낡은 영농 방식 등 국가의 후진성이 아니었고, 서유럽 국가들, 무엇보다도 영국 귀족들의 생활방식을 복제하지 못한 것이었다. 1840년대 이후 이것은 헝가리 정치 계층의 정책을 추동한 동기가 되었다. 서유럽 귀족들이 소비하는 품질과 양의 상품을 소비하는 것이 이들의 바람이었다.[63] 이것은 1848-1849년 혁명 이후 헝가리 민족주의는 사회적으로 배타적이 되었다는 것을 의미했다. 헝가리 엘리트들은 헝가리어를 사용하는 농민들의 발전과 이들의 사회적 상황을 지원하기보다는 일반 평민의 교육 권리, 평등성 요구에 대항해 싸웠고, 빈으로부터 가능한 간섭을 받지 않고 헝가리 자치권을 확보하는 것에 초점을 맞추었다.

이렇게 1848년 이전 우리는 헝가리 민족 운동과 체코 민족 운동의 지향점의 차이를 알 수 있다. 헝가리의 귀족 애국주의자들은 국가를 운영하는 실용적 문제에 집중할 수 있었던 반면, 체코 애국주의자들은 자신들의 사회에서 동등한 존재로 보이기 위해 언어와 문화의 동등권 확보를 향해 투쟁했다. 그러나 두 경우 모두 민족주의 지도자들은 자유의 교조인 자유주의를 우선 가치로 내세웠다. 자유주의와 인종적 민족주의의 중첩은 완벽해서 이것은 각 개인이 자신의 개성을 충분히 실현할 수 있는 곳, 즉 민족 안에서 개인들을 해방시키는 것을 목표로 삼았다.

역사적 정당성의 도전은 두 경우 극적으로 서로 달랐다. 헝가리 귀족들은 자신들이 헝가리왕국과 그 법률의 정당한 소유자라고 주장했고, 자신들이 '민족'이었다. 1848년 이후 헝가리 귀족들이 제대로 대처하지 못한 도전은 이러한 의식을 헝가리왕국 내에 거주하는 인종적 집단과 비인종적 집단으로 확산시키지 못한 것이었다.

체코 애국주의자들은 성격이 다른 도전을 받았다. 보헤미아는 역사적으로 독일에 속했고, 그들은 귀족 배경을 갖지 못했으며, 헝가리 의회에 비견될 수 있는 정치적 기관을 갖지 못했다. 민족적 보헤미아 귀족들이 프라하의 의회를 지배했고, 민족 운동을 정치적 궤도에 올려놓기 위해서는 강력한 사상들이 필요했다. 이 사상들은 혼합물이었다. 이것은 몇 세기 전에 자유를 위해 일어났고, 한때 신성로마제국과 자유롭게 연합했으나 지금은 다른 길을 찾아야 하는 체코 민족이 제시한 특별한 덕목이었다. 앞으로 체코 정치체의 최소한의 경계는 분명해 보였다. 그것은 민족 운동이 보헤미아왕국이라고 부른 보헤미아 왕실 소유지였다. 그러나 이 완전한 민족은 보헤미아에서 사용되는 체코어와 밀접히 관련된 언어를 사용하는 사람들, 즉 실레시아인, 모라비아인, 아마도 슬로바키아인을 포함하지 말아야 할 것인가? 그러나 무엇이 민족을 구성하건 체코인들이 명목적인 합스부르크 주권하에 스스로를 통치해야 한다는 것에는 아무 의문이 없었다.[64]

체코 운동이 성공하기 위해서는 대중 동원이 필요했다. 지도자들은 보통선거권에 대한 전형적인 자유주의적 우려를 했을 수도 있지만, 그들은 하층민을 단순히 경멸적으로 대할 수는 없었다. 체코 운동은 평범한 사람들의 운동이 아니면 아무 의미가 없을 수 있었다. 현대화 덕분에 민족적 이상은 모든 계층으로 빠르게 확산되었고, 다른 어느 곳보다 전범적인 민족주의화의 과정이 진행되었다. 1840년대 이후 점점 더 현대화되는 세계는 이상적인 요인과 현실적인 요인의 결합을 통해 체코 생활의 새로운 단계가 되었다. 자기희생의 이념과 더불어 체코인이 통제하는 사업과 기관이 창출하는 이익과 고용이라는 구체적인 이익도 중요한 역할을 했다. 다른 모든 민족과 마찬가지로 체코 민족은 인간이 만든 것이었지만, 그 과정은 역사의 다른 어떤 운동만큼 강력하고 멈출 수 없는 동인을 얻게 되었다.

5장

반란에 나선 민족주의: 세르비아와 폴란드

세르비아는 중동부 유럽에서 가장 남쪽에 치우쳐 있으면서 정교회 세계에 속했고, 폴란드는 가장 북쪽에 있으면서 압도적으로 로마가톨릭이었다. 세르비아는 중세 말기 오스만튀르크에 점령당하면서 국가와 함께 귀족층도 사라졌고, 이슬람교도들이 토지 소유 계급이 되었다. 폴란드는 프로이센, 러시아, 오스트리아가 폴란드를 지도 위에서 없애버린 1795년까지 지속되었지만, 귀족계층은 손상되지 않고 살아남았다. 그래서 세르비아인들은 절대다수가 농민이었던 반면, 폴란드는 토지를 소유하고 통제한 중요한 지도 계층을 보유하고 있었다. 이들은 수세기 동안 정치를 지배했다. 한 영향력 있는 정치학자는 세르비아와 폴란드는 다른 문명, 즉 동방 문명과 서방 문명에 각각 속하고, 둘을 비교 관점에 놓고 한 사례가 다른 사례에 말해주는 것을 관찰할 가치가 없다고 말한 바 있다.[1]

그러나 이 두 나라는(좀 더 나은 말로 이 두 사회는) 근대 민족주의 시작 시기부터 비상할 정도의 구조적 유사성을 가지고 있었다. 언어에 대한 열정이 체코와 헝가리의 학자들을 사로잡은 시기에 세르비아인들과 폴란드인들은 열정적으로 자신들 민족의 이상을 추구했다. 일부는 학문을 통해 이를 추구했지만, 가장 효과적이고 극적이고 널리 퍼진 방법은 군사적 방법이었다. 수만 명의 세르비아인과 폴란드인들은 외국의 지배를 물리치는 노력의 일환으로 18세기 말부터 무기를 들었다. 이것은 정치적 자극을 반영했다. 민족들은 언어와 문화를 건설해야 할 뿐만 아니라 영토를 차지하고 독립적인 국가를 건설해야 한다는 확신이 그 자극이었다. 여러 세대 동안 합스부르크왕가 밑에서 자치를 이룩하려고 노력해온 체코와 헝가리 애국주의자들에게 이 확신은 아주 생경한 것이었다.

폴란드 반란군들은 이점을 가지고 있었다. 반란군 첫 세대는 1795년 이전 독립된 폴란드 국가에서 편성된 폴란드 직업군인 출신이었고, 1807년 나폴레옹이 만든 반#자치적인 바르샤바공국에서 편성된 부대였다. 이 부대는 장교단과 연대 편성 전통을 유지하고, 전문적인 훈련을 받았다. 이와 대조적으로 세르비아 반란군은 게릴라군이었고, 그 간부들은 1600년대 말 오스만제국과 싸운 국경 전쟁에 배치된 오스트리아인들로부터 훈련을 받았다. 폴란드 반란군은 유럽에서 가장 강력한 세 군사 대국을 상대해야 했던 반면, 세르비아인들은 사면초가에 몰려 쇠락하는 오스만제국을 상대했고, 여러 시점에 오스트리아뿐만 아니라 러시아의 지원을 받았다.

모든 차이점에도 불구하고 폴란드와 세르비아가 공유했던 것은 잘 만들어진 강력한 민족적 담론이었다. 이 담론은 자발적인 사람, 비자발적인 사람, 무관심한 사람을 공통의 전제 아래 반란 운동에 참여하고 판단하게 만들었다. 누가 영웅이고, 누가 적이고, 자신들 속에서 누가 배신자인지가 분명했다. 두 나라 민족 운동 모두 자랑스러운 문학, 음악, 예술 전통을 가지고 있었지만, 지도적인 지식인들은 펜을 내려놓고 아무도 면제되지 않는 임무를 위해 어깨에 총을 들었다. 이 담론은 20세기까지 이어졌고, 1940년대에는 뛰어난 작가들이 반나치 운동에 앞장서고, 오늘날까지 폴란드와 세르비아 학교에서 교육되는 시들을 썼으며, 이들은 자신의 목숨을 희생했다.

이 담론들은 영향력 있는 민족주의 이론을 거부한다는 공통점을 가지고 있었다. 즉, 많은 폴란드인들과 세르비아인들은 근대적 국가성의 여명이 밝기 전에 민족으로 의식화되었다는 특징이 있었다. 폴란드에서 민족의식으로 무장한 사람의 수는 1800년에 이미 백만 명이 넘었다. 그러나 마케도니아에서부터 코소보 북쪽, 서쪽으로는 세르비아 땅에서 크로아티아 경계의 보스니아에 이르는 지역에서 민족적 의식을 가진 남슬라브인 수는 이보다 몇 배 많았다. 특이한 점은 이 정교회 슬라브인들은 거의 문맹이었다는 사실이다. 이와 대조적으로 보헤미아에서는 읽고 쓸 줄 아는 사람 수는 훨씬 많았지만, 1800년 기준으로 민족의식을 가진 사람은 많아야 수백 명 또는 수천 명에 불과했다. 폴란드와 세르비아 사례는 대중의 민족적 각성은 현대화를 기다려야 하고, 특히 인쇄 문화의 발전뿐만 아니라 현대적 도로와 인프라를 갖춘 이후에야 이방인인 사람들 사이에서 근대적 민족을 형성하는 것이 가능했다는 것에 대한 도전을 보여준다.[2]

두 나라에서 높은 수준의 민족의식이 형성된 것은 다른 기원을 가지고 있다. 폴란드 지주귀족szlachta은 1795년 폴란드 국가가 사라진 뒤에도 사회적 계급으로 남아 있었고, 자신들의 역사적 권리에 대한 의식도 그대로 남았다. 이를 보여주는 단적인 예는 "우리 없이 우리에 대한 논의는 없다nic o nas bez nas"라는 구호이다. 폴란드 귀족들은 다 문자해독이 가능했고, 특히 귀족 상층부는 다언어를 구사하고 유럽의 정치·문화 사조에 능통했다.[3] 이후 세대들은 도시로 대거 이주하여 폴란드의 지식계층을 형성하고, 이 계층은 깊은 도덕심으로 무장하여 정치적 충성의 의무를 갖춘 민족의 지도적 계층이 되었다. 많은 귀족들은 점령 세력과 함께 일하는 것 외에 다른 선택의 여지가 없었지만, 이들은 자신들의 협력이 무장한 음모 세력보다 '민족'에 더 큰 봉사가 된다는 것을 설명해야 했고, 자신들이 로마노프왕가나 합스부르크왕가의 완전히 믿을 만한 요원은 아니라는 것을 보여주어야 했다.

세르비아 민족주의의 논리는 이보다 덜 분명했다. 1800년 오스만 지배 아래 생활하는 세르비아 농민들은 아주 적은 권리만 가지고 있었고, 세르비아 귀족들과의 살아 있는 연대는 이미 오래전에 사라져버린 상태였다.[4] 이 세르비아인들은 국경 너머 합스부르크 군사지역에서 자신들의 동포는 토지에 대한 집단적 권리와 자치권을 누리고 있었다는 것을 알고 있었고, 이들이 오스만 지배에 반대해 일어났을 때 이것이 이들이 원하는 기본적인 목표가 되었다.[5] 그러나 이들과 수백만 명의 다른 남슬라브인들의 민족적 정체성의 좀 더 깊은 근원은 다른 데 있었다. 그것은 역사적 기억의 요람으로서 세르비아 정교회와 불가리아 정교회가 지속적으로 존재해온 사실이었다. 기념일마다 모여서 고대 영웅들을 기리는 서사시를 노래하는 남슬라브 농민들(특히 세르비아 농민들)의 오래된 전통은 민족으로서 자신들이 어떤 존재인지를 알려주었다. 이들은 자신들의 민족과 그 독립이 목숨을 바칠 만한 가치가 있는 것이라는 것을 알기 위해 팔라츠키 같은 역사가의 가르침을 필요로 하지 않았다. 이러한 메시지는 이들이 암송하고 있는 민요를 통해 세대를 넘어 전달되었고, 1790년대 일어난 일은 이들이 행동할 기회를 제공해주었다.

✳ ✳ ✳

오스트리아, 러시아, 프로이센의 이해관계에서 폴란드의 원죄는 군사적인 것이 아니라 정치적인 것이었다. 이 세 강대국이 1773년 약화된 폴란드 영토를 처음으로 분할한 후 폴란드 지도부는 각성을 하고 새로운 생활을 시작했다. 중동부 유럽 국가 형태를 멋지게 결합한 폴란드 지도부는 18년 후 헌법을 통과시켜 작센공국의 베틴 가문 출신 세습 국왕이 행정권을 가진 대의 정부를 만들었다. 18세기 동안 러시아는 폴란드 왕 선출에 관여해왔기 때문에 선거로 정해지지 않는 폴란드 국왕이 각료를 임명하는 것은 러시아의 영향력을 감소시킬 것이 분명했다. 새 의회는 다수결로 법안을 통과시키게 되어, 모든 법안을 통과시키는 데 귀족들의 만장일치를 필요하게 만든 귀족들의 자유비토권을 종결시켰다. 만장일치제하에서는 외국 세력, 특히 러시아가 투표를 매수하여 개혁을 저지시킬 수 있었다.[6]

폴란드 헌법은 세계에서 두 번째로 제정된 것이고, 미국 헌법과 마찬가지로 권력 분할을 도입하여, 행정·입법·사법이 각각의 기능을 갖게 되었다. 헌법 제정자들은 폴란드를 현대적 국가로 만들고, 국민의 80퍼센트 이상을 차지하지만 지주의 혹독한 관리 밑에 생활하고 있는 농민들을 국가의 보호 아래 두려고 했다. 지주들은 토지뿐만 아니라 지역 통제권zwierzchność을 보유했고, 여전히 상당한 권력을 보유했지만, 지주귀족의 계급 특권은 축소되었다. 이들 중 빈한해진 귀족은 투표권을 잃었고, 완전한 시민권은 도시와 농촌의 재산 소유자들에게 확대되어서, 민족은 계급과 인종을 떠나 잠재적으로 모든 사람을 포함할 수 있도록 확대되었다.[7]

헌법은 민족주의에 대한 복종을 강하게 요구했다. 폴란드의 독립은 "생명과 개인의 행복보다 소중한 것이다"라고 규정되었다.[8] 그러나 헌법 정신은 자유주의적이었고, 중동부 유럽 현대 국가성은 절대주의적 통치를 필요로 하지 않는다는 것을 보여주었다. 폴란드는 입헌군주국이 될 것이고 상당한 권력은 사회에 위임되었다. 그리고 바로 이러한 이유로 폴란드 헌법은 토머스 페인이나 에드먼드 버크와 새로운 미합중국의 많은 사람들로부터 칭송을 받았다.[9] 헌법 초안자들은 이웃 국가들로부터의 위험을 깨닫고, 많은 의원들이 부활절 휴가로 의회에 출석하지 않은 상태에서 1791년 5월 3일 헌법을 서둘러 통과시켰다. 새 헌법은 좀 더 개방적이고 평등한 사회로부터 이익을 얻는 것을 바란 적당한 부를 소유한 귀족과 도시민들로부터 강한 지지를 받았고, 아주 가난하거나 아주 부유한 대지주계급으로부터는 지지를 덜 받았다. 대지주계급은 고래의 자신들의 지위 특권이 축소될 것을 우려했다. 폴란드 전체로 보면 새 헌법은 압도적 지지를 받았다. 1792년 2월 열린 각 지역 의회seimiki는 한 곳을 제외하고 모두 새 헌법을 지지했다.[10]

러시아의 예카테리나 여제와 프로이센의 프리드리히 빌헬름 왕은 폴란드를 강하게 만들려는 헌법의 약속이 실현되지 않도록 바로 행동에 나섰다. 1792년 5월 10만 명 이상의 러시아 병력이 폴란드를 침공했고, 몇 주 후 프로이센 군대도 침공해왔다. 1968년 프라하의 봄 봉기를 진압할 때와 마찬가지로 러시아 군대는 자신들은 간섭 요청을 받고 폴란드에 들어왔다고 주장했고, 이것은 틀린 말이 아니었다. 4월 폴란드 대지주 귀족들은 예카테리나 여제를 접촉하고 상트페테르부르크에서 '국가연합' 조약을 맺어 이전의 현상 유지로 상황을 되돌리려고 했다. 이들은 동부 폴란드 타르고비차에서 국가연합을 공표했다. 대지주들은 중앙 폴란드 국가를 약하게 유지하고, 귀족 폴란드 민족의 역사적 '자유'를 수호하는 애국자로 자신들을 내세웠다.[11]

폴란드군은 소규모였지만 새로운 종류의 애국심에 고무되었다. 이 애국심은 모든 사람을 포용한 민족이란 이름으로 유럽 대부분을 정복한 프랑스군의 애국심과 유사한 것이었다. 유제프 포니아토프스키 장군이 이끄는 폴란드군은 6월 18일 부크강에서 러시아군을 상대로 놀라운 승리를 거두었지만, 그의 사촌인 국왕 스타니스와프 포니아토프스키는 서둘러 항복하기로 결정했다. 그의 과거 애인이었던 예카테리나 여제는 헌법을 포기해야만 어떤 형태로건 왕국을 보존할 수 있다고 그에게 통보했다. 국왕은 타르고비차 국가연합 협약에 서명했고, 이에 따라 검열제를 도입하여 우편의 비밀을 종식시키고 개혁 지지자들을 탄압했다.[12]

그러나 이 타협도 폴란드의 영토를 지키지 못했다. 프랑스 혁명정부에 상실한 영토를 보상받으려는 프로이센은 폴란드 영토의 상당 부분을 떼어내기를 원했고, 러시아는 폴란드가 혁명의 바이러스를 전파한다고 주장하며 이에 동의했다. 1793년 2차 폴란드 분할에서 프로이센은 5만 7000평방킬로미터의 영토(100만 명의 주민)를 획득했고, 러시아는 25만 평방킬로미터의 영토(440만 명의 주민)를 병합했다. 폴란드는 21만 2000평방킬로미터의 영토와 440만 명의 주민만을 보유하게 되었다. 폴란드 의회는 이런 영토 분할에 동의하고 외국의 점령을 인정하도록 강요받았다. 그러나 자유비토권 종식 같은 일부 개혁 조치는 살아남았다. 그러나 이제 폴란드는 러시아 대사의 동의 없이는 아무 일도 할 수 없게 되었다.[13]

영토가 세 나라에 의해 잘려나가면서 발전하던 시장도 산산조각으로 와해되었다. 이것은 러시아 점령군의 과도한 세금 부과와 결합되어 경제적 재앙을 불러와 바르샤바는 유럽에서 물가가 가장 비싼 도시가 되었다. 이와 함께 프랑스의 급진화와 프로이센 브레슬라우와 수데텐 산악 지역의 소요 소식이 전해져 오면서 폴란드인들은 점령국에 대한 저항이 범유럽 혁명의 일부로 성공할 수도 있다는 희망을 갖게 되었다. 바르샤바는 갑자기 비밀결사의 온상이 되었고, 이웃 국가인 작센으로 피난한 개혁가들,

특히 위고 콜롱타이와 이그나치 자윈스키와 연계를 유지했다. 이들은 각 국의 대중을 연계해 조직하려고 했다.[14]

폴란드 전역에 반란을 촉발한 것은 폴란드인들을 군대에 동원하려는 러시아의 계획이었다.[15] 안토니 마달린스키 장군은 러시아의 명령을 거부하고 자신의 군대를 크라쿠프로 이동시켰고, 이곳에서 미국 혁명의 영웅인 타데우시 코시치우슈코와 힘을 모았다. 코시치우슈코는 프랑스와 이탈리아에서 폴란드 복원을 도모해왔었다. 1794년 3월 24일 코시치우슈코는 크라쿠프 중앙광장에 모인 거대한 군중 앞에서 저항군 지도자로 취임 서약을 하고 총동원령을 발한 다음 세 가지 목표를 제시했다. 그것은 모든 사람들의 자유(즉, 지위에 차별을 두지 않는, 분리할 수 없는 하나의 폴란드 민족), 폴란드 영토의 통합성, 국민에 의한 자치정부였다.[16]

초반에 폴란드군은 승리를 거두었고, 특히 4월 4일 크라쿠프 북쪽 라크와비체 전투에서 큰 승리를 거두었다. 이 전투에서 낫을 들고 싸운 농민들은 러시아 대포를 노획했다. 몇 주 안에 폴란드인들이 반란에 참여해 리투아니아, 중부 폴란드, 마지막으로 프로이센이 점령한 서부 지역의 도시들을 해방시켰다. 무기고에 무기가 보관되어 있는 바르샤바가 반란의 성공을 좌우했고, 바르샤바 시민들은 4월 17일 봉기를 일으켜 치열한 전투를 치르고 이틀 뒤 바르샤바를 해방했다. 그해 봄과 여름 코시치우슈코는 바르샤바를 요새화하는 데 노력을 집중했고, 온건파 인사들로 구성된 국가통치평의회를 구성했다. 그러나 급진주의자들이 바르샤바 행정을 장악했고, 이들은 분할 국가에 부역한 의심을 받는 사람들을 공개처형했다.[17]

6월이 되자 폴란드군은 러시아군, 프로이센군, 오스트리아군과 전투를 벌였지만 세력이 밀렸다. 먼저 오스트리아군이 크라쿠프, 산도미에즈, 루블린을 점령했고, 다음으로 러시아군이 빌노를 점령한 후 바르샤바를 포

부역자의 초상화를 교수대에 매다는 광경(1794)

위했으며, 포니아토프스키 장군이 도시 방어를 지휘했다. 북서부의 프로이센 점령 지역의 폴란드인들은 도시들을 점령하고 프로이센 병력을 분산시켜 폴란드군에 도움을 주었지만, 동쪽에서는 새로운 거대한 러시아군이 진격해 와서 10월 10일 바르샤바 남쪽에서 결정적 승리를 거두었다.

이 전투에서 7000명의 폴란드군이 1만 6000명의 러시아군을 상대로 싸웠고, 코시치우슈코는 부상을 당한 후 포로로 잡혔다. 바르샤바 시내에서 폴란드 자코뱅 당원들이 저항군을 조직해 11월 초까지 항거했지만, 3만 명의 러시아 병력이 1만 4000명의 수비군을 제압했다. 러시아군은 5개월 전 항복하려는 러시아군을 죽인 것에 대한 복수로 폴란드 병사뿐만 아니라 민간인도 학살했다.[18] 3만 명의 폴란드 병력이 남쪽으로 도피했으나 일부는 포로가 되고, 일부는 분산되어 농촌 지역으로 숨어들었다. 8개

월간 폴란드인들은 전투를 이어갔지만, 폴란드는 새로운 나라가 되었다.[19]

이것이 최소한 미래의 교과서에 서술된 유산이다. 이 이야기는 폴란드 전 지역에서 모든 계층 사람들이 정치적 독립을 지지한 것을 강조했다. 좀 더 넓은 그림으로 보면, 코시치우슈코의 반란은 유럽에서 외국 지배에 대항해 일어난 최초의 대중 무장봉기였다. 이것은 근대적 의미의 민족이 최초로 외국 침략 세력에 대항해 주권을 주장한 사례였다. 이것은 프랑스의 국민개병제levée en masse를 바로 따랐고, 모든 계급을 뛰어넘는 민족 동원의 힘을 보여주었다. 약 14만 명의 폴란드인이 개혁된 폴란드군으로 참전했고, 약 10만 명이 농민부대에서 싸웠다. 이 외에도 수천 명이 도시 민병대에 가담했다. 18세기 초 폴란드가 사실상 러시아의 피보호국이 되었을 때 군대는 거의 존재하지 않았지만, 지금은 독립에 대한 민중의 요구를 구현하는 실체가 되었다. 보병은 은색 견장이 달린 파란 상의에 '헝가리식'으로 흰색 바지와 신발을 신은 확연히 구별되는 군복을 착용했다.[20]

반란은 또한 중요한 정치적 변형도 가져왔다. 국가의 수장은 왕이 아니라 대중의 인기가 높은 코시치우슈코였다. 그는 지도자로 선출되지는 않았지만 반란 주도자들에 의해 선택받았고, 폴란드를 해방시키기 원하는 사람들 사이에서 논란의 여지가 없는 지도자가 되었다.[21] 관측자들은 정치 개혁을 폴란드 혁명이라고 불렀지만, 그 과정은 폭력적이지 않았다. 폴란드 자코뱅 당원들은 계급 이유에서가 아니라 반역을 이유로 사람들을 처형했고, 개혁 운동은 귀족들, 특히 농촌을 지배한 온건파 귀족들이 주도했다. 이 변혁은 사회적이자 정치적이었다. 농민들은 개인적 자유와 농지에서 쫓겨나지 않는다는 보장을 얻었고, 강제노역이 4분의 1에서 2분의 1 정도로 줄어들었다.[22]

그러나 폴란드가 반란을 일으키지 않았다면 더 좋지 않았을까 하고 추측하는 사람들이 있다. 2차 분할 후에도 폴란드는 여전히 큰 나라였고, 분노로 총을 발사하지 않았다면 계속 유지될 수도 있었다. 그러나 폴란드가 최종 분할을 막기 위해 할 수 있는 일은 아무것도 없었다는 증거도 있다. 런던《타임스》는 1791년 5월 헌법안을 받아보고 크게 놀랐고(헌법안은 베를린에서 전령을 통해 3주 뒤에 전달되었다), 이 헌법안이 '이에 반대하는 강력한 연합세력을 불러들일 것'이라고 예측했다. 결국 폴란드는 '자신의 애국주의의 희생양'이 될 수 있었다.[23]

그래서 애국주의는 자기파괴적일 수 있다는 역설이 남게 되었다. 그러나 이것을 막을 수는 없었다. 지도적인 대지주와 많은 귀족들이 외국의 이익을 위해 행동하기는 했지만, 1780년대가 되자 폴란드 정치 생활에서 제대로 통치되는 국가를 원하는 세력이 넘쳐나게 되었다. 이 세력은 단 한 사람이나 집단의 수중에 있지 않았고, 개혁을 구한다는 잘못된 계산으로 타르고비차 음모에 가담한 국왕도 제압했다. 이와 유사하게 코시치우슈코와 다른 지도자들도 국민들의 광범위한 시각을 대변했고, 러시아가 폴란드 국가성을 파괴하려고 했기 때문에 행동에 나선 것이었다. 이뿐만 아니라 이들은 자신들이 승리할 수 있다고 생각했다. 1792년 초 프로이센은 아직 명목상으로는 폴란드의 동맹이었고, 오스트리아는 프랑스 문제에 정신이 팔려 있는 것처럼 보였다.[24]

당시에나 이후에도 폴란드인들은 1790년대 초의 혁명적 행동을 부적절하거나 어리석은 일로 평가하지 않았다. 기본적인 교훈은 투쟁을 하지 않으면 폴란드는 민족으로 계속 존재할 수 없다는 것이었다. 다른 동유럽 민족들의 경우를 볼 때 이 투쟁이 무장투쟁이어야만 했는지에 대한 의문을 제기할 수 있다. 그러나 폴란드인들의 상황은 근본적으로 달랐다. 그들은 독립 국가를 유지하지 않았던 역사를 거의 경험하지 않았고, 1773년에 폴란드는 유럽에서 가장 큰 나라 중 하나였다. 그러나 런던《타임스》가 지적한 대로 '불운하게 자리 잡은 국가'였다.[25] 스페인, 스웨덴, 영국과 다르게 폴란드는 바다에 의해 보호되지 않고 적들에게 둘러싸여 있었다.

이 반란은 대중의 기억 속에 거의 성공할 뻔했던 '무장투쟁'으로 남았고, 이것은 많은 폴란드인들에게 군사력이나 준군사력으로 성취할 수 있는 것에 대해 과장된 기대를 하게 만들었다. 이후 폴란드의 반란(1830, 1846, 1863, 1944)에서 1790년대 반란과 마찬가지로 성공 가능성과 강력한 유럽 국가로서 자신을 내세워야 하는 필요성이 행동의 추동력이 되었지만, 합리적인 계산으로 자제되지 않았다. 존재하기 위해서는 투쟁해야만 했다. 다른 중동부 유럽 국가들은(세르비아를 제외하고) 자신들의 민족적 담론을 반란적 사상으로 채우지는 않았다.

그러나 개혁과 반란에 대한 지지는 보편적이지는 않았다. 농민들에게 자유를 준다는 코시치우슈코의 약속에도 불구하고 농촌 지역의 많은 사람들은 이에 회의적이었다.[26] 대부분의 인종적 폴란드인들에게 '폴란드'는 의미하는 바가 거의 없었다. 코시치우슈코는 인기가 높았지만, 많은 농촌 주민들은 그의 노력을 무관심하게 지켜보았다. 일반 주민을 대거 참여시키지 못한 것은 이후의 봉기에도 큰 걸림돌이 되었다. 이런 봉기들은 귀족과 지식인 엘리트들의 사건으로 받아들여졌다. 1846년 농민들의 이반은 아주 심해서 폴란드 농민들은 반란이 일어나자 반란 주도자 몇 명의 목을 따서 합스부르크 당국에 충성의 표시로 바치기까지 했다. 독일어를 사용하는 '정복자들'이 동족의 지주들보다 덜 이질적으로 보였다.

✳ ✳ ✳

상호 전쟁으로까지 번질 뻔한 치열한 협상 끝에 러시아, 프로이센, 오스트리아는 자신들의 노획물인 폴란드를 분할하는 방법에 합의했다. 세 나라는 1795년 폴란드 3차 분할을 단행해 폴란드를 지도에서 지워버렸다. 분할 조약의 별도 조항에서 세 국가는 '폴란드왕국의 존재에 대한 기억을 되살릴 모든 것을 철폐하기로' 약속했다. 이제 폴란드의 '절멸'이 완료되었기 때문에 이 왕국의 이름 자체가 언급되는 것을 '영원히' 금지시켜야 했다. 이 조항은 너무 혐오감을 불러일으킬 것이 분명했기 때문에 세 나라는 이것을 비밀로 지키기로 약속했다.[27]

세 국가는 최근의 정복 국가들이 내세운 선언과는 다른 공개적 정당화를 필요로 했다. 1939년 독일 및 소련과는 다르게 이 국가들은 폴란드 지배를 받는 종족 집단(독일인이나 우크라이나인)을 해방시킨다는 명분을 내세우지는 않았다. 1795년 프로이센왕국은 독일 민족 국가가 아니었다. 세 국가는 폴란드의 '자코뱅당'을 제압한다는 것을 넘어서서 점령한 영토에 대한 영유권을 정당화하기 위해 허울만 그럴듯한 왜곡한 역사적 주장을 내놓았다. 러시아는 과거 키예프 루스에 속했던 땅을 다시 차지한 것이고, 프로이센은 몇 세기 전 폴란드-리투아니아 국가연합이 차지한 땅을 되찾은 것이었다. 오스트리아는 1526년 이후 합스부르크왕가의 일부가 된 헝가리 국왕령이었던 남부 폴란드의 땅을 수복한 것이라고 주장했다.[28]

폴란드 국가성의 모든 흔적을 지우려는 자신들의 의도를 감춘 세 국가는 새로운 정당성 의식에 대한 자신들의 우려를 보여주었다. 모든 민족은 스스로를 통치할 권리를 갖고 있다는 근대적 사상이 떠오르는 시점에 폴란드는 사라진 것이었다. 런던《타임스》는 폴란드 3차 분할을 범죄적 행동이라고 비난하고, '자유의 달콤함을 맛보고 즐긴' 폴란드인들이 다시 '폭정'의 노예 상태로 밀려들어간 것이라고 평론했다.[29] 한 프랑스 신문은 3차 분할을 비도덕적이고, '신성한 모든 것을 괴물처럼 파괴한 것'이라고 비난했다.[30] 1772년과 1792년 분할은 러시아가 이전에 오스만튀르크로부터 얻은 영토에 대한 보상으로 프로이센, 오스트리아가 영토를 획득함으로써 유럽의 세력 균형을 재건한 것으로 정당화했다. 그러나 이 마지막 분할은 오래된 왕국을 파괴한 것이고, 무력 행위가 유럽인들의 신경을 거슬리지 않는 먼 곳에서 일어난 것이 아니라 자신들 대륙의 심장부에서 일어난 일이었다. 이 사건은 19세기 내내 자유주의의 민족자결 약속을 옹호하는 유럽인들을 결집시키는 '폴란드 문제'가 되었다.[31]

이런 식으로 폴란드 3차 분할은 양심을 자극했을 뿐만 아니라 양심을 만들어냈다. 1830-1831년 봉기가 실패로 돌아간 후 폴란드 망명자들은 파리, 브뤼셀, 런던으로 쏟아져 들어왔다. 이들은 새로운 종류의 유럽인을 표상했다. 즉, 조국과 자유를 상실하고 외국의 지배하에 살도록 강요당했지만, 19세기에 들어선 후 시간이 지나갈수록 더욱 용맹하고 자기 확신이 강한 민족을 표상했다. 폴란드 혈통의 일부 영향력 있는 오스트리아인들은 합스부르크왕가가 '시대의 가장 큰 범죄'에 참여한 것을 강하게 비난했다.[32] 1860년대 오스트리아 외무장관 요한 레흐베르크 백작은 오스트리아가 당시 다른 강대국의 의사에 순응한 것에 유감을 표하고 폴란드의 복원을 옹호했지만, 그것은 물론 합스부르크제국과 연방적 통합을 전제로 했다. 폴란드의 소멸을 인정하기 거부한 유일한 주요 강대국은 대륙의 변방에 있는 오스만튀르크였다.[33] 폴란드에 전해 내려오는 말에 따르면 술탄은 '레히스탄Lechistan', 즉 폴란드에서 대사가 도착하지 않은 것에 불만을 드러냈다고 한다.[34]

독일계 주민들의 한결같은 주장은, 폴란드는 발전할 능력이 없는 '혼돈의' 나라이기 때문에 빈이나 베를린에서 온 행정가들이 강요하는 질서에 쉽게 순응할 것이라고 전제했다. 그러나 이들의 예상과는 다른 일이 벌어졌다. 물론 폴란드 귀족들은 대체적으로 협조를 잘했지만, 전환과정은 순탄치 않았다. 폴란드의 '혼돈' 원인의 일부는 귀족들의 자치 전통에 있었다. 거대한 농지를 소유한 것이 자치의 기반이 되었지만, 귀족 간 연맹을 구성하고 지역 의회를 장악한 것도 원인이 되었다. 역설적이게도 폴란드 개혁가들이 제어하려고 했던 '과도한' 지역적 자유가 새로운 통치자들을 힘들게 만들었다. 그러나 폴란드 농민들은 축하할 일이 별로 없었고, 특히 러시아가 통치하는 지역에서 더욱 그랬다. 농민들에게는 오랜 기간 회자되던 토지와 자유에 대한 약속이 모두 무효가 되었다.

1790년대는 유럽대륙 전역이 소요에 휩싸인 시기였고, 폴란드에 대한 세 나라의 통치도 안정을 찾지 못했다. 오스트리아와 프로이센은 혁명이 일어난 프랑스, 다음에는 나폴레옹이 지배한 프랑스와 계속 전쟁 상태에 있었지만, 점점 세력이 약해져서 폴란드 애국주의자들은 프랑스가 자신들이 주권을 되찾는 것을 도와줄 것이라는 희망을 갖게 했다. 이 10년의 기간에도 독립을 되찾고자 하는 폴란드의 지속적인 열망은 성스러운 목표가 되었다. 1792년 일부 폴란드 지도자들이 안전 속에서 이 목표를 추진하기 위해 폴란드를 떠나 작센에 정착했다면, 지금 폴란드 병사들은 폴란드의 독립 목표를 추구할 수 있다는 희망을 가지고 폴란드를 떠나 외국 군대에 가담했다. 혁명에 휩싸인 프랑스의 임무는 보편적 자유 확보였고, 이것은 이제 폴란드 독립 투쟁의 정신이 되었다. 폴란드 애국주의자들은 '당신들과 우리의 자유'를 위해 싸운다고 주장했다.

1792년과 1794년 전투에서 큰 공을 세운 헨리크 동브로프스키 장군은 1797년 오스트리아군에서 이탈한 폴란드인들로 구성된 부대를 프랑스군 내에 편성했다. 이 아이디어는 큰 호응을 얻었다. 이후 5년 동안 2만 5000명의 폴란드인들이 이 '폴란드 군단Polish legions'에 가담했고, 이 부대는 여러 전선, 특히 이탈리아에서 전투를 펼쳤다. 이 병사들이 부른 노래가 ─ 병사들은 "자유로운 사람은 형제다"라는 글을 견장에 써넣었다 ─ 폴란드 국가가 되었다. "우리가 살아 있는 한 폴란드는 사라지지 않을 것이다"가 국가의 첫 줄이었다. 그러나 이 가사가 찬양한 영웅들과 다르게 많은 폴란드 병사들은 고국으로 돌아가지 못했다. 1802년 아이티에서 발생한 노예 반란을 진압하기 위해 나폴레옹은 2600명의 폴란드 병력을 파병했지만, 이 중 300명만 살아남았다.[35]

1800-1810년대 후반 프로이센과 오스트리아를 상대로 승리를 거둔 나폴레옹은 이 국가들이 차지한 폴란드 영토의 작은 부분을 떼어내어 바르샤바공국(1807-1815)을 만들었다. 이 공국은 자체 행정체제와 스페인과 러시아에서 프랑스를 위해 싸운 군대를 보유했다. 공국 지도자이자 1792년 전투의 영웅인 유제프 포니아토프스키 장군은 나폴레옹에게 남쪽 경로로 모스크바를 침공할 것을 조언했지만, 나폴레옹은 이를 귀담아 듣지 않았다. 폴란드 병사들은 나폴레옹의 대육군에 편성되어 싸웠고 평균보다 높은 전사율을 기록했지만, 1813년 나폴레옹이 라이프치히의 '여러 국가들의 전투Battle of Nations'에서 결정적으로 패배할 때까지 나폴레옹 편에서 싸웠다. 이 전투에서 포니아토프스키는 새로운 전투를 준비하다가 익사해서 사망했다. 그러나 폴란드인의 자유를 위한 투쟁 능력에 대한 전설은 계속 커졌고, 폴란드 병사들은 폴란드 영토에서 멀리 떨어진 곳에서 외국 패권국을 위해 자주 싸웠다. 1809년 폴란드군이 스페인에서 전투를 벌이는 동안 오스트리아군이 폴란드공국을 공격했다(1944년 바르샤바 시민들이 독일군에 대항하여 봉기를 일으켰을 때 폴란드군 공수부대는 네덜란드에 낙하했다).

1815년 나폴레옹이 패한 다음 유럽 열강들은 빈에 모여 폴란드 영토를 다시 러시아, 프로이센, 오스트리아의 통치로 되돌리기로 했다. 그러나 이들은 폴란드 중앙 지역에 바르샤바를 수도로 하는 '왕국'을 건설하여 러시아의 알렉산드르 1세 황제의 통치를 받게 했고, 그는 '자신의' 통치영역에 헌법을 하사했다.[36]

그러나 폴란드를 통치하는 러시아 군주는 이 헌법이 보장한 권리를 준수하지 않아 폴란드 애국주의자들을 격분시켰고, 검열을 실시하고, 자치기관을 철폐하며, 폴란드의 자유를 회고한 사람들을 체포하고 유형을 보내면서 폴란드인들의 불만이 비등했다. 일례로 러시아 당국은 빌노대학의 학생들이 벽에 '1791년 헌법 만세'라고 분필로 썼다는 이유로 처벌했다.[37] 이 기간 동안 폴란드 문화는 번성했고, 보헤미아와 헝가리에서와 마찬가지로 애국주의자들은 사전을 편찬하고 역사서를 썼다. 그러나 폴란드인들의 민족주의는 폴란드 국가에서 자신들이 누려야 할 권리에 집중했다. 시인인 아담 미츠키에비치는 언어에 '집착'한 체코인들을 조롱하기도 했다.

1830년이 되자 그 세대의 인내력은 한계에 달했고, 11월 폴란드 사관생도들은 러시아의 통치에 항거하는 봉기를 일으켰다. 그 결과는 재앙에 가까웠다. 불완전하게나마 폴란드인들이 가지고 있던 권리는 완전히 제거되었고, 미츠키에비치나 프레데리크 쇼팽처럼 많은 지도적 인사들이 폴란드를 떠나 파리에 '위대한 이민Great Emigration'을 형성했다. 이들의 숫자는 거의 1만 명에 달했다.[38] 그 후 점령된 폴란드 민족주의의 이상은 단순했다. 민족의식을 가진 폴란드인들은 주권 상실을 받아들이고, 자신들의 정체성을 폴란드인으로 유지하면서 '민족주의적 태도'를 보여주었다.[39] 정치적 자유가 축소되면서 폴란드 민족주의는 점점 더 문화적 목표가 되었다.

몇 가지 면에서 폴란드 민족주의자들의 과제는 보헤미아에서보다 단순했다. 폴란드는 최근까지 유럽 국가였기 때문에 과거로부터 전설을 만들어낼 필요가 없었다. 폴란드는 왕과 행정, 군대, 대학, 문학을 가진 국가로서의 역사뿐만 아니라 오랜 세월을 거슬러 올라가는 일들에 대한 역사 서술 전통도 가지고 있었다. 1800년에 폴란드 국가성과 문학에 대한 엄청난 역사서가 있었고, 수십 명의 뛰어난 정치, 군사, 문화 인물을 소재로 한 끊이지 않고 이어온 문학 전통이 존재했다.[40] 국가는 존재하지 않았지만 귀족들은 존재했고, 이것은 민족의식의 기본감각을 새로 만들어낼 필요가 없다는 것을 의미했다. 앞에 언급한 대로 민족의식은 100만 명 이상의 개인들에게 확산되었고, 이것은 수천 명에 불과했던 민족의식을 가진 체코인들에 비하면 큰 대조가 되었다.

프라하의 애국주의자들이 아주 오래된 체코 역사에서 당대의 민족적 자존감을 고무시킨 데 반해, 당대 폴란드에서는 전설이 사람들 눈앞에서 전개되고 있었고, 이것은 부정할 수는 없었지만 모순적이기도 했다. 영웅적인 지도자들의 영도 아래 세 점령국에 대한 대중의 저항이 있었던 것은 분명했지만, 일부 폴란드인들이 다른 사람들의 뜻에 반해 외세에 순응하지 않았더라면 폴란드는 망하지 않았을 것이다. 유산legacy을 넘어서서 이 전통heritage은 19세기 폴란드인들의 서사scripts가 되었다. 오스트리아, 러시아, 프로이센과 협력한 사람들은 폴란드공화국을 멸망시킨 배신자라는 오명을 벗어버릴 수 없었다. 1876년 한 비평가는 '민주주의자들'은 다른 귀족들을 너무 의심해서 주기적으로 이들이 타르고비차를 부활시키려고 한다고 비난했다. 그는 '반역 중독자treasonmania'라는 용어를 만들어냈다. 일례로 1848년 혁명 때 아담 포토츠키 공은 오스트리아군 사령관과 협상을 해서 크라쿠프가 무자비하게 파괴되는 것을 막았다. 그 직후 그는 오랜 배신자 연맹의 상속자라는 비난을 받아야 했다.[41] 그러나 2년 후 오스트리아인들은 자신들에 대한 역모에 참여한 혐의로 포토츠키를 체포했다.

넓게 퍼진 불신 속에 충성스런 폴란드인이 되는 기준을 지킬 수 없는 것을 떠나서 폴란드인들은 거의 충동적으로 과거의 자유정신을 되살리며 반란을 조직했다. 매 세대가 자신들의 무장봉기를 일으켰다. 1846년에는 오스트리아에 대항해서, 1848년에는 오스트리아와 프로이센에 대항해서 1863년에는 러시아 통치에 항거하여 봉기를 일으켰다. 1800년대 말 폴란드의 가장 위대한 민족 지도자인 유제프 피우수트스키는 러시아 당국을 대상으로 테러를 벌이는 혁명가로서 경력을 시작했다. 그는 철로를 폭파하고 무기를 구입하기 위해 현금을 강탈하는 테러를 벌였다. 얼마 지나지 않아 그보다 우파의 경쟁자들은 피우수트스키가 무책임하다고 비난하고 그를 배신자로 낙인찍었다.[42] 그러나 그들도 더 심각한 협력 혐의에서 자유롭지 않았다. 이들의 지도자인 로만 드모프스키는 러시아 두마 의원으로 활동했다. 대부분의 정치문화에서 서로 중상을 퍼붓는 것은 권력에 좀 더 빨리 다가가는 길이기 때문에 일반적으로 행해지는 관행이다. 그러나 폴란드에서 반역으로 비난받는 사람들은 치러야 할 대가가 컸다. 그들은 국가의 존재 자체를 위협하는 내부적 적이라는 오랜 전통의 일부라는 비난을 분명히 부정해야 했다.

봉기들은 모두 재앙으로 끝났다. 그 이유 중 일부는 귀족들이 좀 더 넓은 대중과 연계를 맺지 못한 것일 수도 있고, 경찰력, 관료제, 확장되는 군대를 가진 점점 더 현대화되어가는 국가를 축출하는 것이 불가능한 일이었기 때문이기도 했다. 제국 정권들은 선전선동에서도 이점을 가지고 있었다. 갈리시아 봉기에서 오스트리아 당국은 농민들의 보호자를 자처하며 농민들이 봉기와 밀접한 관련이 있는 지주들에 대항에 일어나도록 만들었다. 폴란드어를 사용하는 농민들은 자신들이 살해하는 오만한 폴란드 지주들과 너무 이질화되어서 그들을 거의 다른 인종으로 여겼다. 반란군들은 어리석은 투쟁에 폴란드의 기회를 낭비하는 것이 과거 폴란드-리투아니아 국가연합의 최악의 특성을 다시 반복하는 것으로 보이지는 않는지 의구심을 가졌다. 이러한 의문에서 서로에 대한 반역 비난과 맞비난이 이어졌다.

✳ ✳ ✳

폴란드 외에 헝가리만이 민족의식을 가진 커다란 귀족 집단을 보유하고 있었다. 폴란드에서와 마찬가지로 애국주의 귀족들의 도전은 자신들의 민족의식을 대부분이 문맹인 농민에게 확산시키는 것이었다. 그러나 폴란드와 다르게 헝가리의 정치체제인 헝가리왕국은 비록 왕은 합스부르크 가문이었지만 계속 존재해왔었다. 이 왕국 내에서 헝가리 귀족들이 통제하는 제도가 번성해왔고, 특히 의회와 학교가 중요한 역할을 했다. 학교는 헝가리 아동들에게 헝가리 민족이라는 의식을 주입했다. 시행해야 할 일은 전반적으로 농업 국가인 헝가리에 학교를 더 세우고, 헝가리어가 사용되지 않는 지역에 민족 메시지를 전파하는 것이었다.

세르비아 애국주의자들은 이웃 국가들은 당면하지 않은 도전을 해결해야 했다. 수백 년 동안 세르비아왕국은 존재하지 않았고, 몇 세기 동안 세르비아 귀족층은 전쟁터에서 혹은 해외 이주로, 아니면 이슬람화되거나 단순히 빈한해지면서 사라져버렸다. 전반적으로 오스만 통치자들은 이슬람 신앙을 강요하지는 않았지만, 영향력 있는 자리를 나누어주거나 토지를 이슬람 신도들에게 배분하면서 개종을 조장해왔다. 지주, 행정가, 부유한 사람들은 이슬람이 되었고, 정교도 농민들은 소작농으로 하층계급을 형성했다.[43] 기독교인이 경제나 국가 행정에서 권위 있는 자리에 올라가거나 이슬람교도를 통제하는 일은 상상할 수 없었다. 성공한 가축업자들이나 마을 원로 중에서 세르비아 민족 지도부가 부상했다.

부의 정도에 관계없이 세르비아인들은 민족 정체성 감각을 가지고 있었다. 비율로 따지면 아마도 폴란드어 사용자들이 자신의 정체성을 폴란드인으로 인식하는 것보다 세르비아어 사용자들이 자신의 정체성을 세르비아인으로 생각하는 비율이 더 높았을 것이다. 이것은 일종의 미스터리이다. 세르비아는 정치 기구도 없었고, 폴란드나 헝가리 엘리트와 다르게 오스만 영토 내의 아주 부유한 세르비아 농민들도 읽거나 쓰지 못한 경우가 많았다. 그림에도 넓은 지역에 퍼져 있는 세르비아어 사용자들은 서로를 본 적이 없어도 자신들이 연결되어 있다고 느꼈다.

이러한 느낌은 부분적으로 세르비아 정교회와 연관이 있다. 오스만 지배세력은 정교회가 계속 지속되는 것을 허용했고, 정교회는 정교회 교인들에 대한 법적 관할권과 세르비아 정체성도 유지했다(그리스와 불가리아 정교회와 구별되는). 세르비아 정교회는 사라진 국가의 사실상 민간 당국 역할을 했고, 세르비아 왕들을 시성하여 국가의 기억을 되살렸다. 가난한 예배자들은 자신들의 언어를 쓰는 사람들이 한때 통치했고, 다시 그렇게 되어야 한다는 설교를 항상 들었다. 콘스탄티노플 총대주교청 산하 자치적 세르비아 정교회 지부인 페치의 총대주교청은 자신의 관할하에 있는 땅을 '세르비아 땅'이라고 지칭했다. 1557년부터 이 영역에는 코소보와 과거 세르비아와 북쪽의 헝가리 지역도 포함되었다.[44]

이에 못지않게 중요한 것은 아무도 간섭할 수 없는 문화적 유산이었다. 세르비아인들의 민중 서사시 전통은 아주 오래전 과거로부터 이어져 왔다. 작은 모임이나 가정에서 사람들은 외줄 현악기인 구슬리에 맞추어 낭송되는 시를 들었다. 암송하여 부르는 이 민요는 몇 시간씩 지속되고, 세대에서 세대를 거쳐 전해져 내려오면서 사람들에게 위로를 주고, 현재 받고 있는 압제를 이해하게 만들어주었다. 가장 유명한 서사시는 《코소보 시가집Kosovo cycle》이다. 이 이야기는 1389년 6월 28일 세르비아 군대가 튀르키예군과 만나 싸운 코소보 들판 전투의 영웅적인 희생까지 중세 세르비아의 영광을 노래하고 있다.

이날 치러진 전투는 오스만제국이 북쪽으로 영토를 확장하면서 벌인 여러 번의 전투 중 하나였다. 세르비아왕국은 위대한 왕 두샨이 사망한 이후 축소되고 있었다. 1389년 세르비아의 라자르 왕자가 이끄는 가신들은 찌르레기 벌판인 코소보 들판에서 술탄이 이끄는 오스만튀르크군과 전투를 벌였고, 라자르 왕자와 술탄 모두 전사했다. 이 전투는 결정적 대결은 아니었다. 술탄의 후계자가 자신의 입지를 강화한 후 라자르의 미망인을 자신의 권위에 복종하도록 만들었다. 라자르의 딸 올리비에라는 술탄의 하렘으로 보내졌고, 아들 스테판은 술탄을 위한 전투에 참가해 1396년 헝가리에 대항한 니코폴리스 전투에서 매제의 승리에 기여했다. 그 사이 그의 아버지인 라자르는 세르비아 정교회에서 시성되었다. 그다음 세기 동안 모든 세르비아 지역은 북쪽과 서쪽으로 세력을 넓힌 오스만제국 통치하에 들어왔다.[45]

외국 지배가 지역 주민들을 핍박한 사실은 몇 세대 만에 서사시로 옮겨져 위로와 희망을 주었다. 라자르는 실패한 주군이 아니라 스스로 죽음을 받아들인 성스러운 순교자로 묘사되었다. 19세기 위대한 언어학자 부크 카라지치가 채보한 시가집에서 회색의 매가 예루살렘에서 성모 마리아의 사절로 온다. 그 매는 라자르에게 하늘의 제국과 지상의 제국 사이의 선택권을 주었다. 만일 라자르가 지상의 제국을 택하면, 모든 튀르크인은 죽게 되었다. 그러나 그는 지상의 제국은 짧고, 하늘의 제국은 영원하기 때문에 후자를 택했다. 그래서 그는 자신의 병사들과 함께 죽어야 했다. 하지만 이 신화는 미완성인 셈이 되었다. 그의 성스러운 선택은 정교회 기독교인들이 하층민이 된 현재를 제대로 설명할 수 없었다. 그래서 세르비아가 미래에 외국 지배의 악으로부터 구원을 받을 것이라는 약속이 추가되었다.

《코소보 시가집》은 세르비아 정교회가 보존하여 전승했다. 라자르는 성인이 되었고, 술탄을 암살한 밀로스 오빌리치도 성인이 되었다. 라자르의 유골은 수도사들이 세르비아 수도원에 보관했다. 오스만 국가는 이 신화의 위력을 잘 알고 있었고, 이것을 통제하려고 했다. 그래서 1595년 세르비아의 수호성인 사바의 유골과 유물을 베오그라드의 브라차르 언덕에서 불태워버렸다(이 사건으로 오스만 통치에 반대하여 일어나 1597년까지 지속된 봉기에 대한 대중의 지원이 확산되었다).[46] 튀르크 군대는 중세 왕과 여왕이 그려진 프레스코와 성상화의 성인들의 눈을 파내는 관행이 있었다. 농민들은 이러한 만행에 대해 자신들을 성인의 성스러운 힘과 연결시키는 고리를 절단하고, 기독교인과 세르비아인으로서 자신들의 정체성을 없애려는 시도로 간주했다.[47]

그러나 코소보 전투 이야기가 자자손손 전해지는 것은 막을 수 없었다. 가정에서 불리는 서사시 노래는 유럽 역사상 민족의 수동적 저항의 가장 효과적인 형태를 제공했다. 언어학자 부크 카라지치가 1810년대와 1820년대에 민요를 채집하기 위해 여러 지역을 돌아다닐 때, 그는 각 가정마다 구슬리 악기가 있고, 이것을 연주할 줄 모르는 사람을 찾아볼 수 없었다고 보고했다. 이 민요 서사시는 채보된 다음 더 확장되고 윤색되어 역사적 실제 인물이나 사건에서 더 변형되었다. 이 서사시는 세르비아 정체성을 구성하는 데 이바지했지만, 순수하게 세르비아적인 것은 아니었다. 중심인물들은 마케도니아와 불가리아 서사시에도 등장했고, 이 지역에서 부상하

는 민족 운동에서 정체성 감각을 형성하는 데 도움을 주었다.[48]

　서사시와 명맥이 끊어지지 않은 세르비아 정교회(불가리아 정교회도 마찬가지였다)는 문맹인 세르비아인도(불가리아인도) 자신들의 민족 정체성을 깨달았고, 자신이 누구이고, 민족의 적은 누구인지를 인지하기 위한 기본 정보를 얻기 위해 민족 애국주의자나 헤르더의 가르침을 필요로 하지 않게 되었다는 것을 의미했다. 의도를 떠나서 주민들의 성스러운 상징들을 파괴하는 것은 수많은 세르비아인들을 단합하여 격분시켰고, 이 감정은 오늘날까지 이어지고 있다. 19세기에 부상한 세르비아 국가와 불가리아 국가는 교과서를 통해 이러한 사건에 대한 기억을 주입하고 통제했지만, 정체성의 기본 틀은 이미 만들어졌고, 세르비아의 경우 이것이 상당히 넓은 지역으로 확산되어 크로아티아 땅 경계지역까지 퍼져나갔다.[49]

　세르비아나 다른 모든 발칸 지역 민족 국가들은 평화롭게 건설되지 않았다. 이 국가들은 전쟁으로 형성되고, 종종 러시아가 오스만제국의 희생을 대가로 영향권을 확장하려고 간섭한 결과로 탄생했다. 그러나 세르비아는 두 번째 제국 세력인 오스트리아의 간섭에서 이익을 보았다. 16세기 초부터 오스트리아 당국은 세르비아 피난민들에게 군사지대에서 적의 공격을 방어하는 대가로 농사를 지을 수 있는 권리를 부여해주었고, 이 '무장 농민들'은 정규군과 함께 국경 넘어 공격을 감행하기도 했다.

　1788년 마리아 테레사의 아들 요제프 2세는 현명하지 못하게 오스만제국에 대한 러시아의 공격에 '튀르크 야만인들에 대한 인류의 복수를 꾀하며' 참여했고, 오스만 점령 지역에서 의용군을 모집하여 1789년 베오그라드를 점령하는 데 도움을 받았다.[50] 그러나 군사 문제 애호가로 세심한 사항까지 챙기는 요제프 2세는 스스로 군대를 지휘했으나 패배를 맛보았다. 1790년 그가 사망할 당시 헝가리 내의 반란뿐만 아니라 북쪽 국경에서 프로이센의 움직임으로 위협을 받았다.

그의 후계자인 레오폴드 황제는 오스만과 강화를 하고 이전의 현상 유지로 되돌아갔다. 그러나 요제프 황제는 세르비아 민족주의에 지속적인 기여를 한 셈이었다. 그가 훈련시킨 5000명의 게릴라 전사는 1804년 발생한 오스만제국에 대한 반란에 참전한 세르비아 병사의 핵심을 이루었다. 이 반란은 한때는 엘리트 전사들이었지만 당시에는 크게 부패하여 약탈과 세금 수탈에 집중한 용병 집단인 예니체리의 만성적 학정에 대항하여 일어난 것이었다. 1월에 시작된 이 반란은 4명의 예니체리 배교자들이 저항의 씨앗을 뿌리 뽑겠다고 결정하고, 150여 명의 지역 세르비아 지도자들을 처형한 후 그들의 목을 막대기에 매단 만행이 기폭제가 되었다.[51] 돼지 사육 농부 카라조르제 페트로비치가 이끈 반란은 술탄의 동의하에 시작되었다. 이 통제력을 잃은 술탄은 이 지역의 부패한 정권을 심판하는 것을 묵인했다.

세르비아 슈마디야 지역 출신인 카라조르제는 1787년 가족과 함께 국경을 넘어 합스부르크 땅으로 피난 갔었다. 합스부르크 군대의 지위를 부여받는 세르비아 부대에서 훈련을 받은 후 그는 계속 진급을 했고, 1788년 오스만 공격에도 참여했다. 평화가 회복되자 그는 고향으로 돌아와 부유한 가축 거래업자가 되었다. 예니체리의 폭정이 심해지자, 카라조르제는 탄약을 구입한 후 슈마디야 지역을 돌며 반란을 고무했다.[52] 반란이 시작되자 술탄이 보스니아에서 보낸 병력의 지원을 받아 반란군은 바로 승리를 거두었다. 그러나 반란군이 세르비아 국가 설립을 위해 싸운다는 것을 분명히 밝힌 후 오스만-세르비아 협력은 와해되었다. 이들은 역사를 통해 정의는 완전한 독립에 의해서만 성취된다는 것을 배운 상태였다. 이들은 오스만제국 다른 지역의 세르비아인들과 공동의 목표를 세우고 몬테네그로까지 영향력을 확장했다. 1805년 반란군은 오스만 군대를 격파했다. 만일 오스트리아 통치자들이 합스부르크 주권을 세르비아의 기독교인들에게 확장하고 이들은 '튀르키예의 노예제'에서 떼어내 달라는 카라조르제의 청원을 들어주었더라면 역사는 다른 방향으로 전개되었을 것이다. 그러나 오스트리아 지도자들은 프랑스의 위협에 몰두하여 그의 요청을 거부했다.[53]

1807년 해방된 영토를 통치하기 위해 최고평의회가 구성되었고, 다음 해 카라조르제를 세습적 지도자 지위인 '보이보데Voivode'로 선출했다.[54] 이렇게 카라조르제는 다음 세기 유고슬라비아 왕들을 배출하는 왕조의 시조가 되었다. 1809년 그는 코소보의 신화를 언급하면 자신의 좀 더 큰 비전을 설명했다. "자신들의 땅을 다시 통치한다는 코소보 기독교인들의 희망은 두 번이나 좌절되었다. 그러나 지금 오스만제국 내 모든 슬라브인들의 땅은 해방되었기 때문에 우리는 자유의 시간이 코소보에도 밝아올 것이라는 희망을 갖게 되었다"라고 그는 선언했다. 그러나 세르비아의 가장 큰 후원자인 러시아가 범유럽적 나폴레옹과의 전쟁에 몰두해 있었기 때문에 오스만 군대는 세르비아 영역을 다시 장악했고, 카라조르제는 1813년 오스트리아로 다시 피난했다.[55]

세르비아 지역은 평온하지 못했다. 세르비아인들은 무장을 풀지 않았고 오스만 통치를 받아들이지 않았다. 세르비아인들의 지속적인 저항으로 잔악한 보복이 잇따랐다.[56] 1814년 약 2000명의 여성과 아동이 노예가 되었고, 약 300명의 남자가 고문을 당한 후 죽임을 당했다. 대부분 창에 찔려 죽은 이들의 시신은 막대기에 매달린 채 일반에 공개되었었다. 죽어가는 과정은 며칠이나 지속되었고, 고통을 당하는 사람들 일부는 튀르키예인 행인에게 자신을 총으로 쏘아서 고통을 끝내게 해달라고 매달렸다. 분노의 소동이 가라앉았고 일부 피난민들이 돌아왔다. 여기에는 첫 반란에서 군지휘관으로 용감하게 싸운 밀로시 오브레노비치도 포함되었다. 그는 점점 더 권위주의적이 되어가는 카라조르제에 반대하는 집단에 속했다.[57]

오브레노비치는 1815년 두 번째 봉기를 일으켜 중앙 세르비아 상당 부분(오스만 파샤 관할구인 베오그라드를 포함했다)을 해방시켰다.[58] 나폴레옹이 전쟁에서 패배하면서 러시아는 자유로운 영향력을 행사하게 되었고, 오브레노비치와 오스만튀르크는 타협을 맺을 여건이 무르익었다. 그는 사실상 자치를 획득했고, 최고 지도자, 즉 크네즈knez, 세르비아 공후로 인정받았다. 12인의 원로로 구성된 민족 궁정National Chancery이 세르비아 지역의 최고 궁정으로 베오그라드에 세워졌고, 세르비아 관리들은 조세와 지역 행정 업무를 담당했다. 예니체리는 토지를 소유하는 것이 금지되었다. 세르비아인은 모두 사면되었고, 무기를 계속 소지할 수 있었다. 4년 후 오스만튀르크는 세르비아를 자신들이 후견하는 '공국'으로 인정하고 자치권을 부여했다. 그러는 동안 오브레노비치는 사진의 경쟁자인 카라조르제가 국경을 넘어 헝가리로 피신한 것을 알고, 그를 추격하여 살해한 다음 충성의 표시로 그의 박제된 머리를 술탄에게 보냈다.[59]

세르비아는 형식적으로는 1878년까지 오스만제국의 가신국으로 남았지만, 오브레노비치는 능숙한 수완을 발휘하여 1830년이 되자 군대를 구성할 권리를 포함해 완전한 자치를 획득했다.[60] 카라조르제의 아들 알렉산드르가 왕좌를 차지했던 짧은 기간을 빼고 오브레노비치 왕조는 1903년까지 권력을 차지했다. 1903년 밀로시의 후손이 알렉산드르의 유약함과 악평이 있는 신부를 선택한 것에 격분한 장교들이 두 사람을 살해하고 카라조르제의 손자를 왕좌에 앉히면서 이때부터 세르비아의 페테르 왕이 권력을 잡았다.

새로운 세르비아 국가 재산의 할당은 철저하게 인종적이었다. 1830년 대 초 이슬람교도들은 농지 소유 권리를 잃었고, 1년 안에 모든 농촌과 소도시 토지를 세르비아인에게 매각해야 했다. 그들은 오스만제국이 병영을 유지하고 있는 여섯 개 도시에서만 살 수 있었다.[61] 이 재산의 '탈오스만화'는 이슬람교도들의 세르비아 탈출과 함께 진행되었다. 이 국외 이주는 18세기 오스트리아-튀르키예 전쟁 때부터 시작되었고, 세르비아인 반란 세력이 장악한 토지에서 이슬람교도들을 추방한 1804년과 1815년 봉기 때 가속화되었다. 이러한 움직임의 전체적인 효과는 세르비아의 탈이슬람화였다. 19세기 초부터 1874년까지 세르비아공국의 이슬람 인구는 5만 명에서 5000명 이하로 줄어들었다. 세르비아공국은 세르비아인의 국가와 기독교 국가가 되는 것을 목표로 했다. 1840년대 형성된 시민 개념에서 이슬람교도는 제외되었다.[62]

이슬람교도들이 세르비아공국을 떠나면서 정교도 기독교인들이 밀려들어왔다. 이 경향은 1700년대부터 시작되었다. 당시 카라조르제 같은 정교회 기독교인들은 빈한한 헤르체고비나와 코소보에서 좀 더 토지가 비옥한 도나우강이나 사바강, 모라바강 계곡 지역으로 이주했다. 오브레노비치 정권은 권력을 장악한 후 수만 명의 정교회 기독교인들을 오스만이 장악한 지역, 특히 보스니아에서 자신들 지역으로 이주하도록 장려했다.[63] 그 결과로 보스니아는 더 이슬람의 성격이 강해지고, 세르비아는 전체적으로 정교회 지역이 되었다. 세르비아 정권이 이슬람교도들이 장악했던 토지를 분배할 때 대규모 영지나 토착 지주계급이 형성되지 않도록 비교적 평등한 원리로 이 조치를 시행해서 폴란드와 큰 대조를 이루었다.

인종적으로 순화된 세르비아공국은 수세기에 걸친 외국 지배(노예제) 후 더 크고 독립적인 세르비아를 건설하는 주춧돌이 되었다. 1844년 오브레노비치 정권의 내무장관 일리야 가라샤닌은 망명 온 폴란드 귀족 아담 예르지 차르토리스키의 도움을 받아《개요Načeranije》라는 비망록을 발표했다. 여기에서는 한때 스테판 두샨(1331-1355)의 중세 제국이 장악했던 영토까지 확장된 세르비아 국가의 영토를 주장했고, 두샨의 왕국은 마케도니아, 보스니아, 알바니아까지 뻗어 있었기 때문에 당시 오스만제국이 장악한 영토 상당 부분에 대한 영유권을 내세웠다.《개요》는 세르비아인들이 이러한 국가를 형성할 '성스러운 역사적 권리'를 주장했다. 이렇게 하기 위해서는 오스만튀르크로부터 좋고 유용한 모든 물질은 돌 하나라도 되찾아 와야 했다.[64]

이렇게 되자 세르비아 민족은 정확히 누구인가라는 질문이 떠올랐다. 베오그라드 술탄직할령의 주민들은 높게 발달된 민족의식을 소유하고 있었고, 다른 슬라브인들이 여러 세대 전에 이웃의 합스부르크령 헝가리와 크로아티아로 이주한 것을 잘 알고 있었다. 이들은 보스니아에 거주하는 정교회 기독교인들의 공동체에 대해서도 알고 있었고, 그곳에 거주하는 이슬람 주민들은 오랜 세월에 걸쳐 이슬람으로 개종한 기독교인들의 후손이라고 믿고 있었다. 이들은 또한 오랜 과거에 세르비아였던 국가들에 대해서도 알고 있었다. 이러한 상황은 독일 운동이나 체코 운동과 유사한 면이 컸다. 이들은 과거 정치체의 가장 넓은 영역은 새로운 국가 국경의 최소한을 대변한다고 믿었다. 그러면 최대한의 국경은 어디가 될 것인가라는 질문이 떠올랐다. 예전의 국경으로 충분한가? 독일이나 보헤미아에서처럼 이 질문에 대한 대답은 언어학자들, 특히 가장 뛰어난 언어학자인 카라지치의 몫이 되었다. 체코의 요세프 융만에 비견되는 천재적인 언어학자인 카라지치는 당시 괴테와 교신을 하고, 그림 형제뿐만 아니라 레오폴트 랑케와 빈에서 같은 서클 활동을 한 크로아티아인 류데비트 가이도 잘 알고 있었다. 그는 가이와 아주 유사하면서도 또한 크게 다른 결론에 도달했다.

1836년 작성한 〈모든 곳의 모든 세르비아인Serbs All and Everywhere〉이라는 에세이에서 카라지치는, 세르비아인은 20년 전 출간된 사전에서 자신이 표준어로 제시한 동부 헤르체고비나 방언의 변이형을 말하는 사람들이라고 정의했다. 이 제안은 오랜 기간 교회 문헌에서 사용되어온 가장 일반적인 문어형을 거부하는 것이었기 때문에 혁명적 정의로 받아들여졌다. 이제 세르비아인들은 말하는 대로 쓰면 되었다. 일반 세르비아인은 자신들의 민족이 누구인지에 대한 헤르더의 정의를 필요로 하지 않았고, 단지 민중 언어를 자신들 민족의 영혼으로 인정하면 되었다. 그럼에도 카라지치는 세르비아 민족주의를 정의하는 데 헤르더의 신세를 크게 진 셈이었다.

동부 헤르체고비나 방언은 슈토카비아 방언이었고, 세르비아의 거의 모든 세르비아인이 사용하는 지역 방언뿐만 아니라 몬테네그로, 보스니아, 크로아티아 대부분 지역에서 사용되는 언어였다.[65] 이것은 류데비트 가이가 일리리아 민족을 만드는 계획에서도 선택한 방언이었기 때문에 처음부터 누가 세르비아인이고, 누가 크로아티아인인가에 대한 세르비아와 크로아티아의 아이디어가 중첩하게 되었다. 이로 인해 크로아티아의 일부 지역과, 더 결정적으로 보스니아 대부분이 포함되게 되었다. 카라지치는 슈토카비아 방언을 사용하는 가톨릭교도와 이슬람교도도 세르비아인으로 간주했다. 이들의 조상이 타종교로 개종했기 때문에 이들은 다시 쉽게 세르비아인이 될 수 있다고 생각했다. '튀르키예 신앙고백을 한' 세르비아인들도 스투데니차 묘지의 스테판 왕의 유해에 입을 맞추고, 그에게 기도를 하고 헌물을 바쳤을 것이라고 생각했다.[66] 이 '세르비아인 이슬람교도들'은 성자 스테판의 귀환으로 구원이 도래할 것이라는 천년왕국설의

세르보-크로아티아 지역에서 슈토카비아 방언 사용 영역

희망을 기독교인들과 공유하고 있었을 것으로 간주했다.

일리야 가라샤닌의 비밀 《개요》는 세르비아인의 범위에 대한 이런 인식을 공유했고, 이러한 일반적 정의는 1차 세계대전 이후 시기까지 효력을 발휘했다. 세르비아는 서서히 부활했기 때문에 세르비아, 코소보, 보스니아, 헤르체고비나, 몬테네그로 내의 두샨의 과거 통치영역을 포함할 뿐만 아니라 슬라보니아, 달마티아, 트리에스테까지의 아드리아해 연안, 튀르키예 국경까지의 크로아티아와 남부 헝가리의 상당 부분을 포함했다.

이것은 이론의 여지없는 세르비아인의 고국이라고 간주한 곳에 불과했다. 알바니아와 마케도니아에 그 이상의 세르비아 땅이 있을 수 있었다.[67]

류데비트 가이와 마찬가지로 부크 카라지치도 무엇보다도 학자였기 때문에 여러 영토에 흩어져 있는 세르비아인들을 결합하는 것이 무엇인지를 알아내려고 노력했고, 강제이주나 '인종청소'는 말할 것도 없고 강압적인 동화를 옹호하지 않았다.[68] 그는 자신이 발견한 것이 이성에 근거하도록 논리를 만들어서, 슈토카비아 방언을 사용하는 크로아티아인들이 자신들을 세르비아인으로 생각하지 않아도 시간이 지나면 이들도 자신을 세르비아인으로 부르게 될 것이라고 믿었다. 그렇게 하지 않으면 이들은 이름이 없는 민족이 될 수밖에 없었다. 독일인과 헝가리인들은 여러 종교를 신봉했지만, 이들은 의문의 여지가 없는 민족이었다. 외국인들은 자신들이 다른 방식으로 신을 숭배하기 때문에 다른 민족이라고 생각하는 '세르비아인들'(슈토카비아 방언을 사용하는 크로아티아인이나 이슬람교도)을 조롱할 것이 분명했다.[69]

카라지치와 류데비트 가이 사이의 중요한 차이점은 카라지치의 사상이 이해하기에 더 쉽다는 점이었다. 그는 사람들이 스스로에게 내리는 정의와 분명한 명칭을 가지고 있던 국가의 유산을 기준점으로 사용했다. 스스로를 일리리아인라고 부르는 사람은 아무도 없었다. 여기에다가 크로아티아 지식인들은 크로아티아인인 자신들이 헝가리가 아니라면(특히 1867년 이후 헝가리 세력이 강화된 후) 세르비아에 흡수될 것이라는 두려움을 갖기 시작했다. 이러한 이유로 1860년대 이후 환상적인 언어적 통일성이 아니라 실제 크로아티아 역사에서 기인하는 실제적 크로아티아 권리에 초점을 맞춘 별도의 크로아티아 민족 운동이 부상했다. 그러나 후에 '유고슬라비즘Yugoslavism'이라고 불린 일리리아니즘Illyrianism은 나름의 실용적 이

점이 있었기 때문에 완전히 사라지지는 않았다. 어떠한 형태로건 세르비아와 연합은 크로아티아인들에게 크로아티아 주민과 영토에 대한 각각의 야심을 가지고 있는 헝가리, 오스트리아, 이탈리아로부터 보호를 약속해주었다.

＊　＊　＊

세르비아 민족주의의 언어는 폴란드 민족주의와 같은 기본적 전제를 하고 있었다. 여기에는 이질적 통치 제국에 '자발적으로' 통합된다는 말이 없었다. 세르비아인들은 오스만제국을 택하지 않았고, 폴란드인들도 모스크바공국을 고르지 않았으며, 이 외국 통치자들은 지역의 권리와 전통을 거의 존중하지 않았다. 1795년 폴란드 점령자들은 폴란드의 국가성에 대한 기억도 파괴하기로 마음먹었다. 그 시점에 튀르키예 통치자들은 이미 4세기 이상 세르비아 영토를 지배하고 있었고, 세르비아에는 더 이상 토착 귀족이 없었다. 그러나 지역 권리에 대한 의식은 남아 있었고, 두 곳 모두 외국 정복자들은 권리가 아니라 무력으로 권력을 잡은 찬탈자라는 의식이 자리 잡고 있었다.

그러나 폴란드는 상황에 적응했다. 외국 지배를 받은 몇 세대 동안 수도 없는 대귀족, 소귀족, 도시 주민, 일반인들은 병사나 관리로 새 정권에 봉사했다. 국가 분할 세력은 질서를 유지했고, 특히 프로이센의 경우 경제 발전에 기여했다. 그러나 세르비아에서와 마찬가지로 국가 주권을 주장할 기회(1815년 전에는 나폴레옹 시기에, 1867년 후에는 오스트리아 통치하에, 1917-1918년에는 제국 붕괴 후에)가 생기면 거대한 국가 구성자들이 나타나 민족 기구를 설립하려고 했다. 제국들이 만들어놓은 것은 안정적이고 국가를 규율하는 것 같아 보였지만, 실상을 보면 이것은 휴전 상태나 마찬가지였다.

국가 설립 아이디어는 여러 곳에 기원을 두고 있었다. 19세기 초와 중반의 폴란드인들은 살아 있는 기억 속에 국가를 가지고 있었고, 불완전하기는 해도 국가가 보장하는 자유는 지식계층 가족의 민담의 일부였다. 이것은 싸울 가치가 있다는 것을 부정하는 사람은 거의 없었다. 세르비아에서는 (아이두크나 체트니크로 알려진) 무장집단이 수행한 외국 지배 세력의 불의에 대한 반란 전통이 이어져 오고 있었다. 이 집단들은 후에는 오스트리아 군대에 의해 훈련을 받았다. 세르비아의 독립도 사실상 의문을 제기할 수 없는 가치였고, 특히 세르비아에서 일어난 봉기는 바라던 결과를 얻어 냈다(그리스에서도 마찬가지였고, 후에는 도나우강 연안에 자리 잡은 왈라키아공국과 몰다비아공국도 마찬가지였다).

민족주의자들은 자신들의 독립 요구에 맞추기 위해 초기 역사를 재창조했다. 이것은 14세기 국가와 지도자들에 대한 문헌이 없는 세르비아에서는 쉬운 일이었다. 그러나 폴란드에서는 엄청난 자료가 아직 조사되지 않은 채 남아 있었고, 애국적 양심은 용서할 수 없는 것으로 간주되는 타르고비차 공모자들의 배신에 초점이 맞추어졌다. 그러나 이들은 실제 폴란드 애국주의자들의 한 부류였고, 1791년 5월 3일 헌법 공포로 절정을 이룬 개혁으로 위협을 받는 지역 특권을 보호하려고 한 반동주의자들이었다. 이 개혁들이 폴란드의 입지를 개선했는가에 대한 논쟁은 오늘날까지 계속되고 있다. 만일 폴란드인들이 18세기 초에 확립된 러시아 피보호국 상태에 만족했더라면 아마도 국가 분할은 없었을 수도 있다.[70] 그러나 타르고비차 타협은 1791년 헌법이 지향한 자치 확보에 대한 노력을 무산시켰지만, 이 헌법 공포일은 아직도 폴란드의 국경일로 경축된다. 되돌아보면 역사학 연구는 타협하지 않은 사람들을 높이 평가하고 국왕 스타니스와프 아우구스트 포니아토프스키처럼 국가를 위한 부분적·상대적 이익을 위해 어려운 상황을 헤쳐 나온 사람들이 맞이했던 상황을 무시한다.

세르비아의 경우 봉기의 합목적성에 의문을 제기하는 사람은 거의 없었다. 한편으로 독립 운동은 일반 국민이 자연적 힘에서 부상한 것이기 때문에, 한 집단(예를 들어 카라조르제 추종자들)이 이를 이끌지 않았다면, 다른 집단(오브레노비치 집단)이 이를 주도했을 것이다. 다른 한편으로는 봉기의 성공은 의문이 여지가 없는 것처럼 보였다. 오스만제국이 세르비아를 통치하도록 위임한 세력의 착취적 관행은 그들의 몰락을 재촉했다. 세르비아는 커졌고, 그렇게 되면서 한때 세르비아의 후원자였던 오스트리아의 집착적 우려도 증대했다.

폴란드와 세르비아에 유사한 것은 외국인들에 의해 지배받는 것에 대해 넓게 퍼진 불의감이 국민으로 하여금 결사를 모의하고, 정규군이나 비정규군 형태로 무기를 들도록 만들었다는 사실이고, 투쟁에 대한 전설은 20세기와 2차 세계대전 때까지 계속 이어져 왔다는 점이다. 기본적 전제는 1790년 코시치우슈코 반란에서부터 시작하여 반란군은 제국 군복을 입은 사람들보다 더 높은 정당성을 대변했다는 것이다. 폴란드와 세르비아의 민족주의는 반식민주의의 가장 이른 순수한 형태에 속한다. 두 세대 후 액튼 경은 폴란드의 1791년 헌법(그리고 이에 대한 압제)은 "유럽에서 민족에 대한 이론을 일깨웠다"라고 평했다.[71]

종교적 아이디어가 두 반란을 모두 지원하는 큰 자극이 되었다(종교가 국교였던 세르비아의 경우 이것이 더 쉬웠다). 이런 경향은 세르비아의 세속 권력의 확장과 함께 강화되었다. 폴란드의 가톨릭 위계조직은 기존의 권위에 대항하는 폭력행위에 대해 신중한 입장을 보였다. 그러나 두 기독교 전

"신과 우리의 자유, 당신들의 자유의 이름으로"(1830년 폴란드 봉기의 깃발)

통은 재탄생과 부활이 상상하고 요구하는 언어인 '메시아 사상'을 제공해
주었다. 두 경우 모두 민족적 이미지와 신학적 이미지의 혼합을 형성했고,
세르비아의 경우 공후들이 성자의 반열에 들어갔기 때문에 이 작업이 더
용이했다. 폴란드인들은 여왕 한 사람과 여러 명의 공후를 시성하여 경배
하고, 예수의 성모를 '자신들의' 여왕으로 만들었으며, 가장 위대한 시인은
폴란드가 민족들의 그리스도라고 선언했다.

　이것은 폴란드의 투쟁이 모든 인류의 해방을 위한 것이라는 것을 보여
주는 메시지이고, 폴란드인들이 다른 민족들이 자유를 위해 목숨을 바쳤
기 때문에(이탈리아와 후에 헝가리), 폴란드인이 아닌 사람들도 폴란드의 이

상을 자신들의 것으로 간주해야 한다는 메시지였다. 1830년 봉기가 진압된 다음에 폴란드 사상가들을 지배한 절망감은 폴란드 민족주의에 좀 더 넓은 유럽의 배경에서 볼 때 보편적이지 않은 초월적 성격을 부여해주었다.[72] 그러나 폴란드의 부활이라는 기본적 요구는 폴란드 땅을 넘어서서 반향을 일으켰다. 19세기와 20세기 내내 폴란드 애국자와 세르비아 애국자들은 외국의 수도, 즉 파리와 모스크바에서 대중뿐만 아니라 외교적 공간에서 지지를 이끌어내려고 노력했다. 두 경우 모두 눈에 띄는 것은 '민족의 자유'에 대한 결의가 심지어 국가가 외국으로부터의 실질적 지원에서 완전히 차단되었을 때도 지속되었다는 점이다. 반란적 민족주의 전통은 1939년과 1941년 폴란드와 세르비아 정부가 심각한 정치적 분열을 넘어서서 어떻게 국민들의 대중적 지지를 받았는지를 설명해준다. 합리적 사고로는 독일의 힘을 꺾을 가능성이 전혀 없어 보이는 상황에서 독일군에 항거할 때 국민들은 이를 적극 지지했다. 승리보다는 패배를 자주 겪은 투쟁 과정이 현재의 이들을 만들었다.

2부

제국의 쇠퇴와
근대 정치의 부상

6장

저주받은 평화주의자들: 1848년 중동부 유럽

유럽인들은 민주 혁명의 해였던 1848년보다 공동의 희망이 그렇게 빠르게 무너진 것은 이전에도, 이후에도 보지 못했다. 1848년 2월과 3월, 변장을 한 프랑스 왕이 분노한 국민들을 피해 달아난 후 유럽대륙의 주민들은 공후와 왕에 대항에 일어났고, 하나의 각본에 의해 움직이는 것처럼 그 어느 때보다 단합했다. 셀 수 없이 많은 전쟁을 유발시킨 민족이나 종교의 분열은 더 이상 문제가 되지 않는 듯이 보였고, '동부', '서부'라는 용어도 부차적으로 보였다. 좌우명은 자치였다. 권리와 민주주의를 원하는 군중은 왕권신수설에 의해 군림하는 통치자들이 뒤로 물러나서 협상을 하게 만들었다. 이런 일은 이탈리아와 프랑스에서 시작되어 중부 독일을 관통하여 보헤미아에 이르렀고, 프로이센령 폴란드뿐만 아니라 오스트리아령 폴란드, (트란실바니아를 포함한) 헝가리 전체와 심지어 더 동쪽 지역에 있는 오스만튀르크의 명목적 지배하에 있는 왈라키아공국과 몰다비아공국 (오늘날 루마니아의 중심부)까지 퍼져나갔다. 이 거대한 공간의 모든 유럽인

들은 같은 말을 했다. 즉, 자신들은 봉건주의를 뒤로 하고 민주주의 체제하의 더 나은 삶을 향해 간다고 선언했다. 살아남은 왕과 공후들은 영국이나 네덜란드의 규범이 된 것처럼 헌법의 구속을 받게 되었다.

그러나 이미 1848년 4월에 민주주의를 향한 전진은 존재하는 것으로 상상하기도 어려웠던 민족들 사이의 분열을 보여주었고, 당황한 공후들 중 일부는 (잘 훈련된 군대 같은) 오래된 자원을 사용하고, 기대하지 않았던 새로운 자원을 동원하여 다시 일어섰다. 합스부르크제국 주민들에게 사실상 모든 민족 집단은 독일과 마자르 민주주의자에 대항하는 잠재적인 동맹으로 드러났다. 그러나 이들은 계급 분화를 악용하여 농민은 도시 자유주의자와 대결하고, 도시 자유주의자는 다시 교외 지역의 프롤레타리아와 대치하게 만들었다. 1848년 중유럽 여러 곳에서 유대인 학살pogrom이 발생하자 합스부르크 가문은 유대인과 그들의 재산을 도시 폭도들로부터 보호한다고 나섰다. 도시 폭도들은 유대인들이 자신들의 인종적 적과 한편이라고 주장했다. 이 가문은 구질서의 보루였을 뿐만 아니라 새로 떠오르는 새 질서로부터 생명과 자유를 지키고 자유주의와 민족자결을 방어하는 보루였고, 아주 다루기 힘들게 보이는 인종 갈등의 보루였다.

최종적 승리는 1849년 여름과 가을까지 기다려야 했지만, 1848년 가을이 되자 합스부르크왕가와 다른 군주들은 다시 세력을 찾았다. 1849년이 되자 크로아티아, 오스트리아-독일, 세르비아, 루마니아 세력의 지원을 받아 오스트리아에서는 선거로 구성된 의회를 폐쇄하고, 헝가리에서는 민주 혁명을 진압했다. 민족 국가를 수립하려는 헝가리의 민주주의자들과 이들 민족들 간의 싸움은 너무 치열해서 이 지역은 인종청소의 무대가 되었다. 마자르, 세르비아, 루마니아 세력은 다른 민족들을 몰아내고 이들의 마을을 불태우면서 영토 영유권을 주장했다.

봉건주의에서 자유로의 이행의 어려움은 너무 컸다. 그 이유는 합스부르크제국 신민들은 제국 통치영역의 복잡성을 제대로 인지한 적이 없었기 때문이었다. 역사학자 조세프 레드리치는 훨씬 후에 검열과 부실한 내부 소통으로 인해 합스부르크제국의 지역들이 서로에 대해서 무지했다고 지적했다. 고등교육은 제대로 보급되지 않았고, 엘리트들 생각에 '국가는 독일인의 오스트리아와 완전히 일치했고', 제국은 수데텐이나 알프스 지역 국가들에 대해 아무런 염려하지 않고 빈에서 통치할 수 있다고 믿었다. 체코인이나 남슬라브인에 대해 알려진 것은 거의 없었고, 자신들의 언어를 사용하는 사람들이 독립을 요구할 것이라고 예상한 사람도 거의 없었다.[1] 중동부 유럽 주민들은 서로를 처음으로 자유로운 인간으로 대한 후에야 서로를 알게 된 이웃들이었다.

자유주의 혁명

합스부르크 영역에서 첫 혁명의 불꽃은 메테르니히가 '아시아'라고 부른 동쪽 지역, 즉 지금은 슬로바키아지만, 당시에는 헝가리 땅이었던 빈에서부터 도나우강 아래 지역에서 일어났다. 5월 3일 당대 최고의 선동가 중 한 사람인 러요시 코슈트는 포즈소니/프레스부르크 의회에서 열정적인 연설을 하며 합스부르크왕가에 대한 충성을 표현하면서 동시에 그 지역을 파산에 이르게 한 실정을 혹평했다. 그는 절대주의 통치는 중단되어야 한다고 주장했다. 제국 전체에 대의제도를 도입할 때가 되었고, 제국 내에서 헝가리는 별도의 특별한 위치를 차지해야 한다고 설파했다.[2]

이러한 주장은 공공장소에서 나온 적이 없어서, 이 연설이 빈에 전해지자 큰 소동이 일어났다. 국가 재정은 실제로 형편없는 상태에 있었고, 흉작, 홍수, 급속한 인구 증가로 저렴한 가격에 살 수 있는 식품도 부족했고, 노동자들과 그 가족들이 생활을 유지할 임금이 높은 일자리도 없었다. 그 결과 식량 폭동이 여러 번 일어나서 1846년, 1847년 무력을 동원해 이를 진압해야 했다.[3] 도시에서는 수가 늘어나고 있는 프롤레타리아가 개혁과 대의제도를 요구했지만, 지주를 위해 노동을 해야 하는 농민들과 마찬가지로, 봉건 정권은 합리적이고 생산적인 발전을 진작할 일은 아무것도 하지 않고 있다는 것을 알게 되었다.

3월 13일 날씨가 화창한 봄날 아침 남부 오스트리아 지역의 봉건 의회가 빈에서 정기 회의를 열었을 때 일부 자유주의적 의원들은 언론의 자유, 시민 민병대, 예산 문제와 같은 시급한 사안을 처리할 통합된 제국의회 구성을 추진하기로 했다. 날이 밝기 전부터 수천 명의 학생과 도시 노동자들은 민주주의에 대한 요구를 주장하기 위해 구시가지에 모여들었다. 당국이 이에 과잉 대응하여 군대를 불러들이면서 혁명이 시작되었다. 군대는 곧 좁은 골목길에 갇혀서 사방에서 날아오는 돌 세례를 받았다. 사격 한 방이 시작되자 더 많은 돌이 날아들었고, 집중 사격이 시작되면서 양측에 많은 사상자가 발생했다. 그러나 시 당국은 시위를 진압하기 위해 전력으로 무력을 도입하지 않았고, 병사들은 물러났다.

인근 호프부르크에서 메테르니히 공과 극보수주의자인 알프레드 빈디슈그래츠 장군은 마음이 약한 황제로 하여금 불만의 씨앗을 제거하도록 설득했지만, 페르디난트 황제와 그의 참모들은 화해의 길을 택했다. 메테르니히는 변장을 하고 영국으로 도망갔고, 곧 황제는 집회와 표현의 자유에 대한 제한을 풀었다. 처음으로 오스트리아 기자들은 자신들의 주된 독자였던 국가 관리들이 아니라 노동자와 지식인에게 다가갈 수 있었다. 최초로 결성된 민주적 단체는 민족전위대National Guard(약 3만 명)와 아카데미군단Academic legion(약 7000명)이었다.[4]

페르디난트 황제는 자신의 신민들에게 헌법을 약속했고, 온건파인 프란츠 폰 필러스도르프 남작이 이끄는 임시정부를 구성했다. 3월 16일 황제는 아카데미군단 지부를 방문하여 그들의 자유로운 분위기에 기분이 들떴지만, 이들 사이는 물론 이들과 다른 오스트리아인들의 상충하는 이익에 대해서는 아무런 해결책도 내놓지 못했다. 다음날 급진적 민주주의자이자 빈대학의 가톨릭 사제인 안톤 퓌스터는 시위 충돌 초기 사망한 다섯 명의 학생 장례식을 집전해야 하는 슬픈 임무를 맡았다. 그는 개신교 목사, 빈의 수석 랍비와 함께 장례식을 치렀다. 이것은 10년 후에 보면 대단히 진보적인 일로 보였다. "신약과 구약이 자유라는 깃발 아래 함께 행진했다. 독일인, 이탈리아인, 폴란드인, 보헤미아인, 일리리아인, 달마티아인, 모라비아인, 마자르인, 크로아티아인이 '형제적인 위대한 화합' 속에 손을 잡은 젊은 혁명가들을 보는 것은 신성한 즐거움이었다"라고 그는 후에 기록했다.[5]

빈에서 혁명이 일어났다는 소식을 들은 헝가리 정치 계층은 페스트, 부다, 포즈소니/프레스부르크 카페와 선술집에 모여 민주적 수사를 더 강하게 내세웠다. 아마도 헝가리 최대 기념일인 3월 15일, 2만 명 이상의 군중이 헝가리의 최고 행정기관인 부다의 총독평의회Viceregal council 앞에 운집하여 평의회가 기본적 자유주의 요구를 수용하도록 강요했다. 여기에는 검열 철폐, 시민들이 선출하는 민족전위대와 의회 구성 요구가 들어 있었다. 이 집회의 지도자들은 소수의 젊은 지식인들이었고, 25세의 시인 산도르 페퇴피가 이들의 지도자였다. 그는 "우리는 더 이상 노예가 되지 않을 것이다!"라는 구호로 추종자들을 이끌었다.

빈 혁명(1848년 5월)

이틀 후 페르디난트는 자유주의적인 지주인 러요시 바트샤니를 독립한 헝가리 정부 수장으로 임명했고, 이 정부는 1831년 벨기에 헌법을 모델로 헌법 입안 작업에 착수했다. 제국 당국이 이런 행동을 취하도록 확신시킨 것은 부다-페스트의 대중 동원보다는 페퇴피가 모으고 있는 농민군에 대한 소문이었다.[6] 완성된 헝가리 헌법 초안에는 귀족들로 구성되는 상원과 재산이 있는 남성들에 의해 선출되는 하원이 들어 있었다. 이것은 성인 남성 7-9퍼센트가 투표권을 갖게 된다는 것을 의미했다(이것은 영국보다 더 큰 비율이었다). 시민들은 독립된 법원 앞에서 평등하며 개인과 재산의 보호가 보장되었다. 세금 특권과 토지 매각에 대한 제한도 철폐될 예정이었다. 유대인을 빼고 기독교 신앙 고백에 대한 평등권이 보장될 예정이었다. 농민은 개인적 자유를 얻게 되고 강제노역 의무는 사라지며 주거 자유에 대한 모든 제약도 철폐될 예정이었다. 헌법은 국왕을 통해 헝가리가 오스트리아와 연계를 유지하도록 규정하고 국왕은 전쟁을 선포할 권한을 갖는다고 규정했지만, 두 국가가 어떻게 합동으로 국방과 재정을 운영하는지는 구체적으로 규정하지 않았다. 페르디난트는 4월 11일 이 헌법안에 서명했고, 헝가리는 라인강 동쪽에서 최초의 입헌군주국이 되었다.[7]

헝가리 의회는 빈의 혁명주의자들과 프랑크푸르트에서 헌법을 입안 중이던 독일 자유주의자들을 포함해서 중동부 유럽에서 권력을 장악하려는 모든 사람들보다 한 걸음 더 나갔다. 다른 모든 곳에서와 마찬가지로 민주주의자들은 봉건적 제도를 근대적 제도로 바꿀 것을 요구했다. 헝가리에서 봉건 제도인 구식 의회는 근대적 의회로 바뀌었다. 귀족들 스스로가 자신들의 특권을 제한하는 조치를 승인했다. 이들은 농촌 지역에서의 더 큰 소요를 막기 위해 이렇게 한 것이다. 합스부르크제국 땅 모든 곳에서 농민들은 더 이상 세습적 의무였던 강제노역을 하지 않았고, 장원 저택에 대해 무자비한 공격을 할 것이라는 소문이 나돌았다.

이 시점에 페르디난트가 오스트리아를 위해 제안한 헌법은 법률안을 거부할 수 있는 권한을 황제에게 남겨놓았고, 귀족과 부자에게 유리한 선거권에 따른 간접선거에 의한 의회 구성을 상정했다. 그 결과, 정치적 여론은 더욱 급진화되었고, 학생들은 다시 한 번 거리로 쏟아져 나와 모든 계급과 지위에 따르는 특권 철폐를 요구했다. 그러자 필러스도르프 정부는 일용 노동자와 하인들을 제외한 투표권의 확대를 제안했지만, 이것이 시위를 더 격화시키자 정부는 결국 완전한 남성 보통선거권을 인정했다.[8] 선거로 구성된 새로운 의회는 이제 제헌의회가 되었지만, 이것은 빈 혁명의 분수령이 되었다. 폭도들의 폭력을 두려워한 궁정은 친합스부르크 경향이 강하고 보수적인 인스부르크로 피난을 갔다.

빈의 혁명 세력은 급진적인 공화주의자들의 세력이 커지고 온건 세력이 약화되면서 분열이 일어났다. 예를 들어 중산층인 민족전위대는 그 인원이 약 7200명으로 줄어들었지만 좀 더 극단적인 아카데미군단은 강한 세력을 계속 유지했다. 지도부에서도 급진 민주주의자들이 주도권을 잡았다. 요제프 골드마크 교수와 아돌프 피쇼프 교수가 급진파를 이끌었다. 수십 년 동안 오스트리아 정치의 중요 역할을 하게 되는 피쇼프는 교육과 언론의 자유, 배심원 재판제, 오스트리아 소수민족들의 상호적인 이해 해결을 요구한 빈 연방의회Landtagshof에서 지도자가 된다. 학생들은 시위를 계속하며 정부에 압력을 가했고, 해임 대상인 장관들의 이름을 불렀다. 피쇼프는 '안전위원회'를 이끌며 1790년대의 파리를 흉내 내어 빈의 업무를 관장했다.[9]

급진화된 빈 시민들뿐만 아니라 소수민족 앞에서도 정부는 계속 물러났다. 마자르인 말고도 체코인과 슬로베니아인들이 권리를 요구하고 나섰고, 이탈리아 지역은 롬바르디와 베네토에서 이탈리아반도 통일 운동이 확산되면서 오스트리아를 영구히 떠날 준비를 하고 있었다. 새로 교황으로 선출된 비오 9세는 페르디난트에게 이탈리아 영토를 포기할 것을 요구하고, 포 국경을 보호하기 위해 1만 6000명의 병력을 파견했다.[10] 밀라노에서 혁명가 중 일부는 교황의 초상화를 들고 오스트리아 병력을 도시에서 쫓아냈고, 오스트리아 최고의 장군인 요제프 라데츠키 폰 라데츠 원수는 3월 23일, 고립된 네 군데 요새로 병력을 철수시켜야만 했다. 인종적으로 혼합된 그의 부대는 일부 이탈리아인이 이탈하기는 했지만 전열을 잘 유지했다.

빈의 자유주의자들은 진퇴양난에 빠졌다. 한편으로 이들의 정치적 이상은 이탈리아 같은 나라의 민족 통일을 선호했지만, 다른 한편으로는 만일 모든 민족들이 독립을 얻으면 오스트리아는 어떻게 될 것인가를 고민하지 않을 수 없었다. 제국은 서서히 붕괴될 수밖에 없었다. 병사들과 체코어로 대화로 나누기를 좋아한 보헤미아 귀족인 라데츠키 같은 보수주의자들은 이탈리아는 보헤미아와 헝가리처럼 합스부르크제국의 일부이기 때문에 그대로 남아 있어야 한다는 것에 아무 의문이 없었다. 여름이 되자 가능한 한 빠른 시일에 절대군주제로 복귀하기로 작정한 비밀결사가 인스부르크 피난처에 나타났다.

인스부르크의 중심에는 페르디난트의 동생이자 궁정에서 '유일한 남자'로 평가받는 프란츠 카를 대공의 부인인 강철 같은 의지를 가진 바이에른의 대공녀 조피가 있다. 조피는 4월에 황제가 한 양보로 인해 한없는 모욕감을 느꼈다. 후에 그녀는 한 장군에게 이렇게 말했다. "나는 제멋대로인 학생들에게 수치를 당하느니 자식 하나를 잃은 것을 견디겠다."[11] 그녀의 남편은 이런 결단력을 보이지 않았지만, 그녀는 라데츠키, 빈디슈그래츠 같은 군인과 강력하고 합리적으로 통치되는 국가에 관심이 있는 군주정 관리들로부터 지원을 받았다. 특히 빈디슈그래츠의 처남인 슈바젠베르크 백작과 뛰어난 법률가인 프란츠 스타디온, 갈리시아 총독인 바흐와 준장인 로브코비츠 공의 지원도 받았다.[12]

군대와 관료 외에도 두 가지 이익이 이 음모자들이 합스부르크 권력을 주장하는 것을 도왔다. 하나는 조피의 아들인 17세의 프란츠 요제프였다. 그녀는 그를 황제 후계자로 생각하고 있었고, 그가 충성스러우며 규율이 있고, 적당한 재능이 있다고 보았다. 그는 1848년 4월 페르디난트가 '폭도들'에게 한 약속에 흔들리지 않았고, 자신의 뜻대로 제국의 여러 지역들을 통합하려고 하고 있었다.

두 번째 이익은 제국의 다양성이었다. 학생들과 프롤레타리아 혁명주의자들은 여러 도시에서 점점 더 급진적인 요구를 제시하고 있었지만, 페르디난트는 농노제를 철폐하며 농민층을 끌어들였다. 그러나 제국 내 민족적 분리가 더 큰 희망을 주었다. 마자르 귀족들은 자치를 요구했지만, 바나트의 세르비아인들과 트란실바니아의 독일인들은 이미 자치 전통을 가지고 있었다. 1848년 3월부터 (유럽인들에게 거의 알려지지 않은 종족 집단인) 루마니아인들과 슬로바키아인들도 자치를 요구하기 시작했다. 그러나 가장 문제가 많으면서 그래서 희망을 주는 지역은 헝가리 내의 왕국인 크로아티아였다. 크로아티아 귀족들은 자신들의 조상들이 11세기에 자유롭게 헝가리와 협약을 맺었다는 것을 알고 있었다. 이들 중 일부는 자유주의자고, 다수는 매우 보수주의적이었지만, 모두는 헝가리의 수도인 페스트에서 들려오는 소식에 크게 경계하게 되었다. 그것은 헝가리를 크로아티아와 포함하여 '하나의 분리될 수 없는' 국가로 만든다는 소식이었다.

헝가리 지도자들은 민간 지역 크로아티아의 별도 존재를 인정했지만, 슬라보니아나 군사지대Military Frontier, 세르비아인과 크로아티아인이 혼합하여 거주하는 지역 같은 역사적 헝가리의 다른 지역에 대해서는 이를 인정하지 않았다. 4월에 제정된 헝가리 헌법은 소수민족의 권리에 대해 아무 언급이 없었고, 마자르어를 헝가리 땅의 언어로 선언했다. 러요시 코슈트는 헝가리에 많은 '인종'이 있다는 것을 알고 있었지만, 이들 중 어느 하나라도 인정하는 경우 나라가 자치주canton로 분리될 것을 우려했다. 그가 보기에 세르비아인, 슬로바키아인, 루마니아인, 독일인, 크로아티아인의 인종적 권리는 봉건주의의 '해로운 잔재'였다. 그와 동료 자유주의자들은 프랑스를 모델로 헝가리를 중앙화해서 헝가리 내의 모든 사람들을 헝가리 민족에 포함하기 원했다. 헝가리인 중 정치적 온건파도 양보 조치에 반대했고, 크로아티아인과 루마니아인에게 화해 조치를 취했을 때는 이미

늦은 상태였다.[13]

합스부르크왕가에 행운이 된 것은 크로아티아 총독 자리가 3월에 공석이 된 것이었다. 보수적 크로아티아 귀족들과 일리리아 애국주의자인 류데비트 가이의 조언을 받은 페르디난트는 새로운 총독으로 요시프 옐라치치를 임명했다. 미혼인 그는 크로아티아인, 세르비아인, 몬테네그로인으로 혼성 편제된 군사지대방위군Grenzer의 정예 전위대 병사들과 같이 생활하고 있었다.[14] 1848년 4월 옐라치치는 준*원수이자 전선군의 크로아티아 지역 최고 사령관이 되었다. 그는 크로아티아 민족주의자였고, 그의 동상이 자그레브 중앙광장에 서 있지만, 그는 또한 일리리아인이었다. 그는 친구인 가이와 마찬가지로 합스부르크왕가의 통치를 받는 거대한 남슬라브 국가를 설립하기를 희망했다. 여기에는 가톨릭을 신봉하는 크로아티아인뿐만 아니라 정교도인 세르비아인도 포함할 예정이었다. 그래서 그는 남쪽 국경 지역의 헝가리 지배를 약화시키고, 서쪽의 크로아티아인과 동쪽의 세르비아인에게 다가갈 예정이었다.

이미 3월에 합스부르크 관리들은 헝가리에 중앙 통치를 재시행하려고 했지만, 헝가리의 입헌 정부에 대한 형식적 충성의 외양은 유지했다. 옐라치치도 이중 게임을 벌였다. 한편으로 그는 제국 관리들이 그가 기술적으로는 헝가리 정부에 복속되어 있다는 것을 일깨우자 이에 동의했지만, 다른 한편으로는 대공녀 조피 주변의 비밀결사의 힘이 강해지면서 그는 자신이 헝가리 정부에 저항할수록 황실에 대한 자신의 가치가 커진다는 것을 이해했다. 그래서 그는 관습적인 충성 선서를 거부하고, 자그레브 지방에서부터 헝가리 관리들을 박해하기 시작했다.[15] 마자르적인 모든 것에 대한 통합적인 반대를 통해 그는 크로아티아의 여러 계층, 즉 귀족, 보수주의자, 진보적 지식인, 농민들의 지지를 끌어냈다.[16]

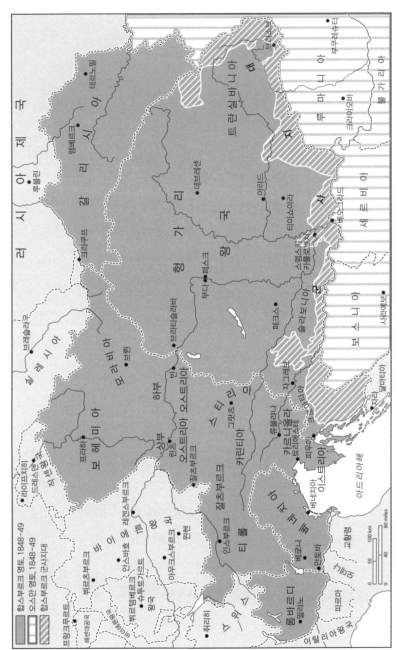

중동부 유럽(1848–1849년경)

1848년 3월, 자그레브 의회는 포즈소니 의회가 헝가리를 위해 한 일과 같은 일을 크로아티아를 위해 하려고 시도했다. 의회는 자체 외교 정책을 추진하고, 민족 은행, 군대, 대학을 설립하려고 시도하며, 시민들의 법 앞에 평등권, 가톨릭교회, 학교, 행정에서 크로아티아어를 사용하는 것과 같은 자유주의적이고 민족적인 권리를 겉핥기식으로라도 시행하려 했다. 헝가리 입법자들과 마찬가지로 법안 입안자들은 영토에 대한 역사적 권리 주장으로 자신들의 주장을 정당화하려고 했다. 5월 간접적 보통선거권에 기반한 선거가 실시되었고, 성인 남성 인구의 약 2.5퍼센트가 여기에 참여했다. 이렇게 해서 크로아티아 의회는 귀족들이 지배하던 과거 의회와 달라졌고, 귀족과 사제에 대한 과세, 농노제 폐지 등 개혁 법안들을 통과시켰다.[17]

그런 다음 크로아티아의 입법자들은 자신들의 혁명적 시선을 민족 문제로 돌렸다. 옐라치치는 문화와 언어보다 훨씬 많은 것들이 달려 있다고 의회에 말했다. 합스부르크제국 내 모든 슬라브인 주민들을 연결시켜야 할 시간이 왔다. 그는 거리로부터의 요구에도 응답했다. "제국의 절반은 슬라브인들인데 우리는 계속해서 다른 어떤 민족과도 다르게 압박과 고통을 받아왔다"라고 자그레브의 학생들은 불만을 터뜨렸다. "당신들은 민족이 없는 자유가 어떤 것인지 아는가? 이것은 영혼이 없는 육체와 같다."[18]

이보다 동쪽에서는 헝가리 내의 세르비아인들이 자유의 첫날부터 회합을 열어왔다. 세르비아인들의 혁명평의회는 젊은 합스부르크 관리인 조르제 스트라티미로비치로 하여금 페스트의 헝가리 정부에 정치적 인정을 요구하도록 만들었다. 이러한 인정은 불가능하다는 답을 들은 그는 다른 곳에서 만족을 찾기로 맹세했다. 이렇게 되자 헝가리 정부 수반 코슈트는 이렇게 말했다. "그렇다면 우리는 싸울 수밖에 없다." 그러나 코슈트가 모른 것은 헝가리의 세르비아인들은 국경 너머 세르비아공국으로부터 무장한 의용군을 공급받는다는 사실이었다. 이것은 베오그라드 주재 오스트리아 영사가 인지하고 승인한 가운데 진행된 일이었다.[19]

5월 합스부르크제국 내 세르비아인들은 정교회 대주교 요시프 라야치치의 주도 아래 군사지대의 스렘스키카를로브치에서 '민족 의회'를 개최했다. 의회에서는 전선 연대장 스테펜 슈플리카치를 세습 지도자인 보이보데로 선출하고 이것이 이 지역의 이름 보이보디나Vojvodina가 되었다. 이 지역 주민의 3분의 1이 세르비아인이었고, 거의 4분의 1이 헝가리인, 나머지 4분의 1은 독일인과 주민 중에 간간이 섞여 있는 크로아티아인, 슬로바키아인, 루마니아인이었다. 그러나 세르비아인들은 오래전 합스부르크 왕가가 한 약속을 기반으로 자신들의 권리를 주장했고, 이 중 가장 중요한 것은 보이보데를 선출하는 권한이었다. 슈플리카치는 헌법을 제정하겠다고 약속했고, 6월에 그는 다른 세르비아인들과 함께 자그레브로 가서 크로아티아인과 연대를 추구했다.[20]

이들이 자그레브에 나타나자 범슬라브 연대의 명확한 표시로 축제 분위기가 조정되었다. 6월 5일 세르비아 대주교 라야치치는 가톨릭 주교들을 대동하여 옐라치치의 취임 선서를 받고 '오스트리아의 8월 정부, 공동의 선, 행복한 자유, 우리 민족과 3국왕국Triune Kingdom•의 명예와 영광을 보호할' 것을 요청했다.[21] 크로아티아 의회는 모든 슬라브인들이 거주하는 자치권을 확보한 좀 더 큰 일리리아 지방을 위한 자체 프로그램을 마련했다. 이것이 일리리아니즘(후에 '유고슬라비즘'으로 불림)이 처음으로 대중에

• 일명 '크로아티아, 세르비아, 달마티아 3국왕국'으로, 크로아티아 민족 지도자들이 오스트리아제국 내에서 3국이 단일 군주 자치 왕국이 되는 목표를 내세웠다.

의해 표현된 것이었다. 옐라치치는 죽을 때 남슬라브인들은 자신이 이스탄불까지 모든 영토를 해방하기를 기대했다고 회고했다.[22]

이 회담에 이어서 옐라치치는 세르비아인과 크로아티아인 대표단을 이끌고 인스부르크의 합스부르크 궁정으로 갔지만, 황제 정부 관리들은 궁정은 4월 헌법을 계속 존중할 것이라는 보장을 받고 이곳을 막 떠난 상태였다.[23] 황제는 헝가리 총리 바티아니에게 걱정을 덜어주기 위해 '선언manifestos'이라는 종이 몇 장을 건네주기까지 했다. 첫 번째 서류는 트란실바니아의 독일인과 루마니아인의 독립을 거부하는 것이었고, 두 번째 서류는 크로아티아 정부가 아니라 헝가리 정부가 군사지대를 방어한다는 것이었으며, 세 번째는 옐라치치를 크로아티아 지도자 직에서 해임한다는 것이었다.

마지막 포고령 내용을 옐라치치는 모르고 있었기 때문에 그의 방문은 무산되지 않았다. 황제는 옐라치치에게 분리주의를 거부하도록 경고를 했지만, 그에게 길게 연설을 할 기회를 주었다. 전해지는 말에 의하면 옐라치치가 오스트리아에 대한 자신의 열정을 너무 뜨겁게 표현해서 황후와 대공녀 조피는 감동의 눈물을 흘렸다고 한다. 그러나 그가 고향으로 귀환하는 길에 지역 우체국에서 자신이 더 이상 지도자가 아니라는 것을 통보받았다. 그러나 이와 동시에 그는 궁정이 계속 그를 지지할 것이라는 기밀통보도 받았다. 그리고 실제로 운도 좋아지기 시작했다. 라데츠키 원수는 베네치아공국의 도시 비첸차를 점령하고 보급선을 다시 확보했다. 그는 자신의 공격선을 북부 이탈리아로 확장할 계획이었다.[24]

헝가리 정부가 6월 10일 카를로브치/카를로차의 군사지대에 대한 통제권을 다시 행사하려고 할 때 달갑지 않은 소식이 들려왔다. 퇴각하는 헝가리 군대는 세르비아 부대가 자신들과 같은 제국 국기를 달고 같은 군복을 입고 있는 것을 발견했다. 세르비아 부대는 26세의 조르제 스트라티미로비치가 지휘하고 있었다. 그는 코슈트에게 반기를 들고 일어선 장교였다. 그는 세르비아 중앙평의회의 직접 명령에 의해 작전을 펼치고 있었고, 헝가리 적군赤軍인 야노스 흐라보프스키는 페테르바라드 병영을 지휘하고 있었다. 두 사람 모두 합법성을 주장하고 있었다. 세르비아군은 과거 헝가리제국 헌법, 헝가리군은 헝가리 헌법을 내세웠다. 페르디난트 황제는 전장에서 양측 모두의 진급을 확인해주면서 황실의 이중성을 계속 연장하고 있었다.[25]

이 전투는 중동부 유럽에서 인종이라는 이름으로 무장 세력이 영토 영유권을 놓고 벌인 최초의 충돌이었고, 이 전투는 이 지역 최초의 인종청소로 귀결되었다.[26] 사상자와 피해를 집계하는 것은 불가능했다. 그러나 확실히 나타난 것은 양측의 잔혹행위였다. 상대편이 먼저 잔혹행위를 했다는 주장과 함께 여성과 노인들에게 말로 할 수 없는 잔혹행위를 했다고 주장했다. 희생자들의 '신체를 훼손하고' 가장 큰 모멸감을 주기 위해 종교적 의식을 했다는 말도 돌았다. 이 인종청소에 가담한 사람들은 너무 공포에 질려서 이 지역에 다시 돌아올 생각을 하지 않았고, 가옥을 불사르고 살아 있는 주민들을 불길 속에 던져놓고 옆에서 이를 지켜보는 사람들이 폭력 행위에 가담하게 강요했다고 말했다.[27] 이 폭력 사태가 더욱 비극적이었던 이유는 이 지역은 17세기 오스만튀르크와의 전쟁으로 주민들이 재정착한 지역이었고, 그간 가톨릭, 정교회, 개신교 신앙을 가진 세르비아인, 루마니아인, 독일인, 슬로바키아인, 불가리아인이 오밀조밀 모여 평화롭게 같이 살던 지역이었기 때문이다. 인종청소 주동자들은 재정착과 주민 강제이주를 계획했었지만, 이를 실행할 시간이 없었다.[28]

혁명은 헝가리 내와 그 너머에서 유대인 학살을 발생시켰다.[29] 4월 중

순 페스트에서 군중은 유대인 사업체를 공격하기 시작했지만 경찰이 이를 진압하고 통제를 되찾았다. 일부 관측자들은 유대인들이 많이 포함된 부동산 소유자들에게 지불하는 임대료 인상에 항의하면서 폭력이 시작되었다고 말했고, 다른 사람들은 중산층이 급진적 사회적 요구에서 주의를 돌리기 위해 공격을 촉발시켰다는 이야기를 했다. 일례로 1848년 3월 부동산 소유주들이 유대인들과의 불공정한 경쟁을 피하게 해준다면 임대료를 낮출 것이라는 소문이 폭도들에게 전달되었다. 유대인들은 소부르주아들이 혐오하는, 예를 들어 '극우적' 공화정 같은 정치와 관련이 되어 있었다. 이것은 중동부 유럽에 닥쳐오는 일의 전령이었다. 아마도 처음으로 '붉은red' 정치가 유대인연맹에 의해 불법화되었다.[30]

북쪽에 있는 포즈소니/프레스부르크에서는 4월 24일 10명의 유대인이 사망하고, 40여 명이 부상을 입었다. 폭동자들은 젊은이들이었고, 중하층 출신이었으며, 대부분 견습공이나 평범한 장인인 '시끄러운 무리'라고 당시 불렸었다. 이들은 유대인을 해방시킨다는 혁명의 약속에 위협을 느끼고 있었다. 예를 들어 3월 15일 전 유대인은 야간 경비원이나 마차꾼으로 일할 수 없었지만, 다음날 이들은 시청에서도 일할 수 있게 되었고, 민족전위대에 복무할 수도 있었다. 기독교인 제화공들은 자신들의 지위가 갑자기 높아졌다가 다시 갑자기 낮아진 것을 느꼈다. 이들은 경비를 설 수 있는 권리를 획득했었지만, 지금은 이 영예를 유대인과 공유해야 했다. 바티아니와 코슈트는 이들을 이 직무에서 '제외시키고' 안전위원회에서 추방하는 것으로 이런 상황에 대응했다. 더 이상의 폭력 사태를 막기 위해 일부 유대인 지도자들은 완전한 해방 요구에서 한발 물러났다.[31]

자유주의적 정부가 폭도들에게 양보를 하는 것을 본 많은 유대인들은 배신당했다고 느꼈다. 바티아니는 폭도들로부터 아무런 위험부담을 감수하려고 하지 않았고 유대인 고리대금업과 분리주의를 이유로 대중적 혐오를 정당화하는 진부한 표현을 되풀이했다. 그러나 바티아니가 유대인연맹에 자신들이 무기를 반납하도록 요구하자 일부 유대인은 이를 거부했다. 한 증인의 말에 따르면 최근에 그에게 복종하기로 한 유대인이 '많은 저항'을 한 데 대해 자존심 강한 바티아니는 상처를 받았다. 몇 주 후 유대인 학살은 헝가리에서는 수그러들었지만, 보헤미아와 독일로 확산되어 유대인이 해방될 것이라는 소문이 난 거의 모든 지역에서 유대인 학살이 일어났다.[32]

보헤미아

호라보프스키 장군이 스렘스키카를로브치를 공격하려고 준비하는 동안 훨씬 더 잘 알려진 알프레드 폰 빈디슈그래츠 장군은 보헤미아의 수도인 프라하에 대한 전면 공격을 시작하여 병사들을 학생들과 맞서게 했다. 독일인과 슬라브인들은 양 진영에 모두 포진하고 있었다. 그러나 이 충돌은 헝가리에서보다 덜 폭력적이었고, 잔혹행위 얘기는 거의 나오지 않았다. 전체적으로 63명이 사망했고, 사망자 중에는 유탄에 맞은 빈디슈그래츠의 부인인 엘레오노르도 포함되어 있었다. 사상자가 정확히 집계되었다는 것은 양측이 자제를 발휘하고 갈등이 짧게 지속되었다는 사실을 반영한 것이었다. 이 폭력 사태는 6월 11일부터 17일까지 지속되었다. 그러나 합스부르크 땅의 혁명의 운명을 좌우하는 데 이 충돌은 결정적이었다. 이것은 혁명의 첫 패배를 기록했고, 다시 결집한 절대주의자들이 권위를 다시 확보한 첫 중요 계기가 되었다.

빈디슈그래츠의 공격은 3월 초 상서롭게 시작된 실험의 충격적 종결이었다. 당시에는 우편 마차가 매일 이탈리아의 통치자나 독일 공후가 굴복했다는 소식을 전달했었다. 비밀 정치 결사가 프라하의 카페에서 수시로 모여 행동을 촉구했지만, 메테르니히가 여전히 권력을 잡고 있는 상태에서 대규모 집회는 불가능했다. 그래서 아일랜드의 결사를 모방하여 '격퇴Repeal'라는 명칭을 가진 집단은 '정직한 체코인들'이 3월 11일 시내에서 군중이 모일 수 있는 몇 안 되는 장소 중 하나인 성바츨라프 공중목욕탕에 모이도록 초청장을 보냈다.[33]

정당은 아직 존재하지 않았기 때문에 초기 보헤미아 민주주의자들은 어느 정당에도 소속되지 않았으며, 내신에 자유주의적이고 급진적인 경향을 나타냈고, 급진주의가 지배하는 분위기였다. 프란티셰크 팔라츠키처럼 이미 애국자로 널리 알려진 인물은 첫 회의에는 참석하지 않았다. 이 회의에서 나온 요구는 민족적·사회적 의제로 체코인들의 평등권 확보와 노동자들을 위한 정의였다. 천 명의 회의 참석자들 대다수는 정치적 절대주의의 사슬을 끊으려는 의지로 단합된 젊은이들이었다. 그들은 빈이 혁명이 열기에 휩싸이기 전 법률을 공개적으로 위반할 정도로 용기가 있었다. 회의 조직자 중에는 지붕수리공, 여관 주인, 양조업자와 여러 명의 학생과 변호사 한 명이 포함되어 있었다.[34]

체코인들을 초청한 행사에 독일인이 배제되지는 않았지만, 프라하 주민의 다수는 체코인이기 때문에 회의에 참석한 사람들은 사회적 주변부에 있는 사람들이었다. 체코인들(특히 신분 상승한 학생들)이 주요 구성원이 되었다. 초기 혁명 지도자 중 독일인들은 급진적 성향이 강했으며, 이들은 사회적 변화를 위해 체코인들의 언어 권리를 기꺼이 지지했다.[35]

황제에게 보내는 청원서가 작성되었고, 여기서는 보헤미아의 두 민족 중 체코인만이 이 지역의 "원 토착 주민이고 그래서 영토에 대한 절대적 권리를 가지고 있다"고 주장했다. 청원서 작성자들은 '체코왕국'이었던 모든 지역, 즉 보헤미아, 모라비아, 오스트리아령 실레시아에서 민주주의를 원해서 '보헤미아 국가 권리'에 대한 첫 공개적 요구를 제기했다. 이것은 1740년 보헤미아왕국의 국경과 그 법적 통합성이 민족적 지향을 꾀하는 정치 질서의 기초가 되어야 한다고 요구한 것이다.[36] 현실적으로 행정 단위로서 보헤미아왕국은 1749년 테레사의 개혁과 함께 더 이상 존재하지 않게 되었고, 역사적으로 세 왕국 영역에 공동 의회도 존재하지 않았다.

이 요구와 함께 체코 민족주의자들은 낭만적이고 고풍스러운 열성가에서 적극적이고 정치적인 신민으로 발전했다. 체코 민족의 권리를 천명한 이들은 1740년 이전의 법적 문서에 규정된 것을 넘어서 앞으로 나갔다. 그러나 애국자들은 보헤미아 땅에 대한 체코인들의 영유권을 주군이 나타나기 이전까지 거슬러 올라갔고, 서부 슬라브 체코인과 17세기 모라비아 종족의 도착 시기까지 확장했다. 이러한 주장은 이 지역의 언어적 공통성을 근거로 했고, 체코어에서 '보헤미아어'와 '체코어'는 동일했기 때문에 보헤미아왕국이 체코왕국이라는 사고를 자연스럽게 만들었다. 그러나 독일어만 사용하는 사람들에게 이 주장은 납득할 수 없는 것이었다. 이들 생각에 뵈흐멘Böhmen[실레시아의 독일어 표기]은 독일의 한 지방이고 수백 년 동안 그런 상태였다는 것이 자명한 사실이었다.[37]

청원 내용에는 민족적 권리 이상이 담겨 있었다. 자그레브, 부다페스트 또는 빈의 혁명가들이 작성한 문건과 마찬가지로 이 청원에는 민권 자유와 사회적 권리에 대한 요구가 포함되었다. 언론의 자유, 독립적 사법제도, 개인 권리 침해 불가, 종교의 자유, 지주의 봉건적 특권 철폐, 세습적 농노제와 강제노역 폐지, 법 앞의 평등, 교사들의 적절한 훈련 요구가 들어 있었다. 초안에는 임금과 노동의 보장 같은 좀 더 급진적인 요구가 들어 있었지만 최종안에는 빠졌다. 역설적이게도 혁명이 성공하고 당국이 뒤로 물러서면서, 훨씬 신중한 자유 세력이 자신들의 시각을 공공연하게 주장하는 용기를 얻었다.[38]

일요일인 5월 19일 체코 회의 대표단은 특별 열차를 타고 군중의 환호를 받으며 청원서를 빈으로 가지고 가서 전달했다. 페르디난트 황제는 보헤미아왕국 땅에 통합된 학교와 행정에서 민족 평등권 보장을 약속했고, 세부적 사항은 헌법에 반영하겠다고 약속했다.[39] 보헤미아인들은 바로 그 시점에 헝가리 의회가 성스테판왕국 땅에 적용할 헌법을 작성하고 있다는 것을 알았고, 페르디난트가 프라하에 의회를 소집하지 않은 것에 실망했다. 그러나 그들은 수십 년 동안 압제를 받은 후에 자치 가능성이 열린 것에 흥분했고, 학생뿐만 아니라 도시 주민들은 새로운 질서를 유지하기 위해 민병대를 조직했고, 다양한 정치적 견해를 반영하는 신문들이 창간되었다.

당시로서는 정치에 대한 견해 차이가 중요하지 않았고, 다양한 색깔의 장식이 보헤미아를 뒤덮었다. 붉은색과 흰색의 파라솔과 보타이가 체코 지역뿐만 아니라 독일 지역에도 유행했다. 3월 18일 주로 독일어가 사용되는 온천 지역인 칼스바트도 붉은색과 흰색으로 장식되었고, 여인들과 아이들은 모자에 배지를 달았다. 신문들은 체코인들과 독일인이 같은 왕과 역사에 의해 결합되고, 같은 조국을 위해 고통 받은 '하나의 몸체'라고 주장했다. 프라하의 독일인들은 공공 업무에서 체코어가 사용되는 것에 반대하지 않는 것처럼 보였다. 가장 중요한 것은 민주주의 약속에 대한 모든 사람의 열망이었다. 이것은 건강 댄스, 모자, 크로와상으로도 표현되었다.[40] 육체노동자, 학생, 작가뿐 아니라 여관 주인과 농민들도 성바츨라프 목욕탕 초기 회의에서 구성된 '민족위원회'를 지원했다. 애국적 행진에는 가톨릭 사제, 개신교 목사, 랍비가 참여했다. 3월 24일 수십 명의 프라하 거주 독일인 작가와 체코 작가들은 새로운 자유에 감정이 고양되고, 체코어의 동등한 지위가 자신들의 단합을 해치지 않을 것이라고 말했다.[41]

그러나 3월 말부터 시작해서 선동가들은 보헤미아 독일인들에게 반대의 희망을 고무하기 시작했다. 이들 중 일부는 외부에서 온 사람들이었다. 이들은 보헤미아 독일인들이 북해와 발트해에서 알프스와 아드리아해에 이르는 대독일 국가에 속한다고 선동했다. '보헤미아왕국'의 어떤 희망도 이와 비교할 수 없었다. 보헤미아의 체코인 권리에 대한 질문에 대해 이들은 새로운 독일 국가는 거대한 스위스처럼 개별 지역의 독립을 인정하는 연방국가가 될 것이라고 답했다. 두려움뿐만 아니라 우월감이 독일인들 발언에 스며들기 시작했다. 독일 한 지방에서 수적인 우세를 보인다고 해서 어떻게 체코인들에게 특별한 지위를 부여할 수 있단 말인가? 프란츠 슈셀카 같은 보헤미아 독일인은 체코인들은 더 고급문화에 흡수될 것이라는 자신의 생각을 공공연하게 말했다.[42]

그러나 문제는 보헤미아는 스위스처럼 인종집단을 분리하는 것이 불가능하다는 것이었다. 취리히는 독일인 지역이고, 제네바는 프랑스인 지역이지만, 중앙 보헤미아의 소도시들 주민들은 인종적으로 혼합되어 있었다. 3월에 아무도 생각하지 못했던 작은 문제들이 엄청난 중요성을 띠기 시작했다. 민족전위대는 어떤 언어를 사용해야 하는가? 어떠한 타협도 이루어질 수 없었고, 방위군은 독일인으로 구성된 콘코르디아부대Concordia와 이보다 규모가 큰 체코인으로 구성된 스보르노스치부대Svornost로 나뉘어 있었다. 학생들도 튜토니아집단Teutonia과 슬라보니아집단Slavonia으로 나뉘었고, 체코 학생들은 전통적인 복장을 하고 고대 슬라브식의 인사말을 썼다. 민족화될 수 있는 모든 조직과 유행은 민족화되었다. 체코인들은 독일을 상징하는 모자 배지를 단 사람은 민족위원회에 들어오는 것을 허용하지 않았고, 이에 대한 대항으로 독일인들은 민족위원회를 이탈해 범독일주의 단체로 간주된 '헌법 클럽'을 만들었으며, 이에 대한 대응으로 체코인들은 범슬라브주의를 표방하는 '슬라브보리수회Slavic Linden'를 결성했다.[43]

가장 첨예한 문제는 어느 깃발을 달 것인가였다. 이것은 보헤미아의 인종적 소유권을 나타내는 중요한 문제였다. 4월 초 드레스덴 출신의 한 대학생은 자신이 본 빈의 성스테판 성당 첨탑에 검정-빨강-금색 깃발을 걸것을 주장했다(체코인들은 당연히 여기에 귀를 기울이지 않았다). 빈을 방문한 크로아티아인들은 자신들의 수도로 생각한 이 도시에서 독일 민족 색깔의 깃발이 성당뿐만 아니라 궁전에도 걸린 것을 보고 충격을 받았다. 이들은 오스트리아 애국주의 사상에는 동감했지만, 오스트리아 독일인에게 본것은 전에 보지 못한 것이고 자신들이 소중히 여기기 시작한 민족 정체성을 위협하는 것이었다.

독일인들은 시민이 권력을 차지하는 것을 의미하는 민주주의가 보헤미아에 적용되는 경우 일어날 일에 대한 고통스런 증거를 점점 더 인식하게되었다. 프라하를 3분의 2 정도 독일 도시라고 생각했던 독일인들은 역사상 가장 큰 변화 중 하나를 겪으며 체코 도시가 된 것처럼 느꼈다. 그리고바로 몇 주 전 체코인들이 행진을 벌였다. 체코인들은 믿기 어려운 자신감을 가지고 자신들의 언어로 소리치고 노래하며 행진하면서 슬라브 정체성을 과감히 드러냈고, 특권층을 불안하고 이방인처럼 느끼게 만들었다. 체코인들이 프라하를 자신들 민족적 존재의 핵심으로 만들면서, 독일인들은 소수민족으로 전락할 수 있다는 위협을 느꼈고, 이것은 자유주의가 빠

져나갈 길이 없게 만든 상황이었다.[44]

이러한 문제의 전모는 4월 초 독일 모든 지역의 자유주의자들에게 분명해졌다. 자신들의 나라를 단합시키기 위해 프랑크푸르트 예비의회 조직자들은 독일 전역의 정치적 상류층에게 헌법 초안을 작성할 회의 참가 초청장을 보냈다. 보헤미아에서는 '프란츠' 팔라츠키에게 대표단 파견 초청장을 보냈지만, 팔라츠키 자신은 '슬라브 혈통의 보헤미아인'으로 이 작은 나라에 영구히 봉사하기로 맹세했다는 답신을 보내 조직자들을 놀랍게 만들었다. 그는 역사적으로 보헤미아는 대공 수준에서 연결되어 있었지 주민들은 연관이 없었고, 보헤미아왕국 땅은 국왕의 신성로마제국과의 연계에 영향을 받지 않은 통합성을 유지하고 있었다고 답신에 썼다. 만일 독일인들이 스스로를 통치하는 시간이 오면 이들은 체코인들도 자치 권리를 가지고 있다는 것을 인정해야 한다고 주장했다.

민주주의자인 팔라츠키는 독일 자유주의자들이 오스트리아를 새 독일에 포함시켜서 합스부르크제국 군주정을 파괴하고 다른 작은 동유럽 민족들을 방치하게 되는 상황을 우려했다. 슬라브인, 루마니아인, 마자르인 그리고 그리스인과 예를 들어 트란실바니아 등에 남아 있는 독일인들은, 더 많은 민족들을 전제적 통치에 굴복시키는 '전 세계적인 군주정'이 되려고 하는 러시아라는 거인의 폭군적 지배에 들어가게 될 것을 염려했다. 유럽인들이 민주적 미래를 위해 나가는 동안 오스트리아는 작은 민족들을 동쪽의 초강력 국가로부터 보호할 의무를 져야 한다고 그는 주장했다. 여기서 그는 다음과 같은 유명한 말을 했다. "만일 이미 존재하지 않는다면, 오스트리아제국 국가는 만들어져야 한다. 그것은 유럽과 인류의 이익을 위해서이다."[45]

이런 감정이 결정체로 나타난 소위 오스트리아-슬라브주의라고 알려진 정치 프로그램에서 팔라츠키는 독일인과 마자르인을 러시아에 위협받는 민족에 포함시켰다. 그러나 그는 독일과 마자르 패권주의로부터 슬라브인들을 보호하는 것도 주된 과제로 삼았다. 오랜 기간 그는 보헤미아의 독일인 지배에 대항에 싸웠고, 자신의 청소년 시절까지 거슬러 올라가는 수십 년간의 헝가리와의 밀접한 연계에서 헝가리 자유주의자들은 슬라브인들이 민족성을 소유하기에 걸맞지 않고, 마자르화되는 것이 그나마 최선이라고 생각하고 있다는 것을 팔라츠키는 알고 있었다. 이제 독일 민족 국가와 마자르 민족 국가의 설립이 가능해지면서 전통적인 독일, 마자르의 우월감은 그 어느 때보다 더 위험해졌다.

이런 배경에서 팔라츠키는 크로아티아와 폴란드에서 나온, 중동부 유럽 전역의 '슬라브' 대표들이 프라하에서 모여 슬라브족 단합을 강화하는 방향을 논의하자는 계획을 지지했다. 이 회의에 대한 열렬한 지지가 슬로바키아인인 파벨 샤파리크를 포함한 프라하 활동가들 사이에 바로 퍼졌다. 4월 말 빈에서 온 독일위원회 사람들이 체코인들로 하여금 독일 통합을 지지하도록 위협을 가하면서 열기가 강화되었다. 프라하의 민족위원회에서 양측은 고성을 지르며 서로 싸움을 벌였고, 오스트리아 독일인인 에른스트 쉴링은 체코인들이 오스트리아를 파괴하기를 원하고 있다고 조롱했다. 다음날 카렐 하블리체크-보로프스키가 발행하는 신문 《민족 뉴스Narodni noviny》는 슬라브회의 개최 계획에 대해 상세히 보도했고, 곧 슬로바키아, 세르비아, 폴란드, 슬로베니아, 크로아티아 지역의 정치인들과 연락이 되어 이들은 6월 초 슬라브회의를 개최하는 것으로 체코인들과 합의했다.

회의 날이 다가오면서 우크라이나인, 세르비아인, 크로아티아인이 기차에 가득 차서 프라하에 도착했다. 당시 한 독일 시인은 한때 문명화된 도시가 '유목민 여인숙'으로 전락했고, '기괴한 복장과 비유럽적인 제복을 입은 이상한 모양을 한 인파'가 모여들었다고 썼다. 보헤미아가 상상하지 못한 특이한 장소로 변하는 것을 본 독일인들은 합스부르크제국이 빈 의회에 의해 민주적으로 통치되면 자신들에게 무슨 일이 생길지를 알 수 있었다. 독일인들은 소수민족이 되어 동화를 통해 점차적으로 소멸될 운명에 처하게 될 터였다. 그러나 체코인들의 감정은 정반대였다. 시민 자유와 민주주의 전망으로 이들은 그 어느 때보다도 자유롭다고 느꼈다. 이들은 슬라브 정체성을 보인다고 해서 더 이상 멸시를 받지 않았고, 프라하는 점점 더 자신들이 도시가 되어간다고 느꼈다.[46]

그러나 새로운 감정과 외양은 자동적으로 얻어지는 것이 아니었다. 체코인이 된다는 것은 선호의 문제가 아니라 새로운 자유에서 자라난 도덕적 의무였다. 3월 15일 페르디난트 황제가 보헤미아의 입헌 통치를 인정한다는 자신의 의도를 발표하자, 언론인인 하블리체크-보로프스키는 체코인 상인들에게 독일어 간판을 순수한 체코어 간판으로 바꾸어달도록 지시했다. 독일인들의 반대에 대해 하블리체크-보로프스키는 자신은 혐오가 아니라 정의에 호소하는 것이라고 주장했다. 그는 프라하가 독일 도시라는 사고에 종지부를 찍고 싶다고도 말했다. 체코인들은 2세기 동안 잠을 자고 있었지만, 이들은 사라지지 않았다. 이들은 독일이 아니라 오스트리아와 연계되었고, 오스트리아제국 내에서 슬라브 형제 민족인 일리리아인, 폴란드인과 함께 수적 우위를 누리고 있었다.[47]

이러한 말은 독일인들 사이에 공포를 조성시켰고, 뒤돌아보면 이 공포는 과한 면이 있었다. 그 당시와 이후에 폴란드인, 체코인, 크로아티아인은 독일과 헝가리 기존 세력에 대항하기에는 분열되어 있었고, 합스부르크 정권의 무력에 대항할 아무 힘도 없었다. 인종적으로뿐만 아니라 지역적으로도 복잡한 보헤미아왕국은 꿈과 환영 사이를 왔다갔다해왔다. 체코인들이 독일에 속하기를 원하지 않은 것과 똑같이 모라비아인이나 실레시아인들도 체코어나 독일어를 사용하는 것을 떠나 보헤미아에 속하고 싶어 하지 않았다. 1849년 초에 모라비아 의회는 체코어와 독일어의 동등권과 모라비아가 독립 지방이라는 것을 선언하는 자유주의적 헌법을 만들기 시작했다.[48]

보헤미아 어느 지역에 거주하는지를 떠나 체코인들은 자신들을 독일에 포함시키려는 모든 시도에 대항할 정도로는 단합되어 있었다. 5월 3일 체코인들은 프랑크푸르트 제헌의회에 갈 대표단 선출을 준비하는 독일인들 회의를 해산시켰고, 독일인과 체코인들의 충돌은 가두 충돌로 바뀌었다. 독일인의 것과 마찬가지로 간주된 유대인 사업체들이 폭도들의 목표가 되었다. 민족주의 선동가들은 독일인들은 평화로운 체코 땅의 식민 지배자이자 항구적인 압제자로 조롱한 노래를 인쇄해 배포하며 군중을 선동했다. 결국 모든 체코어 사용 지역은 독일 의회 대표단 선거를 거부했고, 프랑크푸르트 제헌의회에는 보헤미아의 68개 지역 중 19개 지역만 대표를 파견했다.[49]

민주주의적 자유는 독일인들과 체코인들이 서로 양립할 수 없는 방법으로 자신들의 정치적 미래를 상상하고 있다는 것을 보여주었다. 그러나 이것이 보헤미아에서의 혁명을 실패로 돌아가게 만든 핵심 원인은 아니었다. 직접적 원인은 잘 훈련된 오스트리아 군대 병영이 보헤미아 담당 사령관 빈디슈그래츠 장군 지휘하에 프라하 외곽에 주둔하고 있었다는 사실이었다. 그는 구체제의 생존 의지를 구현한 합스부르크 제정의 충성자였다. 그는 1848년 3월 혁명 발발기에 메테르니히에게 총리직을 고수하도록 촉구한 몇 안 되는 사람 중 하나였고, 모든 상황에서 무력으로 혁명을 진압해야 한다고 주장했다. 대공녀 조피와 함께 그는 '거리 세력'과의 타협에 염증을 느꼈고, 점점 더 자신을 제국의 구원자라고 느꼈다.[50]

프라하에서 빈디슈그래츠는 몇 년 전 발생한 면직 염색공들의 파업을 진압한 것으로 악명을 날렸다. 모든 사람이 실망하게도, 그는 1848년 휴가를 단축하고 프라하로 돌아왔다. 그가 돌아오자마자 군대는 끊임없는 훈련과 행진으로 프라하 거리의 평화를 어지럽혔다. 빈디슈그래츠는 병력을 보강하고, 보란 듯이 시내 중심지에서 병력을 사열하며, 포병을 시 언덕에 배치했다. 시민 대표단이 포대 철수를 청원해도 그는 이를 거부했다. 외국의 점령군을 지휘하는 것 같아 보인다는 말을 들은 그는 자신의 유일한 관심은 오스트리아 황제에게 봉사하는 것이라고 답했다. 그런 다음 그는 학생들에게 소총 2000정과 실탄 8만 발을 지급해달라는 요구를 일언지하에 거절했다. 그는 학생들이 현실 감각을 상실했다고 말했다.[51] 6월 11일 일요일, 체코인 대학생 민병대인 스보르노스치부대는 부활하는 '반동'에 대항할 조치를 논의하기 위해 모였다.

학생들은 다음날 프라하 중심부에서 개최되는 옥외 가톨릭 미사에서 지지자들을 규합하기로 했다. 이 행사는 유명한 애국자의 동생인 얀 아놀드 신부가 주관하게 되어 있었다. 이 장소는 지금은 바츨라프 광장으로 불리지만 당시에는 말 시장이었다. 미사에 모였던 4000명의 학생과 실업 노동자들이 행진하면서 화약고 인근을 순찰 중이던 병사들과 충돌이 벌어졌다.[52] 3개월 전 빈 상황과 마찬가지로 실탄 사격이 시작되면서 사람들이 죽거나 부상당했고, 봉기자들은 바리케이드를 쳤다. 약 3000명이 무장 봉기에 나섰으며 이들 대부분은 학생과 노동자들이었다. 상점주인, 관리, 여성들도 봉기에 참여했다. 대학은 이들의 사령부가 되었다.

빈디슈그래츠의 의지, 군사 기술, 3배나 많은 진압군 때문에 애초부터 반란은 성공할 가능성이 없었다. 제국 군대는 더 강력해지고, 주요 통신로를 장악했다. 봉기 둘째 날 진압군은 전투 없이 대학을 접수했고, 6월 17일 양측의 전투는 중단되었다. 그러나 자신의 부인이 사망한 데 격앙된 빈디슈그래츠는 강 건너에서 반란자들에 대한 포격 훈련을 시작했다.[53] 파리, 밀라노 이후의 빈이나 페스트에 비해 사망자 43명과 부상자 63명은 큰 유혈사태는 아닌 것처럼 보였다.

빈디슈그래츠는 슬라브회의를 해산시켰다. 400명의 대의원들은 제정 당국을 자극하지 않으려고 노력했고, 대의원들 스스로가 가망 없이 분열된 상태였고 회의는 해산되었다. 일례로 실레시아 대표들은 자신들의 독립을 보존하기 위해 (체코인이 아니라) 폴란드인들과 연합하려고 했고, 보헤미아의 자치는 어떻게 조직해야 할지 방안을 내놓을 수 있는 사람은 아무도 없었다. 오스트리아 포병들이 대회 조직자들이 '고대 슬라브 프라하'라고 말한 곳을 포격 목표로 삼고 훈련하는 몇 시간 동안 팔라츠키는 이견을 좁히기 위해 필사적으로 노력했다. 그는 독일인들에게 견제 당해온 슬라브인들은 고래로 평화를 사랑하는 민족이었지만 독일인들에 의해 압제를 받았고, 이제 '여론이 신의 목소리를 반영한' 지금 멍에를 쓴 슬라브인들이 일어났다고 주장했다. 오스트리아는 '모두가 동등한 권리를 누리는 민족들의 연방'으로 변화될 수 있다고 그는 역설했다.[54]

일부 독일인들은 빈디슈그래츠 장군의 기습 공격이 프라하의 민주주의적 실험을 짓밟고 반란군에게 도움을 주었다고 생각했지만 이들은 소수파였고, 대부분의 사람들은 슬라브인의 위협으로부터 자신들을 구한 장군에게 감사했다. 프랑크푸르트에 모인 의회주의자들조차 프로이센, 바이에른, 작센 정부에 보헤미아의 독일인을 보호할 병력을 파견할 것을 요청했다. 체코인들은 새로운 민주적 독일이 보헤미아를 무력으로 병합을 가능

성을 우려하기 시작했다.[55]

　프라하 당국은 계엄령을 선포했고, 합스부르크 정권은 주민들의 헌법 제정 요구에 구애받지 않고 상승세를 탄 것처럼 보였다. 오래된 보헤미아 가문의 후손인 보헤미아 총독 둔 남작은 6월 사태 때 중재를 하려고 노력한 온건파였지만, 반란군에 구금되었다(팔라츠키의 직접적 호소로 그는 풀려날 수 있었다). 그는 프라하 민족위원회를 폐쇄하고 국방군을 탄압했지만, 빈에서 독립한 보헤미아 임시정부 수립에는 실패했다. 그러나 8월에 오스트리아 의회에 보내는 의원 선거가 실시되었고, 의원들은 헝가리 밖 합스부르크 영토에서는 처음으로 빈에서 헌법 초안 작성 작업을 시작했으나 상황이 위험해지자 모라비아의 크렘시에르/크로메리즈로 이동해 작업을 했다.

반동 세력의 승리: 오스트리아와 헝가리

1848년 7월 말 82세의 라데츠키 원수는 북부 이탈리아의 피에몬트 세력을 격파했고, 8월 6일 위풍당당하게 밀라노에 입성했다. 빈의 시민들은 민주주의가 타격을 입은 것을 한탄하기보다는 이러한 전승에 환호했다. 승리를 기념하는 무도회가 열리고 요한 스트라우스는 지금도 빈 신년음악회에서 연주되는 비공식 오스트리아 국가나 마찬가지인 〈라데츠키 행진곡〉을 작곡했다. 오스트리아 시인 프란츠 그릴파르제르는 라데츠키 원수를 구원자로 칭송했고, 당시 가장 유명한 희극 극작가 요한 네스트로이는 혁명가들의 순진성을 〈까마귀 둥지의 자유〉라는 연극으로 희화화했다. 오스트리아 독일인들은 독일의 일부가 되기를 원했을 뿐만 아니라 많은 지역과 주민들을 통치하고 자신들의 더 고급스런 문화의 이익을 전파하는 제국의 국민으로 활동하는 것을 즐겼다. 그러나 크로아티아인, 세르비아인, 루마니아인도 오스트리아가 자체적 민족 국가를 건설하려는 마자르 자유주의자들의 의도를 분쇄하자 제국의 이상을 기꺼이 지지했다.[56] 합스부르크왕가가 보헤미아를 진압하고, 다음으로 이탈리아에서 승리를 거두자 궁정은 다시 빈으로 귀환해서 지도적 인사들이 통치를 다시 담당했다. 제국 영역의 소요는 대체적으로 도시 지역에 국한되었고, 권력의 근간은 건드리지 않았다. 혁명가들은 입헌군주제를 주장했기 때문에 궁정이 내각 임명을 계속 유지하도록 했고, 내각은 계속 보수적 색채를 유지했다. 내각과 관료제를 포함한 국가 기관들은 손상되지 않았고, 위기가 진행되는 동안 단 하나의 오스트리아 부대만 반란을 일으켰다.[57] 특히 중산층이 자신들 재산에 대한 공격을 우려하면서 혁명적이라고 간주된 민족전위대도 질서 유지 역할을 충실히 수행했다.

합스부르크왕가가 통치의 고삐를 더 바짝 죄면서 헝가리와의 충돌은 피할 수 없게 되었다. 4월 법령은 오스트리아 황제가 헝가리 왕을 맡는 방식으로 헝가리를 오스트리아에 연계시켰다. 그러나 이러한 법률은 헝가리와 오스트리아가 어떤 방식으로 국방과 재정 의무를 공유하는지를 분명히 규정하지 않았다. 헝가리를 계약적으로 오스트리아에 연계시킨 1713년 〈국본조칙〉은 양국 모두에 우려의 근원이 되었다. 이중 제국은 어떻게 새로운 군대를 동원하는가? 헝가리 정부는 거대한 국가 채무를 줄이는 데 아무 관심도 보이지 않았고, 이중 제국 전체의 우려 사항과 관련하여 1848년 8월 31일 오스트리아 정부는 헝가리가 〈국본조칙〉을 위반했고, 그래서 4월 법령은 무효화되었다고 발표했다. 오스트리아 정부는 세르비아인과 크로아티아인에 대한 헝가리의 군사 활동을 금지시켰고, 군사지대는 빈의

국방부에 복속하도록 명령했다.[58]

닷새 후 페르디난트 황제는 헝가리의 숙적인 요시프 옐라치치를 크로아티아 총독으로 임명했고, 그는 일주일 후 빈 궁정의 조용한 지지를 얻어서 3만 명의 병력을 헝가리로 진입시켰다. 전쟁을 선포할 권한이 없었던 그는 '반란'을 진압하는 것이라고 선언했다.[59] 옐라치치는 사람을 끌어당기는 개성에도 불구하고 야전 지휘관으로서의 재능은 떨어졌고, 헝가리군은 9월 29일 부다의 남서쪽 40킬로미터 지점에서 그의 부대를 무력화시켰다.

그러는 동안 훨씬 더 중요한 사건들이 헝가리 수도에서 진행되고 있었다. 9월 25일 페르디난트는 헝가리 대지주인 페렌츠 람베르크를 헝가리의 합스부르크군 사령관으로 임명했다. 람베르크는 헝가리의 대의에 적대적이지 않았지만 사령관으로 적 진영을 분열시키는 데 성공했다. 총리 바티아니는 대화를 진행하고 싶어 했다. 그러나 러요시 코슈트는 람베르크를 침략자이자 반역자라고 비난하고, 9월 27일 헝가리군에게 그의 명령을 따르지 말도록 지시했다(코슈트는 9월 21일 만들어진 국방위원회 수장을 맡았다). 람베르크가 9월 29일 민간인 복장을 하고 바티아니를 만나러 가는 도중에 그를 알아본 폭도들이 그의 마차를 세우고 난도질해서 살해했다. 폭도들은 피에 얼룩진 그의 옷을 나누어 가졌다. 이렇게 되자 페르디난트는 헝가리 의회를 해산하는 칙령을 발하고, 헝가리가 군사 통치를 받게 만들며, 옐라치치를 헝가리 내 합스부르크군 사령관으로 임명했다. 이런 조치 후 헝가리 편을 드는 사람은 황제에 대해 반란을 일으키는 것으로 간주했다.[60]

헝가리 정부를 전복하려는 합스부르크 당국의 이러한 시도는 헝가리를 민주주의의 요새 동맹으로 생각한 빈의 혁명가들을 자극했다. 또한 오스트리아 독일인들은 슬라브인들의 규율을 잡으려는 헝가리의 노력을 전반적으로 지지했다. 10월 초 헝가리 군대는 옐라치치 부대를 오스트리아 국경 너머로 퇴각시켰고, 그가 빈으로 퇴각하자 합스부르크제국 전쟁장관인 라투르는 제국 군대를 지원군으로 보냈다. 그의 장교 중 한 사람인 휴고 폰 브레디는 혁명군 대학생들이 장악한 기차역을 탈환하려고 시도하다가 소총 사격을 받고 퇴각했다. 이 전투에서 대학생들은 대포 2문과 브레디의 칼과 모자를 노획했다. 제국 군대가 옐라치치를 지원하는 것을 막기로 작정한 폭도는 도끼, 곡괭이, 쇠몽둥이로 무장하고 정부 부처를 공격하여 라투르를 살해한 후 그의 머리를 망치로 쳐서 함몰시켰고, 그의 찢어진 몸을 14시간 동안 가로등에 매달았다. 행인들은 손수건으로 그의 피를 묻혀서 무기와 옷에 발랐다. 군중은 무기고에서 소총을 탈취했을 뿐만 아니라 중세 투구와 튀르키예의 언월도를 포함한 역사적 유물도 도둑질했다.[61]

궁정은 다시 빈을 탈출하여 이번에는 모라비아의 올로모우츠로 피난했다. 체코 의원 전원을 포함한 의회 의원들은 궁정과 같이 피난을 갔다. 이로 인해 독일인들은 체코인들이 이중적 태도를 가지고 있다는 의심이 더 커졌다(10월 22일 의회는 모라비아의 크로메리즈/크렘시에르에서 다시 개회했다). 제국 군대는 빈을 혁명군의 손에 넘겼고, 시내 분위기가 갑자기 급진화되면서 수만 명의 재산소유자들은 도시를 버리고 피난했다.[62]

10월 16일 페르디난트는 빈을 포위하고 있는 제국 군대의 지휘권을 빈디슈그래츠 장군에게 넘겼고, 그의 공병은 즉각 시내로 통하는 물과 가스를 차단했다. 최종 항복 통고 시한이 지나자 그는 포격과 함께 전면적인 보병 공격을 시작했다. 옐라치치도 동쪽에서 이 공격에 가담했다. 그의 부대 중에는 무서운 붉은 외투를 입은 몬테네그로 병사들도 있었다. 이들은 백병전을 벌여 약 30개의 병영을 탈환했다. 빈디슈그래츠 부대는 저항 거점인 외곽 산업지대를 소탕하고 10월 17-28일 밤 시내에 포격을 가했다.

그가 작전을 펴는 동안 성스테판 성당 첨탑의 척후병은 약 2만 5000명의 헝가리 군대가 동쪽에서 접근하는 것을 관찰했다. 그들이 본 것은 옐라치치 군대가 시 외곽에서 구원병을 차단하는 작전을 벌이는 것이었다. 빈디슈그래츠는 10월 31일 최종적으로 시내를 공격하여 격렬하고 사상자가 많이 나는 공포의 전투를 벌였고, 일시적으로 헝가리인들의 지원 가능성에 사기가 올랐던 빈 시민들이 이전의 항복 조건을 어겼다고 주장했다.[63]

빈디슈그래츠 장군은 민족전위대와 아카데미군단을 해산시키고 검열제를 다시 도입했으며, 약 2000명의 혁명군을 체포하여 이 중 25명을 처형했다. 처형된 사람 중에는 프랑크푸르트에서 프라하를 방문한 존경받는 민주주의 정치인인 로베르트 블룸도 포함되었다. 독일 의회 의원인 블룸은 면책 특권을 누릴 수 있었지만, 그에게 내려진 반란 혐의 사형선고는 합스부르크왕가에 대한 지속적인 분노를 불러일으켰다. 빈디슈그래츠의 처남인 슈바젠베르크 공은 11월 새 정부를 구성했지만, 그는 반동 정치인은 아니어서 크로메리즈의 의회가 계속 헌법 작성 작업을 하도록 허용했다. 요제프 2세의 정신을 이어받은 슈바젠베르크는 제국 군주정을 강화할 중앙집권적 개혁을 지지했고, 독일어와 문화를 그 수단으로 사용했다.[64] 12월 그는 대공녀 조피의 희망을 실행하여 페르디난트가 조카이자 조피의 아들인 불과 18세의 프란츠 요제프에게 양위를 하도록 설득했다. 요제프는 입헌 통치를 한다는 약속을 하지는 않았다. 프란츠 요제프가 오래 지속된 혼란에서 얻은 교훈은 자신의 권력은 충성스런 군대에 의지해야 한다는 것이었다.

✳ ✳ ✳

1848-1849년 겨울에 옐라치치는 자신의 남부 슬라브 전선 구역 병력을 헝가리로 다시 불러들였고, 여기서 이 부대는 헝가리 통치에 반대하는 다른 군대에 합류했다. 이 오스트리아제국 군대뿐만 아니라 다민족적인 남부, 동부, 북부 지역 비정규군도 포함되어 있었다. 크로아티아인, 세르비아인, 루마니아인, 독일인, 그리고 소수지만 슬로바키아인들이 비정규군을 구성했다.

보헤미아에서와 마찬가지로 헝가리의 인종집단들은 새로운 헌법을 만들기 위해 같이 작업을 했으나 얼마 있지 않아 이견이 표출되었다. 3월 21일 루마니아 지식인들은 자민족이 동등한 권리를 가진 민족 단위로 취급받아야 한다고 요구했다. 그때까지 트란실바니아의 봉건 정권은 독일인, 마자르인, 세케이인만 인정을 했고, 130만 명이나 되는 루마니아인들은 이 지역에서 가장 큰 인종집단이었지만 인정을 받지 못했다.[65] 이제 루마니아인들은 자신들을 헝가리의 신민으로 보는 헝가리 활동가들과 충돌했지만, 이들은 또한 브라소프/크론슈타트 통제를 놓고 독일인과도 논쟁을 벌였다. 루마니아인은 정교회 특권을 놓고 세르비아인들과도 충돌했다(세르비아인들과 대부분의 루마니아인은 정교도였다). 그러나 잠시 동안 루마니아인, 독일인, 세르비아인은 힘을 모아 새로 형성된 헝가리 국가에 대항해 일어났다.

루마니아 운동은 관찰자들을 가장 놀라게 했는데, 그 이유는 이 운동이 근원이 없는 것처럼 보였기 때문이다. 지금까지 들어보지 못한 민족이 갑자기 대규모 집회를 열기 시작했다. 일례로 5월 3-15일 블라이에서 열린 집회에는 이를 저지하려는 헝가리 당국의 모든 노력에도 불구하고 2만 5000-4만 명의 지지자가 참여했다. 이 집회는 트란실바니아 모든 지역에서 모든 계층의 사람들을 끌어모았을 뿐만 아니라 오스만령 몰다비아와 왈라키아(타라 로마네아스차)에서 사람들이 모여들었다. 이 집회는 농노제 종식과 루마니아 민족의 자치를 요구하며 폐회되었다. 독일인과 헝가리인 관측자들은 그 정도 규모의 군중이 보여준 규율에 감명을 받았고, 이 군중은 별 모양의 진영을 친 거대한 군대같이 보였으며, 중앙으로 통하는 길은 밀집한 군중 사이의 빛과 같아 보였다.[66]

5월과 마찬가지로 슬로바키아 지식인들은 대중집회를 열어 자민족이 스스로 통치하고, 슬로바키아어를 사용할 권리를 요구했다. 이들은 헝가리왕국이 동등한 권리를 가진 민족들로 구성된 국가로 바뀔 것을 요구했다. 이들은 세르비아나 루마니아 지역보다는 숫자는 작지만 무장한 자원자로 구성된 군대를 만들었다. 이런 배경에는 슬로바키아 활동가들은 루터교인인 데 반해 슬로바키아어를 사용하는 농민들은 대부분 가톨릭 교인이고 민족의식이 약했던 것이 작용했다. 특히 동부 슬로바키아 지역 농민들은 슬로바키아의 정치적 자치보다 봉건적 종속관계의 철폐에 더 관심이 많았다. 그러나 헝가리 지도자들은 운동이 강하고 약하고를 떠나 슬로바키아인이나 다른 민족 대표들과의 협상을 거부했다.[67]

9월이 되자 헝가리 당국은 루마니아인들을 헝가리 군대에 징집하려 했으나, 이에 대한 거부 운동으로 내전이 발생했다. 한 마을에서 강제적 징집에 반대하던 주민 13명이 살해되었다. 같은 시점에 오스트리아제국 당국은 루마니아인과 독일인들에게 헝가리 지배에 대해 항거할 것을 촉구했고, 루마니아인과 독일인을 처형하는 것을 막기 위해 트란실바니아의 민족전위대를 해산시켰다. 제국 군대는 수천 명의 주민을 새로 편성된 루마니아 국경수비대에 징집했고, 이 부대는 곧 카르파티아산맥 기슭의 헝가리 주민들을 소탕하기 시작했다. 이 작전은 너무 잔학해서 관측자들은 이것을 13세기 몽골 침입에 비견하기도 했다.[68]

폭력을 조장한 감정은 근거 없고 통제되지 않는 소문이 가져온 멸절에 대한 공포였다. 질서를 유지해야 할 군대가 시민들에게 폭행을 가하고, 헝가리 군대가 루마니아인들을 살해하며, 루마니아 농민들이 헝가리 지주들을 살해한다는 소문이 난무했다.[69] 약탈자들이 마을에 불을 지르고, 포로로 잡은 병사들을 살해하며, 자신들을 가로막는 민간인들도 살해했다. 그들은 스스로를 희생자로 내세우며 자신들이 자행하는 행위는 정당방위라고 주장했다. 영웅처럼 보이는 카리스마 넘치는 지도자들이 나타나 점점 더 격화되는 살육행위에서 인종청소자들을 이끌었고, 자신이 지휘를 하지 않으면 더 극단적인 지도자가 나타날 것이라고 생각했다.

분쟁 지역에 거주하는 주민들은 이런 예상하지 못한 상황에 대처할 경험이 전혀 없었다. 이들은 마을을 점령한 제국 당국의 명령을 따라야 했지만, 다음 날 헝가리 부대가 마을을 장악하면서 주민들은 반역죄를 뒤집어써야 했다. 한 진영의 영웅은 다른 진영에서는 살육자였고, 오가는 소문이 너무 흉흉해서 처절한 복수를 행하지 않는 것은 진영을 배반을 하는 것처럼 보였다.

헝가리 정부의 각료이자 트란실바니아 총독인 라즐로 차니이를 한 예로 들 수 있다. 그는 1849년 가을 혁명의 마지막 불꽃을 진압한 후 오스트리아제국 군대에 의해 처형당했다. 헝가리인들에게 자유주의자로서 군사 통치에 대해 민간 통치의 승리를 가져온 차니이는 영웅이자 순교자였다. 그러나 차니이는 타협에 반대했고, 군사법원을 설치해서 고대로부터 누려온 공동체의 권리를 단순히 주장한 독일인들을 즉결 처형했다. 특히 트란실바니아 독일인에게 가슴 아픈 일은 루터교 목사이자 뛰어난 교육가인 스테판 루드비히 로드의 희생이었다. 그는 자신의 고향인 메스첸 인근의 13개 마을을 관장할 정부를 구성하라는 오스트리아 당국의 명령을 받았다. 1842년 그는 다민족 공생을 지지하는 논설을 쓰기도 했다. 그가 보기

에 헝가리 내의 독일인, 마자르인, 루마니아인, 유대인, 아르메니아인, 집
시는 하나의 조국에 사는 것이 유리하고, 이것은 헝가리라는 숲에 하나의
'나무'로서 각자의 목표를 추가하는 것이었다. 그러나 그는 트란실바니아
독일인들의 생존 가능성을 염려해서 서부 독일 지역에서 이 지역으로 독
일인 이주를 장려했다.

　헝가리 부대가 오스트리아군으로부터 메스첸을 빼앗자 이들은 헝가리
군을 지휘하는 폴란드인 장군 요제프 뱀의 신변안전 보장에도 불구하고
로드에게 사형선고를 내렸다. 친구 목사가 그를 구하려고 나서자 차니이
는 전형적으로 과장된 인종청소적 어법으로 로드는 '헝가리 민족의 멸절'
을 꾀한 죄로 사형을 열 번 받아도 마땅하다고 그에게 말했다. 10월 교수
형을 당한 로드는 자신은 '조국을 위해' 일했다고 주장하며 자신의 혐의를
하나도 부인하지 않았다.[70]

　루마니아 귀족 이오안 드라고슈도 로드와 같은 온건파였고, 헝가리 의
회에서 충성스럽게 활동했다. 그는 코슈트가 작성한 강화 조건을 루마니
아 민족위원회에 전달하며 이것이 헝가리들을 만족시키는 동시에 루마니
아인들의 문화적 권리를 보장하게 되기를 희망했다. 그러나 코슈트는 드
라고슈가 압루드 바냐에서 루마니아 지도부와 협상을 하는 동안 휴전을
준수하라는 명령을 헝가리 부대에게 내리는 것을 잊었다. 이 소도시는 루
마니아인, 독일인, 헝가리인이 섞여 사는 광산 도시였다. 헝가리 부대가 이
도시를 공격하면서 드라고슈는 이중적 행위의 의심을 받고 폭행을 당했
다. 다음 날 헝가리 부대는 드라고슈와 협상을 진행한 루마니아 지도자들
을 체포해서 처형했다. 이들은 안정 보장을 받았고, 데브레첸의 사령부에
서 코슈트와 협상을 진행한다는 희망을 가지고 있었다. 이들 평화주의자
들은 쉬운 복수의 목표가 된다는 것 이외에 처형당할 이유가 없었다(압루

드 바나에 들어온 헝가리군은 루마니아 민간인들을 '나이와 성별에 구별 없이 약탈하고, 도둑질하고, 강간하는' 잔학한 만행을 자행했다).[71] 이 사건으로 여러 세대 동안 평화롭게 같이 살아온 헝가리인들과 루마니아인들이 서로 적이 되었고, 이제 상대편이 시도하는 화해의 노력은 함정이라는 확신을 갖게 되었다.

트란실바니아 인종 전쟁 희생자는 사망자가 4만 명에 달했고, 100개의 마을이 사라졌으며, 세르비아령 보이보디나의 인구는 너무 감소되어 이전 인구를 회복하는 데 30년이 걸렸다. 이러한 살육행위는 모라비아에서 러시아 황제 니콜라이 1세를 만난 프란츠 요제프 황제가 러시아 군대 파견을 간청한 끝에 중지되었다. 5월과 6월 거대한 러시아 군대가 헝가리 국경

슬로바키아 자원병과 그들의 아이들

을 넘어 쏟아져 들어와서 헝가리 정부를 상대로 힘겹게 싸움을 벌이던 오스트리아 군대의 전력을 배가시켰고, 7월에 헝가리 마지막 부대가 빌라고스 마을에서 항복했다. 그런 다음 오스트리아 당국은 복수를 시작해 13명의 헝가리 장군을 처형했다. 이들 중 네 명은 마자르인이 아니었고, 몇 명은 헝가리어를 제대로 구사하지도 못했다. 이들은 10월 6일 처형된 총리 바티아니의 희생양이 되었다. 그는 자신을 향해 발포하라는 명령을 세 언어로 스스로 내렸다. 추가적으로 수십 명이 교수형을 당하거나 총살당했고, 수백 명이 수감되었다. 이 징벌은 균형을 잃었고, 마자르 주민들로 하여금 이후 기간 동안 오스트리아 통치자들에게 반감을 갖게 만들었다.[72]

인종 전쟁은 헝가리 내의 사실상 모든 인종집단을 서로 대립하게 만들었다. 트란실바니아에서는 마자르 엘리트, 루마니아인, 독일인이 서로 적대적이 되었고, 남쪽에서는 크로아티아인과 세르비아인이 이질화되었다. 한 세대 안에 학자들이 이 인종 분규 이전에는 사용하지 않던 용어를 만들어냈다. 그것은 인종 전쟁이란 용어로, 인종청소뿐만 아니라 마을 주민들이 대규모로 서로 살육하는 전쟁을 의미했다. 헝가리아인들은 168명의 슬로바키아인을 나무에 매달아 교수형에 처했고, 처형당한 사람들의 유일한 죄는 자신의 나라를 위해 싸웠다는 것이었다.[73]

* * *

헝가리에서 질서가 거의 회복된 후에도 합스부르크왕가는 왕조의 생존에 도움을 준 민족들에게 아무런 보상도 하지 않았다. 그 대신에 젊은 황제 프란츠 요제프는 빈이 주도하는 전제적 통치를 재개하고, 크로아티아인, 세르비아인, 루마니아인 또는 슬로바키아인의 자치에 대한 어떤 대화도 거부했다.[74] 그는 또한 민주적으로 선출된 의회가 크로메리즈에서 초안을 작성한 헌법도 포기하고, 재능 있는 보수주의 개혁가인 프란츠 스타디온이 만든 헌법을 채택했다. 그러나 이를 다시 검토한 요제프 황제는 이 헌법이 자신의 권력을 너무 많이 포기하게 만들었다고 결론내리고, 이것 또한 포기한 채 다시 혁명 전 시행하던 중앙집권적 통치를 재개하려고 했다. 트란실바니아, 크로아티아, 군사지대는 헝가리에서 분리되었고, 통치영역 전체를 빈의 직접적 통치하에 두기 위해 새로운 행정 구역 제도를 만들었다. 구어의 지위를 높이려는 수십 년간의 투쟁을 무력화하고 헝가리왕국의 공식 언어는 다시 한 번 독일어가 되었다. 독일인과 체코인 행정가들이 반란이 제압된 성스테판 국왕 영토로 다시 밀려들어왔다. 헝가리를 보호하던 관세 장벽도 철폐되었고, 주민들은 엄청난 세금을 부담해야 했다.

우리가 앞으로 보는 바와 같이 헝가리에서 이러한 강압적 해결책은 기껏해야 일시적으로만 효과가 있었고, 통치영역의 절반 이상 지역의 바람과 이익을 거부한 채 제국을 통치하는 것은 불가능한 것으로 드러났다. 1848-1849년 혁명은 문제를 표면 위로 노출시켰고, 이것은 단순한 군사력과 행정력의 적용보다는 훨씬 섬세한 반응을 요구했다.

문제의 한 차원은 사회적이었다. 대부분의 합스부르크 신민들은 농지를 경작하고 있었지만, 이들 대부분은 농지를 소유하지 못했다. 이들은 생산성이 떨어지는 소작농으로 고용되어 일했고, 농업이나 다른 직업에서 자신의 기능을 발달시키거나 사용할 기회를 거의 갖지 못했다. 이 문제에 대해 합스부르크왕가는 1848년 3월 영민한 해결책을 내놓아 혁명의 에너지 상당 부분을 분산시키는 데 성공했다. 농촌 지역에서 대규모 폭동을 두려워한 페르디난트 황제는 농민들이 지주를 위해 매주 일정 시간 노역을 제공하는 강제노역 제도를 철폐했다. 이렇게 해서 황제는 일시적으로 정치 세력으로서 농민들을 중립화하는 데 성공하고, 농민들을 존중한다는 합스부르크왕가의 전통적 사고를 강화했다. 1780년대와 마찬가지로 농민들의 고역을 경감하는 조치는 지역 엘리트가 아니라 황제로부터 나왔다.

체코인 팔라츠키를 포함한 자유주의자들은 농민들과 도시 프롤레타리아에 대한 의심을 계속 유지하여 이들을 대의 기관에 포함하는 것에 반대했다. 재산을 소유하지 못한 이들은 자치 통치를 할 능력이 없다고 보았다. 그 결과 합스부르크제국 많은 지역에서 농민들은 1848년 봄부터 오스트리아 군대의 승리를 축하했다. 이들에게 혁명은 지식인들과 귀족들의 지원하는 도시의 문제였고, 농촌에는 아무 이익도 가져오지 않을 것이었다. 병사들은 대부분 농민 출신이었기 때문에 이런 충성스럽고 문화적으로 보수적인 다수는 끝까지 정권에 필요한 안정을 제공했다.[75] 그러나 강제노역에서 해방된 농민들도 농지를 소유하지 못했기 때문에 농지 문제는 해결되지 않은 상태로 남았고, 이후 수십 년 동안 현대화를 가로 막는 작용을 했으며, 일부 지역에서는 1940년대 공산주의 소요가 일어날 때까지 그런 상태를 유지했다.

황제나 자유주의적 혁명가들도 아무 해결책을 찾을 수 없던 문제는 드디어 실체가 드러난 민족 분쟁이었다. 유럽인들은 1848년 이전 폴란드와 세르비아의 민족 분쟁은 알고 있었고, 두 경우 모두 외국 지배에 대항한 것이었다. 그러나 합스부르크령 보헤미아와 헝가리의 인종적 복잡성과 이것이 분출할 분쟁에 대해서는 잘 알고 있지 못했다.[76] 이제 거대한 영역에서 서로 화합할 수 있는 미래에 대한 비전을 가지고 있는 많은 주민들이 뒤엉켜 살고 있다는 것이 분명히 드러났다. 1848-1849년 혁명 후에도 헝가리는 단일적인 마자르 국가가 되어야 한다는 헝가리 정치 엘리트들의 확신은 전혀 변하지 않았다. 이와 마찬가지로 보헤미아의 독일인과 체코인은 가교를 놓는 것이 불가능해 보이는 방식으로 각각의 미래를 상상하고 있었다. 오스트리아 안팎의 독일 민족주의자들로 하여금 오스트리아 독일인들의 운명은 연방적인 오스트리아 내의 한 작은 소수민족이 되는 것이라는 것을 확신시켜줄 수 있는 것은 아무것도 없었다. 그러나 연방제 오스트리아는 1848년부터 1차 세계대전 때까지 체코인들의 정치적 목표의 중심축이었다.

중동부 유럽 주민 상당수는 이러한 화해할 수 없는 사람들에 대해 큰 우려를 하지 않았고, 도시 거주민과 정치적으로 나선 지식인들도 마찬가지였다. 그러나 이 단계에서 우리는 앞으로 지속되는 문제가 되는, 이러한 집단의 한 경향을 관찰할 수 있다. 보헤미아의 독일인과 체코인을 단합시키려고 행동하는 온건파나 트란실바니아에 거주하는 헝가리인이나 루마니아인을 결합시키려는 사람들은 주도권을 발휘하지 못했다. 그 대신에 민주주의라는 새로운 제도는 자신들 인종이 멸절의 위험에 처했다고 주장하며 공포를 조성하는 급진주의자들에게 유리하게 작용했다. 프라하에서 1848년 3월의 시민 집단의 모든 시도는 공포를 조성했다. 체코인들이 독일 내에서 소수민족이 된다거나 독일인들이 보헤미아에서 소수민족이 된다는 두려움이 그것이었다. 역사는 소수민족의 운명은 흡수되고 사라지는 것이라는 것을 가르쳐온 듯했다. 문자를 깨우치지 못한 사람들도 성서적 지식은 있어서 수많은 고대 민족들이 단지 이름으로만 남았다는 것을 알고 있었다.

역설적이게도 프라하에서 사상자가 나온 유혈 사태가 발생한 것은 인종 문제와는 아무 상관이 없었고, 빈디슈그래츠 장군의 도발에 대항하는 젊은 체코인, 독일인 민주주의자들의 공동 노력의 결과였다. 그러나 질서가 회복된 순간부터 투쟁에 대한 기억이 되살아나서 인종과 큰 관련이 있는 것으로 회자되어 독일인과 슬라브인 사이의 화해할 수 없는 갈등을 조장했다. 기억 속에서 체코인들은 독일인들 손에 죽었고, 독일인들은 슬라브제국 건설을 막으려고 노력하다가 죽은 것으로 남았다.[77] 프라하에서 열린 슬라브회의는 실상은 아무 힘이 없었지만, 슬라브인들이 적극적인 공세를 향해 움직이고 있다는 생각을 강화시켰고, 만일 이것이 저지되지 않으면 보헤미아뿐만 아니라 흑해와 그 너머에 이르는 국가에서 독일인, 마자르인, 다른 비슬라브 민족들은 삼켜지고 질식될 것이라는 생각이 강화되었다. 이러한 이미지는 수많은 이야기 속에 항구화되어 20세기까지 이어지는 체코인-독일인 관계의 양상이 되었다.[78]

슬라브회의는 슬라브인들의 배신에 대한 1848년 이후 담론의 자랑스러운 자리를 차지했다. 이 담론에서는 슬라브인들이 이기주의자이고, 자유의 적이며, 계몽의 거부자로 묘사되었다. 무력 충돌 직후 출간된 독일과 헝가리 자료들은 '범슬라브주의' 체코인들은 반독일, 반마자르 기회주의자로 그리고, 체코인들이 상황에 따라 여러 가면을 번갈아 쓰며 자신들의 진실한 정체성을 절대 드러나지 않는 민족으로 묘사했다. 자유주의 학생 설교가인 안톤 퓌스터는 체코인들은 독일인 지역 보헤미아에서는 독일인으로 행세하다가 체코 지역으로 들어가자마자 그 가면을 벗는다고 썼다.[79] 수십 년 동안 헝가리 엘리트 중 많은 수가 슬라브 위협을 감지해왔고, 1848-1849년 혁명은 이것을 새롭게 강화시켰다. 세르비아인, 슬로바키아인, 크로아티아인의 도전을 물리친 다음 이들의 혁명은 러시아에서 온 군대에 의해 진압되었다. 잘 알면서도 먼 곳에 있고, 기괴한 적으로부터 오는 위험에 대한 공유된 감정은 1860년대 오스트리아-독일-헝가리 이해와 화해의 기초를 형성했고, 이것은 1849년 가을에는 상상할 수 없는 사건이었다.

7장

제국 군주정을 개혁할 수 없게 만든 개혁: 1867년 타협

1867년 헝가리 정치인들과 황제의 심복들 사이에 진행된 몇 달에 걸친 협상 끝에 프란츠 요제프 황제는 합스부르크제국을 빈이 통치하는 서부와 부다페스트가 통치하는 동부 절반으로 나누는 타협안에 합의했다. 서부 지역은 통일된 특징이 없었고, 독일인, 슬라브인, 이탈리아인 주민이 거주하는 영역으로 라이타강 서쪽 지역 땅이라는 의미의 '시스라이타니아'라고 불렸다. 동부 지역도 인종적으로 아주 복잡한 지역으로, 마자르인, 루마니아인과 다양한 슬라브인들이 거주했지만 헝가리 엘리트들은 이곳을 자신들의 역사적 왕국으로 간주했고, 이제 이 지역을 현대적 민족 국가로 만들려고 작정을 했다.

이 '대타협The Compromise'은 한 민족의 운명이 가장 극적으로 뒤바뀐 사례였다. 20년도 채 되지 않은 과거에 오스트리아제국 군대는 헝가리 군대를 제압하고 장군들과 정치인들을 처형한 다음 헝가리 땅을 빈이 파견한 장관들이 통치하는 지역으로 격하시키고, 헝가리의 역사적 권리를 무시했다. 합스부르크 지도자들 생각에 헝가리는 독자적 전통과 권리는 더 이상 존재하지 않는 통치영역이었고, 오스트리아는 자체 법률 체계뿐만 아니라 엄격한 검열제를 라이타강 너머로 확대시켰다. '반란'에 연계된 상류층은 자신들의 농지를 상실했고, 일부의 경우 영구히 땅을 잃었다. 일벌백계 식으로 집행된 징벌은 오스트리아의 힘에 대한 지속적인 교훈을 남기기 위한 것이었다. 그러나 요제프 황제는 학습을 할 줄 아는 학생이었고, 굴욕에서 교훈을 배웠다.

1848-1849년 오스트리아제국 군대는 부다페스트의 혁명을 진압했을 뿐 아니라 밀라노, 프라하, 빈에서 일어난 혁명도 진압했고, 젊은 요제프 황제는 무력만이 자신의 왕국을 유럽 정치에서 높은 자리에 되돌려놓을 수 있고, 통치하는 데 무력이면 충분하다고 믿게 되었다. 그러나 1850년대 그가 강제적으로 시행한 질서는 메테르니히 시기로 완전히 회귀한 것은 아니었기 때문에 신절대주의라고 불렸다. 법 앞에 평등은 그대로 유지되었고, 세습적 농노제도 폐지되었다. 그러나 귀족을 포함한 합스부르크 신민들은 정치 참여에 대한 희망을 거부당했고, 프란츠 요제프는 소수의 측근들에 의존한 지배를 이어갔다. 그가 이런 정치를 하는 동안 오스트리아의 입지는 쇠락했고, 수입을 만들어내는 능력도 급격히 악화되었다.

입헌제로 가는 길

아이디어가 많은 요제프 황제는 대외 정책을 일일이 간섭하여 수립했고, 그는 능력이 아니라 사회적 배경을 바탕으로 최고위 관리들을 선발했다. 그러나 그의 자만심과 습관적인 우유부단이 결합되어 외교적 고립과 군사적 재앙이 이어졌다. 외교적 고립은 요제프 황제가 크림전쟁을 잘못 다룬 것에서 연유했다. 1854년 러시아가 도나우강 유역의 공국인 몰다비아와 왈라키아의 기독교인들을 보호한다는 명목으로 군대를 진주시키고, 튀르키예 함대를 파괴하여 커다란 인명 피해가 발생하면서 크림전쟁이 발발했다. 영국과 프랑스는 러시아의 팽창을 저지하기 위해 크림으로 군대를 파견했고, 유혈적 전투가 벌어져 2년간 지속되었다. 이 전쟁에는 전보나 철로 같은 현대적 기술이 대량으로 사용되었다. 러시아의 차르 니콜라이 2세는 5년 전에 헝가리에서 합스부르크 정권을 구해주었기 때문에 그는 프란츠 요제프로부터 호의적 반응을 기대하고 있었다. 그러나 차르는 요제프 황제가 몰다비아와 왈라키아를 병합하기 위해 군대를 파견했다는 소식을 듣게 되었다. 이제 프랑스와 영국이 오스트리아의 행동을 저지하고 나섰다. 러시아가 오스만제국의 희생을 대가로 영토를 팽창할 수 없는 것과 마찬가지로 오스트리아도 목적을 달성할 수 없었다. 그러나 프랑스와 영국 편에 서는 대신에 요제프는 무장 중립을 유지하여 오스트리아는 모든 국가로부터 고립되고, 특히 러시아와 관계가 악화되었다.[1]

이 전쟁으로 이득을 보게 된 국가는 소국인 피에몬테-사르데냐였다. 이탈리아 통일의 결과로 탄생한 이 국가는 1848-1849년 롬바르디아와 베네치아를 합스부르크 통제로부터 탈환하기 위해 전쟁을 벌였으나 재앙과 같은 패배를 당했었다. 이제 이 나라의 영민한 외무장관인 카밀로 벤소 디 카보우르는 자국의 미약한 자원을 러시아와의 전쟁에 투자했다. 카보우르가 비밀리에 프랑스의 루이 나폴레옹을 만난 후 두 사람은 피에몬테에 대한 오스트리아의 공격을 유발하기로 약속했다. 그런 다음 프랑스는 새로운 동맹국인 피에몬테-사르데냐를 지원해 합스부르크 세력을 북부 이탈리아에서 몰아낼 심산이었다. 이 기도는 1859년 4월 계획한 대로 진행되어 피에몬테는 오스트리아와의 국경에 군대를 동원했다. 오스트리아는 군대의 철수를 요구했고, 이것이 거절당하자 전쟁을 선포했다.

두 번의 격렬한 전투에서 피에몬테와 프랑스는 합스부르크 군대를 압도했다. 솔페리노에서의 잔학상은 너무 충격적이어서 당시 이곳을 여행하던 스위스 사업가 앙리 뒤낭은 부상당한 병사들을 보호하기 위한 운동을 전개해 적십자를 창설했다. 유혈 사태에 분개하면서도 이탈리아의 갑작스런 부상에 놀란 나폴레옹은 완전한 승리 직전에 멈춰서 요제프 황제와 강화를 맺고 오스트리아가 롬바르디아는 할양하게 했지만 베네토는 계속 보유하게 허용했다.

요제프 황제는 솔페리노에서 직접 오스트리아군을 지휘했고, 패배는 자신의 책임인 것을 알았다. 그는 몇몇 고위 관리들의 도움에 의지해서 제국을 운영할 수 없다는 것을 깨닫기 시작했다. 그의 문제를 더욱 심각하게 만든 것은 1849년 그가 상속한 국가 재정 파산 상태에서 회복하는 데 실패한 것이다. 1849년부터 1866년 사이 오스트리아의 국가 부채는 세 배 늘어났고, 점점 더 파리와 런던의 자금 시장에 의존하게 되었다. 신용 공여자들은 오스트리아 정부가 대의적 기관을 통해 책임소재가 확실해지는 증거를 보고 싶어 했다. 오스트리아의 무장 중립 정책도 비용이 많이 들어서 철로를 헐값에 외국 은행에 매각해야 했다. 1859년 전쟁을 위해 자금을 동원하려고 하면서 국가 재정은 거의 붕괴 상태에 처했다.[2] 요제프는 국가를 경영하기 위해 다른 세력을 관여시키는 것 외에 선택의 여지가 없었다.

그러나 요제프 황제는 권력을 분점할 의도가 전혀 없었고, 참모들이 '헌법'이라는 단어를 사용하는 것조차 허락하지 않았다.[3] 대신에 그는 상류층 인사, 대지주, 귀족, 부유한 부르주아를 불러 모아 국가가 더 많은 수입을 올리는 방안을 논의하기로 했다. 1세기 전에 시작된 제국의 재구성에도 불구하고 합스부르크 땅은 고도로 다양한 지역들과 여러 개의 법체계를 가지고 있었다. 기본적인 문제는 영토를 어떻게 구조화할 것인가였다. 7년 동안 진행된 협상 과정에서 요제프 황제는 통치영역의 다양성을 고려한 일종의 연방주의를 택할 것인지, 당시까지와 마찬가지로 빈의 관료제를 통해 중앙에서 직접 통치를 하는 조세핀 식 아이디어를 지속할 것인지를 놓고 장고를 했다. 연방주의 형태는 보수적인 엘리트들이 지지했고 (특히 보헤미아와 폴란드 대지주들), 중앙집권주의는 오스트리아-헝가리 자유주의자들이 지지했다. 헝가리의 귀족들은 두 안 사이에서 의견이 나뉘었다. 이들은 대체적으로 자유주의적 성향을 가지고 있어서 헝가리 내의 헝가리 중앙집권적 통치를 원했고, 아무리 자유주의적인 제도라 하더라도 빈 당국이 헝가리를 통치하려는 모든 시도는 반대했다.

개혁은 1860년 봄 소규모로 시작되었다. '확대된' 제국평의회 구성을 위해 제국 전역에서 38명의 귀족과 부유한 부르주아를 선택한 후 요제프는 총리로 폴란드의 대지주 아게노르 로무알드 고우초프스키를 선택했다. 1849년부터 갈리시아 총독을 맡고 있던 그는 서부 우크라이나에 광대한 영지를 소유하고 있었다.

빈에서 고우초프스키는 충성스럽고 수완 있는 헝가리 정치인 자질을 보여주었다. 그는 초민족주의자이고, 관용이 있으며 양심적이었다. 갈리시아 총독 재직 시절 그는 발아하는 우크라이나 운동을 억누르며 능숙하게 폴란드의 이익을 증진했으며, 갈리시아를 폴란드와 우크라이나 구역으로 나누는 것을 거부했다. 관료들이 공식 업무에서 독일어를 사용할 것을 주장한 그는 조용히 오스트리아와 체코 관리들을 폴란드인으로 대체했다. 오스트리아 당국이 설립한 렘베르크(리비우)대학은 주로 독일어를 사용하는 대학으로 남았지만, 고우초프스키는 크라쿠프의 야겔로니아대학은 완전한 폴란드 교육기관이 되도록 만들었다.[4] 고우초프스키는 공식적으로는 오스트리아적인 정치인으로 간주되었기 때문에 '진정한' 폴란드 애국자들은 그를 배신자라고 비난했다. 그러나 그의 계급의 다른 사람들과 마찬가지로 그는 독립 폴란드의 꿈을 버린 적이 없었고, 그가 폴란드 관리들을 등용한 것은 1860년대 말 갈리시아 자치의 길을 연 것이었다. 그는 후에 갈리시아 의회에 독립 희망을 포기하는 것은 폴란드인들에게 있을 수 없는 일이라고 말했다.[5] 한 세대 후 그의 아들인 아게노르 마리아는 합스부르크제국의 최고위 외교관으로 활동하며 오스트리아가 세르비아와 갈등에 빠지는 데 일정한 역할을 했다.

요제프 황제가 1860년 3월 제국평의회에 맡긴 과제는 예산을 결정하고, 폐쇄된 계정을 검토하며, 국가 부채에 대한 자료를 수집하는 것이었다. 그러나 재정 문제는 통치 문제와 분리될 수 없었기 때문에 평의회의 논의는 그 이상으로 진전되었다. 보수주의자인 고우초프스키는 중앙은 권력을 위임하고, 각 왕국이나 지역이 역사적 경계 안에서 각각의 개성을 발전시키도록 하는 것이 바람직하다고 생각했다. 그러나 그는 모든 민족들이 동등하다고 생각하지 않았고, 일정한 위계질서가 있다고 보았다. 문화적으로 우월한 폴란드인, 독일인, 헝가리인, 체코인, 크로아티아인은 슬로베니아인, 슬로바키아인, 세르비아인, 루테니아인보다 위에 있다고 보았다.[6]

고우초프스키는 곧 헝가리의 자신과 같은 계급과 공동의 기반을 발견했다. 이들의 역할은 아주 중요했다. 헝가리는 오스트리아제국 영역의 절반 이상을 차지하고 있었고, 헝가리 의원들은 큰 그룹을 차지했다. 보헤미아 출신 의원은 3명인 데 반해 헝가리 의원은 6명이었다. 이들은 특별히 강력한 민족 정체성을 소유하고 있었고, 오스트리아 국가의 '승인과 칙령'을 앵무새처럼 반복하지 않고 대신에 헝가리의 '법과 권리'를 주장했다.

그들은 철저한 보수주의자들이었지만, 헝가리 헌법의 재건 이외에 다른 것에는 만족하지 못했다. 헝가리 일부 주민들에게는 이 대지주들은 몽상가처럼 보였지만, 이들은 '역사적 그리고 정치적 개별성'을 방어하기 위해 오스트리아와 보헤미아의 대지주들의 지원을 얻어냈다.[7]

그러나 그들은 합스부르크 군주정이 당면한 더 깊은 위협을 직감했다. 9세기까지 거슬러 올라가는 학자와 법관 가문 출신인 헝가리의 보수주의자 괴르기 마이라드 백작은 제국평의회에서 행한 연설에서 몇 세기에 걸쳐 발전된 다양한 제도, 관습, 지적·물질적 자산을 가진 애국주의를 합스부르크 땅 전체에 고취하는 과업의 필요성을 역설했다. "조국은 칙령으로 만들어지지 않는다"라고 그는 말했다. 단합성을 강화시키기를 원하는 사람이라면 누구나 기존의 기초 위에 그것을 건설해야 하고, 제국 영역 각 지역의 신민들에게 합스부르크왕가와의 관계보다 더 우위에 있는 것은 없다는 것을 확신시켜야 했다. 그런 다음 '국가 전체를 위한 애국주의'는 자연적으로 형성될 수 있었다. 그러나 그와 다른 헝가리 대지주들은 더 극단적인 주장을 펼치며 만일 자신들의 온건한 제안이 수용되지 않으면 혁명이 발생할 것이라고 경고했다.[8]

1860년 4월 요제프 황제는 부다페스트의 민족 의회를 통해 헝가리 내부의 자치 행정을 재건했고, 헝가리의 각 자치주의 자치정부 권리를 복원시켰다. 헝가리는 다시 한 번 정치적 현실로 인정되었다. 그해 여름 고우초프스키의 주도하에 귀족들은 요제프 황제가 그해 가을 '10월 교서October Diploma'란 명칭으로 공포한 칙령의 초안을 만들었다. 이 증서에 의하면 지역 의회가 지명한 대표들로 빈에 구성되는 의회 설립 기초를 만들었다. 황제는 의회와 권력을 분점하고, 세금 부과와 외채를 일으키는 권리를 공유했다. 10월 교서는 제국의 각 구성 지역을 존중하여, 중앙에 속하지 않은 모든 권한을 지역 의회에 양도할 것이라고 약속했다. 프란츠 요제프는 자신의 개혁에 만족했다. 그는 자신의 어머니에게 오스트리아는 이제 '작은 의회'를 갖게 되었지만, 권력은 자신의 수중에 확고히 있다고 썼다.[9]

사실은 수십 명의 귀족들이 황제가 거부할 수 없는 대의 정부 수립으로 승리를 거둔 것이었다. 1867년에 시작될 완전한 이중 제국을 기대한 부활된 헝가리왕국은 전통적 자치주 지역에서 지역 소귀족들의 자치 체제를 복원하고 헝가리어를 행정 언어로 부활시켰다. 비마자르계 관료들은 짐을 싸서 헝가리를 떠나야 했고, 부다페스트의 '타베르니쿠스tavernicus'* 같은 헝가리왕국의 오래된 직위와 토착 사법기관이 부활되었다. 헝가리의 정부 체제는 비헝가리 지역과 너무나 달라서 사람들은 라이타강 양안을 대략 오스트리아와 헝가리로 구분하여 시스라이타니아와 트란스라이타니아라고 부르기 시작했다. 빈의 제국 의회는 서부 절반 지역의 관할권을 인정하고, 스스로를 헝가리 의회의 파트너로 간주하면서 이러한 구분을 인정했다.[10]

그러나 헝가리인들이 보기에 이것은 아직 충분하지 않았다. 그들은 압도적으로 1848년 4월 헌법에 규정된 복원된 자치정부 권한을 원했다. 여섯 명의 대지주와 고우초프스키는 합스부르크의 절대주의를 파괴하고 헝가리를 지도에 복원시킨 것과 마찬가지였지만, 헝가리 사회는 이 귀족들의 움직임을 환영하기보다는 이들을 부역자라고 비난했다. 1861년 영국의 한 자유주의자는 "아포니, 마이라스와 나머지 의원들이 오스트리아의 공적 생활의 첫 포고령에 기권하도록 만들기 위한 아무런 노력도 기울여

---

* 타베르니쿠스는 헝가리왕국에서 총독(Palatine)과 크로아티아 총독(Ban) 다음의 세 번째 고위 관직이다.

지지 않았다"라고 썼다. 온건파 자유주의자인 요제프 외트뵈스와 페렌츠 데아크도 이러한 움직임에 가담하지 않았다.[11]

그러나 새 헌법은 헝가리 이외 지역을 평정하는 데 실패했다. 독일인 자유주의자들은 새로운 지방 법률이 '반동적인' 봉건 원칙에 의거하고 있어서, 대지주들에게 탈비례적인 권력을 부여했다고 주장했다. 이들은 가톨릭교회가 교육, 세금, 가족법에서 계속 누리는 특권을 혐오했고, 오스트리아를 다른 독일계 국가들과 비교하면서 이들의 분노는 더 커졌다. 일례로 프로이센은 의회와 확고한 세속 질서를 가지고 있어서 독일 내에서 지도적인 국가인 오스트리아가 낙후된 국가로 보이게 만들었다. 솔페리노 대실패 이후 힙스부르크 가문은 이탈리아에서 더 이상 의미 있는 세력이 되지 못했다.[12]

요제프 황제는 고우초프스키를 대중주의적 자유주의자인 안톤 폰 슈메를링으로 교체하는 것으로 이에 대응했다. 고위 관료들과 연계가 강한 그는 빈이 중앙 통치하는 국가에서 제한적인 대의 제도를 선호했다.[13] 1861년 2월 슈메를링은 1860년 10월 공포된 헌장을 바탕으로 한 '제국 헌법'을 발표하고, 제국평의회를 양원 의회로 확장시켰다. 상원의원은 황제가 임명하고 하원의원은 지역 의회에서 선출했다.

이 새 제도는 독일 자유주의자들의 바라던 것에는 한참 못 미쳤다. 새 의회는 장관들에게 책임을 물을 권한도 없었고, 국가 예산을 승인할 수도 없었을 뿐만 아니라, 언론과 종교의 자유도 보장되지 않았다. 그들이 알아차리지 못한 것은 이러한 부족함은 이 제도가 원래 의도한 바라는 것이었다. 요제프 황제는 새 제국평의회가 대의적 형태를 가진 자문기구가 되고, 정부 업무를 방해하지 않기를 바랐다. 모든 것이 각 지역 의회와 하원 (두 번째 의회)의 대지주들이 통제력을 보장하도록 계산된 것이었다.[14]

비독일계 주민들은 헌법에 내재된 인종적 차별을 비판했다. 선거구 경계는 슬라브인들보다 독일인에게 유리하게 작용했고, 당국은 이것이 분명히 계속 지속되게 하기 위한 조치를 취했다. 체코어 사용자들은 보헤미아 인구의 3분의 2를 차지했지만, 선거구 경계의 조작과 민족 문제에 불가지론적 태도를 취하는 귀족들에 대한 빈의 압박으로 보헤미아는 1870년대 독일인 의원들이 안정적인 다수파를 유지하게 만들어주었다.[15] 1863년 체코인과 폴란드인들은 의회에 대한 자신들의 지지를 철회하고, 보헤미아, 모라비아, 실레시아, 갈리시아 지역 의회는 제국평의회에 더 이상 대표를 파견하지 않았다. 크로아티아도 이것을 따랐다. 그러나 이러한 불만 표시는 헝가리에서 분출된 분노에 비하면 아무것도 아니었다. 헝가리에서 문제는 단순히 인종적 차별이 아니라 빈이 헝가리 기구들을 무시한다는 강한 불만이었다.

1850년대 말 신절대주의 국가인 합스부르크 경찰국가에 어느 정도 이완이 보였고, 헝가리인들 사이에 공공연한 불만의 표시는 일반적 현상이 되었다. 그 한 가지 예는 드러나게 마자르 의복을 입는 것이었다. 페렌스 카진치 탄생 100주년 기념일 같은 역사적 기념식도 작은 시위를 촉발시켰다. 카진치는 1830년대 대중들에게 거의 잊힌 채 사망했는데, 이제 그는 근대 헝가리 문학의 영웅으로 추모되었고, 사람들은 그의 생애를 기념하기 위해 모여들었다. 이러한 유사 종교적 행사는 1859년 헝가리의 100곳 이상에서 진행되었고, 시인의 흉상 앞에서 통상적으로 '사제들'이라고 불린 관리들이 지휘한 국가가 불려졌다.[16]

1860년 3월 5일 페스트의 학생들은 1848년 혁명을 기념하고, 투스카니와 모데나의 군중일day of crowds에 합스부르크의 권위를 부정하는 반역적 행사를 가졌다. 4월 초 한 대학생이 총에 맞아 사망하자 부다페스트 인구의 4분의 1이 장례식에 나타났다. 같은 달 약 8만 명이 헝가리 당국이 자살로 몰았다는 소문이 돈 이슈트반 세체니의 장례식에 참석했다. 대중 시위는 10월 교서에 반대하여 가을까지 이어졌고, 시위에는 대학생뿐만 아니라 부유한 귀족, 중산층, 도시 프롤레타리아, 농민 상당수가 참여했다. 1960년대 초반 수동적인 저항이 헝가리의 일반적 생활양식이 되었고, 세금 회피가 가장 효과적인 방법이 되었다.[17]

지역 당국은 1881년 봄 지역 의회 선거는 허용했지만, 빈의 제국평의회에 대표를 보내는 것은 거부했다. 이들의 분명한 지도자이자 온건파이면서 강력한 현인인 페렌츠 데아크는 10월 교서와 2월 헌법을 '절대 권력'의 행위라고 비난했다. 슈메를링 성부는 헝가리를 단순한 한 지방처럼 다루었다. 헝가리의 정치 엘리트들은 좌우를 가릴 것 없이 '선물로서가 아니라 상호 동의와 ⋯ 법과 정의에 의해' 헌법의 부활을 요구했다. 이들은 헝가리가 1723년 〈국본조칙〉을 받아들였을 때 계약 관계에 들어갔다는 것을 말해주는 법역사가를 필요로 하지 않았다. 카렐 6세는 자신의 딸 마리아 테레사의 승계를 인정받는 대가로 헝가리와 그 주민들의 모든 권리, 자유, 특권, 관습을 보존하기로 약속했었다.[18] 프란츠 요제프가 헝가리가 자신의 통치를 합법인 것으로 인정하기를 바란다면 그는 이 합의의 정신을 준수해야 했었다.

요제프는 헝가리 의회를 해산하고 이 지역을 다시 군사 통치 지역으로 되돌리려고 시도하는 것으로 대응했다. 그는 헝가리가 수그러들 것이라는 슈메를링의 약속을 믿었으나, 이 약속은 완전히 빗나간 것으로 드러났다. 10월 교서 덕분에 정치 생활은 합법적이 되었고, 전통적인 자치주 지역 통치와 헝가리 의회를 선거로 구성하는 것은 좌우를 떠나 모든 정치 지형을 잠에서 깨어나게 했다. 수많은 '운동들'이 입헌 통치를 압박하고 나서면서 헝가리는 제국의 가장 큰 문제로 떠올랐다. 헝가리가 제국에서 차지하는 상대적 크기로 인해 마자르인들의 보이콧으로 제국평의회는 기능이 정지되었고, 1861년 4월 재개원했을 때 343명의 의원 중 203명만이 의회에 출석했다. 그러는 동안 마자르 급진주의자들은 프랑스와 이탈리아에 무기 공급을 요청했고, 헝가리 이민 사회와 접촉했다. 다음으로 이 집단들은 카보우르와 나폴레옹 3세에게 무력을 사용해서 교착상태를 해결할 것을 촉구했다.[19]

그러나 이때 헝가리인들은 기대하지 않았던 곳에서 지원을 받았다. 지원 세력은 오스트리아의 독일계 '입헌당'이었다. 자유주의 집단인 이 정파는 헝가리에 대한 유화책이 슬라브인들이 제국 내에서 지배력을 확보하는 것을 막는 가장 좋은 방법이라고 생각했다. 이들은 군주정이 대의제도에 양보하는 것을 경각심을 가지고 지켜보았다. 선거권이 확대되면 슬라브인들의 입지도 확대될 것이 분명했다. 1863년부터 시작해서 독일계 의원들은 제국 내에서 입헌주의를 지키기 위해 헝가리와 타협을 맺는 것이 필요하다고 주장했다. 이렇게 반슬라브 의제는 독일과 헝가리 정치 엘리트 협력의 기반이 되었다.[20]

＊ ＊ ＊

프로이센이 오스트리아를 점차 독일에서 밀어내면서 독일인 자유주의자들이 제국 내에서 동맹을 찾아야 한다는 압박은 더욱 커졌다. 1863년 프로이센의 새 총리 오토 폰 비스마르크는 프란츠 요제프가 독일 정치에 희망 있는 제안을 해오자 그보다 한 수 높은 수를 썼다. 요제프 황제는 합스부르크 지도 아래 독일 연합 국가를 만드는 아이디어를 가지고 있었고, 이를 위해 자신의 제안을 논의하기 위해 독일 공후들을 프랑크푸르트로 초대했다. 프로이센이나 오스트리아가 독일을 지배하게 될 것이고, 한 국가가 양보하거나 양보를 강요당하게 될 것이라고 생각한 비스마르크는 프로이센 국왕이 이 회의를 보이콧하도록 만들었다. 바이에른이나 바덴 같은 소공국들은 프로이센 없이 행동할 수 없다는 것을 알고 있었고(그 시점에 프로이센은 부가 넘치는 라인란트를 통제하고 있었다), 비스마르크의 방해 행동은 오스트리아의 계획이 실현되지 못하도록 막았다.

이것은 독일과 중유럽 운명에서 전환점이 되었고, 결국 비스마르크의 뜻대로 일이 진행되었다. 프로이센의 빌헬름 국왕은 전례와 역사에서 나온 정통성을 깊게 믿고 있었고, 비스마르크의 거의 집착적인 회유가 아니었다면 빌헬름은 프랑크푸르트회의에 분명히 참석했을 것이고, 1871년과는 완전히 다른 느슨한 형태의 독일연방이 탄생했을 것이다. 독일 공후들은 독일 땅이 좀 더 밀착한 연맹을 이루는 것을 원했지만, 중앙 지배에는 반대했다. 빌헬름 국왕은 이 회의에 너무 이끌려서 프랑크푸르트행 기차에 탈 수 없게 되자 신경쇠약으로 쓰러질 지경이 되었다.

1864년 말이 되자 총리 슈메를링에 대한 프란츠 요제프의 인내는 바닥이 났다. 슈메를링은 오스트리아의 재정을 개선시키지 못했고, 헝가리에 대한 염려가 미래에 대한 생각을 어둡게 만들었다. 요제프가 생각하기에 합스부르크제국은 베네토나 갈리시아 같은 변방 지역 없이 ─ 그는 이 지역을 아우스란트라고 불렀다 ─ 존재할 수 있었지만 헝가리에 대해서는 그런 생각을 할 수 없었다. 제국의 문제는 해결되어야 하지만 마자르인들 없이 해결할 수는 없었다. 1864년 12월 요제프는 중재인을 통해 페렌츠 데아크를 접촉하여 헝가리와의 협상 조건을 탐색했다.[21]

이제 데아크는 자신의 정파 다수에 대항해야 하는 압박을 받게 되었다.

정파의 다른 사람들은 헝가리와 오스트리아의 관계는 단지 통치자 한 사람에 의해 연결되고, 그 이외에는 각기 다른 국가를 구성한다고 생각하고 있었다. 일을 더 어렵게 만든 것은 황제가 1848년 4월 합스부르크-로드링 겐합의에 의해 페르디난트에 의해 보장된 헌법을 수호하는 것 이상의 나쁜 일을 한 것이 아닌데도 장군들과 정치인들의 처형을 주도한 것에 대해 헝가리인들이 느끼는 극도의 혐오였다. 정적인 코슈트조차 헝가리인 중에 가장 위대하다고 부른 세체니도 프란츠 요제프가 "지독한 인간 피의 냄새가 난다"고 말할 정도였다.[22]

1857년 부다페스트를 방문한 프란츠 요제프는 가는 곳마다 간신히 억눌린 자신에 대한 경멸적 태도를 보고 놀랐다. 상황은 그가 상상한 것보다 훨씬 나빴다. 당황한 부다페스트 시의회는 온건파 귀족인 요제프 외트뵈스로 하여금 황제를 어떻게 맞아야 하는지를 물었다. 그는 유명한 쇠사슬 다리 기둥에 경찰 책임자를 교수형시키는 것을 제안했다. 이것은 방문하는 황제에게 좋은 인상을 남기고, 헝가리인들을 즐겁게 할 것이며, 큰돈이 들지 않는다고 말했다. 요제프 황제의 딸인 조피가 방문 기간 중 병에 걸려 사망했을 때, 이에 대한 동정도 일지 않았다. 사람들은 1849년 교수형을 당한 장군들을 위해 조피가 황제 가족 중 죽어야 했다고 속삭였다. 그러나 사람들은 조피의 엄마인 바이에른 출신 황후 엘리자베트는 동정했다. 그녀는 '자유로운 정신과 독립적인' 헝가리 귀족들에 대한 환상을 가지고 있었다. 그녀는 이들을 너무 숭상하며 헝가리어를 배우기로 결정하기까지 했다.

그러나 페렌츠 데아크가 자유로운 사상을 가진 동료 귀족들에게 완전하게 양보했다면, 그는 아무런 협상을 하지 못했을 것이다. 오스트리아와 헝가리가 단지 황제 한 사람에 의해 연결된다는 사상은 빈에서는 애당초 가능성이 없는 얘기였다. 빈의 정치인들은 오스트리아-헝가리가 적절한 제국이 되어야 하고, 어느 한 부분도 근본적으로 다른 부분과 다를 것이 없다고 생각했다. 제국이란 단어는 독일 정치 사고에서 강력하면서도 특별히 깊은 공명을 가지고 있었고, 이는 포기하기가 어려웠지만, 효과적인 개혁이 제국 통치영역을 더 작은 단위로 나누어야 할 필요성을 제기하고 있었다.[23]

양측으로 하여금 중간지대에 용감하게 들어서도록 만든 것은 대안에 대한 두려움 때문이었다. 체코인들은 독일인들을 소수민족으로 만들게 될 보헤미아의 자치 확보를 위해 소요를 벌이고 있었고, 크로아티아인들과 세르비아인들은 헝가리 내에서 자치 공간을 찾고 있었는데, 이것은 헝가리왕국의 영토적 통합성을 훼손할 것이 분명했다. 빈과 부다페스트의 엘리트들은 제국 밖 슬라브의 힘에 대해서도 두려움을 가지고 있었다. 러시아는 얼마 전 폴란드 반란을 진압하고 발칸 지역에서 점점 영향력을 확대하고 있었다. 이런 움직임은 결국은 합스부르크제국 내 영토에 대해 소유권을 주장할 가능성이 있는, 점점 커가는 슬라브제국에 대한 두려움을 촉발시켰다. 이전 어느 때보다도 분명히 헝가리 엘리트는 공동의 우려를 가지게 되었고, 그래서 시스라이타니아의 독일 엘리트들과 공동의 이익을 갖게 되었다.[24]

그러나 이에 대한 반대도 강력했고, 데아크는 1723년 헝가리 의회가 수용한 〈국본조칙〉을 협상의 기반으로 인정할 용의가 있다고 요제프 황제에게 말했다. 합스부르크왕가는 이 통일과 통합성을 국제적으로 확립하고 유럽 주요 열강이 이 문서에 서명했기 때문에 이 문서를 존중할 의무가 있었다. 빈의 입장에서 볼 때 국방, 외교, 재정에서 공동의 이해관계를 가지고 있다는 점에서 오스트리아가 헝가리와 연계되는 장점이 있었다. 그러나 이것은 요제프 황제로 하여금 헝가리의 왕권을 존중하고 오래된 제도

를 방어할 의무를 갖도록 만들었다.[25]

1865년이 되자 양측은 공동의 양해로 대략적 합의에 도달했다. 부다페스트에서 익명으로 발표된 '부활절' 기사에서 데아크는 제국의 통합성이 가장 중요한 선善이라고 선언하고, 자신은 이를 유지하기 위해 1848년 헌법을 수정할 용의가 있다고 말했다.[26] 그해 여름 요제프 황제는 총리가 되는 10월 교서 작성자 괴르기 마이라드를 포함한 헝가리의 새 지도자들을 임명했다. 이 문제에 대해 사전에 아무런 말을 듣지 못한 슈메를링은 벽에 손글씨로 쓰인 포고문을 보고 바로 사임했다. 요제프 황제는 중앙화에서 일단 거리를 두었지만, 앞으로 어떤 방향을 취할지 분명한 생각은 없었다.

빈의 새 정부 수장인 리카르트 벨크레디 백작은 모라비아 출신의 이탈리아계 귀족이었고, 보수주의자였으며 연방주의자로 간주된 인물이었다. 요제프 황제는 오스트리아 의회Reichsrat를 해산하고 그 기능을 정지시켰다. 헝가리에서 그는 의회를 복원하고 역사적 자치주들의 전통적 귀족 통치 제도도 복원시켰다. 데아크는 12월 헝가리 의원들이 다시 모였을 때 자신이 거대한 다수파를 보유하고 있다는 것을 알게 되었다. 그의 당인 '청원인당Addressers'이 180석을 보유하여 21석을 보유한 구보수주의자와 94석의 반대파를 압도할 수 있었다.[27]

그러면 벨크레디의 고향인 모라비아와 보헤미아왕국은 어떻게 될 것인가? 체코 민족주의자들은 헝가리와 마찬가지로 자신들의 전통적 권리도 복원되어야 한다고 주장했다. 그러나 헝가리와 대조되는 점은 보헤미아의 세습 엘리트, 다시 말해 귀족들은 통일적인 기구를 가지고 있지 못했다. 귀족 대부분은 독일인이었고, 보헤미아를 합스부르크제국의 한 지방으로 생각한 반면, 대중주의자인 팔라츠키와 그의 사위 프란티셰크 라디슬라프 같은 체코의 지도적 정치인들은 자신들이 체코 국가의 권리라고 부르는 것을 요구했다. 보헤미아왕국의 경계는 변해왔고, 가장 최근으로 1740년에 변경되었지만, 이 왕국은 합스부르크왕가가 존중해야 할 역사적 통합성을 가지고 있다고 이들은 주장했다. 보헤미아의 지위에 대한 정체를 파괴하고, 결과적으로 합스부르크제국 전체의 운명을 바꾼 것으로 드러난 사건은 1866년 여름 보헤미아 영토에서 치러진 전쟁이었다. 이 전쟁을 일으킨 것은 오토 폰 비스마르크였다.

비스마르크 자신은 철저한 보수주의자였지만, 프로이센 내부와 그 너머의 독일 통합에 대한 대중들의 열망은 독일에서 더 이상 억누를 수는 없는 세력이라고 생각했다. 그러나 그는 이 열망을 프로이센이 지배하는 민족 국가 설립으로 전환하려고 했다. 국가 단결성을 위해 그는 이 국가가 주로 개신교 국가가 되어야 한다고 생각했고, 이것은 주민과 왕조가 가톨릭인 오스트리아를 배제해야 한다는 것을 의미했다. 오스트리아는 독일과 동맹을 유지하는 상태에서 독일 문화를 슬라브 동쪽 지역으로부터 확장하는 과거의 역할을 수행하는 중유럽 국가의 역할을 맡아야 했다.[28] 이것이 오스트리아 안팎의 독일 자유주의자들의 목표였고, 비스마르크는 이를 지지했다. 그러나 첫 단계를 오스트리아를 독일 국가연합에서 추방하는 것이었다.

1864년 비스마르크는 오스트리아를 공동 군사 훈련에 끌어들여 슐레스비히공국과 홀슈타인공국을 덴마크로부터 떼어내는 데 성공했다. 이러한 목표를 달성한 후 그는 2년 뒤 두 지역의 승계 문제를 핑계로 오스트리아와 전쟁을 일으켜 동부 보헤미아의 사도바/쾨니히그래츠에서 전투를 시작했다. 더 잘 훈련되고 장비가 좋은 프로이센의 군대는 오스트리아의 현대화의 한계를 드러나게 만들었다. 오스트리아는 신속 발사 장총을 마련하지 못해서 병사들은 선 채로 단발 사격한 후 재장전을 해야 했다.

프로이센 병력은 정확한 연속 사격으로 오스트리아 군대를 방어 진지에서 괴멸시켰다. 프로이센 병사 한 명이 전사할 때 오스트리아 병사는 세명이 전사했다. 이 패배는 프란츠 요제프의 방어 정책의 무능력을 다시 한번 보여주었다. 오스트리아 군대 상당 부분은 전략적 중요성이 훨씬 떨어지는 이탈리아 북부에 묶여 있었다.

오스트리아가 군사 기술에서 프로이센의 상대가 되지 않은 것은 오스트리아의 취약한 재정 상태에도 원인이 있었다.[29] 오스트리아는 인구와 자원이 많았지만, 중앙에서 통제하는 슈메를링의 유사 자유주의 정권은 제국 국가 운영에 필요한 적절한 세수를 모으지 못했다. 오스트리아의 문제를 심화시킨 것은 부패와 정실주의가 팽배한 정권을 지배하는 능력이 부족한 군주에 의해 통치된다는 사실이었다. 은퇴한 황제인 페르디난트는 이 전쟁을 옆에서 지켜본 후 자신이 지휘했어도 능력이 더 있다고 알려진 조카인 요제프만큼은 할 수 있었다고 말했다.

헝가리와 독일 자유주의자 대 슬라브인들

빈의 독일인 자유주의자 지도부는 자국의 입지가 독일의 지도적 국가에서 외부 세력으로 얼마나 급격히 쇠락했는지를 바로 인식하지 못했다.[30] 이들의 국가는 오스트리아와 보헤미아를 포함하는 큰 자유주의 독일 국가가 아니라 기껏해야 비스마르크가 통치하는 작은 독일 밖의 자유주의적인 오스트리아에 불과했다. 그러나 다민족 제국에서 독일의 지배력을 어떻게 유지할 것인가? 그리고 오스트리아는 정확히 어떤 국가인가? 역사는 여기에 대해 명확한 답을 제시하지 못했지만, 분명해 보이는 것은 오스트리아는 헝가리를 포함하지 못하고, 오스트리아와 보헤미아의 독일인들은 제국 내 다양한 슬라브 민족에 대한 공동의 문화적 지배성을 주장하는 면에서 헝가리의 엘리트와 공동의 이해을 가지고 있다는 점이었다. 문제는 자유주의적 원칙을 가지고 슬라브인들을 어떻게 통제할 것인가였다.

이 모순은 해결이 난망해 보였다. 한편으로 자유주의는 인종에 관계없이 합리적 결정을 내릴 수 있는 능력이 있는 교육 받고, 재산을 소유한 사람들의 자치 권리를 확대해야만 했다. 다른 한편으로 이러한 권리가 분리된 왕국에서나 통합된 국가에서 확대되더라도 독일인들은 계속 수가 줄어드는 소수민족이라는 사실이었다. 이 위기는 1848년 프라하라는 '독일 도시'가 갑자기 슬라브화한 1848년에 이미 표출되었지만, 20년이 지난 지금 이것은 다른 모습을 하고 나타났다. 체코인들은 특이한 슬라브 민족주의자들이 아니고 제국 내 최고의 자유주의자에 해당했고, 유창한 독일어를 구사하면서 자신들은 다른 민족이라고 주장하는 존경할 만한 부르주아 신사들이었다.

체코 민족주의자들은 자유주의자가 되는 것 이외의 다른 선택의 여지는 없었다. 그 이유는 이들은 자치정부 주장 이외에 다른 목표는 없었기 때문이다. 소수의 귀족들이 체코의 이상을 지지했지만, 이를 제외하면 체코 운동 지도자 대부분은 농민과 방앗간 주인 아들들이었고, 이들은 민족의 권리가 오랜 세월 전 보헤미아를 소유한 종족의 후손인 주민들에 있다고 주장했다(이 지역에서 주민의 동의어는 '민족'이었다). 그래서 체코 정치인들이 끝없이 보헤미아 국가의 권리를 말할 때 이들이 의미한 것은 체코 민족이 보헤미아 영토에 대한 권리를 보유하고 있다는 사실이다. 이들은 그런 면에서 선거권이 모든 성인 남성에게 확대되어야 한다고 주장한 급진적인 자유주의자들이었다. 이들은 우드로 윌슨이 나타나기 수십 년 전에 민족 자치를 옹호했다. 그 이유는 보헤미아에서 체코인들이 항상 독일인보다 더 많은 표를 행사할 수 있었기 때문이었다.

체코인들의 자치 권리 주장에 대한 오스트리아 자유주의자들의 반격은 문화적이고 제국주의적이었다. 또한 이것은 사활이 걸린 도전에 대한 문명 방어와 연관되었다. 이들은 체코인들을 불합리한 민족주의자로 묘사하고, 자신들은 요제프 2세의 발자국을 따른다고 주장했다. 즉, 독일 문화라는 고급문화 위에서 제국을 통합해야 한다고 주장했다. 그러나 이런 옛 주장에 새로운 인종주의적 표현이 더해졌다. 그런 예로 1848년 혁명 시 재무장관이자 자유주의자로 인정받던 카를 루트비히 브루크를 들 수 있다. 그는 오스트리아의 운명이 도나우강 연안의 '문명Gettistung의 모든 문제'의 중심이 되는 것이고, 루마니아어, 세르비아어, 우크라이나어, 슬로바키아어는 동부 부족들을 독일 사상과 견해로 교육시키기 위한 도구에 불과하다고 말했다. 이러한 목표는 논리적으로 합스부르크 지역 너머로 확산된다. 오스트리아는 루마니아와 세르비아를 '정의롭고 이성적인 행동을 통해' 독일 세계Germandom로 끌어들여야 했다.[31]

자유주의자 안톤 슈메를링의 친구이자 1861년 2월 헌법의 공동 작성자인 요한 리테르 폰 페르탈러(1816-1862)는 슬라브인들을 '작은 민족들'이라고 불렀다. "오스트리아는 독일 요소가 제국에 얼마나 중요한지를 알고 있다. 만일 오스트리아의 정치가 유럽적이라면, 그것은 여전히 독일 민족들을 강화하려고 노력한다. 그 이유는 여기에 제국의 가장 강한 핵심과 가장 건강하고 높은 에너지가 있기 때문이다. 이것이 신체의 나머지 부분을 활성화한다"라고 썼다. 오스트리아 당국은 예술가 한스 가세르로 하여금 빈 은행 및 증권거래소 건물(1층은 중앙카페이다) 앞에 '제국의 민족'들을 표현하는 12개의 동상을 만들도록 했고, 슬로베니아는 '절반의 민족'이라고

정의했다.[32]

그러나 이러한 자유주의적 제국주의는 위험의 범람을 막는 제방도 만들어야 했다. 한때 오스트리아가 튀르키예로부터 기독교 세계를 방어한 것처럼 지금은 '모스크바의 야만주의'로부터 문명을 구해야 한다. 소설 작품과 학술 자료들은 독일 문화를 계몽화된 것으로 묘사하고, 슬라브 민족들은 음주와 게으름에서 벗어나지 못한 이국적인 문화이며, 제어되고 규율이 잡혀야 하는 식민지 신민으로 묘사했다. 그러나 알제리와 인도 주민들과 대조되게 체코인들과 슬로베니아인들은 대도시의 일부로 간주되는 땅을 차지하고 있었다.[33]

이러한 슬라브인들은 단합된 위협을 제기하는 대신에 가망 없이 분열되어 있었다. 1866년 8월 모라비아 출신인 벨크레디는 빈에서 규모가 훨씬 축소된 2차 슬라브회의를 소집하여 폴란드인인 고우초프스키와 크로아티아 주교 스트로스마이어 등을 초청했다. 영국 자유주의자 윌리엄 그래드스톤은 이 주교를 자신이 만난 사람 중에 가장 인상에 남은 세 사람 중 한 사람이라고 지칭했었다. 회의에는 체코 자유주의 민족주의자 프란티셰크 라디슬라프 리게르와 그의 장인인 프란티셰크 팔라츠키도 참석했다.[34] 이 슬라브 대변인들 사이에 ― 이들은 정말 자신들만을 대변해서 말했다 ― 떠오른 제국 군주정을 개혁하는 하나의 합리적 방법은 제국을 다섯 조각으로 나누는 것이었다. 알프스 산맥의 두 지역, 다음으로 보헤미아왕국 지역(보헤미아-모라비아-실레시아), 갈리시아왕국, 헝가리-크로아티아가 그 다섯 지역이었다. 그러나 이들은 이것이나 다른 어떤 제안에도 의견을 맞출 수가 없었다. 폴란드인들은 빈과 일대일 협상에서 더 많은 것을 얻을 수가 있다고 생각했고, 이것은 맞는 생각임이 드러난다. 다민족 지역인 갈리시아 통제권을 얻기 위해 1867년 빈에 온 폴란드 대표들은 헝가리와의 합스부르크 타협을 지지하며 크로아티아의 자치 요구를 태평하게 망각했다. 폴란드 엘리트는 마자르인이 헝가리 내의 크로아티아인들을 지배하고, 폴란드인은 갈리시아의 우크라이나인들을 지배하는 것이 올바르다는 생각이었다. 슬로베니아인들도 자신들의 요구가 충분히 반영되지 않았다고 생각하며 슬라브회의의 제안을 거부했다.[35] 이렇게 되자 체코인만이 연방주의를 지지하는 유일한 민족으로 남았다.

이러한 분열상에도 불구하고 빈의 신문들은 마치 단일화된 적대 세력이 있는 것처럼 계속해서 '슬라브인들'이라는 명칭을 썼다. 민족주의에 '눈이 멀어서' 체코인들은 민주적 책임을 지는 대신 1860년대 제국의회를 보이콧했고, 위선적으로 보헤미아 귀족제의 봉건 백작들, 공후들과 손을 잡고 (자유주의적 독일의) 진보를 방해했다고 비난했다. 그러나 체코 자유주의자들 생각에 자신들이 취한 길은 합리적이었다. 이들은 헝가리인들이 수동적 저항으로 얻은 것을 본 다음에 제국의회 보이콧을 시작한 것이다. 만일 이들이 보헤미아 귀족들과 손을 잡았다면 당시 선거법이 귀족들에게 유리하게 정해져 있었기 때문이고, 독일 자유주의자들이 체코의 권리에 대해 적대적 태도를 보이는 상황에서 다른 곳에 손을 뻗을 수가 없었다.[36] 빈의 언론은 반슬라브주의 운동을 보도하면서 고질적인 모순을 드러냈다. 슬라브인들은 깊고, 특정할 수 없는 힘을 가지고 있어서 외국 국가들과 연합을 통해 이것을 독일인에 대항해 쏟아낼 것이지만, 이와 동시에 슬라브 의원들은 너무 감정적이고 혼란스러워서 제대로 된 프로그램을 만들어내지 못한다는 것이다. 슬라브인들의 '본성'에는 무언가를 조직하는 능력이 없다고 폄하했다.

빈의 자유주의자들의 경멸과 두려움이 결합된 감정을 보고 헝가리 자유주의자 엘리트들은 반슬라브적 언어로 헝가리 통제권 확보에 대한 청원을 프란츠 요제프에게 제출했다. 페렌츠 데아크 다음으로 헝가리에서 가장 중요한 정치인인 줄러 언드라시는 1848-1849년 혁명 당시 군사령 관이었으나 프랑스로 피신하여 처형을 면했고, 자신의 귀족 배경을 바탕으로 프랑스의 엘리트 서클에 접근할 수 있었다. 합스부르크 관리들은 1849년 이 당돌한 귀족을 모의 처형했기 때문에 프랑스 살롱의 여자들은 그를 아름다운 처형자le beau pendu라고 불렀다. 그는 슬라브인들에 대한 경멸을 공유하며 그들이 제국 군주정에서 '인위적인 다수파'를 차지하고 있다고 비난했는데, 실제 상황을 보면 슬라브인들은 제국 인구의 절반 이상을 차지하고 있었다.[37] 1858년 언드라시는 사면을 받고 헝가리로 귀환했고, 카리스마와 기지, 정치적 기술로 곧 데아크의 2인자가 되었으며, 1866-1867년 합스부르크왕가와의 협상에서 가장 중요한 인물이 되었다.

오늘날 슬로바키아 지역 출신인 언드라시는 제국의 연방화는 슬라브인 지배로 다가가는 첫걸음이라고 생각했다. 그는 보헤미아 국가 권리를 허구로 묘사했다. 그 이유는 보헤미아 왕권은 1627년 철폐되었고, 가장 늦게 1749년 보헤미아 국가 궁정 개혁으로 아무런 실체가 없게 되었기 때문이었다. 황제에게 보내는 건의문에서 언드라시는 1620년 체코인들이 백산 전투에서 패배한 것은 아쉬운 일이지만 그렇다고 이전에 존재했던 상황을 되살릴 수는 없다고 주장했다.[38]

합스부르크제국 외무장관에까지 오른 긴 정치 경력에서 언드라시는 슬라브 종족 집단들이 단결하는 것을 막기 위해 각별한 노력을 기울였고, 제국의 연방화뿐만 아니라 비헝가리 지역인 시스라이타니아의 연방화 해결방법도 막으려고 큰 노력을 기울였다. 처음에는 법률적인 주장, 다음에는 문화적 주장을 제기했다. 국가의 기본이 되는 문서인 〈국본조칙〉은 헝가리가 오스트리아와 합의한 문서이지, 헝가리를 구성하는 민족들과 합의

한 문서가 아니었다. 이 문서를 희생하는 것은 헝가리만을 소외시키는 것이 아니라 제국의 가장 강력한 기반인 독일인으로 하여금 자신들이 역사적 임무, 즉 문화적으로 열등한 민족들을 향상시키는 제국적 과제도 잃게 만드는 결과를 가져올 수밖에 없었다. 만일 오스트리아가 이런 목적을 실현하는 것을 중단하면 오스트리아는 독일에서뿐만 아니라 문명화된 유럽에서도 추방당할 것이라고 언드라시는 썼다.[39] 그 결과는 오스트리아-독일 지방뿐만 아니라 베를린과 뮌헨에서도 터져 나오는 고통의 비명이 될 것이라고 그는 주장했다.

언드라시는 교묘하게 오스트리아-독일 민족주의의 논리를 되풀이하고 있었다. 스티리아 출신의 중요한 독일 자유주의자인 모리츠 폰 카이저펠트는 1866년 헝가리 의원에게 제국 전체에 책임을 지고 있는 의회의 위험성에 대해 편지를 썼다. 의회는 "민족적 패권의 전투장으로 남을 것이고, 이러한 기구에서 순수한 정치적 다수파는 있을 수가 없다"라고 주장했다. 그가 '정치적'이란 단어로 의미한 바는 독일이건 마자르건을 떠나 비민족주의적이라는 것이다. 슬라브 민족주의는 언어에 대한 우려와 함께 정치가 아니라 비합리적인 집착이었다. 만일 기회가 주어진다면 지리적·정치적으로 비대칭적인 슬라브인들은 이러한 제국의회를 '제국에 대한 자신들의 패권을 단합하고 확립하는 기구'로 사용할 것이라고 그는 썼다. 독일 자유주의 의견을 대변하는 빈 신문은 슬라브인들은 유럽 중심에 자리 잡고 있기는 하지만 "유럽에 이질적이고, 예술, 과학, 산업, 무역 또는 지성의 창조에 아무런 의미 있는 기여를 하지 않았다"고 주장했다.[40]

독일인들이 보기에 최근까지 특이한 동방 민족이었던 헝가리인들은 이제 독일인들의 파트너가 될 수 있었다. 오스트리아-헝가리는 단순히 정치적 반쪽씩이 아니라 문화를 놓고 싸우는 서로 귀감이 되는 전장이었다.

하나는 체코인과 슬로베니아인에 대항하는 독일인, 다른 하나는 루마니아인, 슬로바키아인, 남슬라브인에 대항하는 마자르인이었다. 언드라시는 이 중 체제의 당위성을 다음과 같이 설명했다. "당신들은 당신들의 슬라브인들을 돌보고, 우리는 우리들의 슬라브인들을 돌볼 것이다." 이 저속한 말에 대응하는 우아한 정치 구조가 있었다. 갈리시아와 달마티아를 제외하고 시스라이타니아의 대부분 지역은 역사적 독일에 속했고, 독일이 지배했으며, 기본적으로 비스마르크의 제국을 뺀 독일을 구성하며 아직 거대한 공간을 차지하고 있었다. 갈리시아조차도 문화적으로 강하게 독일적인 성격을 가지고 있어서 체르노비츠와 리비우/렘베르크의 대학들은 오스트리아-독일 기관이었다. 헝가리는 오랜 과거인 성스테판왕국까지 거슬러 올라가는 변경할 수 없는 경계를 가지고 있었고, 아주 자신감이 강하고 통합된 지배 집단을 가지고 있었다. 독일 중산층 자유주의자들은 이러한 단합성과 헝가리 귀족 자유주의자들의 '귀족적 감정'에 매력을 느끼고 있었다. 헝가리는 오스트리아의 독일인들에게 자발적으로 단합된 민족은 여러 실패와 불행에도 불구하고 결국 지배적 민족이 된다는 것을 보여주었다.[41]

불확실한 타협

그러나 이런 오스트리아-헝가리 공동 이익의 논리에서 어떤 것도 제국 영역을 분할하는 1867년 타협이 피할 수 없는 것이라는 것을 보여주지는 못했다. 그 결정권은 프란츠 요제프가 가지고 있었지만, 그의 어머니를 비롯하여 궁정의 영향력 있는 사람들은 다른 민족과 타협을 이루는 것에 대해 경고를 해왔었다. 제국은 하나로 남아 있어야 했다. 그러나 1866년 여름부터 두 개의 우연적이고 지극히 개인적 요인이 오스트리아와 헝가리의 타협을 선호하는 방향으로 작용했다. 하나는 독일로부터 왔고, 다른 하나는 황제의 가문 자체에서 왔다.

쾨니히그래츠 전투 패배 후 프란츠 요제프는 프로이센의 처분에 복종해야 할지 아니면 프랑스와 동맹을 맺어 독일 내에서 합스부르크 권력의 복원을 꾀해야 할지 결정하지 못하고 있었다. 그는 독일에 대해서는 많은 것을 알고 있지만 오스트리아에 대해서는 아는 것이 별로 없는 드레스덴 자유주의자 프리드리히 페르디난트 폰 브스트를 외무장관으로 임명했다. 그는 작센 왕의 장관으로 수십 년을 봉직했고, 영국의 입헌 정부 형태의 열렬한 추종자였으며, (다른 오스트리아 지도자들과 다르게) 개신교도였다. 브스트는 베를린, 파리, 런던에서의 수십 년간 외교관 생활을 한 덕분에 폭넓은 시야를 가지고 있었고, 오스트리아에 대한 무지 덕에 많은 사람들이 놓치는 세세한 사항의 덤불 속에서 단순한 해결책을 볼 수 있었다. 근본적인 사실은 합스부르크는 1848-1849년 제국 군주정이 거의 무너졌기 때문에 여기에 적절히 순응해야 한다는 사실이었다.[42]

브스트는 오스트리아를 다시 독일로 데리고 가지 않았다. 오스트리아의 위태로운 재정 상황을 고려할 때 이것은 가능한 일이 아니었다. 그러나 그는 합스부르크제국 내에서 독일의 인종적 부상을 옹호했고, 그는 또한 이것은 헝가리인들의 협력 없이는 일어날 수 없다는 것을 인정했다. 그의 자유주의적 성향은 보헤미아의 봉건 엘리트와 연합한 체코 자유주의자들보다는 데아크와 언드라시에게 더 다가가게 만들었다. 그는 곧 빈과 부다페스트의 정치 계급을 지배하고 있던 '슬라브 문제'에 대한 우려에 동참했다. 오스트리아 정부 총리인 모라비아 출신 벨크레디와의 대결은 1867년 1월과 2월 초 프란츠 요제프가 소집한 비상 제국평의회에서 발생했다.

벨크레디는 지역 의회가 선출하는 비상 제국의회 소집을 통해 오스트리아를 좀 더 슬라브적이고 연방적으로 만들려고 했다. 이것은 제국의회를 슬라브인들의 통제하에 들어가게 할 수 있었다. 실제로 그 시점에 슬로바키아, 크로아티아, 보헤미아, 폴란드 지역 의회에 진출한 의원들은 의회의 독일인 의원들이 이해하지 못하는 상황에서도 자신들의 고유 언어를 사용하고 있었다. 브스트가 보기에 이러한 계획은 민족 문제의 제로섬적인 성격을 제대로 고려하지 못했기 때문에 제국의 본질을 위협할 수 있었다. 어떠한 재구조화도 한 민족이나 다른 민족을 이롭게 할 것이고, 제국에서 가장 중요한 집단은 독일인이었다. 독일인은 관료제와 군대의 핵심 세력이고, 가장 큰 부와 산업의 소유자이며, 이것은 소수민족 상황인 보헤미아에서도 마찬가지였다. 슬라브인들을 소외시키는 것이 훨씬 적은 비용이 들 것이었다. 정부는 모든 국민을 만족시켜야 하기 때문에, 가장 큰 생명력을 가진 사람들에게 의존해야 하고, 독일인을 제외하면 그다음으로 마자르인이 여기에 해당되었다.[43]

이제 프란츠 요제프 황제는 헝가리와의 조정에 대한 태도가 분명해졌다. 이러한 상황 돌파는 쉽게 이루어지지 않았다. 그는 눈물을 보이며 벨크레디의 사의를 수용했다. 벨크레디는 제국의 절반 지역에서 각각 소수민족인 독일인과 헝가리인의 지배를 전제한 이러한 조정은 오스트리아에서 입헌 제도를 가장놀이Scheinleben로 만들 것이라고 우려했다. 그러나 요제프 황제는 더 미룰 수가 없었다. 제국 군주정은 쾨니히그래츠 패배 후에 프로이센이 강요한 3000만 굴덴의 대외부채를 갚을 능력이 없었고, 국제 금융 시장은 입헌적 재구조화가 진행되는 경우만 신용을 제공할 수 있었다. 오스트리아 국채의 사상 가장 낮은 가격인 액면가보다 45퍼센트 할인된 상태로 거래되었다.[44]

✳ ✳ ✳

프란츠 요제프가 한때 교수형에 처하도록 명령한 끈질긴 정치인 줄러 언드라시가 황제에게 이중 체제dualism의 장점을 설득하는 데 가장 큰 역할을 했다. 그는 요제프 황제의 마음을 군대와 외교 정책 결정권을 유지할 수 있는가에 집중하게 만들었고, 그와 다른 헝가리 지도자들은 헝가리가 제국 군주정을 전복하지 않을 것이라는 것을 약속하며 황제를 만족시켰다. 그러나 언드라시가 그와 아무 관계도 맺고 싶어 하지 않은 황제에게 어떻게 접근할 수 있었는지가 궁금해진다. 여기에 대한 답은 황후에게 있었다.

1854년 프란츠 요제프와 결혼하기 전 엘리자베트는 귀족인 야노스 마이라스로부터 헝가리 역사에 대한 개인 지도를 받았다. 이미 우리가 언급한 가족의 후손으로 뮌헨에 거주하는 망명사였던 그는 헝가리가 오랜 기간 살아남기 위해 벌인 영웅적 투쟁 이야기를 엘리자베트에게 강의했다. 1857년 황제 부부가 부다페스트에서 머물다 비극을 겪은 후 그녀는 요제프에게 헝가리어를 배우라고 제안해서 그를 놀라게 했다. 그는 헝가리어가 배우기 너무 어렵다며 이 제안을 거절했다. 그러나 그녀는 노력을 포기하지 않았다. 1866년 황제 부부가 부다페스트를 다시 방문했을 때 엘리자베스 황후는 헝가리 의회에서 헝가리어 문장과 어구를 마음대로 구사하며 유창한 헝가리어로 연설을 해서 모든 사람을 놀라게 했다.

우리는 그녀가 단지 책으로 헝가리어를 공부하지 않았다는 것을 안다. 2년 전 엘리자베트는 무슨 이유에서인지 이다 페렌치라는 성격 좋은 시골 처녀를 자신을 시중드는 시녀로 고용했다. 페렌치는 황후의 신임을 얻었고, 두 사람은 아침부터 밤까지 헝가리어로 이야기를 나누어서 궁정의 걱정거리를 만들었다. 특히 엘리자베트가 좋아하지 않는 시어머니 조피의 신경을 거슬리게 했다. 쾨니히그래츠 전투 후 엘리자베트는 부상당한 헝가리 병사들을 위문했고, 그녀의 군더더기 없는 헝가리어 구사력을 칭찬받자 이것을 시녀 이다 덕으로 돌렸다. 이다는 엘리자베트가 보내는 편지가 언드라시, 데아크와 다른 귀족들에게 전달되도록 했다. 그녀가 이들의 목표를 지지한 이유는 분명히 알려지지 않았다. 그녀는 헝가리와 자신을 동일시하면서 다른 민족들에 대한 염려를 덮어버렸다. 요제프 황제의 정책이 이탈리아에서 잘못되었을 때 그녀는 언드라시에게 고통을 느꼈다고 말했지만, 헝가리에서 황제의 정책이 실패했을 때는 그녀를 거의 죽게 만들었다고 말했다.[45]

만일 엘리자베트가 관여하지 않았다면 당시 위기에 대한 다른 해결책이 마련되었을 수는 있지만, 합스부르크에게 행운과 불행을 가져온 전환점인 1867년 대타협은 이루어지지 않았을 것이다. 위기가 고조된 1866년 여름과 가을 동안 그녀는 헝가리 엘리트들의 '광적인 수단'이 되었고, 제국 군주정의 운명은 헝가리를 회유하는 것에 달린 것처럼 만들었다.[46] 그녀는 또한 프란츠 요제프가 헝가리에 호의를 보여주는 것에 부부관계의 친밀감도 달려 있는 것처럼 행동했다. 1867년 6월 언드라시와 헝가리 의회는 결국 부다페스트에서 성대하게 진행된 대관식에서 프란츠 요제프에게 헝가리 왕관을 씌워줄 수 있었고, 이로부터 9달 후에 황제 부부의 마지막 아이인 마리 발레리가 태어났다.

18년 만에 불법적인 섭정 시기가 막을 내렸고, 〈국본조칙〉과 살아 있는 연계가 다시 확립되었다. 여왕과 왕으로 엘리자베트와 프란츠 요제프는 매년 헝가리에서 몇 주를 보냈고, 그녀는 더 오래 머물려고 자식들이 헝가리의 역사와 문화를 배우게 만들었다. 그녀는 헝가리 출신으로만 구성되고, 시스라이타니아 출신은 한 명도 초대되지 않은 오찬 손님들에게 자신과 황제는 가능만 하다면 1849년 처형된 헝가리 병사들과 정치인들을 환생시키는 데 제일 먼저 나서고 싶다고 말하기도 했다.[47] 타협이 체결된 후 데아크의 초상화는 그녀의 침대 머리맡에 걸렸고, 그녀가 죽을 때까지 그 자리에 있었다. 10년 후 데아크의 장례식에서 그녀가 보인 슬픔은 작은 스캔들을 일으키기도 했다.

타협으로 제국은 두 개의 중앙 통치를 받는 지역으로 반씩 나뉘었지만 외교 정책, 국방, 재정 담당 부처는 공유했다. 공동의 관심사(국가 부채, 관세, 통화, 일부 간접세)는 매 10년 각국 의회를 대표한 각각 60명의 대표자가 협상을 통해 결정하기로 했다. 헝가리에서는 의회와 함께 헌법이 부활되고, 각 부처 장관이 임명되었다. 줄러 언드라시가 정부 총리가 되었다. 헝가리는 제국 공동 재정의 30퍼센트를 부담해야 했고, 이 비율은 10년마다 재협상하기로 되었지만, 1918년까지 크게 변하지는 않았다. 헝가리 망명자 집단은 이 타협과 합스부르크왕가와의 모든 거래를 수치스럽다고 비난했지만, 시간이 지나면서 이 타협은 뛰어난 거래인 것으로 드러났다. 제국의 황혼기에 트란스라이타니아는 국가 수입의 35.4퍼센트를 생산했고, 시스라이타니아는 64.6퍼센트를 생산했다.[48]

타협의 조건은 3월 헝가리 의회의 승인을 받았지만, 빈에서는 어떤 일이 일어날지 불분명했다. 총리 브스트가 보헤미아와 모라비아 의회를 해산하고 독일인 다수파를 보장할 재선거 실시를 요구한 다음 축소된 의회가 열렸다.[49] 10월에 정부는 비준을 위해 타협안을 제국 의회에 제출했고 경제적 조정은 두 의회 대표단에 의해 8월과 9월에 통과되었다.

이제 1859년에 시작된 제국 재구조화의 마지막 조치로 시스라이타니아의 헌법 문제가 남았다. 독일 자유주의자들은 자신들의 지렛대를 이용해 황제가 7년 전에는 생각하지도 못한 개혁 압박을 가했다. 그 결과로

프란츠 요제프와 엘리자베트의 부다페스트 대관식(1867년 6월)

'12월 헌법'이 탄생하여 재산과 개인의 불가침성, 우편의 비밀, 법 앞에 평등, 언론, 집회, 양심의 자유가 보장되었다. 사법권에 대한 법률은 권력분립을 보장했고, 제국 법정이 개인의 권리를 보장하기 위해 구성되었으며, 제국의회는 입법권을 가진 진정한 의회가 되었다.[50] 제국의회에 대한 주요 제약은 황제가 군대와 대외 정책에 대한 통제권을 계속 유지한 것이었다. 합스부르크 오스트리아는 입헌 군주제가 되었지만 민주정으로 발전하지는 못했다.

＊　＊　＊

대타협은 제국 군주정 각각 절반의 영역에서 국가 공고화와 꾸준한 경제 진보를 위한 안정적인 법적 기반을 마련해주었다. 1867년부터 1914년까지 국가 수입은 세 배 늘어났고, 연 경제성장률은 2.6-2.8퍼센트를 유지했다. 헝가리에서 농업 수출품은 늘어나고 산업화가 가속화되었지만, 보헤미아와 오스트리아보다는 뒤처졌다. 그러나 이 진보는 주목할 만했다. 1850년대 매년 평균적으로 250마일 길이의 철로가 부설되었지만, 1867년 이후에는 매년 평균 600마일씩 늘어났다. 헝가리 은행이 보유한 자산도 1866년부터 1873년 사이 세 배 이상 늘어났다.[51]

만일 1차 세계대전이 일어나지 않았다면 대타협은 1918년 이후에도 합스부르크의 법과 질서의 기초를 계속 마련했을 것이다. 그러나 새로운 조정은 처음부터 긴장을 잉태하고 있었다. 헝가리인들은 오스트리아의 하위 파트너나 심지어 파트너 지위에 절대 만족하지 못했고, 제국 전제성의 무게 중심은 빈이 아니라 부다페스트가 되어야 한다고 생각했다.

1867년 제국 군주정의 다수 주민은 슬라브인들이었지만, 두 국가에서 슬라브 정치인들은 크게 소외되었다.[52] 체코인, 크로아티아인, 세르비아인, 슬로바키아인은 자신들 민족이 1848-1849년 합스부르크왕가를 구했지만, 지금은 버려진 셈이라고 주장했다. 크로아티아인, 세르비아인, 슬로바키아인은 이제 사면 받은 반란군의 수중에 놓이게 되었다. 헝가리에서 크로아티아인만이 민족으로서 인정을 받게 되었고, 이것은 크로아티아왕국의 역사적 통합성 덕분이었다. 다른 민족들은 '분리될 수 없는 헝가리 국가'에 융해되어야 하는 단순한 '소수민족'에 불과했다. 권리는 민족 집단에 부여된 것이 아니라 철저하게 개별 시민에게 부여된 것이고, 각 지역 구어를 보호할 필요성도 인정되지 않았다.[53] 시스라이타니아의 헌법은 다른 어느 민족보다 독일인들의 민감성을 존중했고, 독일어를 공식으로 공용어로 내세우지는 않았지만, 이와 동시에 국가의 지배적 언어로서 독일어에 대한 도전도 허용하지 않았다. 모든 인종집단Volksstämme은 소수민족과 언어에 대해 동등한 권리를 가지고 있지만, 무엇이 인종집단을 구성하고, 어떻게 국가는 이것을 보호하는지는 특별히 규정되지 않았다.

합스부르크제국의 어느 절반 지역에서도 새로운 조정은 각 민족 정치 엘리트의 자치정부와 자신들 문화에 대한 법적인 보호 제공에 대한 열망을 만족시키는 데 근접하지 못했다. 두 국가의 차이점은 헝가리 국가는 신민들을 마자르인으로 만드는 방법을 적극적으로 찾은 데 반해, 오스트리아 정부는 대체적으로 민족 문제에 대해 불가지론적 입장을 취한 것이었다. 오스트리아 정부는 1869년 각 민족이 학교를 세울 수 있는 권리를 인정하는 법안을 통과시켰다. 각 민족은 각 지역의 4킬로미터 내에서 40명의 아동을 가지고 있으면 학교를 세울 수 있었다. 이 법안이 통과되자 체코인들은 오스트리아 정부에 공을 돌리기보다는 이것을 당연한 것으로 받아들였고, 체코인들이 문자해독률이 유럽에서 최상위 수준에 오르자 헝가리인에 비견되는 민족 자치권을 확보하지 못한 체코 엘리트들의 불만도 커졌다.[54] 체코인 지도자 리게르는 타협을 '부자연적인 불의'라고 부르고, 전반적으로 체코인들은 12월 헌법을 '인위적인' 것이라고 불렀다.

체코인들의 수동적 저항은 1868년 제국의회 보이콧으로 시작되었지만, 체코 의원들의 전면적인 출석 거부는 1868년 빈의 제국의회에서 시작되어 보헤미아와 모라비아 지역 의회로 확산되었다. 이것과 더불어 촉발된 대중 시위는 너무 심각해서 정부는 1868년 10월 프라하와 그 주변 지역에 위수령을 선포해야 했다. 체코 정치는 후에 '의회 밖 반대'라고 불리는 것으로 발전했다. 1868년부터 1871년까지 체코 운동은 농촌 지역에서 100번 이상의 타보리tabory라고 불리는 대중 집회를 개최하여 100만~150만 명의 인원이 여기에 참가했다. 시위자들은 보헤미아 국가 권리, 선거권, 교육, 슬라브인 단합을 요구했다. 오스트리아 당국은 체포와 신문사 압수 등의 방법으로 이러한 소요를 진압했는데, 이것은 이제 막 채택된 헌법의 명백한 위반이었다.[55] 9장에서 보는 것처럼 체코인들을 진정시키기 위한 건설적 시도들이 1871년 마련되었고 프란츠 요제프 황제도 이를 재가했지만, 이것들은 아무 오스트리아-독일인, 마자르인의 반대에 부딪쳐 결과도 가져오지 못했다. 마자르 정치인들은 서쪽 지역인 '시스라이타니아'에서 소수민족에 대한 어떠한 양보도 헝가리 소수민족으로부터의 요구를 촉발시킬 것을 두려워했다.

대타협은 합스부르크제국을 계속 생존하도록 만들었지만, 제국이라고 스스로를 부를 수 있는 모든 가식을 종식시켰다. 제국 군주정은 '제국 중심'을 가지고 있지 못했고, 민족 국가가 되어가는 동쪽의 절반 영역에 대한 효율적인 통제권도 없었으며, 그 사이 시스라이타니아는 부분적으로 탈중앙화된 영토적 혼합물이 되었다. 그러나 만일 오스트리아-헝가리가 제국이 아니라면 이것은 슬라브인들을 복속시키고, 이들을 '더 높은' 문화로 동화시키려는 독일 엘리트와 마자르 엘리트의 공동의 열망에 바탕을 둔 제국적 에너지에 의해 지탱되었다. 경멸과 두려움이 결합되어 제국 군주정을 앞으로 나가게 하면서 내리막길로 밀어넣었다. 1878년 오스트리아-헝가리는 보스니아-헤르체코비나를 점령하는 잘못된 길을 갔고, 더 많은 슬라브인들을 감당해야 했다. 그 배경에는 오스트리아는 또 하나의 무지몽매한 지역에 문명을 도입한다는 확신이 있었다. 전면에는 이 지역이 커가는 세르비아 땅이 되는 것을 막는다는 단순한 결의가 작용했다. 그러나 보스니아인을 오스트리아인이나 헝가리인으로 만들 가능성은 전혀 없었다. 제국 군주정이 개혁 과정을 밟아가면서 제국은 스스로를 더욱 개혁하기 힘들게 만들었다. 제국은 크기는 커졌지만 자신감은 축소되었고, 제국은 제국 시대에 들어서면서 그 어느 때보다도 덜 제국적이 되었다.

8장

1878년 베를린회의:
유럽의 새로운 인종-민족 국가들

'긴' 19세기라는 생각은 최근 몇십 년간 유행이 되었고, 이것은 프랑스혁명부터 1차 세계대전까지 이어진다고 간주되었다. 이것과 병행하는 표현은 1918년부터 1989년까지의 '짧은' 20세기다. 문제는 이 짧은 20세기는 두 번의 폭력의 분출과 두 전체주의 제국의 부상과 몰락 이외에는 일관성이 거의 없다는 것이다. 이러한 논의의 함의점은 20세기가 끝난 후 유럽은 1차 세계대전으로 중단된 발전과정으로 되돌아갈 수 있다는 것이었다. 그러나 우리는 20세기의 최종 방향을 아직 알지 못한다. 그것이 무엇이 되었건, 이것은 대중영합적 민족주의를 이용하려는 정치인들이 추구하는 민족국가의 재등장과 관련이 될 터였다. 그러면 아마도 유럽의 20세기 이야기를 민족 자치를 위한 투쟁의 관점에서 말하는 것이 상식적일 것이고, 주세페 마치니와 우드로 윌슨 같은 자유주의자뿐만 아니라 파시스트(아돌프 히틀러, 코르넬리우 코드레아누)와 공산주의자(V. I. 레닌)가 이러한 용어를 사용했다는 것을 기억해야 한다. 만일 20세기가 민족 자치의 시기였다면,

1878년에 이것이 시작되어 우리 시대까지 계속 지속되고 있다는 주장을 충분히 할 수 있다.

1878년 유럽 열강의 대표들은 새로운 독일 민족 국가 수도에 모여 1차 세계대전 후 파리에서 생겨난 탈식민화와 민주화 노력이라는 더 유명한 노력의 모든 특성을 가진 협상을 시작했다. 1878년 베를린에서 정치인들은 네 국가의 국경, 헌법, 주군, 심지어 시민 자격까지 결정했다. 이 네 국가는 1919년 폴란드와 체코슬로바키아처럼 제국의 몰락 와중에 유럽의 세력 균형을 보장하기 위해 창설되어야 했다. 우리는 현대 불가리아, 몬테네그로, 루마니아, 세르비아의 독립 시점을 1878년 7월로 간주한다.

그러나 세력 균형의 이익을 위해 베를린에 모인 정치인들은 주민의 다수가 정교도 남슬라브인인 영토를 세르비아에게 제공하기를 거부하면서 민족주의 정신을 비난했다. 그곳은 다양한 인종의 조각보 같은 보스니아-헤르체고비나였다. 이 지역이 세르비아로 넘어가는 것을 막기 위한 목적 하나만으로 오스트리아-헝가리가 1878년 점령하도록 허용했다. 빈과 부다페스트의 정치인들은 두려움을 가지고 '대★ 남슬라브국가'의 탄생 가능성을 우려했고, 더욱이 이 국가가 러시아의 가까운 동맹에 될 것을 약속하면서 그 우려가 더 커졌다.

일부 사람들은 이러한 불만에 찬 세르비아인들의 영토 확장 의지를 '실지회복주의irredentism'라고 불렀고, 이것은 맞기도 하고 틀리기도 했다.[1] 세르비아 경계 너머에 같이 공동체에 포함되기를 원하는 세르비아인들이 있다는 면에서 이 정의는 맞았지만, 이 목표가 통상적이 아니라고 말하는 면에서는 틀렸다. 사실 이탈리아('실지회복주의'란 단어가 나온 곳)와 독일에서 시작하여 모든 새 국가는 영토를 '회복했다'는 의미에서 실지회복주의 국가였다. 피에몬테-사르데냐는 이탈리아 영토가 아니었고, 프로이센도 독일이 아니었다. 실지회복주의가 없었다면 세르비아도 없었고, 1878년에 세워졌건, 1919년에 세워졌건 다른 새로운 동유럽 국가도 없었을 것이다. 그래서 1878년 이후 세르비아 내부와 외부에서 많은 세르비아인들이 느낀 모욕을 이해하는 것은 어렵지 않다.

그러나 오스트리아-헝가리 입장에서는 이것은 단순히 모욕이 아니라 수백만 명의 슬라브인을 추가로 자신의 통치하에 두게 된, 문제가 많은 제국 국가의 이상한 행동이었다. 이것은 제국 내 슬라브인들을 억제하기 위해 제국을 오스트리아와 헝가리로 분할한 지 10년 만에 일어난 일이었다. 그리고 더 흥미로우면서 혼란스러운 것은 더 많은 세르비아인과 크로아티아인은 물론 수백만 명의 보스니아 이슬람 주민들이 제국에 포함되도록 협상한 사람은 1871년 오스트리아-헝가리의 외무장관이 된 '아름다운 처형자' 줄러 언드라시 백작이었다. 그는 자신의 조국인 헝가리 내에서는 수백만 명의 슬로바키아인, 세르비아인, 루테니아인, 크로아티아인을 충성스런 마자르인으로 만들려고 노력했다. 1867년 타협 이전에 그는 이 종족 집단의 대표들에게 그들의 권리가 법적으로 보장될 것이라고 약속했다. 이후 그 약속은 잊혔고, 민족 자치에 대한 요구는 반란으로 간주되었다.[2] 오스트리아는 주민들을 독일화하지는 않았지만, 독일 자유주의자들은 슬라브인들이 점점 더 수적 우위를 차지하는 것을 크게 우려했다. 새로운 빈과 부다페스트 정부는 늘어난 300만 명의 주민을 책임져야 했다. 이들을 어떤 방법으로 충성하는 시민으로 만들 것인가가 큰 문제였다.

이 이야기는 3막으로 일어난다. 첫째는 기독교 주민들의 유럽의 오스만 통치에 대항하는 마지막 대규모 봉기인 1875년 헤르체고비나 반란이었다. 헤르체고비나 농민, 다음으로 보스니아 농민들의 행동은 베를린회의를 소집시킨 압력을 만들어냈다. 두 번째는 세르비아, 몬테네그로, 러시아가 1876년부터 1878년까지 오스만제국을 상대로 벌인 자신감 넘치는 군사 원정이었고, 이 작전의 성공은 강화되는 러시아의 힘과 쇠락하는 오스만 힘에 대한 유럽 국가들의 우려를 촉발시켰다. 세 번째는 베를린회의 자체와 유럽 국가들이 평화와 오스트리아–헝가리를 어떻게 구할 것인가였고, 이것은 네 개의 새로운 국가에 대해 자신들의 축복을 보여주는 형식으로 이루어졌다. 각 국가는 각 민족의 최종 산물이 아니라 앞으로 확장할 수 있는 발판으로 여겨졌다.

연이은 봉기와 보스니아-헤르체고비나에 대한
오스만 지배 종결

1875년 헤르체고비나에서 발생한 봉기는 봉건 정권의 표층 아래 평화롭게 잠자고 있어서 서부 유럽의 눈에 거의 띄지 않았던 인종적 정체성이 갑자기 표층 위로 솟아오를 수밖에 없었다는 점에서 1848년 봉기들과 공통점이 많았다. 그러나 1848년 갑작스런 대규모 인종 소요를 촉발시킨 것은 정치적 시민 권리에 대한 약속이었던 반면 1875년 헤르체고비나 봉기의 원인은 처음에는 농업 분쟁이었다.

문제는 흉작을 겪은 네베시녜라는 마을에서 발생했다. 보통 때 정부가 걷는 세금은 수확한 농산물의 8분의 1이었다. 그러나 오스만 국가의 심각한 재정 위기에 따라 추가적 세금이 부가되었고, 일부 경우 수확물의 절반까지 올라갔다. 기독교도 농민들은 얼마 되지 않는 수확 농산물을 이슬람 지주나 오스만 당국으로부터 세금 징수권을 위임받은 사람들이 다 가져가고 가족들은 굶어야 하는 상황에 처했다. 세금 징수자의 일부는 보스니

아 기독교 상인들이었다.[3]

그러나 1874-1875년 헤르체고비나의 농민들은 세금 징수자들이 나타나지 않아 수확을 할 수도 없는 상황이었고, 포도와 연초는 방치되어 썩어버렸다. 세금 징수자들이 나타났을 때 이들은 수확한 농산물보다 더 많은 양을 세금으로 바칠 것을 요구했고, 네베시녜의 일부 농민들은 이를 거부했다. 이에 대한 대응으로 세금 징수자들은 경찰을 풀어 반항자들의 재물을 약탈하고, 폭행하고 감옥에 가두었다.[4] 이렇게 되자 많은 농민들은 산악 지역으로 피난가고, 일부는 인근 국경을 넘어 오스만 보호하의 자치 공국인 몬테네그로와 합스부르크왕가 소유인 달마티아로 도망갔다. 그때 프란츠 요제프 황제가 마침 이 지역을 방문하고 있었고, 오스만 지배 헤르체고비나의 일부 가톨릭 주민들은 자신들이 당하는 상황을 황제에게 하소연했다. 몬테네그로와 달마티아는 남슬라브인들이 대거 거주하는 지역이었고, 헤르체고비나인들은 자신들의 인종적 형제로 생각했다. 몇 달 만에 오스만 지역 경계를 넘어간 피난민 수는 수만 명을 넘어섰고, 두 지역의 관리들은 이들을 위한 구호 활동을 벌였다.

영국 지리학자 아서 에번스는 오스만 통치 아래 있는 기독교인들은 사회적·종교적 '이중적 장애' 아래 있다고 기술했다. "'경작자들'은 가장 암흑시대의 농노보다 더 열악한 환경에 있고, 완전히 무함마드교 지주의 전횡 아래 노예처럼 지낸다"라고 적었다.[5] 하나의 계급으로 기독교인들은 개인적 자유를 누리거나 농지를 소유할 수 없는 소작농이었다. 새로 이주한 이슬람교도 농민들(주민의 5퍼센트 미만)은 자유와 농지를 얻을 수 있었다.[6] 이슬람교도로만 구성된 군병영이 질서를 유지했고, 기독교인들은 자신들의 권리를 주장할 어떠한 당국자도 갖지 못했다. 에번스는 알바니아 연대가 보스니아를 통과하여 행진하며 가톨릭 농민들에게 사격을 가하고도

헤르체고비나 봉기 피난민

아무 징벌을 받지 않는 것을 목격했다. 보스니아-헤르체고비나의 오스만 정권은 수백 년을 이어왔으나 기독교인인 슬라브인들은 이슬람교도인 슬라브인들과 다르게 이 당국을 외국 권력으로 보았다.[7]

폭력행위가 확산될 것을 우려한 보스니아의 오스만 총독은 피난민 지도자들이 몬테네그로에서 헤르체고비나로 안전하게 돌아올 수 있는 통로를 마련해주었지만, 그는 지역 관리들을 통제할 수는 없었다. 국경 경비대는 귀환하는 사람들을 위협했고, 이들이 고향으로 돌아왔을 때 몇 사람은 경찰에 의해 살해되었다. 전면적인 반란을 두려워한 고위 위원회(헤르체고비나 총독인 무스타파 파샤와 사냐크의 군사령관인 셀림 파샤)가 여름 중반에 이 지역으로 와서 선출된 마을 원로들과 만나서 개혁 조치를 제안했다. 여기에는 제한된 자치의 첫 단계로서 기독교인 국경 경비대를 설치하는 행정 당국 구성이 포함되었다. 이들은 지역 지주들의 과도한 세납과 경찰제도의 개혁도 약속했다.[8]

이 관리들이 지역의 세금 수납 제도를 개혁하고, 수세기 동안 이어진 기독교 농민들의 종속적 경제, 문화적 입지를 바꾸었는지는 의문으로 남는다. 오스만 고위 관리들이 지역 관리들의 학정을 바로잡는다는 약속을 하는 것은 오래전부터 있었던 일이지만 이들은 그렇게 강제할 능력이 없었다. 시간이 지나면서 부패는 하나의 체계로 자리를 잡았다. 당시 기독교인들이 토지를 소유하는 것을 허용하는 시도가 있었지만, 지역 이슬람 촌장들은 고위 당국자 눈치를 보지 않고 토지를 장악했다. 좀 더 중요한 질문은 개혁 약속이 정교도 반란군 사이에 전해지는 영웅적인 코소보 담론과 경쟁할 수 있는가였다. 이 담론에 의하면 오스만 당국과 타협한 사람들은 반역자였다. 몬테네그로와 세르비아에는 지역 국수주의 언론이 자극한 여론이 있었다. 이 여론은 이전 시기 무장봉기가 점차적으로 오스만 세력을 발칸반도로 밀어내렸다는 역사를 잘 인식하고 있었다.

그러나 네베시녜는 아주 작은 마을이 아니었다. 다른 봉기에서와 마찬가지로 이 봉기는 전반적인 문제가 극단적으로 표출되면서 발생한 것이었다. 오스만령 헤르체고비나 지역은 '석회암 사막'이었고, 카르 지역과 연결된 산악 지역으로 평온한 시절에도 주민들은 간신히 생계를 유지해오고 있었다.[9] 이 지방의 다른 지역은 좀 더 생산력이 높았고, 국가와 지역 주민을 위해 충분한 수입을 만들어냈다. 지역 지도자들이 오스만 당국이 네베시녜 지역에 파견한 분쟁조정위원회에 제출한 청원을 보면 당시의 절망적 상황을 들여다 볼 수 있다. 이들이 요구한 것은 아래와 같았다.

1. 기독교 소녀와 여자들이 더 이상 성추행당하지 않을 것

2. 교회는 더 이상 훼손되지 않을 것

3. 기독교인들은 법 앞에 이슬람교도와 평등한 권리를 가질 것

4. 기독교인들은 경찰의 폭력으로부터 보호를 받을 것

5. 소작을 주는 농민들은 자신들이 받을 권리가 있는 이상의 공납을 받지 않을 것

6. 정부는 강제노역을 강요하지 않고, 모든 노동은 필요한 경우 '전 세계에서와 같은 방식으로' 보상을 해줄 것[10]

그러나 청원자들은 민족주의적 열정의 냄새를 풍기지 않고 술탄의 충실한 신민으로 행동했다. 세르비아나 몬테네그로와의 통합에 대한 언급도 전혀 없었고, '범슬라브주의'에 대한 암시도 없었다. 봉기 발생 직전 모스타르의 이슬람 지주들과 기독교 상인들은 재정 행정에 대한 불만을 술탄에게 제기했었다. 이들이 희망한 것은 기존의 체제를 개혁하는 것이지 대체하는 것은 아니었다. 지역 정교도 기록자에 따르면 조정위원회의 진지한 자세는 이 지역 정교도 지도자들에게 전면적 봉기만이 궁핍한 이 지역이 겪고 있는 고난을 끝낼 수 있다는 강한 인상을 남겼다.[11]

그러나 다른 세력들은 폭력이 자신들의 이익을 추구하는 데 합리적인 수단이라고 생각했다. 군수Agas와 촌장들begs은 자신들의 특권을 제한해야 한다는 제안조차 막기 위해 경찰zaptieths을 고용했고, 산악 지역이 약탈과 권위의 붕괴로 이익을 얻는 도적떼들(일부는 현지 주민이고, 나머지는 몬테네그로, 달마티아, 세르비아에서 왔다)의 은신처가 되었다. 이들은 부자들을 약탈하고 가난한 기독교 농민들을 학대로부터 보호한다는 명성을 얻으며 주민들의 환대를 받았다. 7월에 한 도적떼는 모스타르에서 네베시녜로 가는

대상을 습격하여 다섯 명의 이슬람 상인을 살해했다. 이렇게 되자 이스탄 불의 당국자들은 개혁을 논하기 전에 모든 저항운동을 진압하기로 결정했다.

보스니아 총독은 군대를 모으고, 촌장들은 자신들의 민병대를 조직했으며, 이 모든 병력은 주민들을 공포에 떨게 만들었다. 마을을 불태우고 봉기 지도자들을 교수형시켰고, 여성들을 강간하고, 아동들을 노예로 만들었다. 최소 5000명의 농민이 살해되었고, 1876년 말까지 보스니아-헤르체고비나를 떠난 피난민 숫자는 최소 10만 명에서 최대 25만 명에 이르렀다. 파괴는 양방향으로 이루어졌다. 비하치 지역에서 198개의 이슬람 부락 중 41개 부락이 불에 타 없어졌고, 298개의 기독교인 부락 중 223개 부락이 파괴되었다.[12]

지역 농업 봉기로 시작된 사태가 이제 내전이 아니라 인종 전쟁이 되었다. 반란 지도자들은 민족의식과 정치의식을 가진 교사, 상인, 사제 등이 포함된 보스니아 중산층에서 나왔고, 이들을 '보스니아 민족의회'를 구성했다. 스스로 보스니아 민족의 일원이라고 내세운 사람들은 세르비아 민족 소속이었다. 이것은 모라비아인들이 지역적 정체성을 유지하며 체코인이라고 느낀 것과 유사했다. 1877년 10월이 되자 10명의 세르비아인, 3명의 크로아티아인, 1명의 러시아인으로 구성된 임시 보스니아민족정부가 탄생했고, 다른 세르비아 지역과의 통합을 추구했다.[13]

이들의 행동을 중지시키려는 세르비아와 몬테네그로 정부의 노력에도 불구하고, 추가적으로 수천 명의 남슬라브인들이 전투에 동참했고, 여기에는 몬테네그로인들과 이미 '완전 무장을 한' 오스트리아령 달마티아에서 온 사람들도 가담했다. 인종적 단결심을 자극하기 위해서 큰 선전선동이 필요하지 않았다. 잔혹행위에 대한 이야기는 넘쳐났다. 몬테네그로 공후인 니콜라스는 한 오스만 대표에게 술탄이 헤르체고비나 형제들의 '자유를 위한 투쟁'에 참여하는 몬테네그로인들을 제지시킬 수 있을 것으로 기대하지 말라고 말했다(그는 비밀리에 이들에게 무기를 공급했다).[14] 세르비아, 슬로베니아, 러시아에서 자원자들이 쏟아져 들어왔고, 이들은 남슬라브인들의 깨우침이 곧 시작될 것이라고 믿었다. 이들 중에는 용병도 있고, 범죄자도 끼어 있었다.

이런 움직임의 효과로 이 지역 밖에 있는 슬라브인들이 보스니아-헤르체고비나 내의 기독교 슬라브인들을 자신들의 형제로 보게 되었고, 내부의 기독교인들과 이슬람교도는 '같은 인종 출신이지만' 서로를 그 어느 때보다도 이방인으로 보게 되었다.[15] 오스만 당국은 정교도 기독교인들을 추방의 대상으로 삼고 이들을 학대하기 위해 군대를 보냄으로써 의도치 않게 '세르비아' 의식이 확산되도록 만들었다. 지역 이슬람교도들은 현상 유지의 변화와 기독교 이웃들에 의한 폭력을 두려워했기 때문에 봉기 진압을 적극적으로 도우면서 이러한 현상을 심화시켰다. 얼마 안 있어 중립 지대는 거의 남아 있지 않았다. 반란군은 자신들을 지지하기를 거부하는 기독교인들을 탄압했고, 양측에 있는 사람들은 같은 인종들 밖에 있는 것보다 그들 편을 드는 것이 더 안전하다는 합리적 결론을 내리게 되었다.[16]

오스트리아-헝가리 지도자들은 달마티아 세르비아인들과 크로아티아인들이 반란에 가담하는 것을 막으려고 했다. 그 이유는 오스만 영토에서 갈라져 나온 민족 국가 설립 가능성을 크게 두려워했기 때문이다. 외무장관 언드라시는 1875년 1월 다음과 같이 썼다.

튀르키예는 오스트리아-헝가리에 거의 하늘이 준 것과 같은 효용성을 가지고 있다. 그 이유는 튀르키예가 작은 발칸 국가들의 현상 유지를 보존하고 이들의 민족적 열망을 막고 있기 때문이다. 만일 튀르키예가 없었다면 이 모든 열망을 우리가 감당해야 했을 것이다. … 만일 보스니아-헤르체고비나가 세르비아나 몬테네그로로 가게 되거나 우리가 막을 수 없는 새로운 국가가 그곳에 생겨나면 우리는 망하게 되고, 우리가 '병자'의 역할을 떠맡아야 할 것이다.[17]

언드라시의 말은 분쟁에 휘말린 오스만튀르크보다 더 잘 조직되고, 더 부유하고, 더 강한 국가의 지도자 중 한 사람이 느끼는 극도의 불안감을 반영하고 있다. 이 불안감은 오스트리아-헝가리 엘리트를 지배하고 있는 슬라브 민족주의에 대한 확고부동한 두려움을 반영한 것이다. '병자'라는 단어를 쓴 것은 만일 다른 열강(러시아)이 자신의 피보호국들을 만족시키기 위해 영토 일부를 잘라내면, 오스트리아-헝가리제국도 오스만제국과 같은 '희생자'가 될 것으로 그가 생각하고 있다는 것을 보여주었다. 만일 거대한 반오스트리아 동맹이 형성되고 다른 강대국들이 방관하지 않는다고 상상한다면, 소국인 세르비아가 달마티아 해안을 장악할 것이라는 그의 염려는 합리적인 우려가 아니었다. 그러나 그의 두려움은 점증하는 사회적 다윈이즘의 영향력과 함께 커졌다. 수동적인 국가나, 아니면 그의 말에 의하면 '자제하는' 국가는 쇠퇴하게 되어 있다. 그래서 오스트리아-헝가리는 역동적이고 중요하다는 것을 보여주기 위해 무언가를 해야 했다. 그는 제국 군주정이 '민족주의적 열정'을 일으킬 수는 없다는 것을 잘 알았고, 그래서 신민들로 하여금 '공통의 조국'을 방어하는 데 나서라고 촉구할 필요가 있다면 방어적 입장을 취하는 것이 낫다고 생각했다.[18]

마자르 엘리트들의 일반적인 시각과 마찬가지로 언드라시는 러시아와 독일이 헝가리를 사라지게 만드는 것을 목표로 하고 있다고 생각했다. 그는 러시아의 범슬라브주의 지원이 헤르체고비나 소요 사태에 책임이 있다는 것을 당연하게 받아들였다. 물론 러시아는 황폐한 땅에서 세수를 쥐어짜게 만든 오스만 국가의 큰 대외부채가 발생하도록 만들지는 않았다. 그러나 정교회 슬라브인들이 겪는 잔혹행위가 봉기 발생 후 러시아 여론을 크게 자극했고, 러시아가 간섭에 나서도록 만든 것은 사실이었다. 1876년 달마티아 해안을 방문한 한 여행자는 20세기의 특징적인 현상을 목격했다. 절망적인 피난민들이 외국, 특히 러시아 영사의 도움을 받지 못한 채 튀르키예에 대항해 싸울 용병을 모집하고 있었다.

오스만제국 지도부의 분열을 이용해서 몬테네그로 정부와 세르비아 정부는 1876년 7월 직접 튀르키예 기지들을 공격했다. 놀랍게도 쇠퇴한 제국의 군대는 이들을 격퇴했다. 그러나 오스만 당국에 대항하는 반란은 계

세르비아-튀르크 전쟁 당시 세르비아군 진영(1876)

속 확산되어 다음으로 압제가 극심한 불가리아로 퍼져나갔다. 여기서도 경악할 만한 민간인에 대한 잔혹행위는 서유럽과 러시아에서 격렬한 반응을 불러일으켰다. 12월 러시아, 오스트리아-헝가리, 영국은 이스탄불에서 회의를 열고 실질적인 개혁을 촉구했다. 신임 술탄 압뒬하미트 2세는 자신이 지킬 수 없거나 지킬 의향이 없는 약속을 했다.[19]

1877년 4월 러시아는 결국 오스만튀르크를 공격했다. 러시아는 도나우 강 연안 공국들을 통해 군대를 남쪽으로 보냈고, 이제 전쟁은 발칸반도 전역으로 확대되었다. 세르비아인, 몬테네그로인과 마찬가지로 러시아인 군대는 예상하지 못한 강한 저항에 부닥쳤고, 도나우강 도하 지점에서 32킬로미터 떨어진 불가리아의 플레브나 요새에서 6개월을 진퇴양난의 상태에 있다가 다시 공세를 재개했다. 1878년 1월 오스만튀르크는 강화를 요청했다. 두 달 후 러시아와 오스만튀르크는 이스탄불 교외 산스테파노에서 조약을 체결했다. 이 조약은 러시아와 새로 탄생한 불가리아를 만족시켰지만, 다른 국가들은 그렇지 않았다.

산스테파노조약으로 '기독교 정부'가 통치하는 불가리아가 설립되었는데, 이것은 상상 가능한 만큼 큰 영역을 차지했다. 북쪽으로는 도나우강에서 남쪽으로는 로도프스, 동쪽으로는 흑해에서 모라바강까지, 서쪽으로는 바르다르에 이르는 영토를 갖게 되었다. 불가리아의 영토는 세르비아가 원하는 영토 일부와 그리스가 원하는 영토 일부도 포함하게 되었다. 이러한 초대형 불가리아 국가는 오스트리아-헝가리와 다른 열강들이 보기에 전략적으로 아주 중요한 발칸반도 지역에 러시아 피보호국이 생기는 것과 마찬가지였다. 이로 인해 이스탄불로 도달하는 길이 열리고, 러시아는 다르다넬스해협을 통제하는 데 거의 다다른 셈이었다.[20]

그러나 산스테파노조약은 보스니아에서 인종 갈등에 희망적인 해결책을 제공하여 오스만제국 내에 의회가 있는 자치 영토를 만들어냈다. 의회 의석 5분의 2는 정교도, 5분의 2는 이슬람교도, 5분의 1은 가톨릭이 차지 했다.[21] 이것은 19세기 네덜란드에서 종교 집단과 권력 공유와 평화를 만 든 조정(세 '기둥')과 유사했지만, 불행하게도 다른 열강들이 산스테파노조 약이 개정되어야 한다고 주장하면서 다시 살아나지는 못했다. 이 조약은 특히 오스트리아-헝가리를 크게 위협했다. 오스트리아-헝가리는 세르비 아와 몬테네그로가 크로아티아 국경까지 확장되어서 합스부르크제국 내 남슬라브인들의 단합을 촉구하는 것을 절대적으로 막아야 했다. 세르비아 와 몬테네그로 입장에서는 이러한 확장은 당연한 다음 단계였다. 이들은 보스니아-헤르체고비나를 분할 장악할 의도로 전쟁에 뛰어든 것이었다.[22]

그러나 오스트리아-헝가리와 세르비아 사이에 전쟁이 발생하면 바로 러시아가 개입하게 되고, 좀 더 큰 유럽의 전쟁으로 확대될 수 있었다. 특 히 독일 총리 비스마르크는 어떤 전쟁, 특히 러시아가 참전하는 전쟁은 새 로운 독일 민족 국가를 견고하게 만들려는 자신의 노력을 위협할 수 있다 고 생각했다. 산스테파노조약으로 러시아의 영향권이 확장되는 것에는 모 두가 불만이 많았지만, 다른 열강들 어디도 전쟁을 원하지 않았기 때문에 열강들은 비스마르크의 초청에 응하여 1878년 6월 새로운 해결책을 찾기 위한 회의를 베를린에서 개최했다.[23] 베를린회의는 남동부 유럽의 오스만 제국 장악 영토를 약 절반가량 줄이는 것을 결정하고, 세르비아, 몬테네 그로, 도나우강 연안 공국인 루마니아의 독립을 승인하며, 불가리아를 자 치 국가로 만들었다. 그러나 불가리아 영토는 산스테파노조약에서 정한 것보다 3분의 1이 줄어들었고, 마케도니아와 잔혹행위가 발생한 동루멜 리아는 오스만 영역으로 다시 귀속되었다(동루멜리아는 기독교도 총독이 관 할했다).[24] 베를린회의에서 결정된 가장 중요한 사항은 보스니아-헤르체

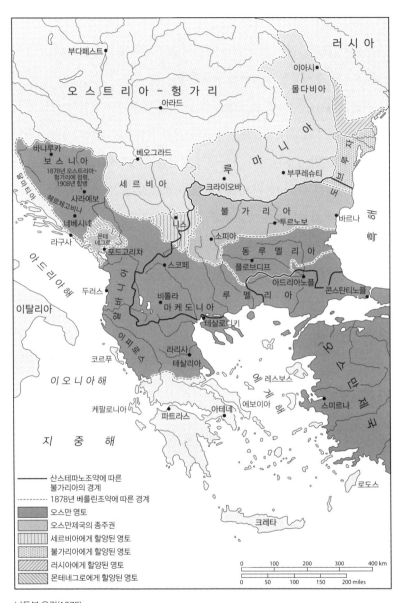

지도 내 라벨:

부다페스트

러시아

이아시
몰다비아

오스트리아-헝가리

아라드

바나루카
보스니아
1878년 오스트리아-
헝가리에 점령,
1908년 합병

베오그라드

세르비아

루

크라이오바

부쿠레슈티

마

니

아

헤르체고비나

사라예보

네베시녜

몬테
네그로
포드고리차

니스

불 가 리 아

투르노보

바르나

흑

해

라구사

소피아

두러스

스코페

동 루 멜 리 아

플로브디프

아드리아노플

콘스탄티노플

아
드
리
아
해

비폴라

마케도니아

루

멜

리

아

이탈리아

라리사

테살로니키

에
피
로
스

코르푸

테살리아

레스보스

이오니아해

케팔로니아

파트라스

에보이아

아테네

스미르나

지 중 해

로도스

크레타

범례:
━━━ 산스테파노조약에 따른
    불가리아의 경계
----- 1878년 베를린조약에 따른 경계
■ 오스만 영토
□ 오스만제국의 종주권
▥ 세르비아에게 할양된 영토
▦ 불가리아에게 할양된 영토
▨ 러시아에게 할양된 영토
▧ 몬테네그로에게 할양된 영토

0 100 200 300 400 km
0 50 100 150 200 miles

남동부 유럽(1878)

고비나를 세르비아와 몬테네그로에 양도하지 않고 오스트리아-헝가리의 영토로 만든 것이다. 명목적으로는 이 지역은 오스만 영토로 남았지만 오스트리아-헝가리는 처음부터 이 지역을 식민지로 다루고, 1881년부터 (불법적으로) 병사들을 징집하기 시작했다.

베를린회의는 다음의 큰 충돌을 30년 이상 미루기는 했지만, 새로운 국가 중 어느 곳도 만족시키지는 못했다. 몬테네그로와 세르비아는 보스니아-헤르체고비나가 당연히 자신들의 땅이라고 생각했고, 세르비아는 당장은 오스만제국에 반환된 마케도니아를 놓고 불가리아와 갈등을 벌였다. 새 국가들은 자신들의 영토 요구와 이에 대한 반박을 후에 '민족자결'이라고 불린 근거로 정당화시켰다. 루마니아의 목표는 헝가리 내 루마니아인 거주 지역으로 확장하는 것과 러시아에 할양된, 동포들이 사는 베사라비아를 획득하는 것이었다. 영국 외무장관 샐리스버리는 "포츠담(베를린회의가 열린 장소)에는 모기들이 있었고, 여기에는 소국들이 있다. 나는 어느 것이 더 나쁜 것인지 모르겠다"라고 말했다. 비스마르크는 발칸 정치인들을 '양 도둑'에 비유했다.[25]

베를린회의는 차르가 1876년 모라비아에서 프란츠 요제프 황제에게 맹세했지만 잊은 것으로 보이는 약속을 러시아가 하도록 강요했다. 그것은 오스만제국 영토에서 커다란 슬라브 국가를 만드는 것이었다. 그러나 너무 크다는 것은 무엇을 의미하는가? 산스테파노조약에서 만들어진 불가리아는 지도 위에 나타났다가 사라지면서, 불가리아의 외교 정책은 이 영토를 '되찾아오는 데' 초점이 맞추어졌다. 그래서 이 신생국은 '이미 확고해진 영토 확장이라는 목표와 열강들이 강요한 불의에 대한 강렬한 불만'으로 국가를 시작했다.[26] 그러나 불가리아의 문제는 동방문제의 핵심적 어려움을 보여주었다. 그것은 유럽에서 오스만 세력을 단계적으로 축소시키는 것이었다. 만일 남슬라브 국가가 있다면 그 국가의 적당한 크기는 어느 정도여야 하는가? 일리리아인들은 그 크기가 클라겐푸르트부터 흑해에까지 이를 것으로 상상해왔었다.

보스니아인 만들기?

남슬라브 국가는 빈이나 부다페스트 정부가 사상과 무력에서 무력하게 상대해야 하는 범슬라브주의의 맹주 러시아라는 강대국의 전초 기지가 되기 때문에, 크기에 관계없이 오스트리아-헝가리가 수용할 수 있는 것보다 컸다. 그래서 베를린회의에서 오스트리아는 다른 강대국들의 지원을 받아 제국 동쪽과 남쪽 국경의 제지할 수 없는 슬라브 세력의 진군을 멈추게 할 수 있었다.

오스트리아-헝가리의 보스니아-헤르체고비나 점령은 다민족 국가 대신에 민족 국가를 선호하는 이 지역의 당시 경향을 되돌리는 임시적인 조치였다. 보스니아-헤르체고비나는 세르비아의 일부가 되는 대신 오스트리아-헝가리의 부속국가가 되어 제국 영토라고 불리게 되었고, 오스트리아와 헝가리가 이 지역을 공동으로 통치하게 되었다. 당시 사람들은 이곳은 이제 기능이 멈춘 오스트리아제국 제국주의자들이 에너지를 방출하는 식민지라고 말했다. 사람들은 보스니아인들을 부모의 보호가 필요한 어린애처럼 자치능력이 없는 사람들이라고 생각했다.[27] 보스니아인들의 반제국 투쟁은 존속살인처럼 되었다.

형식적으로 오스트리아-헝가리는 '질서'가 회복될 때까지 보스니아-헤르체코비나를 점령하게 되어 있었다. 1879년 4월 노비파자르회의에서는 오스만튀르크의 종주권을 인정하고, 이슬람 주민들의 권리를 보호하기로 약속했다. 오스트리아와 헝가리 공동위원회 감독 밑에 제국의 행정당국이 실질적 지배를 담당했다. 그래서 오스트리아-헝가리 합동 재무장관이자 야망 있고, 많은 곳을 여행한 헝가리 귀족인 벤야민 칼라이가 이 지역 총독을 맡았다.[28] 칼라이는 역사에 족적을 남기기로 작정을 하고 보스니아를 새로운 민족을 만들어내는 실험실로 이용했다. 보헤미아는 합스부르크왕가의 가장 큰 골칫거리가 되어가고 있었고, 헝가리는 모두가 상상한 것 이상으로 한 울타리 안에 가두기가 힘들었다. 그러나 보스니아-헤르체고비나에서 관리들은 모든 것을 처음부터 시작할 수 있었다. 이들은 주민들을 '보스니아인'으로 만들기로 했다. 제국 군주정에 대한 충성이 이들의 우선적인 목표가 되어야 했다. 칼라이의 구상도 제국적 오만함에서 나온 행동이었다. 그는 요제프 황제에게 자신과 관리들은 보스니아인들에게 '문명의 축복'을 가져올 것이고, 이 땅을 자신들이 상상하는 수준으로 끌어올리겠다고 편지를 썼다.[29]

보스니아에 합스부르크제국 군대가 들어온 초기 칼라이는 잠시 평정을 유지할 수 있었다. 그러나 이들은 해방자로 환영을 받기보다는 두 달 동안 무력 저항에 직면해서 합스부르크 병사 946명이 사망했다. 그러나 점령은 새로운 기회를 제공할 수 있는 것으로 보였다. 모든 보스니아인들은 오랜 과거로 거슬러 올라가는 역사를 공유하고 있었고, 보스니아 기독교인들을 세르비아인, 크로아티아인과 같은 종교를 가지고 있었다. 실제로 19세기 중반까지 보스니아인 사이의 차이는 주로 신앙 고백 차이로 인한 것으로 생각되었다. 서방 교회 신봉자는 크르스챠니krstjani이고 동방 교회 신봉자는 흐리스챠니hristjani, 이슬람교도는 무술마니musulmani라고 불렸다. 정교도 주민과 가톨릭 주민 사이에 경제적 또는 사회적 적대 이유는 없었

고, 새 정권은 모든 사람의 법적 평등권을 수립했다.[30]

그러나 세심한 관찰자라면 보스니아의 통합을 만들어내는 데 따르는 문제는 처음부터 분명해 보였다. 기독교인들은 자신들을 종교적 관점에서 인식했지만, 이슬람교도는 인종적 외국인으로 보고, 이들을 '튀르크인'이라고 불렀다. 이것은 이들 절대다수가 슬라브인이고 같은 언어를 사용하는 상황에도 불구하고 잠재된 인식이었다. 이러한 단어는 내적 인식 속에 있는 깊은 장벽을 보여주는 것이었다. 이슬람 주민들은 오스만튀르크 세력이 물러간 다음에도 그 통치 아래 있는 것으로 간주되었다.[31] 중동부 유럽에서 자주 볼 수 있는 사례처럼 민족적 자아가 완전히 살아나기 위해서는 '타자'가 필요했다.

보스니아 정교도들이 이슬람 주민과 구별된다는 이러한 인식은 이들이 '튀르키예' 압제하에 살아온 공동의 역사를 가지고 있었지만, 헝가리나 세르비아 내 세르비아인들의 형제가 아니라는 생각을 갖게 만들었다. 보스니아 정교도 주민들 사이에 세르비아 정체성이 형성되기 시작하자 합스부르크 당국은 이탈리아, 좀 더 최근에는 보헤미아에서 부딪혔던 문제와 다시 마주쳤다. 세르비아에서 오는 메시지는 보스니아의 정교도 주민들은 세르비아가 중심인 남슬라브 국가에 속해야 한다는 것이었다.

이러한 메시지에 반격을 해야 할 임무를 띤 칼라이는 자신의 과제를 수행할 수 있는 뛰어난 배경을 가진 사람이었다. 그는 1839년 헝가리의 유서 깊은 귀족 가문에서 출생했고, 튀르키예어, 러시아어, 그리스어, 세르비아어 등 여러 언어를 구사했다. 모계가 세르비아 출신인 그는 한때 헝가리의 세르비아인 거주 지역 행정을 담당했다. 그는 세르비아 역사를 공부했을 뿐만 아니라 이 주제의 책도 출간했다.[32] 칼라이는 보스니아에 대해서도 많은 것을 알고 있었고, 1871년 여름 여러 지역을 여행했다. 그는 하나의 이론도 만들어냈다. 그것은 보스니아인들은 중세 초기까지 거슬러 올라가는 깊은 민족 정체성을 가지고 있고, 이것은 오랜 세월 동안 '동양적 매장물로 여러 번 덮어 씌워졌다'는 것이었다. 이러한 보스니아인들의 의식이 단순히 다시 깨어난 것이며, 그렇게 되면 이것은 범크로아티아와 범세르비아의 '환상적 꿈'을 밀어낼 것이다.

그러나 그는 헝가리라는 렌즈로 보스니아 지방을 바라보았고, 이것은 자멸적인 것으로 드러났다. 그는 보스니아가 헝가리 귀족처럼 고래의 통치 계층을 보유했다고 생각했고, 이슬람 지주들은 '보구밀Bogumil'이라는 신비주의 중세 귀족으로 거슬러 올라가는 혈통을 가지고 있다고 믿었다. 로마나 콘스탄티노플 어디의 통제도 받지 않는 이 종파의 후손들은 (오스만 점령) 이후 자신들의 토지를 지키기 위해 이슬람으로 개종했다고 여겨졌다. 칼라이는 이슬람 지주들에게 적절한 여건이 주어지면 다시 기독교로 재개종할 것으로 생각했다.[33]

그는 보스니아 이슬람교도들에게 의존할 실용적인 이유도 있었다. 이들은 토지에 남다른 애착을 가지고 있었다. 가톨릭 교인이나 정교도와 다르게 이들은 자신들이 민족주의를 지원할 외부 세력을 가지고 있지 못했고, 실상 이들은 오스만에 대항해 보스니아의 독립을 위해 싸운 역사를 공유하고 있었다. 1831년 후세인-카페탄 그라다셰비치 통치 아래 이슬람교도들은 이스탄불에서 단일적인 통치를 강요하려는 술탄 마흐무트 2세(재위: 1808-1839)에 대항해 반란을 일으켰다. 보스니아 민족이 존재한다면 이러한 종류의 감정에서 시작되어야 했다. 이에 못지않게 중요한 것은 이슬람교도들이 문화, 행정, 경제에서 주도적 세력이었고, 이들은 통치에 적응되어 있었다는 점이었다. 칼라이는 다른 식민 군주의 전통을 따라 권위가 인정된 집단을 통해 통치를 했다. 이에 대한 대안은 사회 혁명이 되었을 것이다.

이러한 집단을 중심 세력으로 하고 칼라이는 민족주의자들이 민족을 만든다고 말한 요소들, 즉 언어, 역사에 대한 공동의 인식, 민족 상징을 가지고, 학교를 이를 주입하는 핵심 기구로 이용하여 보스니아 정체성을 만들어나갔다. 오스만 통치 아래에서 학교 교육은 각각의 종교 공동체가 맡아 진행했다. 그러나 칼라이는 지역적 정체성을 중시하는 초종교적 학교 교육을 증진시켰다. 특히 종교적 분리가 발생하기 이전 시기로 거슬러 올라가는 고대의 보스니아 유산으로 여겨진 보구밀 교회를 중시했다.[34] 칼라이는 세르보-크로아티아어 지역 방언('보스니아어' 또는 보슈냐크)을 증진시켰고, 1883년 이것을 공식 언어로 선언했으며, 1890년 시릴 문자와 라틴 문자를 사용해 이 언어 문법책을 발행했다(민족주의자들은 1990년대 이 책을 재출간했다). 공식 담론에서는 보스니아인들을 의미가 애매한 주민이라고 지칭했고, 때로는 보스니아의 주민 전체, 때로는 한 집단을 지칭하기도 했다. 정교도 반군들은 1875년 자신들을 지칭하는 데 이 용어를 사용했다.

반세르비아적, 반크로아티아적으로 보이고, 이슬람 지주에 의존하면서 칼라이는 이슬람 지식인들 사이에 보스니아 의식의 고조를 이끌어냈다. 이들은 자신들이 봉건 귀족에서 나왔고, 그래서 '고유한' 보스니아인이라는 아이디어에 끌렸다.[35] 일례로 1866년 사라예보 시장은 '위대한 이슬람교도'인 보스냐크는 1831년 봉기가 보여준 것처럼 조국의 첫 애국자들이라고 썼다. 이 봉기에서 이슬람 지도자 그라다셰비치는 오스만 수상grand vizier이 이끄는 군대를 격파했다. 공동체 정치인인 사라예보 시장은 당대의 인종민족주의를 고양시키고 이슬람교도는 '튀르크인'(즉, 외국인)라는 모든 제한을 없애버린 것이다.

그러나 새로운 보스니아 정체성은 초기 보스니아 이슬람 민족주의자들 사이에서도 일관되게 사용되지 않았다. 때로 이들은 보슈냐크Bošnjak란 단어를 보스니아의 모든 주민을 가리키는 데 사용했고, 때는 이슬람 주민들만 지칭하는 데 사용했으며, 때로는 보스냐크Bosniaks를 가리키는 데 사용했다. 새로운 정체성은 자신들을 계속 종교적 관점에서 인식하는 이슬람 주민 사이에서도 보편적이지 않았고, 이들 중 일부는 세르비아 정체성, 일부는 크로아티아 정체성으로 기울었고, 일부는 스스로를 유고슬라브인으로 생각했으며, 아마도 다수를 차지하는 다른 사람들은 민족 정체성에 거의 관심이 없었다.[36] 그러나 1890년대 이슬람 주민들이 어떻게 생각했는가를 떠나서 칼라이는 보스니아 이슬람 주민 사이에 정체성 형성의 첫발을 내디뎠다. 이러한 정체성은 1990년대 벌어진 반이슬람 인종학살 때까지는 완전한 모양을 갖추지 못했다.

이런 과정에서 많은 보스니아 기독교인들은 세르비아 정체성이나 크로아티아 정체성을 원한 이슬람 주민이 완전히 기독교로 '되돌아오기' 선까지는 완전한 세르비아인이나 크로아티아인으로 보지 않았다. 이러한 역경은 헝가리에 거주하는 유대인들이 겪은 것과 비슷했다. 헝가리인 이웃들이 보기에 이들은 기독교로 개종해야만 완전한 마자르인이 될 수 있었다. 정교도 주민과 가톨릭 주민들은 압도적으로 칼라이의 보스니아 정체성을 받아들이지 않았고, 칼라이가 사망한 지 4년 후인 1907년 세르보-크로아티아어를 지역 언어로 인정했다. 이슬람 주민들에게만 '보스니아어'가 별도로 구별되는 언어가 되었다.[37]

정교도와 가톨릭교도인 보스니아인들의 인종적 정체성은 오스트리아-헝가리 정복 직전 기간에 형성되기 시작했다. 1869년 튀르키예 학교 개혁은 오스만 국가 정체성을 확산하기 위해 시작되었지만, 오히려 세르비아 학교와 교회 공동체가 세르비아 의식을 강화하려는 노력을 배가시키는 결과를 가져왔다. 1878년 오스트리아-헝가리 점령 이후 정교도와 가톨릭 교인들은 새로운 제국 국가의 자유를 이용해, 별도의 정당, 잡지, 결사를 조직하여 보스니아 정체성 아이디어를 배척하는 데 이용했다. 세르비아인 들은 자신들의 정교회 학교를 위한 책을 간행했고, 이 책을 통해 학생들에 게 세르비아 조국을 사랑하는 법을 가르쳤다. 크로아티아와 세르비아인 거주 헝가리 국경이 열리게 되면서 낭만주의적 민족주의로 무장한 정교 회 사제들이 밀려 들어왔다. 이 사제들은 학교 교육을 증진시키면서 사라 예보에 '세르비아인'이라는 이름을 선전하는 조직을 만들었다. 이 조직은 헝가리의 세르비아 청년 조직과 연계를(일례로 노비사드와) 형성했다.[38] 합 스부르크령 크로아티아에서 온 프란시스코회 사제들은 사라예보에 가톨 릭 교인들을 위한 이와 유사한 조직을 만들었다.

젊은 시절 존 스튜어트 밀의《자유론》을 번역한 칼라이는 자신이 관장 하는 입헌 정권이 세르비아 역사나 크로아티아 국가성을 논의하는 것을 탄압하기가 어려웠다. 그러나 압제가 완전히 사라진 것은 아니었다. 문을 닫는 학교가 새로 문을 연 학교보다 많았다. 칼라이 정권은 합스부르크제 국의 고도로 엄격한 검열제도를 도입하여 1906년 전반기 보스니아의 가 장 큰 신문《세르비아 말Srpksa Riječ》의 편집장은 민족주의적 성향이 강하 다는 이유로 22번이나 법정에 출두해야 했다. 검열관들은 이 신문 기사의 7713줄을 삭제했다.[39]

그러나 이러한 압제는 세르비아에 대한 동정을 더욱 조장시켰기 때문 에 역효과를 가져왔다. 특히 점령자들이 공개적으로 가톨릭을 증진시키 면서 더욱 그랬다. 당국은 사라예보 대성당을 비롯하여 가톨릭교회들을 새로 지었고, 점령 첫 6년 동안 사라예보의 가톨릭 교인 수는 800명에서 3876명으로 늘어났다.[40] 예수회 사제들도 들어왔고, 이들은 합스부르크 관리들과 함께 크로아티아 민족주의를 전파했다. 제국 점령군 사령관인 크로아티아인 가톨릭교도인 요시프 필리포비치가 처음으로 취한 행동은 저항 조직 지도자들을 찾아내기 위해 정교도 공동체를 압박한 것이었다. 그는 이 지도자들을 체포하여 처형했다.

1902년까지 제국 영토를 운영하는 관리의 거의 90퍼센트가 외부에서 왔고, 토착민 중에 세르비아인이 가장 작은 집단이었다. 체코와 폴란드 지역에서도 합스부르크 관리들은 지역 언어를 능숙히 구사했지만, 보스니아의 관리들은 보스니아 주민들을 가장 집중적인 감시를 받는 대상으로 만들어 수시로 주민들의 정치적 태도에 대한 보고서를 제출했다. 특히 세르비아 학교에 대한 감시가 심했고, 모든 곳에서 정교도들은 정보원들의 감시를 받았으며, 이들은 '세르비아식으로 생각하고 느끼는 것'에 대한 모든 말을 기록했다.[41] 체코인이 많은 수를 차지한 도시 계획가들과 건설가들은 보스니아인들로 하여금 식민 세력의 신민이라는 느낌을 갖게 만드는 건축을 했다. 몇십 년 만에 환상도로와 프란츠 요제프 황제 거리에는 제국 도처에 있는 전형적인 합스부르크식 양식의 노란색 치장 벽토 건물들이 들어섰다. 보스니아 도시들 중심가는 합스부르크제국 다른 지방 도시들 같이 보이게 만들어졌다.[42] 도로와 철도가 '제국영토'를 오스트리아, 헝가리와 연결했고, 이를 통해 이 지역으로부터의 공산품이 유입되면서 토착 산업의 발전은 저해되었다.

발전한 유럽 사회의 증표는 교육이었지만, 이곳에서 칼라이의 교육 프로그램은 퇴보적 한계를 여실히 드러냈다. 그가 재임하는 동안 178개의 공립학교가 세워지는 데 그쳤고, 이 지역의 문맹률(1910년 당시 87.4퍼센트, 이슬람교의 문맹률이 가장 높음)에는 거의 긍정적 영향을 미치지 못했다. 1888년 정부 예산의 0.7퍼센트만이 기초 교육에 투입되었다. 당국은 부모들에게 자녀를 학교에 보내도록 고무시켰지만, 이것을 필수로 만들지는 않았다. 그러나 칼라이는 아주 제한적이기는 했지만 중등교육에는 투자를 했다. 점령 기간 동안 합스부르크 당국은 3개의 고등학교, 하나의 기술학교, 하나의 교사 양성 대학을 설립했다.[43]

그러나 이런 교육 프로젝트는 자기 파멸적인 것으로 드러났다. 교육을 받은 학생들은 보스니아에 대한 합스부르크 통치의 실제 성취의 현실을 배울 수 있는 도구를 갖게 되었다. 이들은 점령자들이 1875년 헤르체고비나의 대봉기를 촉발시킨 문제들을 해결하는 데 한 일이 거의 없다는 것을 알게 되었다. 칼라이의 통치가 지주 90퍼센트가 이슬람교도이고, 농노kmets의 95퍼센트가 기독교도인 종래의 질서를 재확인하는 상황에서 보스니아인들의 공통의 역사에 대한 그의 강조는 별 의미가 없었다.[44] 반정부 세르비아인들은 자신들의 민족해방 투쟁, 즉 보스니아를 세르비아에 병합하는 것을 인종적 기반인 경제적 압제로부터 농민들을 해방시키는 것으로 쉽게 치장할 수 있었다. 1906년 칼라이가 죽을 때까지 농민들의 실제 수확이 얼마나 적은지를 고려하지 않고, 10년 작황 평균치에 기반해 세납을 걷는 관행을 개혁하지 않았다.

그러나 정부의 조치로 농업 여건이 개선된 면도 있었다. 나렌타강 유역 정리를 통한 벨리나 저지대 관개 사업, 비료 사용 촉진, 채소 농업 장려 등이 그러한 예였다. 농업 생산량은 1882년 54만 5000톤에서 1898년 134만 6700톤으로 늘어났다. 그러나 농민들의 생활은 여전히 궁핍했고, 많은 농민들은 지주에게 소작료를 내지 못하고 있었다. 정부는 농민들에게 4.5퍼센트의 연이율로 50년까지 대부해주기로 동의했다.[45] 그러나 농민들의 생활 여건을 거의 개선하지 못한 이 '개혁'은 지주계급에게는 위협으로 간주되어 이슬람 정치 조직과 민족의식의 강화를 촉발했다.

보스니아-헤르체고비나를 점령한 오스트리아-헝가리는 상호 손해를 보는 상황에 처했다. 만일 당국이 질서와 발전을 증진시키기를 원한다면, 당국은 유일하게 잠재적인 친자본주의자들인 지주계급을 이용해야 했다. 이 상황은 발전의 촉진을 시도하면서 기존의 사회 구조를 고수해야 하는 모순에 빠질 수밖에 없었다. 그러나 사업가적 사고방식을 가진 이슬람 지주들은 당국이 유지하는 봉건적 체제 안에서 한계를 느낄 수밖에 없었다. 아직도 위력을 발휘하는 오스만 법은 농민들에게 자신들이 경작하는 농지에 대한 강한 권리를 제공해서 무엇을 어떻게 경작해야 하는지를 농민 스스로 결정하게 만들었다. 또 다른 제약 여건은 오스트리아 보수주의자들이 보스니아에서 일어나는 일에 신경을 곤두세우고 관찰하고 있는 상황에서 나왔다. 이들은 헝가리의 농민들에게 나쁜 사례를 제공할 것을 우려해서, 보스니아 지주들의 권리에 대한 도전에 반대했다(일례로 농지를 기독교도 소작인에게 배분하는 것). 이러한 이유로 인해 1875년 봉기를 촉발시켰던 기존의 농업 문제는 해결되지 않고 계속 남았다.[46]

보헤미아에서와 마찬가지로 인종화될 수 있는 기존의 소유 형태나 조직은 결국 인종화되어 기존의 종교, 경제생활의 차이를 확인하고 강화해 주었다. 계속 지주는 이슬람교도, 농민은 기독교인이었다. 정교도의 경제적 요소들은 공동의 제도나 자주 분리된 제도 덕분에 빠른 속도로 성장했다. 1914년 기준으로 보스니아-헤르체고비나 내에 26개의 세르비아 은행이 1000만 크라운의 자금을 유치했고, 10개 크로아티아 은행은 300만 크라운, 8개의 이슬람 은행은 400만 크라운을 유치했다. 1912년 기준으로 337개의 세르비아인 조직이 있었고, 이 중에는 47개의 체육회와 세르비아 학생들을 지원하고 견습공들이 직업을 찾는 것을 도와주는 중요한 문화 조직인 계몽회가 포함되었다. 이 조직은 합스부르크령 노비사드, 자그

레브, 라구사와 세르비아의 베오그라드의 세르비아 문화 조직과 밀접한 협력 관계를 유지했다.[47]

오스트리아-헝가리 점령 첫 3년 동안 수만 명의 이슬람 주민들이 이 지역을 떠났다. 일부는 징병을 피하기 위해서 떠났고, 다른 일부는 점점 더 이슬람화되는 오스만제국에 거주하는 것을 더 편하게 느꼈기 때문이었다. 보스니아에서 이슬람 주민이 차지하는 비율은 39퍼센트에서 32퍼센트로 줄어들었다(가톨릭 주민은 18퍼센트에서 22퍼센트로 늘어났고, 정교도 주민은 43퍼센트 비율을 유지했다). 1908년 이슬람민족기구MNO가 총리의 집권당으로 부상했고, 124개의 이슬람 주민 조직이 있었다. 이슬람 주민은 인구 중 소수파였기 때문에 크로아티아 정당, 세르비아 정당과 연정을 구성해야 했다. 1918년 전 세르비아 정치 기구가 이슬람 주민과 협력한 유일한 이유는 공동의 반오스트리아 전선을 구성하고자 하는 욕구였고, 기본 요구는 보스니아의 자치 확보였다.[48]

그러나 칼라이는 이 지역 역사의 이전 어느 정권보다 보스니아에서 인종 간 화합의 기반을 만들었다. 정부는 동유럽 어느 국가에서보다 인종 문제에 대해 중립을 지켰다. 1902년 보스니아를 방문한 미국 기자 W. E. 커티스는 "다른 종교를 신봉하는 사람들이 우호적인 분위기에서 섞여 있고, 상호 존중과 상호 관용을 보여준다. 정부는 현명하고 성실하게 행정을 집행하고, 종교와 사회적 지위에 관계없이 정의는 모든 시민에게 보장된다"라는 기사를 썼다.[49]

이러한 외부 관찰자는 보스니아 사회의 표면적 현실을 잘 기술했지만, 심층적 민족주의 물결과 주민들의 감정을 사로잡는 그 힘을 감지하지는 못했다. 이슬람 주민들은 수와 영향력이 줄어들고 있었고, 정교회 기독교인들은 여전히 이슬람이 지배하는 사회에 종속되었다고 생각했으며, 젊은이들은 외국 지배에 인내력을 잃어갔고, 비밀결사(청년보스니아당 같은) 를 만들기 시작했다. 세르비아 국가는 오스트리아-헝가리보다 경제 발전 을 위해 하는 일이 더 적었고, 문맹률도 세르비아에서 더 높았지만 보스니 아 정교도 주민들은 세르비아 국가가 구원을 약속하는 것으로 보였다. 다 른 식민 지배 지역과 마찬가지로 보스니아의 현대화는 자기 파괴적이었 다. 이것은 사회적 불평등과 문화적·인종적 차이를 감소시키기보다는 더 심화시켰다.[50] 드문 경우지만 재능이 있는 농부의 자식이 오스트리아제도 덕분에 좋은 교육을 받은 다음 음모 조직에 가담하여 제도의 상징적 수장 을 암살하는 데 가담하게 된 것도 이러한 상황의 한 증상이었다. 그 학생 은 가브릴로 프린치프였고 희생자는 오스트리아 황태자 프란츠 페르디난 트였다. 젊은 보스니아 민족주의자들은 농민 문제를 자신들의 지고의 목 표로 삼았다. 이들이 보기에 이것은 제국 군주정에 대항하여 당국에 책임 이 있는 민족적·사회적 불만을 강력하게 융합시켰다.

유럽의 새로운 인종 국가들

오스트리아-헝가리가 보스니아-헤르체고비나를 유럽 전체가 감탄하는 모범 사례로 만들기를 원했다면, 베를린회의에 참가한 열강들은 새로 설 립된 국가들이 높은 수준의 유럽 기준을 다른 지역에 전파하는 모범이 되 기를 바랐다. 프로이센 총리 비스마르크는 다른 때 같았으면 숙적인 프랑 스 총리 윌리엄 웨딩턴과 함께 새 국가들은 모든 시민에게 종교의 자유와 법 앞에 평등을 보장해야 한다는 데 동의했다. 이러한 주장은 이 국가들의 혁명적 성격과 밀접한 관련이 있었다. 베를린회의에 모인 정치인들은 인종적 원칙을 이 국가를 설립하는 근거로 사용했다. 일례로 불가리아 국가는 불가리아인의, 불가리아인(불가리아 기독교인들을 의미)을 위한 국가가 되어야 했다. 새로운 국가들은 오스만제국의 영토적 희생하에 세워진 것이었다. 불가리아는 1908년 불가리아 지도자들이 자신들의 지위를 변경하기 전까지 오스만의 가신국으로 남아 있기는 했다.[51]

구질서는 제국적 질서였고, 인종적으로 특정되지 않는 제국의 주민들에게 암묵적인 호의가 계속 유지되었다. 몇 세기 동안 수백만 명의 슬라브인들이 오스만제국, 합스부르크제국, 로마노프제국에 충성하는 신민이 되었고, 지배 엘리트조차도 그렇게 되었다. 그러나 새로운 국가의 지배 민족은 다른 사람이 가담할 수 없는 집단으로 여겨졌다. 사람은 불가리아인이나 루마니아인으로 태어나거나 그렇지 않거나 둘 중의 하나였다. 그래서 열강들이 오스만 지배에서 기독교인들의 권리를 보호한다고 주장한(1774년 쿠츄크-카이나르지조약부터 시작하여) 구체제는 새로운 단계로 고양되었다. 베를린회의는 소수민족 보호가 20세기의 원칙으로 자리 잡는 데 선도적 역할을 했다.[52] 그러나 19세기 말과 20세기 초 민족 문제를 인종의 관점에서 이해하기 시작하면서 새로운 인종-민족-국가는 오스만제국 내에서 기독교인이 되는 것보다 훨씬 많은 문제를 내포한 국가가 되었다.

열강은 세력 균형이라는 어려운 상태를 유지하기 위해 새 국가들이 나타나도록 허용했고 러시아를 제외하고, 다른 국가들은 이 지역이 오스만제국의 군도群島로 남는 것을 선호했다. 인종을 국가성의 기초로 인정한 것은 깊은 존경을 담은 것이 아니었고, 실제로 베를린에 모인 정치인들은 신생국들에 대한 경멸감을 표현했다. 영국의 디즈레일리 총리는 세르비아인들을 작고, 반半야만적인 민족으로 생각했다.[53] 오스만제국의 약화로 인해 새로운 민족주의를 무시하는 것이 불가능하게 만들었지만, 열강은 민족주의를 신중하면서도 안전장치를 가지고 인정했다. 한편으로 이들은 자신들의 '경비원들'을 유럽 왕가의 합법적인 공후라는 포장을 해서 유사 보호자chaperones로 내세웠다. 또 하나의 방편으로는 불가리아와 루마니아의 지역 유력자들이 만든 헌법이 비토착 민족의 권리를 보장하도록 만들었다. 신생 국가들(오랜 역사를 지닌 것으로 간주되었지만)이 잘못된 행위를 저지르는 경우, 강대국들이 간섭을 할 수 있도록 만들었다. 이것은 지속적인 반감을 불러일으키는 상시적 위협이 되었다.

불가리아인들은 현재 통치하지 않는 유럽 왕가 중에서 대공을 선출하라는 지시를 받았다. 이렇게 해서 선출된 사람은 독일 바텐베르크 공후 알렉산드르였다. 수십만 명의 불가리아인들이 1876-1877년 오래 지속된 유혈 전투를 피해 이 지역을 떠났다. 유럽 열강은 이 피난민들이 귀환하도록 만들지는 않았지만, 이들을 영구히 배제시키는 것을 원하지는 않았다. 그래서 불가리아 상류층은 튀르키예 주민, 루마니아 주민, 그리스 주민들의 이익을 고려한 기본법organic law을 만들어야 했다. 아무도 민권, 정치 권리에서 배제되거나 전문 직업을 포함한 공적·사적 고용에서 제외될 수 없었다. 종교의 자유가 보장되었고, 불가리아에 더 이상 거주하는 않는 이슬람교도를 포함한 시민의 재산권도 보장되었다. 다른 국가들은 이와 같은 방법으로 종교와 소수민족을 보호하는 데 동의해야 했다.[54]

불가리아는 여전히 러시아가 점령한 축소된 가신국이었고, (1908년까지) 실질적 자치권을 보유하고 있지 못했다. 이후 수십 년 동안 불가리아의 외교 정책의 목표가 된 가장 시급한 관심사는 베를린회의에서 상실한 영토를 되찾는 것이었다. 세르비아와 몬테네그로는 새로운 요건에 항의하지 않았다. 그 이유는 자국 내 이슬람 주민들의 생활 여건이 너무 힘들어져서 이미 수십 년에 걸쳐 많은 이슬람 주민들이 나라를 떠났기 때문이었다.

1860년대 전투가 벌어지자 당국은 베오그라드의 이슬람 주민들을 떠나도록 만들었다. 1876-1878년 전쟁 중에 25만 명에서 30만 명의 이슬람 주민이 살해되고, 150만 명이 오스만제국 깊숙한 지역으로 피난을 갔다. 세르비아와 몬테네그로로서는 이러한 이슬람 주민 이탈이 자신들의 민족건설의 일부가 되었다. 이와 반대로 1878-1879년 이후 오스만제국은 지배적인 이슬람 국가가 되었다(이슬람 주민이 전체 인구의 75-80퍼센트를 차지했다). 이후 20년 동안 100만 명의 이슬람 주민들이 추가적으로 발칸 국가를 떠났다.[55]

오스트리아는 보스니아-헤르체고비나의 공동체의 권리를 방어한다고 약속했고, 약속한 대로 행동했다. 우리가 본 바와 같이 이것은 구질서의 사회경제적·법적 구조를 보존하게 된 이슬람 엘리트의 입지를 존중하는 데까지 확대되었다. 세르비아 민족주의자들에게 오스트리아 당국은 오스만 통치의 병폐를 치유하기보다는 오스만 정권의 자리를 대신한 것처럼 보였다.[56] 그러나 루마니아의 정치 계층은 자국 영토 내의 모든 주민들에게 시민권을 확장하라는 요구에 격렬하게 반대했다. 아마도 이들은 주민과 영토에 대한 자신들의 통치권에 대한 불안이 더 컸던 것 같다. 불가리아, 세르비아, 또는 몬테네그로와 다르게 루마니아는 독립적 국가성 전통을 거의 가지고 있지 못했다. 루마니아는 인종에 근거한 국가 존재의 정당성을 주장한 가장 이른 모델이 되었다. '루마니아인'이라는 국민의 궁극적 기원은 다른 지역보다 덜 분명해서 루마니아 지식인들은 자국민의 혈통에 대해 '과도한 불안'을 갖게 되었다.[57] 그래서 명목 민족의 정확한 의미를 정의하는 것은 루마니아에서 다른 어느 것보다 중요했다. 오래된 기독교의 반유대주의 전통 덕분에 이 과정은 발칸의 다른 지역에서 볼 수 없는 날카로운 칼날을 갖게 되었다. 그래서 루마니아 건국자들이 자신들의 정

체와 자체 정체성의 경계를 확고하게 하는 데 이용된 대상은 이슬람이 아니라 유대인이 되었다.[58]

몇 개의 우연한 사건이 없었더라면 루마니아 국가는 탄생하지 못했을 수도 있다. 그 이야기는 1848년까지 거슬러 올라간다. 당시 왈라키아와 몰다비아는 민주적 혁명의 물결이 다다른 유럽 가장 끝부분이었다. 지역 귀족 후손이 대부분인 프랑스에서 공부하고 있던 루마니아 학생들은 서둘러 귀국하여 도시민 계층과 함께 부쿠레슈티와 이아시의 권력을 일시적으로 장악했다. 파리의 세미나와 살롱에서 귀족 자제들은 낭만적 민족주의자가 되었고, 이들은 인종적으로 루마니아인들의 땅이 입헌 정부와 시민권을 가진 독립 국가로 통일될 것을 요구했다. 해외에서 공부한 이 학생 계층에서 루마니아 민족 지도부가 형성되었다.[59]

자유주의적인 모델을 채택한 것으로 보이는 헌법의 원형인 '이슬라즈 선언Islaz declaration'이 1848년 왈라키아에서 채택되었다. 이 헌법은 모든 시민의 평등권, 진보적 소득세제, 언론의 자유, 강제노역의 철폐, 모든 아동에게 무상 교육을 제공하는 교육 제도의 확대, 모든 주민으로부터 선출되는 5년 임기의 대공 제도 등을 규정했다. 시민권은 사회적 지위가 아니라 인종에 기반을 두었고, 이것은 농민도 귀족, 도시민과 대등한 입장에서 민족 구성원이 되었기 때문에 진보적으로 평가할 수 있었다. 그러나 불길하게도 유대인은 민족에 포함되지 않는다는 엘리트 사이의 합의를 반영하고 있었다. 그러나 헌법 공포 몇 주 만에 이 실험은 러시아와 오스만제국의 간섭에 의해 중단되었다.[60]

이 실패한 혁명 후 여전히 오스만제국 통치 아래 있던 왈라키아공국과 몰다비아공국은 하나의 타협을 이루었다. 보수주의자들의 압력을 받은 자유주의자들은 사회 개혁에 대한 자신들의 요구를 축소하고, 민족 통합이라는 공통의 목표에 집중했다. 민족주의자들의 관점에서 볼 때 1850년대에 다소의 개선이 이루어졌다. 루마니아어가 학교에서 사용되고, 농민들의 노역의무는 (철폐되지는 않았어도) 축소되었다. 왈라키아 민족 군대를 만드는 과정도 시작되었다.

우연히도 왈라키아와 몰다비아를 통합하고, 두 공국을 현대화하는 데 모든 열정을 바친 지도자가 나타났다. 그 사람은 소귀족 가문 출신의 알렉산드르 쿠자였다. 그는 소르본대학에서 수학하다가 학업을 중단했다. 1858년 그는 몰다비아에서 진행된 박빙의 선거에서 공국 연합에 찬성하는 파와 반대하는 파 사이의 타협적 후보자가 되었다. 다음 해에 양 공국의 귀족회의는 그를 대공으로 선출했다. 이것은 아무도 계획하거나 기대했던 사건의 전개는 아니었지만, 뒤돌아보면 루마니아 통일을 향한 멈출 수 없는 관성을 반영한 것이었다.[61]

트란실바니아에 루마니아 인구를 가지고 있던 오스트리아는 두 공국에서 일어나는 일을 환영하지 않았지만, 이탈리아에서 군사적 위협에 직면한 상태에서 이 사태에 간섭할 여력이 없었다. 훨씬 힘이 강한 프랑스는 오스트리아의 발칸 변방의 동방 동맹국으로 루마니아 국가 형성을 지원했다. 1861년 오스만튀르크도 두 공국이 통일되는 것을 형식적으로 승인했다. 쿠자는 부쿠레슈티에 연합 정부를 수립했고 두 공국의 민병대를 통합했으며, 재정과 사법 제도를 중앙화했다. 그러나 그 이후 몇 년 동안 반동적인 귀족들이 외국 차관 도입과 철도 투자를 받아 국가를 현대화하려는 그의 노력을 막았다.

쿠자는 1866년 실각할 때까지 중요한 성공을 거두었다. 오스만제국과 러시아의 반대에도 불구하고 그는 왈라키아 전체 토지의 4분의 1, 몰도바 토지의 3분의 1을 차지하고 있던 교회 소유 토지(주로 그리스 수도자들이 소유하고 있던 토지)를 국유화했다. 1864년 5월 쿠자는 '가식적인 과도정'에 쿠데타를 일으키고 헌법에 기초한 민중 선거를 실시하여 68만 2621표의 찬성으로 1307표를 얻은 반대 세력을 눌렀다.[62] 8월 쿠자는 농지법을 시행하여 지역마다 다양한 농민의 농지 소유권을 인정하고(평균 농가당 4헥타르), 농민들에게 개인 자유를 보장하며, 봉건적 공납과 세금을 철폐했다. 농지의 3분의 2가 지주로부터 몰수되었다.[63] 너무 시급하게 시행된 이러한 개혁 조치들은 기대에 못 미치는 결과를 가져왔다. 농민들은 목초지와 산림에 대한 권리를 잃었고, 이것은 귀족들 소유가 되었다. 농민들이 받은 농지는 질이 떨어지는 토지였다. 이들은 이전 농지 주인에게 15년에 걸쳐 매년 토지대금을 지불해야 했다.

그 결과로 이후 수십 년 동안 두 공국에서 육류 소비는 감소했고, 농민들은 생계를 이어가기 어려워져서 종종 귀족에 고용되어 농사일을 했다. 농업법은 농지 소유 계급을 강화시켜주었고, 대규모 장원을 소유한 이들은 국제시장의 곡물 수요 증가로 이익을 보았다. 급속히 늘어나는 값싼 노동력에 의존한 귀족들은 현대화에 대한 동기를 부여받지 못했다. 1859년부터 1899년 사이 루마니아 인구는 54퍼센트 늘어났고, 이로 인해 그렇지 않아도 작은 농민들의 농지 면적은 더 줄어들었다. 루마니아는 대규모 장원과 빈한한 농민들의 나라가 되었다. 이것은 소유로 농장이 크게 확산된 세르비아 및 불가리아와 대조가 되었다.[64]

쿠자는 추진력 있고 동기가 좋았지만, 자신의 능력에 의구심을 가지고 권력 유지에 큰 관심을 보이지 않았다. 루마니아인들을 이롭게 한다는 진보적 목표를 가진 애국자였지만 그는 자신의 부인과 애인인 마리 오브레노비치(그녀의 아들 밀란은 세르비아의 첫 국왕이 되었다)와 같이 생활하며 부패를 그냥 보아 넘겨서 일부 사람들을 분개하게 만들었다. 그는 사실상 모든 진영의 사람들을 적으로 만들었다. 교회와 보수적인 지주들, 강대국들 (특히 오스트리아, 러시아, 오스만제국), 심지어 그가 너무 온순하고 어떤 때는 너무 귀족적이라고 생각한 자유주의자들도 그의 적이 되었다. 자기 애인의 아이들로 권력을 잇게 하려던 쿠자의 계획은 자유주의자들과 보수주의자들의 '괴물 같은 연합'을 촉발시켜서, 1866년 2월 이들이 보낸 군 장교들이 총으로 위협하는 가운데 그는 하야해야만 했다.[65]

자유주의자와 보수주의자 정치인들은 섭정을 세우고, 서방의 통치 왕가 중에서 루마니아 대공을 찾으려고 했다. 이들의 선택은 프로이센의 통치 왕가인 호엔촐레른-지크마링겐의 가톨릭 자손인 카를이 되었다. 선거인단의 적절성의 제한을 보여주는 주민 투표에 의해 새 대공은 68만 5969표의 찬성과 224표의 반대로 승인되었다.[66]

쿠자가 이룬 마지막 성과로는 프랑스 법을 모델로 한 민법이 있었다. 이 법에 의하면 기독교인만 시민으로 간주되었다. 이것은 루마니아 엘리트의 지배적 인식이었다. 그 결과 루마니아에 있는 모든 유대인은 정착 역사가 얼마나 오래되었는지에 상관없이 외국인으로 간주되었다. 1866년 7월 카를 대공은 이 조항을 담은 헌법을 승인했고, 입법가들은 '방랑하는 유대인들'을 새로운 범죄자로 분류해 이들을 루마니아에서 추방할 수 있게 만들었다.[67]

루마니아의 유대인들을 특별히 취약하게 만든 것은 폴란드 유대인과 대조되게 이들과 가족들은 비교적 최근에 '고향' 땅에 도착한 것이었고, 이로 인해 침입자로 쉽게 묘사되었다. 1820년대 이후 몰다비아와 왈라키아의 해외 곡물 수요에 맞추어 더 많은 곡물을 생산하면서 두 공국의 유대인 인구는 계속 늘어났다. 몰다비아의 유대인 수는 1774년 6500명에서 1820년 1만 9000명, 1859년 12만 5000명으로 늘어났고, 특히 도시에 몰려 살았다. 19세기 말 이아시에는 총 19만 1828명의 인구 중에 4만 6696명의 유대인이 포함되었다. 왈라키아 지역에서 유대인 증가는 좀 더 완만했지만, 부쿠레슈티에서는 1800년 5000여 명이었던 유대인 수가 1900년에는 4만 3747명으로 늘어났다. 1899년 기준으로 루마니아의 도시 인구는 113만 1000명이었는데, 이 중 19퍼센트인 21만 5000명이 유대인이었다.[68]

몰다비아와 왈라키아로 유입되는 유대인은 러시아와 갈리시아의 궁핍과 압제를 피해온 사람들이었고, 이들은 대부분 문맹인 두 공국의 주민들에게 기술과 루마니아 엘리트들이 자신들이 담당하기에는 저속하다고 생각하는 분야 사업을 기꺼이 떠맡았다(예를 들어 사업과 은행업). 곧 유대인은 여관 주인, 환전상, 야채상, 카펫 상인, 행상, 장인(재단사와 유리공) 같은 중개업 계층을 형성했다. 중동부 유럽의 도시 지역에서 유대인들이 이러한 직업을 차지한 것은 전통적으로 농촌 지역 거주를 금한 데 따른 것이다.

중동부 유럽의 다른 사회 배경과 비교하여 이런 발전이 가져온 눈에 띄는 현상은 유대인들이 루마니아로 유입되면서 일부 소도시에서는 한 세대도 되지 않는 기간에 거의 다수의 주민이 되었다는 사실이다. 유대인들은 폴란드인들과 몇 세기를 거주했고 국가가 사라진 다음에도 폴란드 애국자들은 폴란드의 유대인은 자신의 민족의 일부라고 생각했다. 유대인을 '외국인'이라고 부르는 것은 공생의 오랜 역사를 부정하는 것이었다(또한 1880년대 이후에나 나타난 인종차별적 주장을 필요로 했다). 그러나 루마니아의 유대인들은 분명히 새로 유입된 주민으로 긴밀한 가족 공동체를 이루고 살며 억양이 들어간 루마니아어를 말했지만, 자신들 사이에서는 이디시어를 사용했고, 구별되는 관습과 의복을 고집했다. 그리고 유대인들은 루마니아 정체성이 견고해지는 바로 그 시기에 이 지역으로 들어왔다. 루마니아 엘리트 중에는 유대인들이 루마니아인보다 역사가 오래되고, 별도의 민족이라는 것에 논란을 제기하는 사람은 거의 없었다. 1868년 자

유주의자인 코걸니차누 내무장관은 유대인을 기원, 관습, 감성에서 '외국 민족'이라고 불렀다.[69]

루마니아가 완전한 독립을 향해 다가갈수록 유대인들은 점점 더 체계적 배타에 의한 '차가운 유대인 학살cold pogrom'의 목표가 되었다. 루마니아의 가장 강력한 정치인인 48세의 자유주의자 이온 브라티아누는 유대인을 상처와 역병이라고 불렀다. 당국은 아마도 러시아 서쪽 지역 다른 어느 곳보다 유대인의 자유를 심하게 제한했다. 유대인들은 농촌 지역에 거주하거나, 술집을 운영하거나, 농지나 포도밭을 소유할 수 없었다. 이들은 도시에서 집이나 이동 가능한 재산도 소유할 수 없었고, 법원에 소송을 제기할 수도 없었다. 유대인들은 교수, 변호사, 약사, 국가 의사, 철도 종사원이 될 수 없었다.

쿠자가 실각한 후 정치적 기득권층은 정치적 차이를 포함한 모든 차이는 인종적 단합에 자리를 내주어야 한다고 생각했다. 정치인들이 자신들을 자유주의자, 민족주의자, 보수주의자로 부르는 것을 떠나서, 루마니아의 독립은 경제, 사회 개혁보다도 우선순위에 있었다.[70] 루마니아가 갑자기 유럽 지도에 나타난 것을 정당화하는 유일한 방법은 언어와 문화에서 공통의 기원을 가진 고대 공동체의 권리를 주장하는 것이었고, 한두 세대 전에 이 땅에 들어온 유대인은 이러한 종류의 공동체에 명백히 속하지 않는 것으로 묘사되었다.

그러나 루마니아는 오스만제국에 대항하기에는 너무 약했고(루마니아는 여전히 오스만제국의 일부였다), 열강의 간섭이 필요했다. 베를린회의 직전 시간 동안 인도주의적 간섭이라는 새로운 담론이 세계적으로 부상했다. 그 내용은 새 민족 국가는 '유럽에 가담하는' 대가로 일정 수준의 '고상함'을 갖추어야 한다는 것이었다. 영국과 프랑스의 유대인들로부터 루마니아 유대인들에 대한 혹사에 대한 불평이 쏟아져 들어왔고, 이스라엘총연맹Alliance Israelite Universelle 회장 아돌프 크레미우스는 1866년 부쿠레슈티를 방문하여 유대인 평등권 확보를 호소하고, 루마니아 헌법이 유대인의 국적 취득을 막지 않는 것을 보장하는 대가로 저리의 거대한 자금을 모금하겠다고 제안했다.[71]

그러나 크레미우스의 말이 새나가면서 루마니아가 국제 음모의 희생양이 된다는 이 지역의 반유대주의 주장을 도와주었다. 루마니아의 가장 유명한 시인 미하이 에미네스쿠의 말에 의하면 유대주의는 종교뿐만 아니라 인종 정체성을 가진 초영토적 민족이라는 것을 보여주었다.[72] 유대인은 루마니아를 자신들의 뜻에 따라 굴복시키기를 원하는 '외국 민족'이었다. '루마니아를 유대인에게 팔아넘기는 것'을 반대하는 운동이 전개되었고, 이것은 부쿠레슈티의 시나고그(유대교 사원) 파괴로 절정을 이루었다.

인종적 민족 운동 담론은 불행하게도 두 가지 분명한 해결책을 배제했다. 첫째는 유대인을 루마니아 사회에 문화적으로 동화시키는 것이고, 두 번째는 기독교도 농민들이 좀 더 기술과 경쟁력을 갖추도록 만드는 것이었다. 그러나 이것보다 오랫동안 지속되어온 반유대인 배타주의를 강화하는 것이 훨씬 쉬웠다. 여기에는 특히 유대인이 특정 재산을 취득하거나 특정 직업을 갖지 못하는 것이 포함되었다. 반유대주의는 선택지 중 하나로 시작된 게으른 습관이었지만, 이 방법을 택한 집단이 너무 커지면서 이의 정당성에 대한 의문은 제기되지 않았고, 논리적으로 타격이 있을 단순한 반대도 피해갔다. 일례로 자유주의적 정치인들은 자신들의 땅에서 유대인 부채에 묶인 '스파르타식 노예'가 되는 것을 피하기 위해 유대인 이민 홍수를 막으려고 한다고 주장했다.[73] 그러나 실상은 자유주의자들은 부채에서 자유로운 농지를 거의 소유하고 있지 않았다.

만일 엘리트들이 루마니아 사회를 진정으로 강화하기를 원했다면, 가장 간단한 길은 토지 개혁을 시행해서 농지가 없는 농민들을 이익과 생산성에 관심 있는 농장주로 만드는 것이었다. 그러나 루마니아의 사회경제적 후진성을 해악을 끼치는 혐의를 받는 유대인 중개인들, 즉 생산적 직업이 아니라 착취적 직업으로 여겨지는 세금 수납자. 상인, 환전상인 유대인들 탓으로 돌리는 것이 더 쉬웠다. 유대인들은 "다른 사람들의 노동의 열매를 이용해 살기만 한다"는 통념이 있었다. 정의를 내리자면 유일하게 '생산적인' 계급은 농민층이었고, 도시 주민들 일부는 루마니아인, 일부는 동화시킬 수 없는 '이드Yids'(유대인을 경멸하는 말)가 뒤섞여 있었다. 유대인들은 문자해독을 하고, 기술을 가지고 있으며, 도시에 살고 근면했지만, '덜 문명화되고', '더럽고 구제 불능'인 인종으로 투사되었다.[74]

루마니아 정치의 비극은 이러한 시각이 대중 선동자들이나 소요 선동자뿐만 아니라 루마니아 문학의 최고 유명 인사들에 의해서도 옹호되었다는 것이다. 반유대 변증론자인 에미네스쿠는 루마니아의 민족 '음유시인'이었고, 근대 루마니아어의 창시자였다. 그의 동상은 루마니아 곳곳에 세워져서 여전히 많은 사람들의 추앙을 받고 있다. 1879년 그는 유대인은 '즉각적 목표가 루마니아의 토지를 차지하는 것이고, 장기적 목표가 이 나라를 장악하는 것인 인종race'이라고 썼다. '인종'이란 말을 이렇게 사용한 것은 당시 유럽 기준으로는 일렀고, 이 연장 논리로 유대인은 근본적으로 루마니아인과 다르다는 에미네스쿠의 주장이 나왔다. 유대인성은 인식할 수 있는 영역 너머에 존재했고, 아마도 공유된 혈통에 있어서 '토착 유대인'이라든가 '루마니아 이스라엘인'이라는 말은 얼토당토않았다. 이러한 감정은 지식 엘리트 전반에 퍼져서 시인인 바실레 알렉산드리와 이온 헬리아데, 학자 층에는 보그단 페트리체이쿠 하스데우, 디오니시에 마르시

안 교황, 자유주의 정치 지도자 중에는 이온 브라티아누, 미하일 코걸니차
누가 포함되었다. 브라티아누는 루마니아의 주요 정치 왕가를 창조했다.[75]

많은 국가들 사이에서 루마니아는 불안한 입장에 처했기 때문에 루마
니아 민족주의자들은 자신들이 유대인보다 더 많은 적을 가지고 있다고
생각했다. 트란실바니아에서 루마니아인들은 헝가리인, 독일인 때로는 오
스트리아 정부에 대항하여 권리를 위한 투쟁을 벌어야 했다. 몰다비아와
왈라키아의 루마니아인 동포들은 오스만튀르크의 정치적 통제, 그리스의
문화적 통제에 반대해야 했고, 처음에는 러시아의 '보호'를 이용했다가 나
중에는 이를 후회했다. 우크라이나인, 폴란드인, 불가리아인과 영토 분쟁
이 있었고, 아르메니아 상인들과의 반목도 있었다. 유대인들은 루마니아
공간 내에서 권력 투쟁에 나선 것처럼 보이면서 특별히 맹비난을 받았다.
이들은 루마니아의 점점 커가는 중산층이 바라는 경제에서 입지와 전문
직업을 가지고 있었기 때문에 그랬다. 유대인들은 국제 자본주의에서 이
익을 취하는 반면 루마니아 농민들은 이로 인해 고통 받는다고 생각했다.
"(루마니아의) 반유대주의가 유럽에서 최악이었는지 말하는 것은 의미 없
는 일이다. 물론 민족 정체성의 일환으로 유대인에 대한 혐오가 그렇게 광
범위하게 확산되었고, 지식계층이 여기에 그렇게 집착한 것은 분명한 일
이다"라고 알베르트 린데만은 썼다.[76]

1878년 루마니아의 독립이 인정되기 전, 루마니아는 베를린조약 44조
를 받아들여야 했다. 이 조항에 따르면 루마니아는 신념이나 종교로 인해
시민들이 민권, 정치 권리를 누리는 것을 제한할 수 없고, 직업이나 공직
참여도 제한할 수 없게 되었다. 이 조항은 중부 유럽과 서부 유럽 유대인
들의 로비의 결과로 삽입된 것이었지만, 루마니아 철로에 대한 독일의 관
심을 반영한 것이기도 했다. 이렇게 해서 루마니아는 1864년 쿠자가 통과

시킨 헌법을 개정하여 부쿠레슈티의 모든 정당이 거부한 조항을 포함하게 되었다. 루마니아 입법자들이 요구되는 헌법 개정안을 거부하자, 독일 태생 국왕은 의회를 해산한 후 헌법 개정을 위한 임시 의회를 만들었다. 그런 다음 헌법 7조를 개정하여 세심한 조사 과정을 거친 후 유대인의 국적 취득을 허용했다. 각 경우는 의회의 특별한 승인을 필요로 했다. 외국 국가들은 이러한 타협안에 동의했지만, 이것은 루마니아 정부가 '철도 문제'에 대한 해결책을 제시한 직후 이루어졌다. 이것은 베를린의 재정 위기를 고려할 때 호의적인 해결책으로 보였다. 루마니아 관료제의 광범위한 공모로 인해 이후 25년간 25만 명 이상의 유대인 중 단 2000명만 루마니아 국적을 획득했다.[77]

인도주의적 간섭으로 루마니아 유대인들이 실질적으로 얻는 것은 별로 없는 반면, 서방의 종교의 자유와 법의 통치 운운은 다른 이익을 감추기 위한 위장이라는 교훈을 루마니아 입법자들에게 가르쳐주었다. 영국이나 독일이 루마니아를 심판할 권위를 가질 수 있었는가? 영국은 1858년에야 유대인에게 모든 권리를 인정했고, 오스트리아와 프로이센은 이로부터 10년 뒤에 그렇게 했다(각각 1867년과 1869년). 또 다른 강대국 러시아는 유대인들에게 동등한 권리를 부여하는 것을 거부했고, 그래서 유대인들은 러시아를 떠나 왈라키아와 몰다비아로 피난 온 것이다. 독일 정부도 관용적 모델이 될 수 없었다. 독일은 가톨릭에 대한 전면 공격 기간 동안 주교들을 체포하고, 예수회 사제들이 독일로 들어오는 것을 금지시켰다.[78]

다른 어느 곳에서보다 먼저 루마니아 엘리트 사이에 자유주의의 애매한 축복에 대한 회의주의가 일어났다. 이러한 회의는 자식과 손자, 손녀에게 이전되어 이들은 1930년대 권위주의적 통치나 파시스트 통치에 거의 저항하지 않았다. 루마니아는 서방의 후원 아래 서방 제도를 모방했지만,

그 결과는 가식과 부패 만연의 희극이었다. 민주주의는 반대파를 필요로 하는데, 주민 대부분이 문맹인 나라에서 시민들은 자신들의 기본적 정치적 선택에 대해 무지할 수밖에 없었다. 정당들은 스스로를 '자유주의적'이거나 '보수주의적'이라고 불렀지만, 이들은 정당의 이익만 대표했다. 그 이유는 자신들의 특권에 의문을 제기할 수 있는 개혁을 추진하기보다는 유대인을 계속 비난하는 것이 훨씬 쉬웠기 때문이었다. 이러한 상황에 염증을 느낀 미하이 에미네스쿠는 자유주의를 '루마니아를 서방과 동방의 사회적 오물이 버려지는 막다른 곳으로 만든' 제도라고 비난했다. 그와 동료 작가인 이오안 슬라비치는 자유주의자들은 자신들의 토지 이익을 위해 '유대인 돈'을 이용하고 루마니아를 가장 비싼 값을 부르는 사람에게 기꺼이 팔아 넘기려 하는 선동가들이라고 말했다.[79]

그러나 자유주의자들, 특히 브라티아누와 그의 외무장관인 코걸니차누는 사실상 루마니아 생활에 유대인의 존재를 제한하기로 작정한 민족주의자들이었다. 브라티아누 정부에서 시민권이 없는 유대인은 오스트리아나 다른 발칸 국가들, 헝가리 또는 독일에서 유례를 찾아볼 수 없는 끝없는 차별 조치에 시달렸다. 그래서 1880년대 루마니아 정부는 유대인은 약사가 될 수 없고, 농촌 지역에 '행상을 다닐' 수 없으며, 상공회의소에서 활동할 수 없고, 의회에 청원을 제출할 수 없으며, 농촌 지역에서 술을 판매할 수 없고, 환전상으로 활동할 수 없으며, 루마니아 국영은행에 회계사로 일할 수 없고, 한 공장의 노동 인력의 3분의 1 이상을 차지할 수 없게 만들었다. 내무장관은 특별한 사유를 내세우지 않고 어느 장소에서건 이방인을 추방할 수 있었다.[80] 유대인은 군역에서 면제되지 않았지만 장교는 될 수 없었다. 유대인은 학자나 사업가 등 생산적인 경력을 수행하는 동안 어느 순간에라도 국외로 추방될 수 있었다.[81]

줄러 언드라시 같은 자유주의자들은 권력에 대한 신비한 공포를 통해 민족주의에 역동성을 불어넣을 수 있었다. 그 결과는 민족주의를 합리적인 방법으로 사용할 수 없게 된 것이었다. 비평가들은 오스트리아-헝가리가 남슬라브 애국주의자들을 모두 포용하고, 보스니아를 세르비아에 통합시키거나 합스부르크 군주정 내의 연방 단위에 포함시키며 해방자의 역할을 할 수 있었다고 비평했다. 그 대가는 남슬라브인들을 헝가리 내 하나의 민족으로 인정하고, 헝가리가 하나의 분리될 수 없는 근대적 민족 국가가 되는 것을 포기하는 것이었다. 오토 폰 비스마르크의 경우는 구체제를 새로운 현실에 적응시키는 것이 가능하다는 것을 보여주었다. 그가 만든 독일제국은 연방제였지만, 고도로 효율적인 민국 국가로서 오래된 특수주의particularism(일례로 바이에른왕국과 직센왕국)를 인정하면서 새로운 국가가 될 수 있었다.[82]

여기에 비해 헝가리인들은 보헤미아의 독일 자유주의자처럼 모든 것을 잃을 수 있는 위기 상황에서 타협을 하려고 했고, 이것은 이미 때가 늦은 1918년에 진행되었다. 헝가리인들의 개별 공동체는 모든 재再상상력을 넘어서서 '상상'되어 왔다. 세속적 자유주의자들은 이러한 자국의 기본적 특성을 변경하는 데 아무런 힘이 없었고, 지배적인 담론도 명목 민족이 자신들의 영역이라고 땅에 대한 '소유권' 담론 외에 다른 것을 허용하지 않았다(어떤 경우는 성스테판의 땅, 어떤 경우는 성벤체슬라우스의 땅을 포함). 세르비아 국가라는 생각은 세르비아인들이 마자르인과 체코인과 마찬가지로 영토에 대한 소유권을 주장했다는 것을 잘 아는 언드라시를 크게 경계하게 만들었다. 단 차이는 그 차이가 얼마나 큰지를 정확히 말할 수 없다는 것이었다.

언드라시와 그의 정부가 1878년 7월 베를린회의까지 일 년도 채 되지 않는 기간 동안 달려온 거리는 놀라웠다.[83] 얼마 전까지만 해도 여론은 보스니아-헤르체고비나를 점령하는 것에 반대했고, 언드라시도 오스만 지배를 계속 유지시키고 싶어 했다. 그와 다른 헝가리 엘리트 중 누구도 더 많은 슬라브인을 제국에 받아들이고 싶어 하지 않았었다. 1876년 세르비아와 몬테네그로가 오스만 기지를 공격했다는 소식이 전해진 다음에야 언드라시 정부는 세르비아와 몬테네그로의 야망을 저지하기 위해 보스니아-헤르체고비나를 점령하기로 결정했다.

국제적으로 베를린회의는 20세기를 향한 큰 발걸음이 되었고, 아마도 20세기를 알리는 사건이었다. 베를린회의는 근대 그리스를 탄생시킨 1830년 런던의정서London Protocol의 원칙, 즉 민족이 주권의 근원이라는 원칙을 취했고, 이번에는 이것을 네 국가 창설로 늘렸다. 또한 이 회의는 소수민족이라는 개념도 함의적으로 알려주었다. 즉, 아직 민족을 이루지 못한 상태에서 민족 국가에 속한 사람은 보호를 받아야 한다는 생각이었다.[84] 후에 민족자결원칙이라고 불리게 된 민족이 통치 권리의 근본이라는 아이디어는 1815년 빈체제에서는 아직 떠오르지 않은 개념이었다. 베를린은 중간 지점이 아니었고, 이것은 체제의 파열이었다. 1919년 파리에서 일어난 변화는 새 원칙을 단순히 마지못해 수용한 결과가 아니라, 국가성을 조직하는 방법으로서 명백하고 정당한, 실제로는 보편적인 원칙으로 만든 것이었다.

남동부 유럽의 민족들에게 1875-1878년에 일어난 사건은 보헤미아에서 1848년 일어난 일과 같은 의미를 가졌다. 첫 봉기가 시작된 후 사건은 곧 자기 정체성에 대한 선택을 강요하는 방법으로 크게 확산되었다. 보스니아-헤르체고비나에서 정교도들은 스스로를 보스니아인으로 불렀지만 점점 더 몬테네그로나 세르비아와의 연합을 원하게 된 반면, 가톨릭 주민들은 오스트리아를 선호하고, 이전 어느 때보다도 자신들을 크로아티아인이라고 생각했다.[85] 종교적 정체성이 시작점이었지만 종착점은 아니었다. 1875년 봉기에 참가한 사람들은 자신들이 '정복자'에 대항하는 종교로 연합되었다는 것을 알았고, 세르비아와 그리스의 기독교 주민들이 거의 동시에 일어나 오스만 영토에서 자치 지역을 확보한 19세기 사건을 자신들의 선례로 삼았다. 그러나 문제는 종교 그 자체는 아니었다. 반란자들은 예배나 교리의 압제 자체가 아니라 한 종교에 속했다는 것으로 인해 주민 대다수가 종속적 지위에 놓였다는 감정이 크게 작용했다.

보스니아 정체성은 국가성의 형태로 기능할 가능성이 있는가? "이 시기 세르비아 민족과 크로아티아 민족이 형성한 기본적 기준인 역사, 언어, 종교 중에서 종교만 별도의 역사를 가진 나라인 보스니아에 적용될 수 있었다"라고 노엘 말콤은 지적했다.[86] 실제로 역사(즉, 주민들의 과거에 대한 의식)는 보스니아의 경계를 무시하고, 보스니아의 정교도 남슬라브인들이 세르비아의 정교도 남슬라브인들과 공유했다고 믿는 과거에만 초점을 맞추었다. 서사시에 따르면 공동의 역사는 1389년 코소보 전투와 그 이전까지 거슬러 올라간다.

보스니아에서 정교도 주민과 이슬람교도 주민은 별도의 상상을 가지고 있었다. 정교도 주민들은 구전 시가에서 튀르키예 당국자들을 속인 이야기를 전승했고, 이슬람교도 주민들은 오스트리아인들 골탕 먹인 이야기를 담고 있었다. 보스니아에서 세르비아 국가성을 옹호하는 사람이 당시 중유럽 대학에서 유행하던 낭만주의적 민족주의에 영감을 받았고, 언어를 민족의 영혼으로 생각했다면, 헤르체고비나어 방언을 기초로 세르비아어 사전을 만든 부크 카라지치만 바라보아도 충분했다. 카라지치에 비교하면

벤야민 칼라이는 아무것도 아니었다. 아마도 그가 세운 학교가 열 배나 더 많았어도 그가 의도한 보스니아 정체성은 만들어내지 못했을 것이다.

보스니아 정체성이 실제 있다면, 이슬람 주민들의 전략의 시작은 세르비아와 크로아티아 민족주의에 완전히 동화되는 것을 반대하는 것이었다. 두 민족주의 모두 동포들이 최소한 명목적으로라도 기독교도가 되는 것을 기대했다. 보스니아 이야기와 루마니아 이야기가 공유한 것은 20세기 유럽 민족주의는 그 실행자들이 극도로 세속적이기는 했지만, 적극적이고 배타적으로 기독교적이었다는 것을 암시했다는 점이다(민족주의 실행자들이 극도로 세속적인 것은 큰 문제가 되지 않았다).

오스트리아가 보기에 지역적 입지를 구하기 위해 필요한 것으로 판단된 보스니아 정복은 '보스니아-헤르체고비나'라는 단어 다음에 큰 의문부호를 남겼다. 그 이유는 이 지역의 장래가 어떻게 될 것인지를 의도적으로 결정하지 않았기 때문이다. 이것은 유일한 현상은 아니었다. 새 국가들은 답보다는 의문이 더 많았다. 세르비아는 절반만 완성된 민족 국가였고, 불가리아는 산스테파노조약에서 정해진 크기에서 크게 줄어들어서 필사적으로 상실한 영토를 회복하려고 했다. 새로 창설된 국가들 중 가장 '만족한' 것으로 보인 루마니아도 국경 너머를 바라보면 적뿐만 아니라 회복되기를 기다리는 영토를 보게 되었다. 베를린회의의 내재적 모순은 민족자결주의라는 원칙을 고취하면서 동시에 그것을 부인해야 했다는 점이다.

오스트리아에서는 보스니아-헤르체고비나 점령으로 독일계 자유주의자들이 서로 경쟁하는 정파로 분열되었고, 이들 중 급진적 정파는 나치즘의 기원이 되었다.[87] 의회를 통해 이 점령의 합법화를 강제한 언드라시도 일부 책임이 있었다. 대부분의 자유주의자들은 언드라시가 자신들을 착각하게 만들었다고 생각했다. 그러나 이들의 반대는 자유주의를 분열시켰을 뿐만 아니라 요제프 황제를 크게 실망시켜서 이것은 심각한 결과를 초래했다. 합스부르크제국 군대가 1000명의 사망자를 내며 보스니아-헤르체고비나를 점령한 지 6개월 후, 112명의 자유주의 의원들은 베를린회의 결정 비준에 반대하는 투표를 해서 요제프 황제는 이들을 불신임하게 되었다. 이들은 단지 고상한 자유주의 원칙을 위해 황제의 외교 정책 수행권에 반대한 것이다.[88] 황제는 지체하지 않고 이들을 권력에서 배제시켜서 오스트리아-독일 자유주의가 회복할 수 없는 정체성과 목표의 위기를 초래했다.

9장

민족사회주의의 기원:
세기말 헝가리와 보헤미아

파시즘은 다양한 기원을 가진 20세기 유럽의 이데올로기이다. 프랑스의 생디칼리슴syndicalism, 인테그랄리즘integralism과 실지회복주의, 1차 세계대전 후 중동부 유럽을 휩쓴 준⁕군사주의적 폭력, 유럽의 중류계급 상당 부분에서 일어난 사회주의에 대한 두려움과 혐오가 그 기원이었다. 그러나 1930년대 파시즘을 주류로 인도한 가장 강력한 지류는 19세기 말 합스부르크 오스트리아와 보헤미아에서 독일인이 겪은 고난이었다. 1871년 비스마르크는 독일 민족 국가를 창설했지만, 이들은 그 밖에 남겨졌다. 체코인들은 자신감에 차서 보헤미아를 외양에서 더욱 슬라브적인 곳으로 만들었지만, 독일 자유주의자들은 빈의 권력을 통해서라도 과거 독일의 심장부였던 곳에서 어떻게 동포들을 안전하게 느끼게 만들 수 있는지에 대한 해답을 찾지 못했다. 독일인들은 통상적인 정치를 계속 유지해왔지만, 1880년대 체코인들이 보헤미아의 공직 80퍼센트를 차지한다는 사실과 중유럽에서 가장 오래된 프라하의 한 대학의 통제권을 차지하고 있다는

사실을 제대로 인식하지 못했다. 체코인들을 막을 길은 없는 것 같아 보였다.

모든 곳에 있는 독일인들을 대표한다고 주장한 제3제국의 장래의 지도자가 강력한 새 독일과 바로 인접한 합스부르크 인근 경계 안에서 나온 것은 우연의 일치가 아니었다. 날이 갈수록 젊은 히틀러는 자신의 운명을 장악한 것으로 보이는 국가에 감탄하고 부러워할 이유가 커졌다. 최악의 모욕이 된 것은 이것이 스스로에게 강요된 것이었다는 것이다. 히틀러의 아버지인 알로이스는 합스부르크 세관원으로 새로운 독일과의 경계를 유지하는 일을 했다. 오토 폰 비스마르크가 만든 국가 밖에 남겨진 3000만 명의 독일인은 독일 문제가 미해결 상태라는 것을 가장 고통스럽게 느꼈다. 이러한 감정은 모든 계급에 고루 퍼져서 마르크스주의자들이 이끄는 노동운동에 깊이 파고들었고, 그 운동의 시도자인 키를 레네르는 아돌프 히틀러가 1938년 자신의 조국을 독일에 병합시켰을 때 불만을 표시하기도 했지만 진정한 만족을 표현했다.

오스트리아의 독일인 자유주의자들에 대해 사과를 한 사람은 자신들은 나름대로 최선을 다했다고 말했다. 1867년 헝가리와 타협 직후 이들은 체코인과 독일인들 사이에 타협을 이루려는 계획을 중단시켰다. 1871년 보수주의자인 카를 호헨바르트 백작이 관장하는 부처는 보헤미아 내의 민족 관계에 대한 법률 초안과 합스부르크제국 내에서 보헤미아의 헌법적 입지에 대한 법률 초안을 만들었다. 앞의 초안은 지방 수준에서 이중 언어를 사용하고, 각 지역에서는 단일 언어를 사용하며 소수민족을 보호하는 행정 제도를 규정했고, 두 번째 법률은 마리아 테레사가 1749년 철폐한 보헤미아 총리직Chancellery의 부활을 규정했다. 제국에 '공통적이지' 않은 상업, 재정, 시민권 등 모든 문제는 프라하에 있는 보헤미아 의회에서 결정하도록 규정했다. 만일 이 계획이 실행되었다면 보헤미아는 헝가리에 비견할 수 있는 폭넓은 자치를 누릴 수 있었을 것이고, 보헤미아는 대부분 체코인들이 거주했기 때문에 체코인이 통제하는 지방이 되었을 것이다.

새 법률안에 대한 대응으로 독일인 의원들은 프라하 의회에서 이탈했고, 빈의 자유주의자들도 의회를 거부했다. 격렬한 시위가 일어났다. 새로 즉위한 독일 황제 빌헬름은 보헤미아의 독일인들은 자신에게 지원을 요청할 수 있고, 총리 비스마르크는 슬라브적 오스트리아가 러시아로 기울 가능성에 대해 경고했다. 불과 몇 년 전 러시아의 차르는 모스크바에서 열린 인류학 전시회에 참가한 대규모 체코 대표단에게 큰 관심을 보이며, 이들은 '형제 민족'이기 때문에 집에 온 것처럼 편안히 느끼라고 말했다. 이에 대한 화답으로 체코인들은 러시아를 '슬라브인들의 떠오르는 태양'이라고 찬양했다. 외국 주군이 자신들의 이상을 지원할 수 있다는 생각은 체코인들의 자신감을 강화시켜주었지만, 많은 독일인들과 헝가리인들에게 경각심을 불러일으켰다. 이들은 슬라브 민족 간의 여하한 연대도 오스트리아제국의 파괴를 목적으로 하는 것으로 보았다. 호헨바르트의 개혁은 헝가리를 건드리지 않았지만, 마자르 엘리트는 제국 전체에 슬라브의 영향력을 제어하기 원했고, 헝가리 내의 민족들도 체코인들과 같이 권력 분점을 요구할 것을 우려했기 때문에 이 개혁을 거부했다.[1]

이것이 시스라이타니아의 내부 헌법을 바꾸려는 마지막 진지한 시도였다. 1890년과 1897년 보헤미아의 독일인과 체코인 관계를 해결하려는 노력이 시도되기는 했지만, 모두 실패했다. 그 사이에 호헨바르트는 실각하고, 요제프 황제에게는 크게 유감스럽게도 보헤미아의 대지주이며 강력한 반교회주의 성향의 아돌프 폰 아우어스페르크 공이 이끄는 독일 자유주의자 정부가 들어섰다.[2]

체코의 정치 계급은 1863년 시작된 프라하 의회와 빈 의회를 계속 보이 콧했고, 독일 자유주의자 장관들은 이들의 요구를 수용하지 않았다. 체코인들도 경제 자유를 옹호하고 봉건 엘리트와 교회 권력의 축소를 옹호했기 때문에 이런 상황은 불행한 일이었다. 두 자유주의자 집단은 성향이 같았지만, 인종만 서로 달랐고, 같은 정치적 성향을 가지고 있으면서 서로를 배척했다. 체코 사회가 점점 더 도시적이 되고, 언어만 빼고 체코인들이 원하던 사회를 닮아갔지만 독일인들은 체코 지도자들을 존중하지 않았고, 체코인들의 정치적 영향력을 제한하기 위해 필요한 일을 했다. 빈의 제국 정부는 체코인들에 대항해 독일인 다수파를 유지하기 위해 게리멘더링을 이용하고 선거권을 부유한 사람에게만 부여했다.[3]

독일인 자유주의자들은 자신들의 고고한 생활양식의 매력이 체코인들을 강제하지는 못해도, 이들을 범슬라브주의에서 멀어지게 할 것이라고 믿었다. 그러나 800만 명의 독일인들이 1400만 명의 슬라브인들을 흡수하는 것은 불가능했다. 한때 급진적 학생 지도자였던 아돌프 피쇼프는 슬라브어로 인쇄된 독일 책을 통해 독일 문화의 조용한 전파를 추진했다.[4] 그는 국수주의자는 아니었고, 오히려 오스트리아제국의 연방화라는 해결책을 선호한 소수파 자유주의자에 속했다. 두 번째로 희망이 있어 보였던 기회는 1878년에 왔다. 체코인 지도자 F. L. 리거는 카린티아에 있는 피쇼프의 영지를 빈의 자유주의적 일간지 편집장과 함께 방문했다. 세 사람은 민주주의적 통치를 원하고 정치인들이 법과 경제 발전 앞의 평등과 같은 공동의 이익을 위해 협력하기를 희망하는 독일인뿐만 아니라 체코인 대다수를 대표하는 사람들이었다.

이들은 기본조항statement of principle을 작성하고 고위급 독일인-체코인 회담을 준비했다. 그러나 갑자기 난데없이 독일인 자유주의자 지도자인 에두아르트 헤르브스트는 체코인들이 분노를 표현했다는 이유를 들어 이 협상을 무산시켰다. 부다페스트에서 휴가를 보내던 그는 프라하 시의회가 최근 개통된 다리를 무명의 독일 유력자 대신에 최근 사망한 프란티셰크 팔라츠키에게 헌정했다는 소식을 들었다. 당시 사람들은 헤르브스트가 단지 이 작은 사건을 문제 삼아 방해 공작을 했다고 생각했다. 그가 보기에 체코인들과의 어떠한 타협도 너무 위험부담이 컸다.[5]

헤르브스트의 행동은 단견적이었던 것으로 드러났다. 당시 선거인단은 24세 이상 남성의 6퍼센트 정도 주민으로 구성되었고, 자유주의자들이 바라던 것처럼 선거인단이 확충되면 체코인들의 힘도 확장될 수밖에 없었다. 이러한 힘의 확장을 양측의 이익과 희생을 통해 상호 동의 속에 진행되게 만들 수 있는 기회가 있었다.

그러나 독일인들이 이 시점에 체코인에 대항해서 자신들이 입지를 견고하게 만들었다고 생각했다면, 이들은 자신들이 통제할 수 없는 이유이기는 하지만 다음 계기에 남슬라브인들에 의해 이를 상실했다. 1878년 합스부르크의 외교 정책으로 보스니아와 헤르체코비나가 병합되자 독일 엘리트들은 헝가리 엘리트와 함께 이에 반대했다. 이들의 사고는 단순했다. 이들은 현 제국이 독일인과 헝가리 패권을 유지하면서 더 많은 슬라브인들을 흡수할 수 있겠는가? 정부를 완전히 장악하기를 희망했던 자유주의자들은 남부 지역 정복으로 제국은 의회의 동의를 얻지 못한 더 큰 예산 책임을 지게 될 것이라는 사실에 부담을 느꼈다.

다음 해에 자신의 정책에 대한 자당의 지지를 잃은 총리 아우어스페르크는 프란츠 요제프 황제에게 자신의 사임을 수락해줄 것을 두 번 요청했고, 황제는 두 번째 청원을 받아들였다. 요제프 황제로서는 이 위기가 자신이 혐오하는 자유주의자들을 밀어낼 수 있는 좋은 기회가 되었다. 그는 자신의 외교 정책의 하나의 '성공 사례'인 보스니아 정복에 대한 이들의 반대를 특히 유감으로 생각했고, 자신의 어린 시절 친구인 에두아르트 타페 백작에게 새 정부 구성을 위임했다. 1879년 치러진 선거에서 독일 자유주의자들(이들은 보스니아 문제를 놓고 분열되었다)은 의석을 잃었고, 타페는 이들 없이도 보수주의자, 사제, 체코인을 포함한 슬라브인들로 정부를 구성할 수 있었다. 이러한 혼합 정부는 불안정하기는 했지만, 시스라이타니아에서 가장 오래 지속된 정부가 되었다. 타페는 민족들을 약간의 불만이 있는 균형된 상태로 유지하면서 권력을 유지했다고 말했다.[6] 타페 정부 시기는 수십 년간 대의 정부를 위해 '싸워온' 독일 자유주의자들에게는 악몽 같았다. 이들은 자신들의 적들에 의해 정부 구성에서 배제되었고, 적 중 일부는 이러한 헌법을 반대했었다.

체코인들은 보수주의와 거리가 멀고 사제들과 거리를 두었지만, 지금은 민족 문제에 대한 양보 약속을 받는 대가로 정부를 보이콧하는 것을 포기했다. 체코인 대표들은 노소를 막론하고 빈 의회에서 규율이 잡힌 집단으로 활동하며 승리를 얻어냈고, 무엇보다도 체코어를 보헤미아 행정의 부수 언어(다시 말해 체코어를 사용하는 사람을 상대해서 이 언어를 사용해야 하는 규정) '스트레마이어조례Stremayr ordinance'를 1880년 제정했다. 또 하나의 성과는 1882년 프라하 소재 카를-페르디난트대학을 체코 대학과 독일 대학으로 분리한 것이었다. 이 조치로 체코인들은 가장 초보적인 교육부터 최고 단계 교육까지 민족어로 교육을 받을 수 있게 되었다. 이들은 추가적으로 고등학교도 많이 설립했다. 그러나 이러한 성취를 얻기 위해 체코인들은 교육과 결혼에서 교회의 역할을 강화한 보수주의 '개혁'을 받아들여야 했다. 이러한 움직임은 체코인들의 자유주의적 신념에 어긋나는 것이었고, 이를 근거로 독일 자유주의자들이 체코인들의 위선을 비난한 것은

놀랄 일이 아니었다.[7]

이후에도 타페 정부로부터 양보를 하나하나 끌어내야 했기 때문에 한 체코 지도자는 타페가 '닭에게 빵조각을 던져주듯이' 체코인들에게 양보 조치를 내놓았다고 말했다. 체코 이상을 향한 모든 진전은 의회 밖 아래에 서부터 분출되는 에너지에 의해 진행되었다. 우리가 이미 본 바와 같이 체코 민족극장이 1881년 개관 후 화재로 피해를 입자, 프라하 주민 거의 절반이 기부를 해서 2년 뒤 이 극장이 재개관하도록 만들었다. 1890년 체코인들은 자체적인 과학예술아카데미를 설립하고 정부가 이를 지원하지 않았기 때문에 운영 자금도 모았다.[8]

수석장관인 타페 자신도 압박을 받으며 일했다. 독일 자유주의자들은 정부에서 이탈했고, 오스트리아의 동맹인 베를린 당국은 그가 하는 일을 일일이 관찰하며 '친슬라브적' 움직임에는 항의를 제기했다. 타페는 1887년 민족주의적인 소콜 클럽이 프라하에서 개최하려던 체육대회를 금지했다. 그는 다른 슬라브 지역에서도 참가자들이 올 것을 우려했다.[9] 이러한 조치는 이미 불만에 차 있던 체코민족당의 급진주의적이며 세력이 확장되는 한 세력인 '청년체코당Young Czechs'을 자극했다. 1888년 이후 의회 체코인 정파 내에서 하나의 집단을 구성하고 있던 이 조직은 보통선거권, 지역 자치정부, 학교에서의 교회 배제를 요구했다. 보헤미아 국가 권리Bohemian State's Rights라는 이념에 맞추어 이들은 보헤미아왕국 전체가 체코 영역이 되어야 한다고 주장했다. 1882년 타페는 투표권에 필요한 세금 납부액을 낮추어서 투표권을 확장했고, 그 결과 1885년 의회 선거에 많은 체코인이 참여하여 독일 자유주의자들은 거의 20석을 잃었다.[10]

그러나 타페가 체코 정치인들에게 불만을 야기했다면, 독일인에게는 트라우마를 안겼다. 독일인들이 생각하기에 독일에서 가장 오래된 프라하의 대학을 둘로 나눈 것은 자신들이 문화적 쇠퇴에 들어섰다는 독일인들의 우려를 심화시켰다. 이때부터 독일 교수들은 프라하의 대학을 잠시 머무는 것으로 생각하고, 보헤미아 밖의 대학으로부터의 초빙을 기다렸다.[11] 이보다 훨씬 좋지 않은 것으로, 오스트리아의 독일인들은 시스라이타니아에 자신들의 참여 없이 근대 국가가 형성되는 것을 방관할 수밖에 없다는 무력감을 느꼈다. 이 국가는 점점 슬라브 성격이 강해지는 것으로 보였다.

보헤미아 행정에 사용되는 내부적 언어는 계속 독일어였지만, 스트레마이어조례는 확고한 독일 구역에서도 체코인들은 자신들의 언어 사용을 요구하여 보헤미아의 216개 구역 중 순수하게 독일인 지역인 77개 지역으로 '침투할' 수 있었다. 체코인들은 보헤미아 행정과 사법에 과도하게 진출한 상태였고, 관리들이 두 언어 모두를 사용해야 한다는 규정은 특별한 우려를 자아냈다. 이것은 교육받은 체코인들은 독일어를 이미 사용하고, 독일인들은 체코어를 거의 사용하지 못하는 상황을 고려하면 더욱 그랬다. 스트레마이어조례 제정 후 합스부르크제국 내 독일인들은 자신들이 독일인 오스트리아인이 아니라 오스트리아인 독일인이라고 느꼈다.[12]

체코인과 독일인 양측에서 전투를 치를 새로운 세력이 떠올랐다. 집에서 민족어를 말하는 수를 늘리려고 열성적으로 노력하는 민족주의자들과 양 진영의 부가 늘어나면서 이 경쟁은 격화되었다. 독일인들은 자신들이 소수민족인 지역에서 독일어 교육을 장려하기 위해 '학교협회'를 설립했고, 체코인들은 독일인들 지역에서 체코어 교육을 증진하기 위한 '중앙 체코어재단'을 설립했다. 1880년대 중반이 되자 체코인들은 독일인들의 '보호연맹Schutzvereine'에 대항하고 보헤미아의 '내부적 식민지화'를 고쳐시키기 위해 네 개의 민족연맹narodni jednoty을 설립했다. 체코인들은 독일인의 민족 체육회를 모방하여 체코인들의 신체 강화를 위한 체육회를 설립했다.

이 조직은 부르주아 정치인들이 주도했지만 모든 사회계층으로 확산되어서, 1887년 체코 체육회 가입자 30퍼센트는 자신의 직업을 '노동자'로 밝혔다.[13] 양측은 각각 농업협회도 조직했다.

그러나 양측에 차이도 존재했다. 보헤미아의 언어 경계선은 체코인들에게 유리한 방향으로 이동했다. 일례로 독일어를 사용하는 고립지역인 이글라우/이흘라바(구스타프 말러가 학교를 다닌 곳)에서 체코어를 사용하는 이주자들은 1846년 9퍼센트에서 1869년 44퍼센트로 늘어났다. 1900년이 되자 보헤미아 인구 전체 중 체코인은 62퍼센트, 독일인은 37퍼센트를 차지했다.[14] 체코인들의 진격 앞에 독일인 사회가 분해될 수 있다는 공포가 독일인이 소수인 지역 전체에 확산되었다. 언어 고립지역의 산업노동자들은 체코인들이 그 지역을 체코화하기 위해 낮은 임금을 받고도 몰려올 것을 우려했다. 양 민족 측에서 자유주의는 각기 다른 역할을 했다. 체코 운동 내에서는 자유주의적 국가가 만든 민간 사회 조직들이 지원을 받은 급진적인 청년체코당이 약진한 반면, 독일인들은 자유주의적 조직이 자신들의 국민과 그들의 이익을 보호할 수 있을지 의구심이 일어났다. 시스라이타니아 전 지역의 국가 행정 당국자들은 독일인이 주류였지만, 체코인들이 조금씩 이를 잠식해나가는 것은 어찌할 수 없는 독일인들의 쇠퇴를 반영하는 것으로 보였다.[15]

* * *

공포의 시나리오가 나타나면서 1882년 린츠에 모인 젊은 독일 자유주의자들은 자신들의 정당이 독일 시민들을 보호하기 위해 충분한 일을 하지 않았다고 선언했다. 나이 든 세대는 민족 문제에 대한 아무 해결책이 없고,

시간이 가면 독일인이 우위를 차지할 것이라는 자유방임적 망각 속에서 헤어 나오지 않은 것처럼 보였다. 당의 고위 간부직은 막강한 은행이나 철도회사 중역들이 차지하고 있어서 평범한 독일인들과의 연계를 상실했다.[16] 반란자들은 체코 모델을 따르기로 결정하고, 먼저 자민족을 지원하고, 그 이후에 국가를 지지하기로 했다. 이들은 새로운 인종차별적 관점에서 민족을 사회적 약자와 강자로 구성된 완전한 유기체로 간주했고, 이들의 정치는 문화적 정체성뿐만 아니라 사회적 보장에도 큰 주의를 기울였고, 사회적 신분 상승뿐만 아니라 투표를 통한 정치 참여에도 큰 신경을 썼다.

그들은 린츠선언Linz Program이라고 알려진 기본조항을 채택했지만, 정통 자유주의자들liberal orthodoxy과는 노선을 크게 달리했다. 정통 자유주의자들은 연금, 사고 보험, 아동 노동 금지와 '주민의 생활에 중요한 모든 경제 기구'를 국유화하는 방식으로 초기 자본주의의 전횡으로부터 보호받기를 원했다. 이들의 목표는 국민을 착취로부터 보호하고 도덕적 타락을 없애는 것이었다. 이것은 거짓을 유포하는 언론인들과 다른 사람을 착취해 돈을 버는 양심이 없는 사업가들이 행하는 부도덕이었다. 그러나 국민은 단순히 보호만 받는 대상이 아니라 행동에 나설 힘을 갖추어야 했다. 린츠선언 작성자들은 모든 투표권이 '모든 독일 종족'(후에 히틀러는 이것을 deutsche Volksgenossen으로 바꾸었다)에게 확대되기를 원했다. 투표권을 확대하는 것은 진보적으로 보였기 때문에 이러한 운동은 후에 오스트리아 사회민주당을 창당하는 빅토르 아들러의 지원을 받았다.[17]

사회적·인종적 요구는 가정 수공업에 대한 지지와 가가호호 찾아다니는 행상을 금지하라는 요구와 함께 제기되었다. 유대인을 겨냥한 이 조치는 원 나치주의자인 게오르크 폰 쇼네러가 끼워 넣었고, 빈의 장인협회의 지지를 받기 위한 것이었다. 3년 후 그는 사회 개혁에 필수불가결하다고 간주한 요구인 '모든 공공 생활 영역에서 유대인의 영향을 제거할 것'을 추가로 요구했다. 그러나 당분간 쇼네러는 아들러가 보기에 1848년 민주적 혁명가들의 이상이었던 단일한 대독일 공화국 창설을 원하는 동료 민족주의자로 보였다.[18] 린츠선언은 언론과 결사의 자유와 교회와 국가의 분리도 요구했다.

반란자들의 가장 큰 탄식은 독일 밖에 남겨졌다는 것이었기 때문에 린츠선언은 '국제적 인종' 공동체에서 독일과 훨씬 밀접한 관계를 목표로 삼았고, 여기에는 국내적 안전망으로 독일과의 관세동맹이 포함되었다. 시스라이타니아를 가능한 한 독일적으로 만들기 위해 린츠선언은 보스니아-헤르체고비나와 달마티아를 헝가리에 부속시키고, 갈리시아와 부코비나와 느슨한 연방을 구성하는 것을 제안했다. 오스트리아의 이탈리아, 체코, 슬로베니아 땅을 비롯한 나머지 지역은 독일화되어야 했다. 민족 문제에 대한 자유주의자들의 불가지론을 고려할 때 이것도 진보적이면서 동시에 반동적이었다. 독일의 민족 국가를 발전시킬 것을 제안하면서 '과거 독일 땅에서의 외국어 요소들의 점점 더 무질서한 공격'을 물리쳐야 한다고 주장하는 것이 이런 양면성을 보여주었다. 오스트리아와 보헤미아의 독일인들은 "천 년 동안 자신들이 다른 독일인들과 정치적 연대 속에 살아왔다는 것을 절대 잊지 못한다"라고 린츠선언은 단언했다.[19]

프라하와 빈의 독일 학생들은 쇼네러를 예언자처럼 생각했고, 이 중에는 후에 문학 비평가가 되는 헤르만 바르도 있었다. 그는 오스트리아의 취약한 민족주의를 비난한 죄로 1883년 빈대학에서 퇴학당했지만, 뿌리 깊은 타인종 혐오자는 전혀 아니었다. 그는 후에 "오스트리아 밖에 세당(1870년 보불전쟁 승리 장소), 비스마르크, 와그너를 보유한 것에 '가슴이 떨렸지만' 우리는 무엇을 보유했는가? 우리 중 이러한 일을 할 수 있는 사람은 어디에 있는가? 나는 단 한 사람의 이름을 가지고 있는데, 그 이름은 쇼네러이다"라고 썼다. 바르의 아버지는 젊은이들에 대한 쇼네러의 영향을 '악마적'이라고 표현했다.[20]

그러나 몇 년 만에 조잡하게 조직되고, 실질적이지 않으며 싸움을 일삼는 쇼네러와 그의 반유대인 독일민족동맹Verband der Deutsch-nationalen은 세력을 잃었고, 오스트리아 자유주의의 폐허에서 다른 새로운 운동들이 부상했다. 또한 중도 우파에도 새로운 정파인 기독사회주의가 나타났다. 이것은 중하층 출신으로 새로운 이상을 찾고 있던 자유주의자인 카리스마 넘치는 카를 루에거가 이끌었다. 그는 사회민주당과 독일 민족주의자들의 반기독교 경향에 위협받는 중산층에서 지지 세력을 찾았다. 기독사회주의자들은 '오스트리아적'이었고(즉, 독일 인종이라는 사신의 역할에 덜 관심이 있는), 합스부르크 군주정을 전복할 것을 주장한 쇼네러의 주장을 거부했다.[21]

1897년부터 1910년 죽을 때까지 빈 시장을 지낸 루에거는 쇼네러와 마찬가지로 중류계급과 하층계급에 널리 퍼지고, 보헤미아보다 오스트리아에서 더 강했던 반유대주의를 부추겼다. 그는 뛰어난 선동가였지만, 동시에 빈을 일급 대중교통, 학교, 하수도를 가진 현대적 대도시로 탈바꿈시킨 공동체 정치인이었다. 그러나 그는 대중 집회에서 아무 거리낌 없이 인종 혐오를 부추기며 유대인은 신앙이 깊고 선한 기독교인들을 착취해서 부를 쌓았다고 선동했다. 그를 숭앙한 사람 중에는 1906년부터 빈에서 떠돌이 생활을 한 아돌프 히틀러도 있었다. 1920년대 가톨릭 사제가 기독사회주의를 이끌면서 이 운동은 히틀러의 반가톨릭 민족사회독일노동당NSDAP을 반대했다. 그러나 루에거는 유대인에 대한 대중의 비방을 정당화는 데 큰 역할을 했기 때문에 많은 기독사회당원들은 1938년 오스트리아 병합으로 절정에 오른 히틀러의 성취를 축하했다.

그러나 슬라브인들도 급진화되고, 청년체코당원들의 인내심이 고갈되면서 타페와 체코인 연정은 1893년 해체되었다. 이 시점에 청년체코당은 빈 의회의 체코 정파를 완전히 장악했다. 그럼에도 1897년 헝가리와의 타협의 10년 갱신 기간이 다가오면서 싸움을 예기한 프란츠 요제프 황제는 의회에서 새로운 다수파를 구성하려고 노력을 기울였다. 1895년 여름 그는 의지가 강한 폴란드인인 카지미에즈 바데니 백작을 총리로 임명했다. 그는 갈리시아 총독 재임 당시 우크라이나 민족 운동의 요구를 일부 만족시키면서도 좌절시켰다. 빈에 올라온 그는 독일인-체코인 분쟁을 해결하지 않고서는 의회 다수파를 통한 안정적 통치로 되돌아갈 수 없다는 것을 깨달았다.[22]

그는 1880년 스트레마이어조례를 넘어서는 조치를 취하려는 체코인들을 달래는 법안을 제안했다. 이 법안은 보헤미아 행정 당국 내부 교신에서도 의무적으로 체코어를 쓰고, 체코어가 사용되지 않는 지역도 이중 언어 지역으로 만드는 것을 목표로 했다. 1897년 봄 이 법안이 공표되자 독일인들은 지난 반세기 동안 보지 못한 격렬한 시위를 벌였다. 프라하, 브르노, 사즈, 테플리츠, 라이첸베르크와 에게르뿐만 아니라 보헤미아를 넘어서서 인스부르크, 빈, 린츠, 그라즈와 다른 곳에서도 시위가 일어났다. 빈에서는 '체코인, 유대인, 개 출입 금지'라는 팻말이 식당에 내걸렸다. 독일 의원들이 이 언어조례 통과를 저지하려고 나서서 빈 의회는 6월 2일 정회되었지만, 9월에 다시 개원되었을 때 큰 소동이 일어났다. 무장한 경비원들이 세 번의 회의 동안 통제할 수 없는 의원들을 제지했지만, 이것은 소요를 확산시키는 결과를 가져왔다. 11월 28일 요제프 황제가 수석장관 바데니의 사의를 수용하자, 독일 학생들은 이를 축하하며 바데니를 '폴란드 돼지'라고 불렀다. "폭력이 정치에 침공하면서 그 첫 성공의 숨통을 막아버렸다"라고 소설가인 슈테판 츠바이크가 후에 회고했다.[23] 바데니는 창이 가려진 차를 타고 빈을 탈출했다.

언어 관련 법안이 통과되지 않자, 이번에는 체코인들이 격분했다. 프라하에서 체코인들의 반응이 너무 격렬해서 1895년에 폐지된 계엄령이 다시 선포되었다. 독일어를 말하는 것은 위험했고, 수많은 사업장, 협회, 카페가 피해를 입었다. 11월 말 경찰은 체코인 시위대에 실탄을 발사해 수십 명이 사망했다.[24] 폭력 사태가 확산되면서 유대인들이 소유한 재산이 주 공격대상이 되었다. 주민의 2퍼센트도 되지 않는 유대인은 손쉬운 목표가 되었다. 보헤미아의 유대인들은 문화적으로 동화되고 압도적으로 이중 언어 사용 집단이었지만, 많은 체코 민족주의자들은 이들이 너무 '독일적'이라며 혐오를 했고, 독일 민족주의자들은 보헤미아 내와 그 너머 지역에서 문화적으로 독일화된 유대인을 인종적으로 '이방인' 취급했다.[25]

독일 정치인들과 체코 정치인들은 인종적 상대편의 분노를 이해하지 못했다. 체코 지도자들은 반복적으로 독일인들이 합리적인 타협이라고 생각한 것을 수용하지 못했다. 즉, 보헤미아왕국 지역을 체코, 독일, 혼합 지역으로 나누는 안을 받아들이지 않았다. 순수하게 독일인 지역에서 왜 독일인들이 체코어를 사용해야 하고, 그 지역을 평화롭게 놔두지 않는가? 그러면 체코인들은 이렇게 물었다. 프랑스왕국, 덴마크왕국, 스페인왕국을 몇 조각으로 자를 수 있는가? 그러나 보헤미아 이외 지역에서 일어난 폭동은 더 이해하기 어려웠다. 이들은 직접적인 위협 아래 놓인 적이 없었다. 2차 세계대전 후 역사학자 요한 알브레히트 폰 라이스비츠는 현재의 시작으로는 바데니의 언어 조례가 독일인 이익에 해를 끼친다고 볼 수 없다고 인정했다.[26] 이 조례는 오히려 다른 이중 언어 지역의 타협 모델이 될

프라하에서의 '거리 싸움'(1900년경)

수 있었다. 체코어는 배우기 어려운 언어라는 것을 그는 인정했지만, 소요를 일으키는 대신에 독일인들은 5년의 경과 기간을 요구할 수 있지 않았는가라고 그는 물었다. 슬라브어를 배우는 것은 동료 시민들을 이해하는 데 큰 도움을 주지 않았겠는가?[27] 그리고 계몽이 무엇이 나쁘다는 것인가?

그러나 독일인들에게 체코어를 배우는 것은 계몽이 아니었다. 자유주의자인 노벨상 수상작가 테오도르 몸젠은 체코인들을 '비문화Unkultur'의 심연으로 독일인의 성취를 삼켜버릴 '야만주의의 사도apostles of barbarism'라고 불렀다. 프라하의 보헤미아 의회에서 독일인 기독사회당원인 암브로스 오피츠 목사는 체코어를 부엌에서 쓰는 언어라고 불렀고, 그의 동료인 민족주의자 카를 헤르만 볼프는 체코인들을 '에스키모족과 줄루족'에 비견했다. 일부 독일 정치인들은 좀 더 점잖은 말을 사용했지만, 결론은 분명했다. 즉, 체코어는 세계적 수준의 언어인 독일어와 나란히 설 수 없다는 것이었다.[28]

이 시점에 체코어는 부엌과 농장 일을 훨씬 넘어서는 경계로 확산되어서 중등, 고등교육 기관, 박물관, 극장, 28권의 체코어 백과사전에 사용되었다. 프라하에서는 곧 오귀스트 로댕과 에드바르 뭉크의 전시회가 정교한 체코어 해설과 함께 열렸다.[29] 후에 프라하-스미호프 시장이 된 극작가이자 연극 연출가인 알로이스 콜딘스키는 바데니의 사임 몇 주 후 독일인 의원들에게 체코인들이 여러 세대 동안 겪어온 고통을 체코어로 말했다.

> 보헤미아왕국 영역의 의회에서 우리는 불만을 표현할 충분할 이유가 있다. … 당신들은 전쟁 중 적들이 적의 영토에서 하지도 않는 행동을 이곳에서 하고 있다. 당신들은 체코적인 것은 모두 경멸하고, 당신들의 경멸의 독은 이 보헤미아왕국을 무덤으로 만들 것이다. … 당신들이 세대를 거쳐 체코 민족에 대해 조장하는 혐오는 보헤미아왕국에 대해 조장하는 바로 그 혐오이다. 당신들에게 이 왕국은 불과 한 지방일 뿐이다.[30]

그는 체코어가 전문적 직업 생활에 적당하지 않다는 생각을 비난하며 독일어를 전혀 사용할 줄 모르는 흐라데츠 크라로베라는 성공적인 사업가를 예로 들었다. "우리는 독일어를 배우려고 하지 않는다고 말하는 것이 아니다. 우리는 독일어뿐만 아니라, 프랑스어, 러시아어도 배운다. 그러나 당신들은 체코어나 프랑스어, 러시아어를 배우지 않는다. … 당신들은 당신들 행정 관리들이 체코어를 배우는 것도 원하지 않는다!"[31]

정치 성향을 떠나서 체코인들이 생각하기에 바데니의 언어 조례는 타협이 아니라 평화를 위한 최소한의 필요조건이었다. 체코인들이 자신들의 왕국을 외국 민족과 공유한다면, 이 사람들은 최소한 현지 언어를 존경해야 했다. 헝가리인들과 갈리시아 폴란드인들은 1860년대 절대주의 통치가 쇠퇴한 후 자신들의 문화를 확보했고, 독일인들은 시스라이타니아 전역에서 최고 관료층과 군대뿐만 아니라 학문과 경제도 지배했다. 오직 체코인 존재만이 계속 위험에 처한 상태에 있었다. 체코 도시 주민의 책장을 바라보면 100권의 독일어책 중에 한 권의 체코어 책을 발견할 수 있을 뿐이다. 체코 마을에서 독일어 학교 문을 열어보라, 그러면 체코 어린이들로 가득 찬 것을 발견할 것이라고 청년체코당원인 에드바르트 그레그르가 썼다.[32]

바데니의 모욕적인 언어 조례는 1899년 철회되었고, 독일어는 보헤미아 행정의 언어로 계속 남았다. 군주정은 의회 다수파 없이 통치하는 사람을 계속 보헤미아의 수장으로 임명하고, 체코인들이 일시적으로 법안 통과 저지를 중단하자 법안들을 통과시키며, 필요할 때는 헌법의 비상 조항을 이용했다. 대단원은 합스부르크 군주정의 종말은 아니었지만, 1930년 이후 독일을 상기시키는 종말의 시작이었다. 당시 파울 폰 힌덴부르크 대통령은 의회가 다수파를 형성하지 못하자 총리들을 임명했었다. 결국 1933년 1월 힌덴부르크는 체코인-독일인 분쟁의 그늘 속에 성장하고, 게오르크 폰 쇠네러를 자신의 영감의 근원이라고 부른 오스트리아 이민자를 총리로 임명하게 되었다.[33]

그러나 합스부르크 빈과 나치 베를린의 좀 더 직접적인 다리는 급진적 민족주의자인 카를 헤르만 볼프였다. 그는 프라하의 체코인들을 조롱했을 뿐만 아니라 1897년 결투에서 바데니에게 총을 발사했다. 1901년 선거에서 쇠네러의 당이 8석에서 21석으로 세력을 확장하게 도와준 것도 독일인들 사이 볼프의 인기였다. 1898년 볼프는 개인적 이유로 쇠네러와 결별했다. 그 이유 중 하나는 보헤미아 출신인 그는 체코인-독일인 갈등에 훨씬 많은 신경을 썼고, 독일어를 사용하는 유대인들에게 지지를 구했다. 1903년 볼프는 문화와 사업에서 체코인들이 부상하는 것에 위협을 느낀 보헤미아 독일인 노동자들을 위한 정당인 독일노동자당을 공동 창설했다. 이 당에서 후에 독일 민족사회노동당이 탄생했다. 그는 의도치 않게 독일인들을 전에 없이 단결시킨 바데니의 역할을 인정했다.[34]

1925년 은퇴하기 전 볼프는 자신의 '독일민족당'을 오스트리아 나치와 연결시켰고, 스바스티카 깃발 아래서 당원 배지를 받았다. 그와 소상공인인 그의 부인은 대공황 시기에 큰 어려움을 겪었지만, 수데텐란트와 후에 독일 국가 나치 운동이 제공한 연금으로 경제적 회복을 했다. 1941년 볼프가 사망했을 때 그에게 국가 훈장이 수여되었고, 히틀러의 청년운동 지도자 발두르 폰 시라흐의 추모사, 베를린에서 아돌프 히틀러가 보낸 조화는 그를 '위대한 독일 사상'의 창시자라고 칭송했다.[35]

볼프는 1880년대 프라하에서 학생 지도자로 부상했을 때부터 국민이 왕조보다 우위에 있다고 설파했다. 그는 대독일Greater Germany 옹호자들과 함께 기존의 어떤 국가도 독일 국민을 보호할 수 없다는 것을 알고 있었다. 보헤미아나 프로이센도 그런 역할을 할 수 없었고, 더더욱 오스트리아는 이와는 거리가 멀었다. 오스트리아–헝가리제국이 어떤 모습을 띠건 이건 독일 국가는 아니었다.[36] 그러나 이 원 파시즘은 단순히 신념의 문제가 아니었다. 이것은 동시에 준군사적인 정치문화였다. 바데니 위기와 한 세대 후 나치 독일의 공격사단Assault Division of Nazi Germany, S.A의 형성을 목격한 작가 슈테판 츠바이크는 이렇게 썼다.

히틀러는 독일 민족주의자들로부터 모든 방향으로 맹목적으로 공격하는 무자비한 돌격부대의 시작을 따왔다. 또한 이와 함께 소집단이 수적으로 우위이지만 인간적으로 더 수동적인 다수를 테러로 위협하는 원칙도 따왔다. 고무몽둥이로 회의를 해산시키고, 야간에 반대자들을 습격하고, 이들을 땅에 쓰러뜨리는 공격사단 요원들이 민족사회당을 위해 성취한 것은, 준군사조직으로 조직된 학생 부대Corps Students가 독일 민족주의자들을 행동한 것의 선례가 되었다. 이 학생 조직은 학문적 면책권의 보호하에 전례 없는 폭력행위를 자행하고, 명령만 하면 모든 정치 행위에 나타나 간섭했다.[37]

동유럽의 원元 파시즘

보헤미아의 인종 갈등은 체코 정치에서 원 파시즘protofascism을 탄생시키지는 않았고, 사실을 따지면 파시즘은 중동부 유럽 전체에서 아주 주변적 현상이었으며, 보헤미아, 헝가리, 루마니아에서만 세력을 가지고 등장했다. 자유주의자들이 주류를 차지한 민족 지도자들이 일반 주민들과의 접촉을 상실하고 더 우파 세력으로부터 반역의 비난을 받고 경멸을 받는 지역에서 원 파시즘이 번성했다. 린츠선언과 마찬가지로 이 세력들은 사회주의를 자신들의 민족주의에 자유롭게 혼합했다.

'다민족 국가의 이익을 위해 자신들의 독일주의를 온건히 내세운' 빈의 자유주의적 독일인 지도부는 보헤미아의 민족 투쟁에 아무 우려도 표명하지 않음으로써 보헤미아 독일인들을 소외시켰다.[38] 통상 상층 부르주아 배경을 가진 이 자유주의자들은 쇼네러와 볼프를 지지하는 하층계급 지지자들은 정치적 과정에 참여할 만큼 성숙하지 못하다고 간주했다. 우리는 이러한 사회적 엘리트주의는 후에 파울 폰 힌덴부르크가 히틀러를 지칭한 말에서도 찾아볼 수 있다. 히틀러는 '보헤미아의 상병'이었다. 히틀러는 보헤미아 출신이 아니었지만, 힌덴부르크의 마음에는 히틀러는 열등한 자질을 가진 독일인의 전형에 맞아떨어졌다. 1882년 린츠선언은 히틀러와 볼프 같은 주변적인 사람들을 위한 선언이었다. 이런 사람들은 자신들의 취약한 지위에 대한 임박한 위협을 느꼈기 때문에 민족적 쇠퇴와 사회적 쇠퇴가 중첩되었다. 이들은 존경을 받는 첫 단계에 오르기 전에 사회적 하향 계단을 내려가도록 강요받고 있었다.

그러나 보헤미아 체코인들의 상황은 크게 달랐다. 체코 민족주의 지도자 중에는 상류 부르주아나 대지주가 거의 없었고, 체코 운동은 처음부터 민족적인 동시에 신분 상승의 움직임이었다. 그래서 체코 정치인들은 독일인들이 체코인을 들판과 부엌에서 일하는 노동자라고 폄하했을 때 개인적으로 불편함을 느꼈다. 새로운 기관, 정당, 학술단체, 신문의 책임자들은 한두 세대 전에 소도시와 농촌에서 올라온 사람들이었다. 1900년 오스트리아 의회에 진출한 체코 의원의 43.1퍼센트는 농민 출신이었고, 36.5퍼센트는 노동자 출신이었다.[39]

이러한 신분 상승은 체코인들 스스로 만든 제도의 결과였고, 이 중 일부는 오스트리아 국가의 도움을 받았다. 그래서 체코인 주변의 세계는 자신들 것으로 보였다.[40] 1850년이 되자 체코어 학교 교육은 보편적 현상이 되었고, 여기에 기반한 체코 운동은 중등과 고등교육 과정을 발전시켰다. 19세기 말 부유한 건축가인 요제프 홀라브카는 병원을 건설하고 새로운 엘리트들을 위한 사무실을 만들었다. 학교, 병원, 박물관을 위해 기금을 모금할 수 있는 체코 운동의 능력은 부상하는 체코 중산층의 부를 반영하고 있었고, 이들은 체코 은행과 대여협회에 자금을 축적했다.

체코인 중류계급은 이미 복합적 성격을 띠고 초기 상업에 잘 통합된 경제 속에서 부상했다. 보헤미아는 합스부르크제국 산업의 3분의 1을 보유했고, 광업과 면직공업은 수세대 전부터 발전해왔다. 이 지역의 농업은 다양화되고 자본 투자가 잘 되어서 어류 양식 같은 전통이 오래된 생산 분야를 보유했다. 자본주의가 성장하고, 체코인들이 부를 쌓으면서 사회적·물질적 상품의 풍요가 계급 간 갈등을 무마시켰고, 마르크스주의 정당을 포함해서 1차 세계대전 전까지 형성된 정당 간의 협력의 길을 열었다. 1918년 체코슬로바키아가 만들어졌을 때 체코 정당들은 정치적 스펙트럼을 넘어 협력을 지속했다.

그러나 민족주의자들이 생각하기에 자본주의의 도래는 독일인 지배에 대한 투쟁의 일부로 일어난 일이었다. 보헤미아에서 체코인들이 독일인보다 숫자가 두 배 많았지만, 두 집단 간의 부의 소유 비율은 정반대 양상을 보였다. 그래서 체코 민족주의자들은 농촌 은행, 합영 설탕공장, 체코인들이 영향력을 발휘할 수 있는 상공회의소 연계망을 구성할 것을 촉구했다.[41] 한 애국주의자는 체코의 시민 사회는 "독일인이 되어야 부를 얻을 수 있다는 조건에서 해방시켰다"라고 말했다.

1890년대가 되자 점점 더 다양해지는 시민 사회의 이익을 대변하는 조직은 민족주의적 성격을 띨 수밖에 없게 되었고, 독일인과 체코인들이 쉽게 협력할 수 있는 분야는 남아 있지 않게 되었다. 점점 더 세상을 민족주의적 관점에서 보는 시각에서 인종적 공존은 인종 발전에 장애로 보였다. 체코인들의 민족 생활을 성취하는 가장 효과적인 방법은 정치적으로 단합된 국가이고, 보헤미아 '국가적 권리'에 대한 주장을 실현하는 것이 심지어 체코 사회주의 좌파도 거부할 수 없는 경향이 되었다. 사회주의 좌파 세력은 사회 계급 경계를 뛰어넘어 보헤미아 독일인들에게 위협을 가했다.[42]

신분 상승을 대표하는 체코 운동의 주장을 강화시킨 또 다른 요인은 보헤미아의 토지 소유 방식이었다. 서부 유럽과 대조적이면서 불가리아와 세르비아 이외의 중동부 유럽 대부분과 공통적인 속성으로, 농지는 얼마 되지 않은 사람들에게 집중되어 있었다. 보헤미아에서는 151가족이 520만

헥타르의 농지 중 150만 헥타르를 보유하고 있었고, 모라비아에서는 73가족이 농지의 4분의 1을 보유하고 있었다.[43] 대지주 중에서 체코 인종 유산을 가지고 있는 사람들도 자신들을 독일이나 합스부르크 문화와 동일시하는 경향이 있었다. 이것은 정치적으로 보헤미아를 장악하는 것은 '체코의 농지'가 체코 주민들에게 봉사하게 만드는 것으로 정당화될 수 있었다.

그러나 보헤미아 독일인들의 경우 농지 소유 방식이 이들을 독일 민족엘리트로부터 소외시키는 또 다른 요인이 되었다. 문화적으로 독일화된보헤미아 공후들과 남작들 중 상당수는 거대한 토지 위에 지어진 궁전에살면서 어떤 형태의 민족주의에 대해서도 거의 염려를 하지 않았다. 그러나 보헤미아만의 특이한 상황은 아니었다. 헝가리와 루마니아에서도 이와 유사한 농지 보유 방식을 보였고, 이 지역은 한 세대 후 심각한 파시즘운동이 탄생한 장소가 되었다. 이 두 국가의 농촌 경제는 거대한 장원들로구성되었다. 헝가리 농지의 45퍼센트(이 중 91퍼센트는 헝가리인이 소유함)와루마니아 농지의 50퍼센트가 거대한 장원에 속해 있었다.[44] 이곳에서도민족 엘리트는 같은 인종의 평민들에 대해 경멸감을 가지고 있었고, 이들은 자신들의 땅에서 이방인이라는 감정이 강화되었다. 그때부터 계속 제기된 대중영합적 불평은 히틀러와 무솔리니, 기타 동유럽 파시스트들이자극한 대중영합주의의 극우파적 수사에 일반화되었다.

헝가리와 남동부 유럽의 엘리트와 주민들

헝가리에서는 귀족 엘리트가 19세게 말 부다페스트 정부와 모든 국가 행정기관을 포함한 정치를 확고히 장악하고 아주 오랜 시절부터 이어온 특권을 주장했다. 이들의 조상은 '스키타이인'으로서 마자르족을 아시아로부터 중유럽의 판노니아 들판으로 인도한 인종적으로 우월한 외래의 계급이었다. 이들은 헝가리에 말뚝을 박고 이들만의 현화된 헝가리 민족을 위해 이 지역을 방어해왔다. 이 땅의 모든 다른 민족들은 손님이거나 세습적 하인으로 마자르어를 말하거나 말하지 못하기도 했다. 그래서 헝가리어를 사용하는 농민들이 귀족들을 이방인으로 생각한 것은 전혀 놀랄 일이 아니다. 이들은 그렇게 믿도록 가르침을 받았다.

그래서 대부분 헝가리 귀족들이 보기에 농지 개혁에 대한 모든 논의는 쓸데없는 일이었다. 이들은 성스럽고 양도할 수 없는 세습유산을 지키고 있는 것이고, 귀족층은 1200만 인구 중 68만 명에 불과하지만, 이들은 역사적 임무를 수행하는 정치적 과정을 만들어왔고, 이를 이용한 것이다.[45] 나머지 유럽에 비하면 이들의 이상은 당돌해 보였다. 그 임무는 현대적 국가를 만들어가는 동안 봉건적 위계질서를 계속 유지하는 것이었다. 지역 수준에서 이것은 유럽대륙에서 가장 오래된 자치정부 제도인 역사적 자치주를 계속 유지하는 것이었다. 이 제도하에서 한 귀족 가족이 하나나 그 이상의 마을의 공동체 가족들의 생활을 수세기 동안 통제해왔다. 국가 수준에서 이로 인해 군주정은 1867년 헝가리에 헌법을 '부여하지' 말고, 단지 기존의 특권을 인정했어야 했다. 〈국본조칙〉조차도 계약이 아니라 합스부르크왕가가 역사 이전 시기에 기원이 사라진 귀족들의 특권을 인정한 것으로 해석되었다.

귀족들이 1848년 자유주의 혁명의 근간을 형성했고, 이론적으로는 권리를 모두에게 확산시키기를 원했지만, 엘리트는 대체적으로 헝가리 민중을 돌보는 것을 중지했다. 자신들의 인종-민족적 우월성에 대한 일반적 신화를 넘어서서 이것은 정치 제도에서 발견되는 고양된 사회적 배경의 증류 과정에 기인한 것이기도 했다. 1867년부터 1918년 사이 부다페스트 정부 관리 44퍼센트는 대귀족이었고, 각 부처 관리의 3분의 1에서 2분의 1도 귀족 출신이었다.

부다페스트의 통치 정당은 여전히 자신들을 '자유주의적'이라고 불렀지만, 이것은 대지주와 산업가들 모임이었고, 일정한 프로그램, 소속 멤버, 중앙 기구 없이 중앙주의와 지역 자치 사이를 왔다갔다했다. 이 정당은 통치하기 위해 존재했고, 자신들의 다수 지배를 유지하기 위해 위조, 위협, 투표 매수 등의 수단을 동원해 선거에 간섭했다. 이 정당의 자유주의는 유럽 계몽사상에서 차용한 진보 사상으로 구성되어 있었지만, 퇴보적인 민족주의 분위기 속에 재구성되었다. 귀족의 사회 지위의 더 깊은 색깔은 자유주의적 교조의 천을 통해 내비쳤다.[46]

그래서 전반적 상황이 경제적 자유주의를 선호할 때도 헝가리 정부의 정책은 길드의 폐지, 노동 계약 협상 폐지나 농지 매매 제약 철폐 등을 포함했다. 그러나 1870년대 농산물 가격이 50퍼센트 정도 하락하며 농업 생산이 바닥을 치자 정부는 국내 산업을 보호하고, 노동에 제약을 가했다. 이것은 주인들을 폭력 경범죄 처벌을 면제하는 1878년 '농장과 하인 조례'로 시작되었다. 이것은 노동자들은 '개인의 명예'에 대한 범죄로 간주되는 행동에 대한 의견 표시를 소송할 수 없다는 것을 의미했다.[47] 국가는 스스로의 이념을 실행에 옮긴 셈이었고, 이것은 하층민 헝가리인들은 경멸할 가치조차 없다는 것을 의미했다.

1890년대가 되자 헝가리 농촌의 생활수준이 하락하기 시작했고, 농촌 대부분은 자본주의 이전 시기의 생산 방식으로 되돌아갔으며, 법률도 이를 따라갔다. 약 92개의 '역사적' 가족이 봉건적 법률 체계로 되돌아가 자신들의 농지가 판매되는 것으로부터 정부의 보호를 받았다. 헝가리 경작지의 6분의 1이 양도 불가능한 트러스트에 속한다고 선언되었다. 이 토지는 장자상속제로 후세에 상속될 수 있었다. 이제 신농노제 수준으로 거의 되돌아간 헝가리 하층계급은 신봉건적 지주에게 충분한 노동력을 제공했고, 경찰은 노동자들이 계절노동 계약을 파기하는 경우 이들을 노동 현장으로 되돌려 보내고, 노동조합 결성을 '다른 사람들의 노동을 간섭하는 것'으로 금지하면서 노동자들과 충돌이 발생했다. 농지 경작자들은 거의 최저생활을 유지하면 농산물의 11퍼센트만 시장에 판매했고, 나머지는 스스로 소비했다.[48]

민주주의도 마찬가지로 퇴보했다. 1870년대부터 1905년 사이 투표권이 있는 성인 남성 비율은 14퍼센트에서 6.2퍼센트로 줄어들었다. 오스트리아에서 투표권은 꾸준히 확장되어 20세기 들어서는 무렵 27퍼센트의 성인 남성은 투표를 할 수 있게 되었다(1907년 이 비율은 100퍼센트가 되었다. 같은 시점 프랑스와 영국의 성인 남성 투표 비율은 각각 28퍼센트와 16퍼센트였다). 헝가리의 선거구는 정부 여당의 승리를 보장하기 위해 조정되었고, 헝가리인은 과도한 대표권을 가진 반면 루마니아인과 슬로바키아인은 대표권이 제한되었다. 원하는 정치적 결과를 확실히 얻기 위해 1900년대 초 의회의 토론을 제한하는 법률이 통과되어 의원들은 농지 개혁이나 노동계급 권리 같은 문제는 토론하지 못하고 사소한 문제만 논의했다. 헝가리의 '자유주의' 정당이 1905년 선거에서 패배하자 프란츠 요제프 황제는 선거 결과를 존중하지 않고, 자신의 근위대장을 총리로 임명했다. 이제 헝가리의 자유주의는 사실상 봉건적 보수주의로 회귀했다.[49]

그러나 엘리트들은 자신들을 민족주의적 현대화주의자로 생각했고, 자신들이 생각하기에 생산을 높일 수 있는 일을 했다. 산업 생산은 두 번에 걸쳐 크게 늘어났다. 한번은 1860년대였고, 다음은 1890년대였다. 1890년대는 외국 투자에 의해 촉진되었고, 농업에 종사하는 인구 비율은 1890년과 1910년 사이 82퍼센트에서 62.4퍼센트로 줄어들었다. 농업에서도 생산 증진이 일어났다. 일례로 1871년부터 1880년 사이보다 1901년부터 1910년 사이 밀 생산량은 2배 반 늘어났다. 국내총생산은 1867년부터 1914년 사이 5-6배 늘어났지만, 그 효과는 아주 불평등하게 배분되었다. 그러나 헝가리는 토착 산업을 증진하는 데 제약이 많아서 오스트리아에 대한 어떤 관세 부과도 불법이었다. 정치적 이유로 인해 정부가 면방 산업 같은 토착 산업을 직접 지원하는 것이 힘들었다. 발전하는 산업들은 부다페스트에 과도하게 집중되어 있었고, 상대적으로 소수의 산업 분야와 회사에 한정되었다. 전체적으로 헝가리는 1867년 이후 극적인 성장을 경험했지만, 여전히 이중 제국의 빵바구니이자 유럽 반‡변방의 사회로 남았다.[50]

헝가리 귀족들은 위험부담이 많은 상업 활동에 뛰어들거나 자유주의가 요구하는 대로 중산층 역할을 맡기보다는 유대인들에게 많이 의존했다. 주로 갈리시아에서 온 유대인들은 한 세대 만에 상업과 전문 직업 계층의 근간을 형성했다. 이렇게 되는 과정에서 이들은 문화적으로도 동화되었다. 1880년 헝가리 유대인 중 58.5퍼센트는 마자르어를 자신들의 제1언어로 선언했고, 1910년이 되면서 이 비율은 77.8퍼센트까지 올라갔다. 젊은 유대인들은 완전한 법적 평등권을 누리면서 헝가리의 교육, 전문 직업 기관에서 계속 상승 계단을 올라갔고, 도시의 상업, 재정, 산업 분야에서 뛰어난 능력을 발휘했다. 이들은 농업 경제에서도 농지를 소유한 농민뿐 아니라 농지 임차인, 대지주 밑의 급여 농민으로도 중요한 자리를 차지했다. 대지주들은 유대인을 효율적이고 합리적인 농업 생산자로 보았다.[51]

1차 세계대전 때까지 헝가리 엘리트는 유대인에게 문화를 개방한 듯이 보였다. 1914년 대주지의 5분의 1이 유대인이었고, 의회 의원의 5분의 1이

유대인 혈통을 가졌다.[52] 수만 명의 신분 상승 유대인들은 애국주의도 뛰어나, 교사, 언론인, 전문 직업인으로 슬로바키아와 루마니아 지역으로 들어가 마자르 문화를 전파했다. 수적으로 보면 마자르화된 유대인은 문화적으로 마자르화된 주민이 헝가리왕국 전체 인구의 절반이 조금 넘도록 만들었다. 이와 동시에 현대화의 도전에 빠르게 적응할 수 없었던 하층민 마자르 기독교 주민들은 유대인들의 부상을 회의주의와 질투를 가지고 바라보며 귀족 엘리트들로부터 더욱 소외되었다.

체코 민족주의 엘리트와 다르게 헝가리 귀족들은 사회적·경제적 발전 전망을 헝가리 농촌 지역 거주자들에게 제시하는 데 실패했다. 그 대신에 이들은 타인종 주민들을 서서히 마자르화하는 데 국가 자원을 사용했다.[53] 선거권자에 대한 재산 제한과 행정적 속임수로 인하여 헝가리에서는 사회적으로나 민족적으로나 반대파 정치를 위한 공간이 극히 제한되었다. 헝가리 사회민주당은 성장했지만, 기독사회주의나 농업주의에는 중요한 운동을 전개하지 못했다. 엘리트의 억압과 지역 인종의 이익과 권리 방기는 1930년대 경제 상황이 나락으로 떨어지자 급진적 민족주의의 분출을 촉발했다.

엘리트와 평민 사이의 관계는 루마니아에서도 이와 유사했지만, 극단성은 더욱 컸다. 1912년 루마니아 인구의 82퍼센트는 농촌에 거주했다. 1864년 약 2000가족이 경작지의 38퍼센트를 소유했고, 이 비율은 더 증가했다. 1905년 약 5000가족이 경작지 전체의 약 50퍼센트를 소유했다. 중간 크기의 농지 소유자 비율은 미미했고(10퍼센트), 경작지의 40퍼센트는 5-10헥타르의 작은 농지로 구성되었다. 1905년 시점 기준으로 대규모 농지와 소규모 농지 사이의 편차가 이처럼 큰 나라는 유럽에 없었다. 몇천 가족이 백만 명의 농민보다 더 넓은 농지를 보유했다. 헝가리의 엘리트와 마찬가지로 루마니아 엘리트도 유사 대귀족이었고, 지방 행정 기관 장악을 통해 농민들이 복지에는 아무 관심 없이 자신들이 법인 것처럼 행동했다.[54]

헝가리에서와 마찬가지로 직업적인 귀족 출신 관리들이 국가 기관을 장악하고 민족주의적 현대화처럼 행동하며 일부 대도시의 발전에 집중했지만, 시골 지역 발전은 등한시했다. 시골 지역에서는 대규모 영지에서 곡식과 곡물이 재배되었고, 비대칭적인 사회관계는 변하지 않고 그대로 남아 있었다.[55] 헝가리와 유사하게 루마니아도 전반적인 발전 지체를 겪고 있어서 1차 세계대전 전 공업 생산은 전체 생산의 15퍼센트를 넘지 않았다.

유대인들은 루마니아 사회와 경제에서도 특별한 역할을 수행했지만, 우리가 본 바와 같이 루마니아 엘리트는 이들이 시민권을 획득하는 것을 막고 있었다. 이것은 빈회의의 규정을 거부하는 것이었다. 유대인들은 농지를 소유할 수 없었기 때문에 도시에 거주하며 수공업자, 상인, 행정가, 은행가, 행상, 재단사, 장인이 되었다. 1900년 유대인은 루마니아 인구의 5퍼센트 미만을 차지했지만, 유대인 거의 다가 도시 거주민이어서 이아시 주민의 50퍼센트, 부쿠레슈티 주민의 3분의 1을 차지했다. 헝가리에서와 마찬가지로 유대인들은 경제의 선진 부문에 고용되었고, 정부의 지원이 훨씬 적은 상태에서도 경제 발전을 이끌었다.[56]

인종적 루마니아 엘리트는 도시 생활을 선호하며 통상적으로 자신들의 거대한 영지 관리는 그리스인, 아르메니아인, 유대인, 독일인 같은 중간 관리인에게 맡겼고, 이들은 농민들로부터 가능한 한 많은 계절별 계약 양을 받아내려고 애썼다. 몰다비아에서 유대인 농지 임차인 비율은 40퍼센트에 육박했고, 농민들이 보기에 유대인은 먼 곳에 있는 이질적인 도시에서 자신들의 농촌 지역으로까지 뻗쳐온 착취제의 하수인들이었다.[57]

농민들도 농지를 소유하지 못하거나 너무 작은 농지를 소유해서 생계를 유지하기가 힘들었고, 대영지에서 소작인으로 일하는 경우가 많았다. 소작농의 숫자가 늘어나면서 이들의 겪는 곤경도 커졌다. 많은 소작농들이 영양실조와 펠라그라pellagra(만성적 니코틴산 부족으로 생기는 병으로 옥수수를 주식으로 하는 농민들에게 많이 발생한다. 1888년 1만 626건의 발병 사례는 1906년 10만 건 이상으로 늘어났다)를 앓았다. 농민의 가난을 보여주는 특별한 지표는 높은 유아 사망률이었다. 이런 상황에서도 정부는 지주와 중간 관리인의 착취로부터 농민을 보호하는 조치를 취하지 못했다. 농민들은 이들에 대해 아무런 협상 능력이 없었다. 극도로 힘든 상황이 닥치면 농민들은 투기꾼에게 농작물을 시장 가격 이하로 파는 수밖에 없었다. 농민들의 차입금 이자는 너무 높았고, 국가 세금은 농민의 연 수입의 80퍼센트에 달했다.

농민이 문자해독을 하고, 정치 생활에 참여할 수 있더라도 선거제도는 농민들을 2등 시민으로 대우했다. 선거제는 거의 모든 남성에게 보통선거권을 제공했지만, 재산을 보유한 계층이 의회 의원의 80퍼센트를 선출했고, 농민층과 빈한한 납세자는 대표를 통해서 나머지 20퍼센트의 의원을 선출할 수 있었다. 투표자들의 지지를 확보하는 기법은 헝가리와 달랐다. 헝가리에서는 '자유주의자'인 이슈트반 티사 정권(1903-1905, 1913-1917)이 급속하게 성장하는 도시 지역에서의 약점을 상쇄하기 위해 농지가 없는 농민들의 절대다수를 동원했다. 이와 대조적으로 루마니아에서는 '자유주의자'인 이온 브라티아누(1909-1910, 1914-1918) 정권은 조직하기 어려운 소작인들을 무시하는 정책을 취했다.[58] 한 세대 후 이들은 파시스트적 철위부대Iron Guard의 중요 구성원이 되었다.

1907년 루마니아 농민 대반란은 북부 몰다비아 3개 지역의 농지 대부분(총 15만 헥타르)을 소유한 피처 가족[Fischer family]에 고용된 농민들이 일으켰다. 2월 이 지역의 농민 소작인들은 자신들의 계약이 연장되지 않는다는 통보를 받은 후 봉기를 일으켰다. 봉기는 농사지을 땅을 얻지 못할 것이라는 공포를 가진 농민들 사이에 급속하게 퍼져나갔다. 정부는 진압 부대를 보냈지만, 소요를 진정시키기에는 부족했다. 농민 봉기는 왈라키아로 확산되면서 폭력적으로 변했다. 농민들은 상점과 식당을 약탈하고, 장원 저택을 불태우며, 때로 지주와 중간 관리인을 살해했다. 모든 곳에서 요구는 단순했다. "우리는 농토를 원한다!Vrem pamint!"였다. 스스로 자유주의적 정부라고 내세운 정부는 보수 정부로 대체되었고, 군대가 전면적으로 동원되어 마치 군사 작전처럼 포사격을 가하며 마을들을 접수했다. 약 9000명의 농민이 사망한 후 봉기는 진압되었다.[59]

정치 계급은 온건한 개혁을 도입하여 임차료에 상한선을 두고 최저 임금을 정했다. 1908년부터 농지를 원하는 농민들을 위한 농업신용은행이 가동되었다. 그러나 농민들은 여전히 지주에 크게 의존한 상태였고, 근본적인 변화는 일어나지 않았다. 국가 행정 당국은 경찰과 군부대를 통해 농촌을 계속 감시했다. 농민들은 스스로 조직할 수 있는 기술과 지식이 없었다. 자유주의적 정부는 변화를 약속했지만, 열정이나 인력을 투자하지는 않았다. 그래서 모든 개혁 시도는 '루마니아 공공 생활의 유사층流砂層을 통해 흔적도 없이' 사라졌다. 모든 성향의 정치인들은 농민들을 제대로 된 시민 이하의 존재로 생각했고, 필요한 경우 무시하거나 압제해야 할 대상으로 보았다. 농민들은 국왕에게 희망을 걸었지만, 국왕도 루마니아의 가장 큰 대지주 중 한 사람이라는 것을 인식하지 못했다.[60]

1907년 대반란은 동유럽 역사에 기록된 가장 큰 농업 소요였고, 남동부 유럽을 변화시킨 1875년 헤르체고비나의 대규모 민중 소요와 유사한 점을 보여주었다. 두 사건 모두 극도의 불평등에서 촉발되었고, 헤르체고비나 반란은 오스만이 지배하는 유럽 지역에서 발생한 것이며, 루마니아 봉

루마니아의 농민 소요: 죄수들을 호송하는 보병(1907)

기는 러시아 서쪽 지역에서 발생한 것이었다. 두 봉기 사이의 차이점은 인종적 차원이었다. 헤르체고비나에서 기독교도 농노들의 분노는 바로 이슬람 지주들과 이들이 속한 외국 정권의 불의에 대항한 것이었던 반면, 루마니아에서 분노는 계급적 요인에 기인한 것이었다. 새로운 국가 질서를 만들려는 시도는 없었지만, 소작인이나 중간 관리인들이 다양한 인종적 배경을 가지고 있었기 때문에 반유대주의를 포함한 인종적 혐오가 폭력을 자극하지는 않았다. 많은 곳에서 농민들은 충성스럽게 루마니아 당국에 청원을 제기했지만, 경찰과 군대에 의한 폭력적 진압이란 답을 받았다.[61]

두 반란 사이에 마지막으로 유사한 점은 폭력성에도 불구하고, 두 지역 모두에서 큰 변화가 일어나지는 않았다는 점이다. 대지주들은 자신들의 농지를 그대로 보존했고, 착취 제도는 지속되었다. 중요한 다른 점은 루마니아 정권은 대루마니아 국가에서 모든 루마니아인들이 통합되는 것으로 모든 문제가 해결될 수 있다고 주장하며 농민들의 불만을 분산시킨 것이다.[62] 이와 대조적으로 보스니아에서는 인종적 주장이 오스트리아-헝가리제국을 상대로 제기되었고, 정권의 이국적이고 착취적인 통치는 정교도와 이슬람교도 모두에게 증오의 대상이 되었다.

＊　＊　＊

생산성이 낮은 농업 정권이 세르비아와 불가리아의 경제를 지배했지만, 이 지역에서 엘리트와 평민 사이의 관계는 체코의 경우와 유사한 면이 있었다. 민족 지도자들은 귀족이 아니라 평민층에서 나타난 점이 바로 그러했다. 대지주계급에 토박이 민족 출신은 없었다. 루마니아와 마찬가지로 세르비아는 과거 오스만제국 소유였고, 주민 절대다수가 농촌 지역에 거주했으며, 사회경제 발전은 낙후되고, 보스니아에서 마찬가지로 중세 귀족층은 파괴되었다. 보헤미아 체코인들의 경우와 유사하게 민족 엘리트는 농민 출신이었고, 그다음 세대는 체코 땅에서와 마찬가지로 비중 있는 토착 파시즘을 만들어내지 않았다.[63]

오스만 지배 시기에는 스파히스*spahis*[비정규 튀르크 기병]가 토지를 소유하고, 농민들의 노동의 대가로 농산물을 분할했으며, 그다음으로 예니체리가 들어왔지만 이들은 후에 부랑자, 약탈자 집단으로 전락했다. 그러나 공납과 세납을 거두어들이는 권한은 여전히 튀르크인들 손에 남아 있었고, 헝가리와 루마니아의 농촌 주민들과 다르게 세르비아 농민들은 농노화되지는 않았다. 1817년 이후 수십 년 동안 세르비아공국이 형성되자 튀르크인 지주들은 점차적으로 이 지역을 떠났고, 세르비아 지도자 밀로시 오브레노비치는 자신의 권력을 약화시킬까 봐 대규모 영지가 형성되는 것을 막았다(그는 엄청난 부자가 되었다). 그렇게 되자 세르비아 사회는 차이가 거의 없는 농민 한 계층으로 구성된 사회가 되었다. 오브레노비치 이외에 1840년대 이후 부상한 권력자들은 수백 헥타르 농지를 소유하는 데 그쳤고, 아무도 귀족 혈통이나 인종적으로 우월한 조상으로 이어지는 가문을 자랑할 수 없게 되었다.[64]

세르비아 국가는 처음에는 자유주의적 원칙에 의해 지배되는 것처럼 보였다. 1868년 헌법은 입법 기관을 탄생시켰고, 1800년부터 정당이 발달했다. 세르비아에는 세 개의 권력 중심이 있었다. 하나는 관료층이었고, 다음은 선거 정치에서 성공한 정치인들이었으며, 마지막은 대공이었다. 루마니아의 국왕과 마찬가지로 대공은 계속 정치에 간섭하여 제대로 된 민주주의 출현을 막았다. 가장 중요한 정치 운동은 세르비아 급진당Serbian Radicals이었다. 이 정당은 1881년 니콜라 파시치가 공동으로 설립한 농민 정당이었다. 농민의 아들인 그는 동유럽 마르크스주의의 교차로인 취리히에서 공학을 공부하면서 사회주의 서클에 가담했다. 1926년 사망할 때까지 그는 처음에는 세르비아, 다음에는 유고슬라비아의 타의 추종을 불허하는 정치 지도자가 되었다.[65]

그러나 세르비아 급진당은 농촌 지역의 발전을 촉진하여 농민들의 이익 증진을 위해 활동하는 대신에 정당 설립에 주력하고, 공공 재원을 군대, 관료제, 철도 건설, 외교에 집중하며 국가의 권력과 부 신장에 노력했다. 급진당이 추진한 거의 모든 민간사업은 농민이 필요로 하는 것과 거리가 멀었다. 1908년 농업부는 전체 연 예산의 8퍼센트만을 배정받은 반면, 23퍼센트는 군대, 28퍼센트는 부채 지불에 쓰였다(대부분이 철도와 군대를 위한 차용금의 이자). 세르비아 국가를 인종적 세르비아인이 거주하는 모든 지역으로 확대한다는 것이 이러한 지출에 대한 정당화의 구실로 사용되었다.[66]

그러나 이러한 목표는 폭넓은 지지를 받았기 때문에 세르비아 급진당은 농민들의 지지를 잃지는 않았고, 교육 제도를 이용하여 실지회복 열정을 강화시켰다. 이것은 또한 1차 세계대전 전까지 농민 1인당 부채를 줄이는 데 도움을 주었다. 그러나 급진당은 시운이 좋았다. 세르비아 최초의 사회주의자이며 파시치의 친구이자 멘토인 스베토자르 마르코비치의 대중영합적 프로그램을 통해 이들은 독립 초기부터 농민들의 충성을 확보할수 있었다. 그는 농민에 대한 국가의 간섭을 축소하겠다고 약속했다. 급진당은 기득권 정당이었지만, 당에 소속된 지식인과 전문 정치인들은 농촌과의 접촉을 상실하지 않았고, 농촌 지지자 네트워크를 계속 유지했다. 필요한 때 이들은 농민들의 사용하는 언어로 농민들과 소통할 수 있었다.[67] 그래서 급진당의 경쟁 세력들이 1892년부터 1900년 사이 활발히 정치 토론에 참여하고 정부에 가담했다가 이탈하기를 반복했지만, 세르비아 사회와 정부는 단결성을 잃지 않았다.

불가리아도 지주들의 정권이란 면에서는 유사점이 많았다. 19세기 중반 불가리아 민족 르네상스가 시작되었을 때 불가리아는 튀르크 지주들이 통제하는 완전한 농촌 사회였다. 1878년 독립 후 튀르크 지주들은 추방당했고, 불가리아는 자신의 양식을 생산하는 소규모 농지 소유 농민들의 땅이 되었다. 세르비아에서와 마찬가지로 가장 일관된 기구는 국가였다. 1870년대부터 발전하기 시작한 국가는 그 자체가 하나의 '계급'이 되며 사회적 공백을 채웠다.[68] 그러나 11장에서 보게 되는 바와 같이 불가리아에서 일어난 주요 농민운동인 불가리아농민연맹Bulgarian Agrarian Union은 처음에는 자유주의적 국가 제도 및 실지회복 민족주의와 그것을 추구한 군주정에 도전하는 정치 철학을 가지고 있었다.

합스부르크제국의 북쪽 지역인 슬로베니아와 크로아티아의 농민운동은 자신들을 '국민당people's parties'이라고 부르면서 나타났다. 이 정당들은 독일과 이탈리아식 교육, 마자르, 독일, 이탈리아의 수도, 마자르와 이탈리아 행정 압력에 대항하는 투쟁의 최전선에 선 민족의 영혼을 대변한다고 주장했다. 슬로베니아와 크로아티아 농민 지도자들은 농민들이 민족 은행과 대여 기관에 저축을 하고, 독일과 이탈리아 은행을 피하도록 독려했다. 이들은 재정 거래에서 자신들의 구어를 사용하는 것은 '국가 내 국가'의 형성과 민족해방을 가져온다고 주장했다. 이러한 태도는 가톨릭 사제이며 국민당 지도자인 야네즈 크레크가 1905년에 쓴 편지에도 잘 나타난다. "슬로베니아 농민들의 협동조합 운동만이 우리 영토의 독일화와 이탈리아화를 막을 수 있다. 만일 슬로베니아 농민들이 진작 자신들의 대여 기관과 저축은행을 이용했었다면 농민들은 자신들이 농토를 팔거나 외국 사람들로부터 돈을 빌릴 필요가 없었을 것이다."[69]

크로아티아 운동과 슬로베니아 운동의 차이점은 슬로베니아의 경우 가톨릭교회가 더 중요한 역할을 했다는 점이다. 이 운동 자체가 사제정당에서 시작되었고, (오스트리아의 기독사회주의처럼) 국민당이 도시파와 농촌파로 갈라지는 것을 막을 수 있었다. 동유럽의 다른 어느 농민당보다 슬로베니아 민중주의자들은 노동자와 농민들 사이의 독일과 이탈리아의 압력에 대항해야 하는 인종적 필요성을 심각하게 받아들였다. 크레크는 개인적 카리스마를 통해 문화 엘리트와 일반 평민 사이, 또한 교회 사이의 가교역할을 했다. 슬로베니아인들은 1912년 두 크로아티아 정당과 연맹을 형성했고, 후에 남슬라브 북쪽 경계의 탈민족화에 대항하는 요새로서 남슬라브 국가를 형성하기 위해 크로아티아와 세르비아 정치인들과 손을 잡고 일했다.[70]

우리가 앞으로 상세히 보겠지만, 민중 지도자 스테판 라디치가 이끈 크로아티아 농민운동은 기존의 민족주의를 지향해야 하는 강한 압력을 받앉고, 이것은 크로아티아에서 농민은 무시하고 자신들의 적인 마자르인과 세르비아인들에게 대항하는 투쟁에 집착적으로 초점을 맞추게 만들었다. 라디치는 남슬라브인들의 단합을 지지했지만, 1차 세계대전 후 그의 정당은 새로 형성된 유고슬라비아에서 세르비아의 문화적 침탈과 정치적 지배에 대항하는 요새로 발전했다.

이 단계에서 슬로베니아와 크로아티아 농민 대중주의를 연결한 것은 소규모, 중간 규모 농지 소유자들과 농지가 없는 농업노동자들의 공통적 도전이었다. 이들은 외국 인종이 다수를 차지하는 대지주에 대항해 자신들의 권리를 주장하고 있었다. 크로아티아는 농지의 상당 부분(36.6퍼센트)을 대지주가 차지하고 있는 점에서 헝가리와 유사한 상황에 놓여 있었다. 그리고 이러한 농지 소유자들이 외국인이란 점에서 보헤미아와 유사했다. 크로아티아-슬라보니아의 62개 대지주 가족 등 33개 가족만 크로아티아인과 세르비아인이었다.[71] 1차 세계대전 전 헝가리에서 제한된 선거권으로 인해 슬로베니아와 크로아티아의 대중운동은 확연히 눈에 띄지는 않았다. 그러나 세르비아 급진당과 불가리아농민연맹처럼 민족적 지도부와 농민층을 연결하는 대중운동은 후에 파시즘이 인구 대부분이 거주하는 농촌 지역에서 발전하는 것을 막는 데 도움을 주었다.

* * *

수십 년 동안의 학문적 연구에도 불구하고 파시즘은 이해뿐만 아니라 단순한 서술로 파악하기 힘든 대상이다. 이것은 우파 운동인가 아니면 좌파 운동인가? 이탈리아의 파시스트 정당은 1921년 하원에서 극우 진영에 속했지만, 이 운동은 사회주의와 결별한 적은 없었고, 이것은 국가사회주의였다. 일부 학자들은 파시즘을 혁명적 보수주의로 묘사하지만, 이것은 파시즘의 실제 행동을 서술하기보다는 역설을 불러일으킬 뿐이다. 외양적으로 보기에 파시즘의 조화되지 않은 여러 단면은 1882년 린츠선언에 처음 나타났다. 이 프로그램을 작성한 원 파시스트 저자들은 우리가 파시즘의 특성으로 꼽는 군사적 독재를 원하지 않았고, 그 대신에 당시 자유주의자들이 양보하는 것보다 더 많은 민주주의를 원했다. 이들은 더 많은 사회보장, 부패 척결, 독일인에 대한 보호를 요구했다. 1880년대 중반부터 한 분파가 유대인을 '민중의' 적으로 지목했다. 이때 민중은 동족이 아니라 노동계층으로 이해되었다.

파시즘은 자유주의와 민족 문제에 대한 자유주의의 불가지론에서 나왔다. 그러나 이것은 자유주의적 경제 정책의 실패와 국가 복지 정책을 제한한 자유방임주의에서 유래했다. 결국 파시즘 영감의 가장 강한 기원은 단순히 자유주의자들의 태만이었다. 두 세대 전에 동유럽에서의 자유주의적 민족주의는 자신들의 민족이 다른 인종, 특히 독일인들의 멸시의 희생자라고 생각한 애국주의 지식인들로부터 탄생한 것이었다. 그러나 한 세대 후 파시즘은 일반 평민이 동족으로 멸시를 당하는 지역에서 번성했다. 이것이 최소한 파시스트들의 강력한 주장이다.

그러나 린츠선언은 단순히 파시즘의 전령은 아니었다. 이것이 미래의 중심축이 되게 만든 것은 시스라이타니아에서의 독일인-슬라브인 갈등의 중심을 드러내며 불만에 찬 지식인들이 만들어낸 프로그램이 중도우파의 대중운동, 즉 범독일주의와 기독사회주의뿐만 아니라 마르크스적 사회민주주의로 확산될 수 있었고, 각 경우 이것은 주민 상당수의 쇠락에 대한 두려움에 큰 호소력을 가지고 있었다는 점이다. 합스부르크제국 지도자들이 포스트-자유주의 정치 상황의 분열주의와 새로운 정당들의 통치 연정 형성의 도전에서 취할 수 있는 유일한 해결책은 투표권을 확대하여 인종적 경계를 넘어서는 호소를 기대하는 것이었다. 그러나 투표권이 확대되면서 민족적·사회적 쇠락에 대한 두려움을 자극하는 정치 운동은 더 번성하기만 했다. 1918년 이전 다민족 군주정이 국가로서 제대로 작동하게 만드는 방법으로 민주주의를 제어하는 방법은 아무도 찾아내지 못했다.

10장

자유주의의 상속자들과 적들: 사회주의 대 민족주의

1848년 자유주의자들은 미래가 자신들의 것이라고 생각했다. 그 이유는 군주들이 뒤로 물러나고 자유로 향하는 길이 열린 것으로 보였기 때문이다. 이들은 교육과 경제성장을 통해 이성적인 인간 존재가 자신들의 일을 관장하는 사회를 만들 수 있다고 생각했다. 그러나 1900년대 초반이 되면서 스스로 자유주의자라고 내세운 사람들은 무대에서 사라지고, 오스트리아에서 권력을 놓고 경쟁하는 정당들은 기독사회당, 사회민주당, 독일 민족주의 정당들이었다. 이 정당들은 모두 자유 시장과 관리자로서의 국가, 자유주의적 교조를 버렸지만, 경쟁 선거, 의회를 통한 작업, 법의 지배를 인정하면서 자유주의적 정치에 참여했다. 의회에는 이 정당들과 함께 시스라이타니아의 여러 곳에서 온 다양한 민족주의자 그룹이 같이 앉아 있었다. 체코인, 폴란드인, 루테니아인, 크로아티아인, 슬로베니아인 정파들은 나름대로 좌파 정치층을 구성하고 있었다. 1907년이 되자 의회에는 '유대인 클럽'도 생겨났다. 빈은 세계 시온주의의 기원지가 되었고, 시온주의

자체도 분열하기 시작했다.[1]

트란스라이타니아의 국경 너머 한 헝가리 자유주의 정당이 선거를 조작하고, 많은 경쟁자들을 약화시키기 위해 투표권자를 제한하는 방식으로 의회를 장악했다. 루마니아인, 세르비아인, 크로아티아인, 슬로바키아인, 헝가리인 사회주의자들과 농민 활동가들과 기타 정치인들이 이 정당의 경쟁자였다. 그러나 1905년 주도 정당의 운이 다했다. 1867년 타협에 불만이 많은 좀 더 단호한 헝가리 민족주의자들이 선거로 권력을 장악한 것이다. 그러나 변한 것은 거의 없었다. '1848년 당1848 party'은 헝가리 정치제도에 도전하는 사람들을 정치 생활에서 제외하려는 의지를 강화했다. 또한 이들은 비헝가리인들의 문자해독 증진을 가로막는 입법을 했다. 헝가리의 정치는 큰 긴장에 휩싸였다. 한편으로 엘리트들은 근대화와 법의 지배 원칙을 신봉했지만, 다른 한편으로는 오직 비자유적 관행만이 획일적으로 마자르화가 되기를 원하는 표면적인 민족 국가의 '자유주의적' 목표를 증진시키는 데 도움을 준다고 인정했다.

한편 체코의 자유주의자들은 오래전부터 덜 급진적인 구체코당Old Czechs과 더 급진적인 청년체코당Young Czechs으로 분리되었다. 이후 1890년대에는 좌우로 나뉘어 민족주의자, 농업주의자, 사회주의자로 분리되었다. 이들 모두는 자유주의적 관행을 존중했지만, 헝가리 엘리트들을 부러워했다. 이들은 정치적 입지에 상관없이 헝가리가 마자르화된 것처럼 보헤미아가 체코화되기를 원했다. 수적으로 보면 체코인들의 입지가 훨씬 강했다. 헝가리인은 헝가리 인구의 겨우 51퍼센트를 차지한 데 반해 체코인들은 인구의 3분의 2를 차지했다. 생각이 진보적이었던 체코인들은 소수민족인 독일인들을 체코왕국에 들어온 '손님'으로 생각했고, 체코의 통제에 대한 주장은 자신들의 권리와 의무에 집중되었다.

남쪽과 남동쪽의 합스부르크 땅 밖에서 우리는 자유주의적 원칙은 표현하지만 권력을 유지하기 위해 선거를 조정하는 다양한 정당들을 만나게 된다. 서쪽 지역과 대비되게 루마니아, 세르비아, 불가리아의 자유주의의 목표는 자유방임적 경제나 구舊사회, 정치 특권에 대한 공격이 아니었다. 발칸 지역의 자유주의자들은 개인의 자유와 민권이라는 자유주의를 민족이 자신의 국가에서 방해받지 않고 발전할 수 있는 권리로 바꾸었다. 헝가리의 자유주의자들과 마찬가지로 이 지역을 통치하는 자유주의자들은 추종자들에게 일자리를 제공했지만, 대외적으로는 1878년 베를린회의가 정한 국경 넘어 존재하는 외형적인 민족 영토를 회복하는 정책을 펼쳤다. 이 지역 지도자들이 보기에 루마니아, 세르비아, 불가리아는 안정된 민족 국가가 아니었고, 더 큰 국가에 절반쯤 다다른 상태였다. 그러나 이 지역의 자유주의적이고 보수적인 기득권층은 마르크스주의 사회주의자와 농민당의 도전을 받았다. 일례로 놀라울 정도로 비非교조적인 불가리아농민민족연맹BANU: Bulgarian Agrarian National Union(이하 불가리아 농업당)은 경찰의 탄압에도 불구하고 농촌 지역의 노동자들을 조직하고 불가리아를 농민과 농민 생활방식을 존중하는 특별한 사회 발전의 길로 이끄는 사회 혁명을 꿈꾸었다.[2]

폴란드는 세 제국의 땅에 엄청나게 많은 정당들을 만들었지만, 정치 중심에서는 폴란드 사회주의자들과 우파인 '민족민주주의자들'(또는 엔데크) 사이의 메울 수 없는 간극이 형성되었다. 민족민주주의자들은 한때 자유주의자였으나 게오르크 폰 쇼네러의 열정을 가지고 자유주의를 혐오했고, 그의 범독일주의보다 더 배타적이어서 다른 모든 민족의 잠재적 대표자들을 사기로 비난했다. 이들은 20세기 유럽에 급진적인 반자유주의가 나타날 것으로 예상했고, 프랑스나 오스트리아에서보다 더 강력히 이를 반대했다. 그 이유는 이들이 중부 폴란드를 장착한 반민주적인 러시아와 경쟁을 해야 했기 때문이었다.

자유주의가 인기가 퇴색된 요인 중에 세 가지가 현격했다. 먼저 1873년 붕괴 이후 경제는 성장과 번영이 아니라 침체의 길로 들어서서 생산이 감소하고, 실업률이 높아지며, 모든 시민의 더 나은 생활을 할 것이라는 희망도 사그라졌다. 자본주의는 승리했지만, 질병, 오물, 인구 과잉의 도시 세계의 팽창, 더 오랜 노동시간을 요구하는 공장에서 승리했을 뿐이다. 공장에서는 현장에서 배운 기지만이 목숨을 위협하는 사고에서 노동자를 보호할 수 있을 뿐이었다(많은 농촌 지역의 빈곤은 더 심했다). 둘째, 투표권이 확대되면서 새로운 투표자로 도시에서 발아하는 자본주의의 쓴맛을 본 노동자들과 농지가 거의 없이 농촌 지역에서 고생을 하는 농업노동자들이 포함되었다. 이들이 보는 레스토랑에서 식사를 즐기거나 돈이 많이 드는 온천에서 휴가를 보내는 잘 차려입은 사람들은 투기와 연줄로 자신들의 부를 쌓은 것처럼 보였다. 보헤미아의 가난한 독일인들은 이러한 질투가 더 낮은 임금으로 노동 시장에 진입할 준비가 된 슬라브인들에게 일자리를 빼앗길 수도 있다는 두려움과 결합되었다. 1890년대가 되자 전체 투표자의 작은 부분을 차지하는 가장 부유한 재산소유자들만이 자유주의에 진실인 사람들로 남았고, 이들은 새로운 투표권자들은 비합리적인 욕구에 사로잡혔다고 보았다.[3]

자유주의 정치를 약화시킨 세 번째 요인은 과학이었다. 허버트 스펜서의 저술을 통해 동유럽에 전파된 이 시대의 주요 경향인 사회적 다원주의는 인간은 환경의 산물이라고 설파했기 때문에 자유주의를 포함한 어떤 정치사상도 특별한 환경의 산물로 보이게 되었다. 자유주의 교조의 핵심인 자유는 자신들의 권력을 유지하고 노동자들을 통제하에 계속 두려는 사람들이 만들어낸 환상이었다. 인간의 노력하는 분야에서 개선이 있다면, 이것은 투쟁을 통해서만 얻을 수 있었다.

이와 동시에 다원주의는 정치 집단, 국가, 인종 사이의 차이점은 극복될 수 있다고 제시했다. 사회적·국가적 갈등에서 반대자는 타협하기보다는 제압해야 했고, 반이성적 이론이 영향력이 커지면서 이성적인 대화 자체는 힘을 잃어갔고, 일부는 폭력을 권리를 박탈당한 사람들이 상황을 개선시키기 위해 사용할 수 있는 '합리적인' 수단으로 찬양했다.[4] 이러한 과학에 근거한 혐오의 정치를 옹호한 대표자 중 한 명이 프랑스 기술자 조르주 소렐이었고, 다른 한 사람은 생물학자 로만 드모프스키였던 것은 우연한 일이 아니다. 그는 자신의 의견에 동조하지 않는 폴란드인들을 유전의 돌연변이와 유사한 '절반만 폴란드인'이라고 불렀다.

자유주의는 시들기는 했지만 완전히 죽지는 않았다. 모든 사람이 인간의 문제를 해결하는 데 지성과 자유 의지의 힘에 대한 믿음을 잃은 것은 아니었다. 또한 모든 사람이 진보를 이루는 데 투표권의 힘에 대한 믿음을 잃은 것도 아니었고, 모든 사람이 시민 사회를 보호하는 타협의 기술이나 법의 지배에 대한 믿음을 잃은 것도 아니었다. 모든 사람이 민주주의가 허위라고 생각하지 않았다. 어떤 면에서 자유주의의 실패는 자유주의의 승리가 되었다. 1848년에 요구한 기본적 시민적 자유는 획득되었기 때문에 이제 정당들은 자유주의 목표 너머로 나가는 데 자유주의적 수단을 사용할 수 있게 되었다.[5]

자유주의적 형태와 믿음은 대부분 마르크스의 전통 안에 있는 사회민주당원들에게서 특별한 자리를 차지했다. 이들은 미래가 노동자들에게 속한다고 믿었다. 이들은 정당과 노조를 통해서뿐만 아니라 교육 연합, 운동회, 여성 클럽을 통해서도 시민 사회에서의 자신들의 이익을 추구하게 되었다. 다른 누구보다도 사회주의자들은 직접, 평등, 비밀 선거권을 요구하며 노동계급의 배경을 가진 사람이 아닌 사람들, 대표적으로 농민들의 지지를 받았다.[6] 사회주의는 모든 사람에게 정의와 불행한 과거와의 단절을 약속했기 때문에 많은 지도적 지식인들도 끌어들였다. 실제로 사회주의의 지도자 중 노동자는 거의 없었고, 많은 사람들은 1882년 린츠선언 공동 작성자인 빅토르 아들러 같은 과거 자유주의자들이었다.

19기 말에 부상한 정치 운동 중에 사회주의만이 이성에 대한 믿음을 가지고 정치에 뛰어드는 1848년 운동가들에게 받아들여졌다. 오스트리아의 아돌프 피쇼프 또는 헝가리의 요제프 외트뵈스 남작 같은 인물들이 여기에 해당되었다. "사회주의자들의 수사는 합리적이고, 이들의 세속화는 호전적이며, 교육에 대한 이들의 믿음은 거의 한이 없었다"라고 카를 쇼르스케는 썼다. 자유주의자들은 사회주의자들의 복지 국기 요구는 받아들이지 않았을 수 있지만, 이들과 논쟁을 할 수 있는 언어는 가지고 있었다. 이들은 자유주의자들의 유산 상속자였고, 비이성적처럼 보이더라도 이들은 비합리적이지는 않았다.[7]

* * *

오스트리아 사회주의자들은 거리 시위대의 권력을 두려워하지 않고, 인종에 상관없이 가난한 사람들에게 선거권을 부여하는 것에서 이익을 얻을 수 있었기 때문에 자유민주주의의 확장을 위해 싸웠다. 이와 대조적으로 독일 자유주의자들은 정치적 과정에서 노동자들과 슬라브인들을 배제하려고 하면서 선거권자를 성인 남성의 10퍼센트 이하로 유지하려는 봉건적 보수주의자들과 충돌했다. 구체코당과 청년체코당은 자신들을 자유주의자라고 생각했지만, 독일 자유주의자들은 체코인들을 독일 문화를 거부하면서 비이성적인 성격을 드러낸 민족주의자들로 보았다.[8] 그러나 독일인이나 체코인이나 자신들의 민족주의적 주장을 지지하기 위해 자유주의 교조를 사용할 수 없었다. 한 문화가 다른 문화보다 얼마나 우월한지를 이성이 어떻게 '측정할' 수 있는가? 불가지론자이기는 하지만 자유주의 민족주의자들은 종교적 숭배에 집착했고, 이러한 것의 가르침은 사실 자신들이 소중하게 생각하는 신념에 아무런 기초가 되지 않았다. 이들은 이성이 자신들 민족을 선호한다고 주장했다. 그러나 이들이 후계자인 사회주의자들은 이제 이성 자체를 종교의 지위로 끌어올리고 민족주의에 대해(다른 많은 것에 대해서도) 자유주의자들이 놀랄 정도로 교조주의자가 되었다.

그러나 거의 즉각적으로 민족주의 투쟁은 사회주의자들의 교조가 답을 줄 수 없는 하나의 사례를 만들었는데, 그것은 폴란드였다. 여러 세기 동안 폴란드의 혁명가들은 압제로부터의 해방과 민주적 폴란드 국가의 재건을 요구했었다. 그리고 이것은 자유주의자와 마찬가지로 유럽 전역의 사회주의자들이 지지하는 이상이었다. 그러나 폴란드의 사회주의 분파 집단은 마르크스가 주장한 보편적 혁명에 초점을 맞추고 폴란드의 민족주의를 반동적인 것으로 거부했다. 사회주의가 나타나기 위해서는 자본주의가 완전히 발전해야 하고, 이것은 내부적 관세 장벽 없이 경제가 발전할 수 있는 대규모 국가에서만 일어난다고 사회주의자들을 주장했다. 이들의 시각에서 사회주의자들은 각 민족이 사용하는 언어에 관계없이 독일과 태평양 사이에 있는 지역, 즉 러시아제국의 자본주의 발전을 지원해야 했다. 이런 시각을 적극적으로 옹호한 사회주의자는 동부 폴란드 출신으로 바르샤바와 취리히에서 경제학을 공부한 로자 룩셈부르크였다. 그녀는 1919년 우익 무장집단에 의해 베를린에서 암살될 때까지 폴란드, 러시아, 특히 독일 사회민주당의 중요한 인물이었다.

룩셈부르크의 시각은 폴란드에서 인기가 없었지만, 그것은 사회주의 운동의 창시자인 카를 마르크스, 프리드리히 엥겔스에게 충실한 것으로 보였다. 두 사람은 1848년 노동자들에게는 조국이 없다고 썼었다. 그 당시와 후의 마르크스주의자들 생각에 민족은 두 번째 형태의 정체성이었다. 민족은 자본주의와 함께 부상했고 자본주의가 사회주의에 자리를 내주면 사라지게 되어 있었다. 그리고 민족은 존재하는 동안에도 그만한 가치가 없었다. 민족성은 단명하고 본질이 없는 것이라서 인간의 정체성에 지속적인 자리를 차지할 수 없었다.[9]

그러나 마르크스와 엥겔스는 비민족적이지는 않았다. 그들은 문화적으로 독일인이었고, 프랑스, 독일, 이탈리아 같이 거대하고 '역사적인' 국가들의 공고화를 방해하는 작은 민족들을 경멸했다. 마르크스는 역동적인 독일 한가운데 거주하는 보잘것없는 체코인들이 별도의 국가를 가질 가능성을 하찮게 보았다. 엥겔스는 유럽의 모든 지역에서 인류에 대한 사명을 가지고 있는 '역사적' 민족들에 대항해서 반동 편에 설 준비가 되어 있는 민족들의 '잔해'를 발견할 수 있다고 썼다. 영국인에 대항하는 스코틀랜드인, 프랑스인에 대항하는 브리튼인, 스페인인에 대항하는 바스크인, 길고 가장 최근의 현상이자 가장 비극적인 사례로는 독일인과 헝가리인에 대항하는 '야만적' 체코인과 남슬라브인이 그러한 예였다. 1849년 1월 엥겔스는 "'다음의 세계 전쟁'은 반동적 계급과 왕조뿐만 아니라 반동적인 민족들 모두를 지상세계에서 사라지게 할 것이고, 이것이 진보다"라고 썼다.[10]

엥겔스는 나이가 들면서 자신의 격정을 가라앉혔지만, 그는 작은 민족들은 '유물'이라는 인식을 버리지 않았다. 그는 1866년 "역사를 전혀 가지지 못하고, 역사를 가질 만한 에너지도 없는 왈라키아의 집시들이 2000년의 역사를 가진 이탈리아인과 대등한 중요성을 가질 수는 없다"라고 썼다. 민족주의 운동은 체코인들 사이에 계속 성장했지만 그는 이것을 사소한 일로 보았고, "더 강한 생명력으로 더 많은 장애를 극복할 더 강력한 민족들의 일부로 흡수될 운명을 가졌다"고 주장했다. 그가 더 위대한 민족들 속으로 사라질 운명을 가졌다고 언급한 '이미 지나간 슬라브 민족들의 다른 잔재'로는 세르비아인, 크로아티아인, 우크라이나인, 슬로바키아인이 있었다.[11]

작은 민족들에 대한 멸시는 마르크스와 엥겔스를 넘어서서 독일 사회주의 엘리트인 페르디난트 라살, 요한 밥티스트 폰 슈바이처, 요한 필립 베커, 빌헬름 리프크네히트와 좌파 자유주의자인 레오폴트 손네만도 해당되었다. 독일 사회민주당SPD의 공동 창설자인 리프크네히트는 노동자 운동을 '민족 문제를 제거하는 틀림없는 수단'이라고 간주했다.[12] 인간이 자신의 이익을 물질적 관점과, 부를 만들어내고 적절한 보상을 받는 자신의 능력의 관점으로 생각한다면 그들의 사용하는 언어에 누가 신경을 쓰겠는가? 제국적 국가는 인종차별주의적이 아니고, 체코인들이나 폴란드인들이 제국의 언어를 사용하는 한 교육을 통해 국가 관료제에서 출세할 기회를 제공해주었다. 만일 한 사람의 관심이 보편적 문화라면 왜 그에게는 독일어나 러시아어를 사용하지 않을 이유가 있겠는가? 사회주의자들은 동유럽의 민족주의 프로젝트, 즉 구어를 소멸의 위기에서 구해내야 한다는 감정에 대해 역사에서 어떠한 정당성도 찾을 수 없었다.

아일랜드의 제임스 콘놀리를 제외하면 서유럽의 주요 사회주의자 중 민족주의에 대한 글을 쓴 사람은 아무도 없다. 제2인터내셔널은 1889년과 1896년 회의에서 민족주의를 다루지 않았다. 독일의 가장 존경받는 이론가인 카를 카우츠키는 프라하 출신으로 체코, 폴란드, 헝가리, 이탈리아 배경을 가지고 있었지만, 1917년 이전 그의 잡지 《새 뉴스Die Neue Zeit》는 '민족주의'나 '민족'이란 단어를 주제어 항목에도 포함시키지 않았다. 그러나 '약용식물'과 '채식주의'는 주제어 항목에 포함되었다. 1906년 독일 사회민주주의의 두 번째 이론가인 에두아르트 베른슈타인은 사회주의는 문화민족이 '모든 민족들의 공통된 이익'을 지키는 한에서 이 민족들의 자치정부를 지원한다고 썼다. 그러나 세계화는 스스로를 민족이라고 부르는 집단의 10분의 9를 후진적이고 문명의 이익에 반하는 집단으로 전락시켰다.[13]

보헤미아

민족주의에 대한 사회주의 이론의 실험장은 보헤미아였다. 이곳에서는 열기 띤 민족 투쟁이 급속한 산업 성장과 함께 진행되었다. 노동자들은 계급의식이 성장할수록 민족을 멀리할 것이라는 '정통' 마르크스주의의 인식과 반대되게 보헤미아에는 민족의식과 계급의식이 서로를 강화시키고 있었고, 그 이유는 체코인들이 보기에 부를 소유한 것은 독일인들이었기 때문이었다. 체코 사회주의자들이 보기에 1620년 백산 전투 후 오스트리아는 보헤미아의 도시 계층뿐만 아니라 대지주들을 독일화시켰고, 빈한한 계급은 슬라브화시켰다. 그래서 농촌과 도시에서 체코인 권력을 위한 전투는 '진보적이고', 체코 마르크스주의자들은 체코인 프롤레타리아의 부상뿐만 아니라 체코인들이 독일인 부르주아를 상대로 벌이는 투쟁을 환영했다.[14]

그러나 이러한 비정통적 관점도 투쟁의 결과로 얻어진 것이고, 1900년 이후에 일반화되었다. 보헤미아에서 산업노동자가 나타난 초기 시절부터 자신을 독일인이라고 느낀 노동자와 자신을 체코인이라고 느낀 노동자 사이의 분리는 분명했다. 1848년 체코어 사용자들은 프라하의 혁명에 동조한 반면, 독일어 사용자들은 빈에서 일어난 혁명에 희망을 걸고 보헤미아가 확장된 민주적 독일의 지방이 되는 것을 상상했다. 체코인 지도자들은 독일 문화 안에서 자유롭게 활동했지만, 사회주의에 대한 좀 더 깊은 이해를 위해 프랑스를 주목했다. 1870-1871년 프로이센-프랑스 전쟁 중 체코 진영의 노동자들은 조용히 프랑스 편을 들었고, 보헤미아의 독일어 사용 노동자들은 독일 군대의 승리를 공개적으로 축하했다.[15]

1867년 자유주의적 헌법 덕분에 인종적으로 다양하게 섞인 노동자 운동이 시스라이타니아 지역에서 나타났고, 독일인들이 그 지도부를 장악하고 사회가 독일 문화를 통해 사회주의로 나가는 것을 당연하게 생각했다. 그래서 1868년 5월 빈에서 독일어, 체코어, 헝가리어, 폴란드어, 루마니아어로 발표된 노동자 대표 선언문은 노동계급이 모든 인종적 차이에 대한 모든 편견은 배 밖으로 던져버렸다고만 선언했다. "노동 시장은 민족 집단 간의 경계를 인정하지 않는다. 자본주의는 모든 곳을 지배하여 돈으로 표현되고 측정되고 있고, 주민들에게 추정되는 인종 배경을 신경 쓰지 않는다"라고 선언했다. 그래서 슬라브 인종 기원을 가진 것으로 추정되는 사람들이 제기하는 요청은 모든 곳에서 노동하는 사람들의 해방을 방해하는 반동적인 분리주의로 묘사되었다.[16]

1888년 말 빅토르 아들러는 저지대 오스트리아의 하인펠트에서 시스라이타니아의 사회주의 조직들을 오스트리아 사회민주당SDAP으로 통합했다(공식 창당일은 1889년 1월 1일이었다). 독일 자유주의의 배경을 고려할 때 아들러가 중도 노선을 택한 것은 놀라운 일이 아니었고, 이 정당은 민주적이고, 하위 집단을 압제하지 않았다. 독일인 진영은 오스트리아 독일인 80명당 한 명의 당원을 배정받았고, 체코 진영은 50명의 체코인당 한 명의 멤버를 배정받아서 시스라이타니아의 사회민주당은 유럽에서 독일 사회민주당 다음으로 가장 강한 사회주의 조직이 되었다.[17] 프랑스 당은 740명의 주민당 한 명의 당원, 이탈리아 당은 1200명당 한 명의 당원을 배정받았고, 시스라이타니아의 나머지 사회당, 즉 폴란드, 이탈리아, 남슬라브, 루테니아 당은 훨씬 조직이 작았다. 1893년 청년체코당과 경쟁하는 것을 전제하고 체코 사회주의당은 명칭을 '오스트리아 사회민주 체코-슬라브당'에서 '체코슬라브사회민주노동당'으로 바꾸었다.

하인펠트 프로그램은 당이 모든 종류의 차별에 반대한다는 것을 빼고는 민족주의에 대해 언급하지 않았다. 그러나 이 운동이 성장하면서 이 문제는 무시될 수 없었다. 1899년 당의 브륀/브르노 회의는 노동자들이 민족주의 정당으로 빠져나가지 않도록 감독하기로 결정했다. 1897년 바데니 포고령 발표 후 소요 사태에서 충격적인 것은 다른 경우 관용적인 체코인과 독일인 사회민주당원들의 행동이었다. 이들은 외국인 소유로 간주되는 재산을 파괴했고, 종종 유대인 재산이 그 대상이 되었다. 독일 사회민주당은 의회에서 격렬한 의사진행방해 행동으로 활동이 정지되었고, 이들이 자신들의 지역구로 돌아오자 이들과 동족 동료들은 폭력행위를 계속했다.[18]

이에 대응해서 오스트리아 사회민주당 지식인인 오토 바우어와 카를 레네르는 민족에 대한 '개인적 권리'라는 개념을 제시했다. 사람들은 자신들의 민족적 연계성을 국가 당국에 알리고, 그런 다음 교회에 소속되듯이 자신들의 민족에 '속하게' 되며, 마을과 이웃과 섞여 살게 되지만, 특정한 집단의 필요는 별도의 기관에 의해 충족되도록 할 수 있었다. 빈에 가톨릭이나 개신교 성직체계가 있는 것과 마찬가지로 빈에 체코인 또는 독일인 또는 슬로베니아인을 대표할 '민족기구'도 있어야 했다. 선거가 다가오면 주민들은 자신들 민족의 정치인 명단을 제공받고 자신들이 어디에 살건 이 민족기구 구성에 투표를 할 수 있고, 이 민족기구들은 민족의 이익을 증진하는 법안을 통과시킬 수 있었다.[19] 갈리시아에서 온 독일인들은 빈에서 오스트리아나 달마티아에서 온 독일인과 마찬가지로 독일인으로 등록할 수 있었다. 이러한 구도는 얽히고설킨 영토 문제를 피해갈 수 있었다. 어느 마을에 4-5개 민족 소속 주민들이 산다면 이 마을이 보헤미아, 오스트리아, 아니면 다른 정치제에 속하는지 염려할 필요 없이 각 민족은 자신들의 대표를 빈에 보낼 수 있었다.

바우어와 레네르는 민족 문제를 주의 깊게 공부했고, 민족 문제에 무관심하거나 이중 민족인 개인은 너무 중요성이 없어서 대표가 될 자격이 없다고 보았다. 이런 사람들은 집단을 구성할 수 없고, 지도자나 기구를 만들어낼 수 없었다. 두 사람은 제국 군주정을 '민족 연방국가' 안에서 자치적인 지역으로 분할하는 계획으로 자신들의 구도를 보충했다.

여기에서 어려움이 시작되었다. 이 지역들의 경계는 분명히 정해지지 않았고, 이미 끝이 없는 분쟁을 만들어내고 있었다. 보헤미아는 체코인들이 원하는 대로 하나의 지역이 되어야 하는가 아니면 독일인들이 선호하는 대로 언어를 기준으로 하위 지역으로 나누어져야 하는가? 더 큰 문제는 정치인들은 다민족 영토에 거주하는 민족들의 문화 권리를 옹호하는 것으로 자신들을 절제할 것이라는 전제였다. 바우어는 민족에게 언어와 문화가 가장 중요하다고 생각했지만, 체코 정치인들이 체코어로 진행되는 학교 교육과 교과서를 제대로 공급받은 다음에 낮은 경제적 지위에 있는 이 사람들의 문제를 해결하는 것을 이 구도는 어떻게 도울 수 있겠는가?

사실 처음부터 민족에 대한 전투는 물질적 부를 위한 전투였다.

1907년 체코 사회민주주의자인 안토닌 네메츠는 체코 노동자들은 사회적 평등뿐만 아니라 민권과 민족적 평등을 위해서도 투쟁하고 있다고 말했다. '외국인들'(독일인과 유대인들)이 국가를 지배하고 있고, 체코인 고용자들은 체코인들의 노동력을 착취하고 독일어를 사용할 것을 강요하는 계급일 뿐만 아니라 민족의 적이었다.[20] 체코 사업가 계급은 오랜 세월에 걸쳐 성장해왔기 때문에 그의 말은 거친 과장이었다. 그럼에도 그의 말은 노동자들 사이에 체코 민족주의를 자극했고, 그래서 사회주의 목표에 기여했다.

이와 동시에 체코 사회주의자들은, 대중의 저항에도 불구하고 성취한 모든 것을 지키려는 독일인들의 노력에 대항해서, 체코 인종의 생존에 대해 오래전부터 전해져 내려온 이야기와 자신들을 연계시켰다. 이 이야기는 상당한 진실을 담고 있었기 때문에 설득력이 컸다. 독일인들은 의회 구성에서 비중이 줄어들고 있지만, 우리가 본 바와 같이 자본과 저축 보유에서 우위를 점하고 있었고, 문화적 우월감도 그대로 유지했다(독일인들은 부르주아 계층을 넘어서서 오스트리아 사회민주당 지도부로도 영향력을 확장하고 있었다). 오토 바우어는 독일인들의 세력 확장에 대해 아무 우려를 하지 않고, 독일인들이 높은 문명으로 시혜를 베풀 수 있는 우크라이나 같은 지역으로 이주할 것을 태연하게 권장했다.[21] 이런 자신감과 함께 그는 독일 자유주의자들의 두려움을 공유하고, 1910년에는 슬라브인들의 '파도'가 독일 정신을 위태롭게 할 것이라고 말했다. 다른 오스트리아 사회주의자들도 인종 혼합에 경멸을 표하고 동화를 반대하는 체코인들은 버릇이 없고 건방지다고 비난했다.

바우어는 민족들이 영토에 대한 주장을 어떻게 제기할 것인가를 구체적으로 설명하지 못했다. 그 이유는 그의 비영토적 민족주의가 영구적인 해결책이라고 생각하지 않았기 때문이다. 그의 구도는 독일화가 계속 진행되는 동안만 유효한 임시방편이었다. 마르크스와 엥겔스 이론을 따르는 사회주의자로서 그와 레네르는 슬라브인들은 이미 수세기 동안 그래왔던 것처럼 '역사적' 민족들에게 흡수될 것이라고 보았다. 자본주의의 '자연적인' 발전과정이 이 과정을 촉진하지 않는다면 학교 교육이 이를 도울 것이라고 보았다. 바우어는 빈에 슬라브어 학교를 세우는 것을 반대했다. 발전하는 경제로 인해 1900년까지 10만 명 이상의 체코인들이 이 지역에 밀려들어왔다. 어떤 상황에서건 오스트리아는 '독일'이었다. 그러나 그와 레네르는 보헤미아의 독일어 사용자들이 체코화되는 것을 우려하여 보헤미아에 독일어 학교를 보존하는 것을 옹호했다.[22]

바우어는 체코어를 사용하고 체코 문제를 빈에 보고하는 특이한 독일 사회주의자였지만, 그는 체코인들이 느끼는 감정에 대해서는 큰 염려가 없었다. 그는 두 가지 면에서 특이한 마르크스주의자였다. 민족주의는 자본주의의 한 단계를 반영할 뿐이라는 카를 카우츠키의 유사 교조적·경제적 접근에 대항하여 바우어는 문화는 항상 형식과 내용에서 민족적이라고 말했다. 문화는 '우리 안에 역사적인 것'이었다.[23] 그래서 그는 크로아티아나 보헤미아 같은 지역성은 세계 역사에 의해 초월될 수 있다는 마르크스주의 사상에 반기를 들었다. 그는 공동체라는 개념을 마르크스주의에 좀 더 일반적인 사회라는 개념에 추가했다.

바우어는 민족들의 문화와 언어를 존중하면서 경제력과 문화력의 연계성에 대한 마르크스주의의 교리를 잊은 것처럼 보였다. 만일 민족기구가 민족 구성원들의 문화 권리를 확보하기 위해 구성되면 부유한 민족은 교육과 학문은 말할 것도 없고, 광고와 대중언론을 계속 장학하고 민족적 특성이 있는 건축과 음악 세계도 계속 장악할 수 있었다. 독일 민족주의자들은 이 연계성을 잘 이해했다. 보헤미아의 재구성을 협상할 때 그들은 민족기구가 각 민족의 세금 납세액에 기반할 것을 주장했다. 독일인들은 보헤미아 인구의 37퍼센트만을 차지하지만 세금의 53퍼센트를 납부하고 있었기 때문에 이들은 모든 영역에서 좀 더 큰 힘을 유지해온 것이다. 체코 측에서는 당연히 이런 '해결법'에 반대했다.[24]

정치 영역 전반에 걸쳐 체코 정치인들은 민족을 문화와 언어의 관점에서 고려하는 것을 거부해왔다. 그 이유는 체코의 민족 건설 과정과, 슬라브 문화를 억압해온 헝가리 국가의 예는, 경제적·정치적 힘이 없는 민족은 쇠퇴할 수밖에 없다는 것을 보여주었기 때문이다. 또한 이러한 힘은 보장된 영토 안의 제도에 바탕을 둔 것이었다. 체코 투표자들은 이러한 사실들을 잘 알고 있었고, '보헤미아 국가 권리'를 ― 체코인들이 보헤미아 전체를 통제하는 것에 대한 요구 ― 부정하는 정당은 망각을 구걸하는 것과 마찬가지였다.

1897년 다섯 명의 체코 사회민주주의자가 당의 '국제주의' 노선을 따른다면서 다른 체코 의원들이 작성한 '국가 권리' 선언에 서명하지 않았는데, 이들은 즉각적인 대가를 치렀다. 민족주의 노동자 정치인들은 기존 사회민주당과 경쟁하는 체코슬로바키아 민족사회당을 구성하여 체코 정당 제도의 핵심 정당으로 부상했다. 이들은 사회민주당원들을 민족의 배신자로 비난했다. 그 결과 체코 사회민주당은 1901년 선거에서 큰 기반을 잃고 다시는 같은 실수를 반복하지 않았다.

이들은 민족주의 노선을 계속 유지하며, 독일 사회주의자들이 독일어의 쇠퇴를 막기 위해 간절하게 원한, 보헤미아 내에 민족구역을 설치하는 안을 거부했다. 이러한 해결책은 너무 상식적으로 보여서 멀리 있는 《뉴욕

타임스》조차 이 방안을 지지했다. 후에 체코슬로바키아 공산당 창설자가 되는 크게 존경받는 지도자 보후미르 슈메랄조차도 자신의 동료들이 레네르와 바우어의 사상을 지지하도록 만들 수 없었다. 그러나 노동자들의 사회적 권리와 민족적 권리를 결합하여 지지한 결과 사회민주당은 1907년 선거에서 38퍼센트를 득표하여 가장 강력한 체코 정당이 되었다. 스칸디나비아 외 지역에서 이것은 유럽의 노동자 정당 중 가장 좋은 선거 결과였다. 체코 사회민주당은 혁명적이기보다는 '개혁주의적'이었다. 임금과 노동 조건에서 노동자들의 삶의 점진적 향상을 옹호했고, 노동계급에 뿌리를 둔 개혁 운동으로 자신을 내세우며 가톨릭 노동자들도 끌어들였다.[25]

체코 사회민주주의자들이 민족 문제에서 '부르주아'의 입장을 취해 '정통' 마르크스주의에서 이탈했다는 비난에 대해 과거 무정부주의자였고 당내 우파인 프란티셰크 모드라체크는 마르크스와 엥겔스가 역사적 물질주의에 대해 자신들의 사상을 발전시킨 충분한 시간을 가지 못했다고 주장했다. 이들은 특히 자본주의에서 부상하는 문화와 언어적 차이를 고려하지 못했고, 그래서 유일한 선택지는 정책을 변화하는 현실에 적응시키는 것이라고 주장했다. 이것은 다른 곳에서도 현실이었다. 유럽 전역을 통해 사회민주주의는 구식이 된 마르크스주의 구도에는 자리를 찾을 수 없는 민족주의적 요구를 수용했다.[26] 무자비한 착취의 경우 노동자들은 동족 고용주를 적으로 보았지만 노동자들은 다른 민족에 속한 노동자들을 형제자매로 여기는 경우는 거의 없었다.

오스트리아 당국은 1907년 남성 보통선거제 도입에 찬성했다. 그 이유는 농민들과 노동자들이 투표권을 얻게 되면 지역적 경계를 넘어서서 계급의 이익을 대표하는 정당들이 나타날 것이고, 이렇게 되면 민족주의 갈등을 잠재울 수 있을 것으로 예상했기 때문이었다. 그러나 그 반대 현상이 일어났다.[27] 어떤 단일 정당도 시스라이타니아 지역과 눈에 보이지 않는 인종적 경계를 넘어 다수당이 되지 못했고, 1인 1표제 때문에 정치는 그 어느 때보다도 지역화되었다. 유권자들은 민족적으로 정의된 정당의 후보자를 선택하게 되었다. 마르크스주의 운동의 민족적 변형의 집합체인 체코 농업당과 슬로베니아 인민당(1911년 시스라이타니아의 사회진주당의 민족적 하위 정파는 개별 정당으로 분리되었다)이나 범독일주의, 새로운 유대 정당 후보들이 당선되었다.

공유된 인종 소속감이 정치·경제 이익의 분기점을 뛰어넘어서 정치 영역 전반에 상당한 단일성을 만들어냈고, 특히 1890년 이후 점증하는 정치 분화에도 불구하고 체코 지역에서 이런 현상이 두드러졌다. 1879년 이후 제국의회에 '체코 클럽'이 존재했었다. 1879년 이 클럽은 해체되었다가 1900년 체코민족평의회Česka narodni rada로 부활되었고, 1907년 다시 체코 클럽이라는 명칭을 사용하기 시작했다. 체코 사회민주당은 이 집단 내에서 비공식적으로 정책을 조율했지만, 합스부르크 지도부가 연방적 통치에 대한 소문을 내기 시작한 1916년까지는 공식적으로는 거리를 두는 것처럼 행동했다. 이와 유사하게 빈에는 합스부르크령 갈리시아의 정당들을 통제하는 폴란드 클럽이 있었고, 민족 자치의 진정한 기회가 부상한 1차 세계대전 중에는 더욱 결속을 강화했다.[28]

슬로베니아인, 슬로바키아인, 크로아티아인, 세르비아인, 우크라이나인 같은 다른 슬라브 민족들에게 탈민족화 압력이 너무 커서 완전한 정치적 영역은 아직 발달하지 못했고, 스스로를 어떻게 부르는지를 떠나서 주요 정당은 기본적으로 민족 정당이었다.[29] 새로운 대중 정치는 민족 집단 내에서 단합성을 보였을 뿐만 아니라 위기에 대한 공유된 감정이 있는 경우 민족 간 협력을 조장하는 경향이 생겨났다. 1905년 달마티아의 세르비아인들과 크로아티아인들은 마자르화와 독일화에 대항해서 공동 선거 전선을 만들었다. 1909년부터는 빈 제국의회 내에 슬라브 연맹이 구성되어 슬라브 지역의 정당들을 단합시켰다. 여기에서 예외는 갈리시아에 온 폴란드 보수주의자들이었다. 이들은 경제적·문화적·정치적 지배력을 계속 이용하여 우크라이나인들이 이 세 영역에 진출하는 것을 막았다.

그러는 동안 빈에서는 체코인들과 독일인들이 협력하기를 거부했기 때문에 정부 구성을 위한 안정적인 연정이 형성되지 않았다. 온건파 체코인들과 독일인들은 합의를 이루겠다는 희망을 가지고 계속 대화를 나누었지만, 이들은 시류에 역류하고 있었다. 타협을 이루려고 시도하는 사람들은 양측 모두에서 배신자라는 비난을 받았다. 행정적 교착 상태로 고통 받는 수천 명의 체코인, 독일인 사업가들은 빈 정부에 청원을 했지만 아무 소용이 없었다.[30]

독극물에 중독된 정치

슬라브 정당과 마찬가지로 빈 제국의회의 독일계 정당들은 민족 클럽을 형성하여 자신들이 인종적 이익을 조율했다. 독일계 정당들의 경우 눈에 띄는 것은 1880년대 정치 영역 중앙에서 발생한 간극이었다. 이것은 몇 년 전만 해도 스스로를 자유주의자로 불렀던 정치인들을 분리시켰다. 10년도 되지 않는 기간에 이 간극은 메울 수 없을 정도로 커져서 좌파 사회주의자들과 우파 기독사회주의자와 범독일주의자들은 정치적 성향뿐만 아니라 세계관에서도 서로 분리되었고, 이 간극이 너무 커서 양 정파는 협력은 말할 것도 없고 서로 대화도 하지 않았다. 그들은 상대편이 존재할 권리도 인정하지 않았다.

시스라이타니아의 슬라브인 정치나 세르비아, 루마니아, 불가리아 정치 세계를 이렇게 분열시키는 간극은 없었다. 헝가리에서 엘리트는 단결된 채로 남아 있었고, 정당제를 계속 통제했다. 1905년 선거에서 '자유주의자들'이 더 우파 정치 세력에게 패배한 다음에도 현대화와 마자르화의 기본 프로그램에 대한 도전은 제기되지 않았다. 동일한 정치 세력이 헝가리를 운영했고, 정치에서는 분열되었어도 정책에서는 분열되지 않았다.

합스부르크제국의 북쪽으로 가서 한 세기 전 프로이센과 러시아에 병합된 폴란드를 보면 독일 오스트리아와 같은 현상을 보게 된다. 1880년대 자유주의자 사이에 갑자기 깊은 간극이 생겨서 우파의 사람들과 좌파의 사람들은 서로를 단순히 경쟁자가 아니라 배신자로 여기게 되었다. 오스트리아에서와 마찬가지로 폴란드에서도 구세대의 어중간한 태도에 염증을 느낀 '불순종자'라고 불린 젊은 세대가 이러한 간극을 크게 만들었다. 린츠선언의 경우와 마찬가지로 이 불순종자들은 민족의 쇠락을 우려했지만, 차이점은 폴란드에서 그 쇠락은 훨씬 더 재앙에 가까웠다는 점이다. 독일인들은 보헤미아에서 문화와 행정적 존재감을 상실했지만, 이들은 여전히 제국 행정, 군사, 고급문화, 경제를 지배했다. 그러나 폴란드에서 두 제국 국가인 러시아와 독일은 하나의 민족으로서 폴란드인들을 사라지게 하려고 시도하고 있었다. 여기에 어떻게 대응할 것인가가 1880년대 처음으로 자유주의자들을 분열시켰고, 그런 다음 1890년대 불순종자들이 나타났다.

1863년 러시아가 통제하는 폴란드 대부분 지역으로 확산되었던 실패한 봉기 이후 폴란드 자유주의자들은 성숙해졌다. 비평가들은 이 봉기와 그 배경이 된 낭만적 철학을 어리석은 것으로 평가했다. 그 이유는 봉기가 진압된 후 러시아의 압제는 더 심해졌기 때문이다. 수천 명의 폴란드인이 시베리아로 유형을 갔고, 더 많은 숫자가 오스트리아, 프랑스, 기타 지역으로 이민을 갔다. 오스트리아가 통제하는 남부 지역인 갈리시아에 대비되게 러시아령 폴란드에서 정치 조직 결성은 금지되었고, 폴란드어로 수행되는 공공 교육은 거의 다 철폐되었다. 그래서 갈리시아에서 두 개의 폴란드 대학이 1867년 이후 발전한 데 반해, 러시아령 폴란드에서는 폴란드어 고등학교조차 폐쇄되고, 중등교육과 고등교육은 러시아어로 진행되었다.

이에 대한 1860년대와 1870년대 폴란드 자유주의자들의 대응은 '실증주의'였다. 낭만주의적 독립의 꿈이나 언어와 문화에 초점을 맞추는 대신에 폴란드인들은 오스트리아 마르크스주의 사상과 반대되게 경제를 건설할 수 있는 실증적이고 검증 가능한 조치를 취해야 했다. 바우어와 레네르에게 있어서 민족은 언어와 문화였다면, 폴란드의 실증주의자들의 기초는 경제였다. 이들은 민족을 번영하게 만드는 물질적 기초에서 '유기적 작업'을 고무시켰다. 러시아 당국은 폴란드 문화를 억압했지만, 폴란드 지주들이 농업 생산을 증진시키기 위해 실증적 방법을 쓰는 것은 막지 않았고, 폴란드 학생들이 1급 기술자나 건축가가 되는 것을 막을 수도 없었다. 이들이 러시아어나 독일어로 교육받는 것은 상관없었다. 경제적으로 강력한 폴란드 요소는 진지하게 고려해야 할 사실이었고, 그 힘을 사용하여 문화와 정치 영역에서도 요구를 제기할 수 있었다.

그러나 1880년대가 되자 실증주의 자체도 어리석어 보였다. 경제는 성장했지만 폴란드 문화는 사라지고 있었다. 바르샤바는 점점 더 러시아 도시처럼 보였고, 시릴 문자 상점 간판과 거리 표시가 늘어났다. 비잔티움식과 '고대 러시아'식 건축물이 들어서고, 웅장한 정교회도 세워졌다. 러시아의 승리를 기념하는 기념비도 여기저기 세워졌다. 거리에 배치된 러시아 병사들과 경찰들은 무기와 불법 책자를 찾으며 아무 죄가 없는 행인들을 위협했다. 러시아어는 1872년 학교 교육에 도입되었고, 폴란드 과거를 러시아식으로 해석하는 교과서와 교사도 도입되었다. 1885년부터 종교를 제외한 모든 과목은 폴란드 문학을 포함해서 모든 학교와 모든 학년에서 러시아어로 교육되어야 했다. 학교 마당에서 폴란드어를 사용하는 것은 불법으로 규정되었다.[31] 폴란드인들은 러시아가 법의 지배를 받는 국가라는 환상에서 완전히 벗어났다. 집회의 자유가 없다는 것은 '문명화된 민족들에게 그렇게 강력한 수단'이라고 실증주의자인 알렉산드르 시비엥토프스키가 말했다. 폴란드인들은 문화적으로뿐만 아니라 경제적·정치적으로도 기본적인 단합성을 유지하기 위해 노력했다.

민족의식을 가진 폴란드인들은 억압되었지만, 활동을 멈추지는 않았다. 이들은 폴란드 문화와 언어를 가정에서의 교육을 통해 다음 세대로 전수했고, 이러한 노력을 조직하는 공모적 네트워크를 만들어나갔다. 러시아 경찰의 보고에 따르면 약 30퍼센트의 폴란드 어린이들은 비밀스런 가정교육을 통해 폴란드어를 배우고 있었고, 이러한 운동은 도시 지식인 계층에서 농촌과 노동자 계층 공동체로 확산되어나갔다. 특히 생활수준이 향상되고 사람들이 여가 시간이 늘어나면서 폴란드 역사에 대한 대안적 시각을 키워나갔다. 1882년 교사인 야드비가 다비도바는 '비밀 지하 대학flying university'을 설립했다. 이곳에서는 여자들이 고등교육을 받을 수 있었고, 때로는 공공건물을 이용했지만, 보통은 적발되지 않기 위해 아파트를 옮겨 다니며 교육이 진행되었다. 그 절정기에 이 대학에는 많은 유명한 폴란드 학자들이 교수진에 포진하고 매년 1000여 명의 학생이 등록했다. 이 대학 졸업생으로는 노벨상 수상자인 마리 스크워도프스카 퀴리, 작가 조피아 나오코프스카와 교육가 야누시 코르차크가 있었다(설립자는 남자들을

교육에서 배제하지 않았다).[32]

1905년 혁명 이후 차르 정권은 제한적인 개혁을 실시하여 자신들이 통치하는 폴란드인들이 문화기관과 교육기관을 설립하는 것을 허용했다. 이것은 높은 문맹률을 퇴치하기 위한 목적도 있었다. 그러나 반동 정책이 다시 시작되며 이러한 활동도 지하로 들어가야 했다. 독일군이 중부 폴란드에서 러시아 정권을 몰아낸 1915년까지 폴란드인들은 과학아카데미, 정치, 사회 클럽, 대학, 재단, 극장, 박물관 등 과거에 고급문화가 번성했던 기관에서 고급문화를 유지할 수 없었다. 폴란드어로 발행되는 잡지는 존재했지만, 엄격한 차르체제 검열에 시달렸다.[33]

독일이 통제하는 서부 지역에서 폴란드인들이 겪은 고난도 이에 못지않았다. 이곳에서도 당국은 폴란드 교육과 정치 생활의 자유로운 발전을 억압했다. 포즈난/포센, 토룬/소른 같은 도시는 독일식 외양을 띠었고, 학교 교육은 독일어로 진행되었으며, 농촌에서 비스마르크 정권은 독일 정착자들이 농지를 쉽게 구입할 수 있도록 만들어 폴란드인들이 경제에서 차지하는 비중을 축소시켰다. 이에 대한 폴란드 사회의 대응은 문화와 경제적 자기방어였다. 1000개 이상의 지부를 가진 도서대여관이 1890년 설립되었고, 이곳에서 부모들은 책을 빌려 자녀들을 공공 학교에서 가르치지 않은 폴란드 언어, 역사, 문화에 대해 교육시켰다. 폴란드 신용조합, 농지 은행, 농업 서클과 노동조합이 결성되었고, 이를 통해 폴란드 농민들과 노동자들은 저축을 하고, 상업 기술을 배우며, 자신들의 이익을 방어했다.

폴란드 문화에 대한 억압은 1870년 비스마르크의 문화투쟁 초기 절정에 이르렀지만, 그 후에도 여전히 부담으로 작용했다. 1871년 당국이 독일어 종교서 공부를 학생들에게 강요하자 우레스니아에서 수백 명이 학생들이 수업 거부 투쟁을 시작했다. 이들 중 몇 명은 심한 매질을 당했고,

폴란드 학교 수업 거부자들(1901)

고집이 센 부모들은 체포되었다(1873년 이후 프로이센 학교에서 종교와 음악만이 폴란드어로 가르칠 수 있는 유일한 과목들이었다).[34] 우리가 이미 본 바와 같이 이 시점에 다른 슬라브 민족들은 반대 방향으로 가고 있었다. 1878년부터 세르비아와 불가리아는 완전한 민족 국가가 되었고, 1879년부터 체코인들은 빈의 정부에 참여했으며, 대학을 비롯한 자신들의 언어 증진 기관의 성장을 주관했다.

폴란드인들이 겪는 고난은 헝가리 정권의 탈민족화 정책 아래에서 슬로바키아인과 루마니아인이 겪는 고난과 비슷했지만, 헝가리 정부는 여전히 자유주의를 지향하고 있었기 때문에 러시아령 폴란드만큼 압제가 심하지 않았다. 헝가리 당국은 슬로바키아나 루마니아 정치 생활을 축소시키려고 했지만, 완전히 파괴하려고 시도하지는 않았다. 그래서 반₊공식적인 다양한 교묘한 속임수에도 불구하고 정당들은 공개적 활동을 지속할 수 있었다. 이와 동시에 현대 정치 도입을 압박하는 사회 세력은 슬로바키아나 트란실바니아에서보다 폴란드에서 훨씬 강했다. 이것은 정치적 의식이 강한 거대한 폴란드 지주귀족층으로 인한 것이었다. 1864년 차르 제국의 토지 개혁은 폴란드 귀족계급으로부터 적절한 보상 없이 농지를 박탈했고, 많은 귀족들은 도시, 특히 바르샤바에 정착하는 것 이외에 다른 선택이 없었다. 이러한 환경에서 지식계층과 이상과 목표에 헌신하는 시민들이 탄생했다. 이들은 아주 오래된 정치적 권리 유산을 잘 인식하고 외국의 지배에 타협하지 않았다. 러시아의 압제가 강화될수록 이들의 애국주의는 점점 더 급진화되었고, 점차적으로 어중간한 조치를 옹호하는 사람들의 공간을 축소시켰다.

불순종파들niepokorni은 전반적으로 이 계층에서 나왔고, 이들은 1880년대 말까지 같은 조직과 잡지를 공유했으나 점점 강화되는 압제에 대응하는 과정에서 새로운 좌파와 새로운 우파로 갈라졌다. 오스트리아에서와 마찬가지로, 좌파와 우파는 새롭게 정치화된 대중들에게 대중영합적 호소를 했다. 이 대중은 과거 스타일의 자유주의 정치를 엘리트 정치로 폄하했다. 한쪽에서는 과거 낭만적 반란 전통을 강화하는 사회주의가 자리 잡았고, 다른 한편의 '애국주의'는 얼마 안 있어 엔데차Endecja라고 불리는 민족민주주의로 나타났다. 이들은 유기적 작업을 강조하고, 게오르크 폰 쇠네러와 마찬가지로 유대인과의 경쟁에 대한 도시 기독교 중산층의 공포를 자극했다.[35] 사회주의자와 민족민주주의자 모두의 희생과 이상주의를 자극했고, 양쪽 모두 현실주의자라고 주장했다. 그리고 양측은 현실에 대한 서로 다르고 적대적인 인식에 뿌리를 박고 있었기 때문에 상대편의 해결 방법을 수용할 수 없다고 생각했다.

오스트리아 사회주의와 마찬가지로 폴란드 사회주의는 경제 위기와 산업과 인구의 급속한 성장 속에 부상했지만, 이것은 좀 더 분명히 민족주의 성향을 띠었다. 오스트리아의 사회민주당은 암묵적으로 독일적이었지만 폴란드 사회민주당은 공개적으로 폴란드적이었고, 폴란드의 프롤레타리아들이 존엄을 지키며 생활할 수 있는 독립적인 폴란드공화국을 요구했다. 정치 활동에 대한 엄격한 금지 때문에 수많은 초기 지도자들이 처형되었고, 더 많은 사람은 오지의 감옥에 수감되고, 수백 명의 당원들도 수감되었다.[36] 토착 민주주의적 반란 전통 이외에도 초기 폴란드 운동은 서유럽 사회주의 사상과 러시아의 혁명적 실행방법을 모방했다. 여기에는 대중 선동과 폭력적 테러행위도 포함되었다. 폴란드 운동은 지식계층이 이끌었지만, 1892년 대파업을 시작한 우쯔의 노동자들로부터 결정적 자극을 받았다. 이 파업이 진압되었을 때 217명의 노동자가 사망하거나 부상당했고, 350명이 체포되었다. 반년 후 사회주의 정파들은 파리에서 회동하여 폴란드 사회당PPS을 설립했다. 이 당은 1세기 전 국경으로 되돌아간 독립된 국가에서 자본주의의 굴레로부터 폴란드인 노동자들을 해방시키는 것을 목표로 설정했다.[37]

이러한 요구는 다른 민족들과의 관계에 대한 의문을 불러일으켰다. 과거 폴란드-리투아니아 국가연합은 이전 시기에 민족화되고, 자신들의 정치적 요구를 제기한 종족 집단인 우크라이나인, 벨라루스인, 리투아니아인을 포함하고 있었고, 유대인들도 1890년대부터 정치적 요구를 제기했다. 합스부르크제국에서와 마찬가지로 러시아령 폴란드의 사회주의는 여러 종족 집단으로 갈라져 있었다. 우크라이나 사회민주당은 자신들의 언어와 문화에 대한 요구를 강화했고, 1905년 유대인 '분트Bund'는 레네르와 바우어의 개별적 문화 자치 사상을 차용하여 유대인들의 민족-문화 자치

를 요구했지만, 러시아 제국이 민족들의 연방으로 재구성되는 것도 요구했다.[38]

오스트리아의 사회주의자들과 마찬가지로 폴란드 사회주의자들은 민족들의 권리를 존중한다고 약속했지만, 자신들의 문화가 새로운 국가에서 주도적 역할을 하는 것을 전제했다. 과거 폴란드-리투아니아 연합국가가 개혁 정책을 추구할 때도 주도적 문화가 폴란드 문화이기는 했지만, 많은 문화, 언어, 종교를 하나로 축소하려고 시도했었다. 당분간 정치적 압제에 대한 공유된 감정은 인종적 권리문제를 덮어버렸다. 모든 민족의 사회주의자들은 차르 정권이라는 공동의 적을 가지고 있었다. 차르 정권은 노동자들이 조직하는 것을 막으면서 러시아 정교회의 적극적 지원을 받아 러시아화를 추진하고 있었다.

이러한 좌익 폴란드 민족주의의 핵심 지성인이자 정치 세력은 폴란드 사회당 지도자인 유제프 피우수트스키였다. 그는 빈한한 소귀족 집안 출신으로 1863년 봉기 숭배 분위기 속에서 성장했다. 리투아니아 출신의 민족의식이 강한 폴란드인으로(그는 후에 개신교로 개종했다) 그는 특히 연합국가의 다종교 전통을 소중하게 생각했다. 피우수트스키는 지하에서 진행되는 폴란드 학교와 문화투쟁을 열렬히 지지했고, 정치와 역사에 대한 글을 썼다. 그러나 그는 또한 폴란드 분할 세력을 와해시킬 가능성이 아무리 적더라도 폴란드에 대한 압제를 물리치기 위한 적극적이고 폭력적인 작업을 주장했다. 그는 폴란드인들이 노예와 같은 생활을 하고 있다고 느꼈기 때문에 여기에 대한 유일한 대응은 테러행위였다. 파리에서 일본 장교들에 의해 훈련받은 폴란드 병사들을 고용해 그는 먼저 크라쿠프에서 전투부대를 양성했지만, 이에 대한 수요가 너무 커져서 후에는 러시아 영토에서 은밀하게 병사들을 양성했다. 폭탄과 권총을 이용해 그의 전투원들은 수백 번의 공격을 감행했다. 1906년 8월 5일 하루 동안 이들은 80명의 차르 정부 관리와 폴란드 부역자들을 살해했다. 2년 후 피우수트스키와 15명의 남자, 4명의 여자는 ― 그중에는 그의 장래 부인 알렉산드라도 포함되었다 ― 빌노 인근의 러시아 우편 열차에 대한 유명한 공격을 감행해 20만 루블의 자금을 탈취했고, 이 돈은 후에 더 많은 무기를 구입하고, 준군사 조직을 훈련시키는 데 사용되었다.[39]

이 시기는 오스트리아-헝가리가 보스니아-헤르체고비나를 병합하여 세르비아를 격분시키고, 러시아를 적으로 만들며 적대감이 상승하는 때였다. 오스트리아 정부는 러시아와의 충돌이 일어나는 경우 피우수트스키를 카드로 사용하기로 했다. 1912년까지 피우수트스키는 '폴란드 군사 금고'를 설립하고, 전투를 치를 수천 명의 소총수(후에 여단이라고 불림)를 양성했다. 피우수트스키의 '혁닝적' 폴란드 사회당은 국가 내 국가가 되었다.[40]

유럽 사회주의자들은 폴란드의 독립을 지지했지만, 앞에 언급한 대로 1890년대 로자 룩셈부르크를 중심으로 한 좌파 분파가 나타났다.[41] 1896년 런던에서 열린 사회주의 인터내셔널에서 피우수트스키와 대결한 로자 룩셈부르크는 폴란드의 독립을 반대하며, 오히려 거대한 러시아제국이 자본주의 발전과 이에 따른 혁명을 탄생시키는 사회 갈등에 더 나은 조건을 제공한다고 주장했다. 1880년대 시베리아에서 유형 생활을 하는 동안 마르크스와 엥겔스의 저작을 읽은 피우수트스키는 두 사람이 유럽의 진보를 막는 '검은 아시아 국가'인 러시아를 견제하는 방법의 하나로 폴란드의 부활을 주장한 것을 알았다. 그래서 폴란드 사회당은 소수민족들의 연방을 옹호했고, 이것은 피우수트스키 정치 프로그램의 핵심으로 계속 남았다. 그는 유대인들은 폴란드 문화에 동화될 것이라고 보았다.[42]

다른 민족들과 평화롭게 공존한다는 폴란드 사회당의 강령은 이들을

슈투트가르트에서 연설하는 로자 룩셈부르크(1907)

우파인 민족민주당Endeks의 적으로 만들었다. 이러한 대립에서 두 정파의 지도자들이 파산한 폴란드 자유주의에서 나왔다는 사실은 크게 중요하지 않았다.[43] 린츠선언이 독일화된 오스트리아를 위한 것처럼, 민족민주당은 폴란드적인 폴란드를 원했고, 과거에 그리스, 이탈리아, 헝가리에서 "우리의 자유와 당신들의 자유를 위하여"라는 기치 아래 싸운 낭만적 민주주의자들을 비난했다. 폴란드 정치의 유일한 적절한 기능은 폴란드를 강하게 만드는 것이었다. 이 운동의 지도자인 자연과학자 로만 드모프스키는 서부 폴란드 출신으로 자신과 같은 몰락한 하층 소귀족뿐만 아니라 도시 중산층에 지지를 호소했다.

드모프스키는 국가를 유사 생물적 '살아 있는 사회적 유기체'로 이해했고, 그래서 동정을 표현하는 어떠한 말도 의미가 없다고 생각했다. 폴란드의 운명은 의미가 없는 역사의 제로섬 경쟁에서 다른 나라들과 투쟁하는 것이었다. 왜냐하면 인간의 역사는 자연의 역사이기 때문이다. 진보에 대한 모든 믿음은 과학적 근거가 없고, 그래서 민족민주당은 폴란드의 민족적 유기체를 훈련시키는 암울하면서도 꼭 필요한 과업을 맡아야 했다. 이것은 폴란드의 사상, 욕구, 감정을 단합시키고 조율하는 방법으로 가능했다. 많은 자유주의자들과 과거 자유주의자들과 마찬가지로 드모프스키는 강력한 반反교회적 입장을 취했고, '민족적 자기중심주의'가 도덕적으로 기독교 가르침보다 우위에 있다고 주장했다. 그 이유는 "이웃을 사랑하라"는 명령은 실제는 복수를 당할지도 모른다는 두려움에 뿌리를 두고 있기 때문이라고 말했다. 개별 인간은 모든 것을 민족에 의존하고 있고, 그래서 민족의 이익은 다른 모든 의무에 앞서야 했다.[44]

드모프스키는 정치는 상충하는 이익을 조정하는 것이라는 개념을 거부했다. 타협은 약함과 쇠퇴를 상징했다. 그의 반자유주의적 입장은 폴란드 사상사에서 하나의 돌연변이였고, 쇼네러의 범독일주의와 함께 동유럽 지역 전체의 새로운 정치의 시작을 알렸다. 민족은 하나의 생각으로 뭉쳐야 하고, 각 구성원들에게 특정한 요구를 할 권한을 가졌고, 이러한 요구를 놓고 의회에서 (심의하는 것은 둘째 치고) 논쟁한다는 것은 어리석은 일이었다. 이러한 진리에 저항하는 사람은 자신을 민족 밖에 두는 것이었다.[45] 민족민주당은 1790년대로 거슬러 올라가는 경향을 새로운 단계로 올려놓았다. 이 상황에서 반대자는 단순히 경쟁자가 아니라 반역자였다. 민족민주당의 대표적 사상가인 지그문트 발리츠키는 국제적 계급 연대는 노동자를 폴란드에서 소외시키고, '공공 도덕'을 심각하게 훼손한다고 썼다.[46]

게이르그 폰 쇼네러와 다르게 드모프스키는 자신의 민족민주당을 가장 강력한 중도우파 정당으로 만든 수완 좋은 정치가였다. 빈에서 범독일주의가 가끔씩 강하게 나타났다가 대부분 사라진 반면 엔데차는 세력을 키우고 위성 조직을 통해 청년층(폴란드 청년연맹)과 농민들(민족교육회)에게 세력을 넓혀나가며, 인종주의를 포함한 급진주의가 주류처럼 보이게 만들었다. 오스트리아의 카를 루에거처럼 드모프스키와 그의 추종자들은 폴란드 정치를 중독시키는 데 큰 역할을 했다.

그러나 도시와 농촌에서 폴란드인들은 새로 부상하는 두 가지 정치적 움직임에 자신들의 충성을 분배하며, 활동가들이 불법적으로 배포하는 두 경쟁 주간지(《로보트니크Robotnik》와《차스Czas》)를 동시에 읽었다. 폴란드 사회당과 엔데차는 바르샤바와 파리에서 이전투구를 했지만, 일상이 되어버린 탈민족화 압박은 의식이 있는 폴란드인들로 하여금 자신들의 문화가 살아남게 만드는 노력에 힘을 모으게 만들었고, 올바른 폴란드어 정자법과 역동적인 문학 고전을 서로 전달했을 뿐만 아니라, 스스로를 폴란드인이라고 부르는 주민들에게 독립은 타협의 대상이 아니라는 기본 메시지도 전달했다.

당시 유럽 상황에서 엔데차는 다른 어떤 새로운 우익 정당, 심지어 악시옹 프랑세즈보다 더 민족적 자기중심주의에 초점을 강하게 맞추었다. 민족이 소멸될 위험에 처했다는 암울한 역사 시각에서는 프랑스 우익 정당은 엔데차에 상대가 되지 않았기 때문에 엔데차는 국수주의 입장은 전혀 양보하지 않았다. 민족민주당이 철저한 비관주의와 광분적인 활동을 결합한 것은 민족을 강하게 만들어야 한다는 다원주의적 당위성을 반영한 것이지만, 이것은 또한 인종 간 투쟁이 절대 종결되지 않고, 인류의 상황을 절대 개선시키지 못하는 역사 속에서 민족은 부흥하고 쇠퇴한다는 새로운 급진적 세속 시각을 반영한 것이었다. 폴란드 파시즘과의 관계는 복잡하지만, 엔데차는 새로운 전체주의적 운동이 다가오고 있다는 것을 알아

볼 수 있게 해주었다. 정치와 경제 발전의 확실성은 무너졌고, 민족을 무장시키는 것이 필요해졌다. "역사가 자신의 임무를 포기했다"는 것이 그들의 시각이었다.[47]

반유대주의

민족민주당이 촉발한 혐오는 우리가 최근에 알고 있는 불관용과 배타주의를 향하는 인종민족주의의 분수령이 되었다. 헤르더식 전통은 민족 정신Volkseele을 보호하려고 했지만, 오래전부터 실행되어온 동화 관행은 문제 삼지 않았다. 그러나 1880년대 지적 분위기 속에서 새로운 문제가 떠올랐다. 만일 민족이 유기체라면 이것이 외래 신체를 흡수하는 경우 무슨 일이 일어날 것인가?[48] 과학, 역사, 기독교 신학은 유대인을 유럽 밖에서 온 다른 혈통으로 묘사하는 데 서로 공모했다. 이 인종에 속하는 사람들은 폐쇄된 공동체에서 오랜 시간 살면서 특별하면서도 기이한 의례를 진행해왔다. 드모프스키는 우크라이나인이나 리투아니아인은 점차적으로 동화될 수 있고, 러시아인도 인종적으로 친척이나 마찬가지라고 믿었다. 그러나 유대인은 그가 보기에 분리되어야 하고, 잘라내야 할 이국적 요소였다.

이러한 사고방식은 1864년 러시아에서의 농노해방 이후 토지를 잃은 많은 몰락한 소귀족들과 폴란드 중하층민들에게 호소력이 있었다. 두 집단 모두 1880년대 경제 하락기에서 살아남을 방법이 별로 없었다. 그 전세대에서 지주들은 값싼 노동력에 의존하여 여유 있는 생활을 하며 3년 이상의 교육을 받을 필요가 없었다. 그러나 어린 자식들이 장원을 떠나 바르샤바, 우쯔와 기타 도시에서 생계를 이을 방법을 찾아야 하는 상황에서 이들은 상업, 재무, 산업이 이미 '외국인들' 손에 들어가 있는 것을 발견했다. 유대인들은 오랜 세월 전에 폴란드에 정착했지만, 이 외국인들은 종종 유대인이었다. 유대인들이 농촌 지역에 거주하는 것을 금한 오랜 역사와 그래서 도시에서 가치가 있는 기술을 습득하는 것을 고려하는 대신에 몰락한 귀족들은 유대인들의 성공을 속임수와 술수라는 '타고난 특질' 탓으로 돌렸다. 많은 폴란드 중산층은 귀족들이 중세 말기 이후 동쪽으로 농지를 확장해 우크라이나로 들어간 것을 비판하는 민족민주당의 주장을 받아들였다. 유대인들의 재정과 상업에 의존한 이 귀족들은 도시를 유대인과 독일인들이 지배하게 방치하여 폴란드의 인종적 중심을 약화시킨 과오를 범한 것이다.[49]

동화에 대한 관념이 이렇게 변한 것은 한 가족의 역사에서도 추적할 수 있다. 유명한 경제학자인 레오폴트 카로(1864-1939)는 세파드Sephard 랍비 가문 후손이었지만 젊은 시절 가톨릭으로 개종했다.[50] 그의 부친 헨리크 카로는 1863년 봉기 때 싸웠고, 크라쿠프에 폴란드어 비문을 새긴 무덤에 묻힌 첫 유대인이었다. 유럽 나머지 지역과 함께 폴란드는 유대인들이 그리스도의 죽음에 책임이 있다는 오래된 반유대주의 전통을 1860년대까지 가지고 있었지만, 유대인과 폴란드인은 폴란드 독립을 위해 함께 투쟁해 왔었다. 17세의 유대인 학생 미하엘 란데는 시를 통해서도 추모되었다. 그는 1861년 4월 바르샤바의 애국적 시위 때 부상당한 가톨릭 신부의 손에 잡힌 십자가를 들어 올린 직후 러시아군이 쏜 총에 맞아 숨졌다. 신부들, 목사들, 랍비들은 함께 폴란드의 이상을 위해 목숨을 바친 란데와 다른 네 명의 순교자의 장례식을 주관했었다.[51]

그러나 1880년대가 되자 레오폴트 카로는 분위기가 달라진 폴란드에서 성년이 되었다. 실증주의와 다윈주의가 폴란드 민족이라는 유령을 잠깨웠고, 이것은 폴란드인들은 다른 민족들에 의해 제압당했다는 인종주의적 관점에서 이해되었다. 불과 몇십 년 전만 해도 폴란드인이 폴란드적이되는 것은 당연했었다고 그는 한탄했다. 그러나 최근 들어 세 점령 국가는 폴란드인들이 '독일과 러시아 국가성이라는 거대한 바다에 분해될 것'을 요구했다. 이에 대한 대응으로 '주민 전체를 폴란드인'으로 만드는 것을 목표로 하는 폴란드 민족주의자들의 결의가 강해졌다. 이들은 유대인들을 폴란드 땅에 있는 외국적 존재로 보았고, 이에 대한 유일한 '해결책'은 이들이 유대인이 되지 않는 것이었다. 카로에게 이것은 스스로 자신의 유대인 과거를 지우는 것을 의미했다. 그는 폴란드 사회당 편을 들고, 폴란드 도시의 좀 더 폴란드적인 외양을 요구하며, 유대인들이 자신과 같이 가톨릭으로 개종하여 좀 더 높은 수준의 도덕성에 다가갈 것을 요구했다. 카로에 따르면 다른 사람들에 대해 따뜻한 마음을 가진 유대인들은 자신들은 그 기원을 모른다 할지라도 이미 기독교 도덕에 지배되었다.[52] 그러나 얼마 안 가서 카로의 폴란드에 대한 '봉사'는 토착 사회당원들에게 충분하지 않게 되었다. 이들이 보기에 개종도 '유대인 문제'를 해결하지 못했다. 이들은 카로 같은 개종자의 진지성을 의심했고, 보다 근본적으로 이들은 개종이 유대인의 이국적인 인종적 특징을 없애지 못한다고 생각했다.

반유대주의는 1880년대부터 동유럽 전역에서 커졌지만, 폴란드에서는 많은 폴란드 농촌 주민들을 폴란드인으로 만드는 특이한 기능을 수행했다. 이것은 농민들로 하여금 민족의식이 있는 폴란드 귀족과 중산층과 함께 이익과 관념의 공동체를 공유하고 있다고 느끼게 만들었다. 1870년 시점 폴란드어 사용자 중 30-40퍼센트만 자신들을 폴란드 민족 구성원으로 생각하고 있었고, 이 비율은 농촌에서는 더 적었다. 이것은 특이한 현상이 아니었다. 18세기 프랑스어 사용자 중에 자신을 프랑스 민족의 일원으로 생각한 비율은 더 소수였다. 그러나 프랑스 정부는 학교 교육을 통해 이들의 자손들에게 민족 소속감을 심어주었다.[53] 그러나 폴란드에서 지하 학교는 모든 사람에게 교육을 제공하는 데는 부족했고, 점령자들의 학교도 대부분의 농촌 사람들에게 읽고 쓰는 능력을 길러주지는 못했다. 많은 사람들이 생각하기에 사회는 장원과 촌락, 지주와 농민 신민으로 구성되어 있었다. 1848년 갈리시아와 프로이센, 1864년 러시아에서 농민들이 해방된 것은 폴란드 귀족들은 더 이상 봉건적 압제자가 아니라는 것을 의미했지만, 그래도 그들은 이국적 집단으로 간주되었다. 대부분의 농민들은 폴란드 독립에 큰 관심이 없었다.

동유럽 대부분 지역에서 지주나 고용자는 외국 민족 구성원이었고, 민족주의자들은 대중에게 민족의식을 전파하기 위해 경제적 압제라는 감정을 이용했다. 일례로 체코 땅에서 공장이나 장원 소유자들은 독일인인 경우가 많았고, 체코 운동은 이를 이용해 체코 정체성을 반독일주의로 정의했다.[54] 보스니아에서 지주는 이슬람교도였고, 슬로베니아에서는 독일인이었으며, 크로아티아 대부분 지역에서 지주는 헝가리인이었다. 1800년 프라하, 브르노뿐만 아니라 부다페스트, 브라티슬라바(슬로바키아), 류블랴나(크로아티아), 자그레브(세르비아)는 독일어가 사용되는 도시였다. 독일인은 자신과 대비되는 실체가 분명히 정의되는 적이었고, 이로 인해 자신이 문화, 사업, 정치, 그리고 민족 언어의 새로운 표준형에서 제외되는 원인이었다.

중부 폴란드에서 지주와 농민 모두 폴란드어를 사용했다. 그러나 도시와 소도시에는 혼합된 주민들이 살고 있었고, 대부분이 폴란드인이기는 했지만, 자신들만의 언어를 사용하고, 분명히 구별되는 생활방식을 추구하는 유대인도 있었다. 유대인들은 상업, 대금업, 소규모 수공업에 종사했다. 유대인들은 종종 가축과 곡물을 매매하고, 농민에게 대금을 빌려주고, 지역 여인숙을 운영했다. 민족주의자들은 이런 상황에서 기회를 포착했다. 그들은 농촌 주민들에게 유대인들은 외국인이고, 인종적 폴란드인들인 농촌 주민들은 폴란드 도시 주민이나 귀족과 같은 민족이라는 것을 강조했다. 이들은 가난한 농촌 주민들에게 문제는 토지, 교육, 농업 도구가 없는 것이 아니라 '이방인'인 유대인이 인근 소도시에 존재한다는 사실이라고 주입시켰다. 1870년대 유대인 토지 소유 제한이 느슨해지자 유대인 가족들은 몰락한 귀족들의 통지를 구입하는 데 소농민들과 경쟁을 벌였고, 1912년 이들은 갈리시아 농지의 20퍼센트를 장악했다.[55] 이러한 침식이 유대인들이 경제에서 가지고 있는 이점 때문이라는 주장은 농민들에게 자신들이 폴란드 지주들과 같은 정체성을 가지고 있다고 확신시켜주었다.

점차적으로 민족 사상이 농민들 사이에 파고들면서 민족에 대한 모든 논의에서 소외되었던 사람들도 빈 정부가 자신들의 보호자라고 느끼게 되었다. 19세기 말이 되면서 농민들은 지역 자치정부에 좀 더 적극적으로 참여하게 되었고, 민족 생활에서 좀 더 중요한 역할을 하게 되면서 민족주의자들의 주장이 농민들에게 더 큰 호소력을 갖게 되었다.[56] 가톨릭 사제들은 이러한 목표를 달성하는 데 품위가 저하되고 기회주의적인 신앙을 이용했다. 한 사제는 반유대주의자가 아닌 폴란드인은 "자신을 선한 가톨릭 신자나 선한 폴란드인이라고 부를 자격이 없고, 선한 애국자가 될 수 없다"라고 썼다. 폴란드 민족 운동은 경제에서 '폴란드인' 소유를 강화하기 위한 '기독교' 기관들을 만들었고(보헤미아의 민족의회nationaler Gestizstand에 비견되는 것은 폴란드소유권polski stan posiadania이었다), 곧 기독교 상점, 기독교 대여기관, 기독교 술집이 생겨났으며, 이 모든 것은 계급 경계를 뛰어넘어 농촌과 도시의 폴란드인들을 단합하고 동족들의 사회적 상황을 증진하기

위한 것이었다.[57]

이런 상황에서도 폴란드 민족주의자들의 담론을 농촌에 주입하는 것은 쉬운 작업은 아니었다. 1차 세계대전 전 많은 농민들은 폴란드를 '지주'와 동일시했기 때문에 폴란드라는 이름이 언급될 때마다 저주를 퍼부었다. 민족의식을 수용했을 때도 농민들과 이들의 정치 운동은 자신들만의 방식으로 한다고 선언하고, 민족 문화는 농촌에서 타락하지 않았고, 이것은 귀족들이 국가와 법률에 대해 외국의 사상을 흡수한 도시와 대조된다고 주장했다.[58] 20세기 초 지도적인 폴란드 지식인들은 이 주장을 적극 수용하고, 농촌 주민들의 진정한 폴란드성에 대한 숭배를 만들고, 심지어 농촌 신부를 찾으러 다니기도 했다.

그러면 폴란드는 유대인에 대한 점증하는 반감에서 이웃 국가들과 어떤 면에서 다른 것인가? 이것은 19세기 동유럽의 보편적 현상이었지만, 유대인들인 왕국 내 많은 비非마자르 소수민족과 균형을 맞추기 위해 유대인을 채용했던 헝가리에서는 반유대주의가 다소 약했다. 폴란드에서 특이한 점은 유대인들은 다른 외국인들과는 다르다는 인식도 아니었다. 기독교 세계는 유대인의 타자성과 개종 외에 구원 가능성이 없다는 것에 대해 분명한 태도를 취했다(즉, 유대인이 유대인성을 완전히 포기하는 것을 의미했다). 폴란드에서 특이한 점은 유대인 숫자가 상당히 많은 상황에서 종교, 경제, 정치 세 차원이 한꺼번에 작용했고, 유대인들은 폴란드 한가운데서 이질적 민족으로 묘사되었다는 점이다.

점잖은 민족을 점화시키는 반유대주의의 잠재력은 루마니아에서만 그에 상응하는 사례를 찾을 수 있었다. 이곳에서 자유주의자 엘리트는 무관심한 농민 계층을 민족주의적 담론에 연관시키면서 유대인이 농민들의 열악한 지위에 책임이 있다고 주장했다.[59] 그러나 지역 기독교회가 인종적이었던(즉, 루마니아 정교회) 루마니아와 대비되게 폴란드의 교회는 국제적인 기관이었고, 이곳에서는 개종이 인종에 상관없이 기독교인이 되는 방법이었다. 로마 가톨릭교회는 세례 받은 유대인들을 이방인으로 묘사하는 민족주의에 반대하지 않았었는가?

이에 대한 대답은 모순적이다. 폴란드인이 된다는 것은 가톨릭 교인Polak-Katholik이 되는 것이었지만, 폴란드 민족주의의 두 주류 정파인 폴란드 사회당과 민족민주당은 반교회적인 지식계층에 사이에서 부상했다. 이들은 교회를 보수주의와 연계시켰다. 교황청은 민족주의를 현대적 이단이라고 비난했고, 많은 가톨릭 고위성직자들은 민족주의에 대해 미온적이거나 적대적이었다. 포즈난 대주교 미예치스와프 레도초프스키가 그러한 예였다. 로만 드모프스키는 자신의 민족적 자기중심주의가 기독교 윤리보다 상위에 있지만, 그것과 분리되어 있다고 주장했다. 민족과 민족의 관계는 말할 것도 없고, 개인과 민족의 관계는 교회의 정당한 관심 사항 밖에 있다고도 주장했다. 기독교 윤리는 인간 집단성 안의 개인만으로 제한되어 있었다.[60]

그러나 시간이 지나면서 민족민주당과 폴란드 가톨릭 사이에 정합이 생겨났다. 민족민주당의 메시지는 하층 사제 대부분에게 호소력이 컸고, 1920년대가 되자 드모프스키는 가톨릭은 폴란드 민족성의 중요한 요소라고 선언하게 되었다. 그러나 일부 가톨릭 사제들은 유대주의에서 개종한 사람들은 다른 인종의 가톨릭교도라고 말했다.[61] 사회당과 가톨릭은 서로가 유용하다는 것을 발견했다. 폴란드 사회당은 자유주의, 사회주의 또는 세계주의(유대주의의 별칭)와의 전투에서 교회가 동맹이 될 수 있다고 보았다. 또한 교회는 민족에 대한 의무를 종교적 메시지와 상상을 통해 강화해줌으로써 사회당에 봉사할 수 있었고, 고래의 반유대주의 전통에 적절한 기회가 되면 뒤로 물러날 수도 있었다.[62]

유대인들의 대응: 시온주의와 유대인 정치

유대인들로서는 자신들을 희생양으로 만드는 것은 그 부조리를 감안할 때 부당할 뿐만 아니라 잔학했다. 유대인들은 오랜 세월 동안 견뎌온 2등 계급 지위에서 불과 몇십 년 전부터 부상하기 시작한 것이었다. 일부 유대인은 도시 직업에서 성공을 했지만, 러시아령과 오스트리아령 폴란드에서 절대다수의 유대인은 절망적으로 가난한 상태에 있었다. 유대인들은 '이방인'이 아니고 11세기부터 폴란드에서 살아왔다. 오랜 시간 노동을 하며 가족의 보잘것없는 예금의 지원을 받은 많은 유대인 젊은이들은 교육을 받아야 한다는 열망이 강했고, 모든 종류의 직업과 초급 일자리에서 사력을 다해 경쟁을 했다. 이들은 고등학교를 거쳐 대학에 들어가고 상공회의소와 법원에 들어가면서 모든 단계의 공식, 비공식 제약에도 불구하고 성공을 했다. 국가 행정직은 전반적으로 유대인에게 문이 닫혀 있었고, 유대인은 모든 군대에 징집되었지만, 군대 행정직도 맡을 수 없었다.[63]

그러나 폴란드 사회당은 희생양이 된 사람들의 담론을 현대 경제의 공개경쟁보다 선호했지만, 확장되는 이 당의 대중적 인기는 유대인들로 하여금 만일 게임이 있다면 공정하게 경쟁해야 하고 유대인들이 할당, 배제, 폭력의 고통을 겪지 말아야 한다는 주장을 할 수 있게 만들었다. 그러나 대부분의 유대인들이 거주하고 있는 러시아제국의 상황은 거의 희망을 자극하지 못했다. 1881년 농노 해방자인 차르 알렉산드르 2세가 암살된 후 3년 동안 유대인 학살은 러시아 농촌 지역에서 일상적인 일이 되었고, 수십 명의 유대인이 희생당했다. 이에 대한 유대인들의 하나의 대응책은 유럽 밖을 쳐다보는 것이었다. 만일 중유럽이 유대인을 민족과 민권 생활에서 배제하는 강한 경향을 만들어냈다면, 이것은 유대인들은 민족적 생존을 보호하기 위해 영토를 필요로 한다는 사상인 시온주의라고 불리는 자기방어도 강화시켰다.

시온주의가 부상하는 데 핵심적 역할을 한 인물은 테오도르 헤르츨 (1860-1904)이었다. 그는 헝가리 유대인 배경을 가진 작가였고, 1878년 법을 공부하기 위해 빈에 왔다. 그는 자신의 기숙사의 학생들이 자신이 무슨 일을 하건 자신을 독일인으로 받아들이지 않는다는 것을 발견하기 전까지는 열렬한 독일 민족주의자였다.[64] 독일 학생들은 그를 '모세'라는 별명으로 불렀다. 폴란드성을 인종주의적 관점에서 해석하는 폴란드 사회당이 젊은 폴란드 지식인들 사이에서 큰 인기를 끌고 있는 동안, 쇼네러의 운동도 오스트리아-독일 학생들 사이에서 큰 반향을 얻었다. 이런 학생들은 '유대주의가 핏속에 흐른다'는 사상을 받아들였다.

헤르츨이 빈 시장 카를 루에거를 개인적으로 만났을 때 진실을 깨닫는 순간이 다가왔다. 그는 쇼네러보다는 좀 더 기독교적인 반유대주의를 대표한다고 간주되었다. 1895년 헤르츨은 루에거의 기독사회당이 빈 시의회 선거에서 승리한 다음 루에거가 참가한 공식 행사에 참가했었다. 한 흥분한 구경꾼이 "저 사람이 우리의 영도자이다Führer!"라고 소리쳤다. 그날 헤르츨은 자신의 일기에 "다른 모든 열변과 모욕보다도 이 몇 마디 단어가 반유대주의가 얼마나 사람들 마음속에 깊이 뿌리내리고 있는지를 나에게 말해주었다"라고 썼다. 그전 해에 파리에서 특파원으로 일하면서 드레퓌스 사건을 목격한 그는 군중들이 "유대인에게 죽음을"이라고 외치는 것을 들었다. 이것은 프랑스에서 유대인의 동화과정이 성공한 상황에서 일어난 일이었다.

유대인은 오랜 세월 동안 법적 제한 속에 살았고, 2등 신민과 시민이나 더 나쁜 존재로 대우받는 것을 감내해왔었다. 그러나 오스트리아건 프랑스건 시민적 평등성을 얻도록 유대인을 해방시킨 것은 새로운 종류의 혐오를 촉발했고, 이것은 인종주의적 학문의 언어로 나타났다. 만일 유대인들이 동화되었다면 그들을 타자로 보아야 한다는 주장이 더욱 맹위를 떨쳤다. 이들은 다른 사람과 같이 옷을 입고 말을 해도 여전히 유대인이었다. 유대인의 성공은 받아들일 수 없는 것으로 여겨졌기 때문에 유대인의 성공을 설명하는 이론들은 큰 존경을 받았다. 헤르츨은 유대인들이 하는 어떤 일도 유럽의 기독교 사회에서 유대인들에게 존엄과 안전한 삶을 보장할 수 없다는 결론을 내렸다.[65]

1896년 헤르츨은 《유대인 국가 The Jewish State》라는 책을 출간하고, 2년 후 바젤에서 첫 시온주의 대회를 개최했다. 여기에는 200명의 유대인이 공식 복장을 하고 참여했다. 헤르츨은 유대인이 팔레스타인으로 돌아가야 한다는 것을 처음 주장한 사람은 아니었지만, 조직자와 선전가로 없어서는 안 될 존재가 되었다. 그의 생애 남은 몇 해 동안 그는 끊임없이 여행을 하며 자금을 모금하고, 국가수반들을 만났다(독일의 빌헬름과 오스만 술탄도 포함해서). 그의 운동은 빠르게 성장하여 1897년 117개였던 지부가 1년 후에는 913개로 늘어났고, 그가 1904년 사망했을 때 시온주의는 유럽 정치의 움직일 수 없는 사실이 되어서, 수십만 명의 추종자와 제어할 수 없는 에너지를 가진 운동이 되었다.[66]

시온주의는 유대인들이 편견과 함께 궁핍을 겪고 있던 동유럽 땅에서 특별히 강하게 자라났다. 다른 민족 운동과 마찬가지로 시온주의도 좌파와 우파로 나뉘었고, 폴란드에서는 유대인 사회민주주의자 외에도 좌파 시온주의자와 우파 시온주의자도 있었다. 헤르츨은 팔레스타인의 유대인 국가가 영어 기숙학교에 프랑스 오페라하우스, 빈 카페가 있는 다언어 국가가 될 것으로 생각했다. 그러나 이 운동에는 다른 아이디어도 있었다.

키예프 인근 출신으로 세속 사업가이자 지식인인 아하드 함 서클에서는
유대인 문화, 특히 히브리어를 가르치고 전파하는 것을 강조했다. 함 자신
이 뛰어난 히브리어 문장가였다. 그의 제자인 차임 와이즈만은 후에 헤르
츨이 설립한 세계시온주의자기구World Zionist Organization를 이끌게 되고, 이
스라엘 국가 초대 대통령이 된다.

시온주의 운동은 다른 동유럽 민족 운동과 공유한 것이 많았다. 문화,
역사, 언어 재생에 대한 큰 관심과 메시아주의로까지 확대되는 사명감
(헤르츨이 비판당한 부분), 민족의식의 고양과 이것을 일반 주민에게 전파하
는 것, 다른 해결책을 옹호하는 분파로 분열, 민족의 생존을 보장하겠다는
결의 등이 여기에 해당되었다. 초기 시온주의자들은 자신들은 타협과 부
패가 일상이 된 현대 도시 상황에서 떨어져 있고, 위에 있다고 생각했다.
이들은 이에 대조적으로 성격의 고귀한, 높은 가치를 구현하는 지도자들
을 길러냈다. 보헤미아의 작은 시온주의자 서클은 '새로운 마음과 맑은 영
혼을 가지고' 자신들 주변의 물질세계를 반대했고, 한 계급의 사람들이 다
른 계급을 착취하는 것을 종식시키려고 했다. 팔레스타인의 유대인 정착
지는 아랍 사람들뿐만 아니라 모든 인류의 선에 기여할 것이고, 시온주의
자들은 인류에게 도덕성과 '모든 사람이 다른 모든 사람에게 행하는 정의
와 이타적인 사랑'을 바탕으로 국가를 건설하는 법을 보여줄 것이었다. 이
것이 프라하의 젊은 열성 시온주의자들의 생각이었고, 이들은 자신들의
회의장 지붕이 갑자기 무너지면 보헤미아 시온주의가 끝난다고 말했지만,
자신들이 프란티셰크 팔라츠키가 40년 전 체코 운동에 한 말을 반복하고
있다는 것을 깨닫지 못했다.[67]

유럽 민족주의라는 배경에서 예외적인 것은 비유럽 영토에 민족 국가
를 세우려는 시온주의자들의 희망이었다. 다른 운동들은 외국 식민 영토

에 정착하는 것을 계획하고 있었다. 예를 들면, 체코는 아시아에 외곽 전초 기지를 세우려고 했다. 그러나 이들은 조국이 유럽에서의 원 민족 정착지가 된다고 주장했다. 시온주의자들은 유대인 조국은 팔레스타인, 즉 에레츠 이스라엘Eretz Yisrael이고, 체코 민족주의자나 헝가리 민족주의자와 마찬가지로 역사적 기원에서 이 땅에 대한 자신들의 원소유권을 주장했다. 그러나 시온주의자들은 '자신들' 민족이 소수민족인 지역에서 민족 기구를 건설해야 하는 특이한 도전에 맞닥뜨렸다. 이 지역은 처음에는 오스만제국, 다음으로는 대영제국의 지배를 받고 있었다. 영국은 1차 세계대전 중 유대인 정착지 건설에 동의했지만, 단계적인 건설에 동의한 것이었다. 이렇게 새로운 유대인 고향이 서서히 떠올랐다. 1914년 기준으로 8만 5000명 남짓한 유대인이 팔레스타인에 뿌리를 내렸고, 이들은 70만 명의 아랍인들에 둘러싸여 어렵게 생활했다. 이 아랍인들은 시온주의자들의 정착 계획을 절대적으로 반대했다.[68] 이렇게 1890년 시작부터 2차 세계대전 후까지 시온주의의 심장 지대는 중동부 유럽으로 남아 있었다.

＊　＊　＊

시온주의는 로만 드모프스키와 그의 동료 민족민주당원 지그문트 발리츠키가 제시한, 중동부 유럽에서 부상하는 새로운 종류의 인종민족주의에 대한 대응이었다. 그러나 시온주의의 인본주의적 이상뿐만 아니라 폴란드의 반란적 사회주의도 인종민족주의자들은 다른 민족과 공존하는 복잡한 형태의 계획을 상상할 수 있고, 그렇게 하고 있다는 것을 보여주었다. 그러나 또한 놀라운 것은 강력한 지도력을 가진 개인이 다양한 운동에 자신들의 특별한 방향성과 유발성을 가미할 수 있는지를 보여준 것이다.

테오도르 헤르츨이나 카를 루에거가 없었다면 시온주의나 기독사회주의는 중유럽에서 나타나지 않았을 것이고, 만일 나타났다 해도 아주 다른 길을 갔을 것이다. 헤르츨 이전에 유대인들이 약속의 땅으로 귀환해야 한다는 희미한 사명감이 있었지만, 정치적 운동은 없었다. 헤르츨은 독일 민족주의자에서 대중 개종주의자로, 그리고 마지막으로 시온주의자로 복잡한 진화과정을 밟았고, 그는 아마도 루에거보다 자신의 이상에 훨씬 더 진지했다. 루에거는 새로운 정치 스타일로 갑자기 개종하기 전 유대인 자유주의자들과 함께 생산적으로 일해왔다. 일부 사람들은 루에거가 우연히 반유대주의를 수용하고, 거의 의도하지 않고 반유대주의로 대중들의 지지를 얻는 데 성공한 기회주의자로 본다.[69]

헤르츨은 시온주의를 창설하면서 루에거를 직접 인용했다. 기독교사회주의 운동은 19세기 다른 곳에서도 나타났었다. 미국과 영국에서 프랑스, 독일 제국에서도 부상했지만 정치의 주변에만 머물렀었다. 이것은 자신의 야망에 맞는 이상을 찾고 있던 루에거가 나타나기 전 1880년대 빈의 기독사회주의도 같은 상황에 있었다. 루에거가 없었다면 기독사회주의는 빈의 권력을 잡지 못했을 것이고, 빈을 넘어서 소도시와 시골 지역의 가톨릭 프롤레타리아와 사제집단까지 포용한 중도우파 운동은 없었을 것이다. 루에거는 일관성이 없었던 요구에 형태를 부여하고 초기 기독사회주의 지도부는 그에게서 신의 섭리를 발견했다고 생각했다. 기독사회주의의 아버지 카를 폰 보겔상이 1888년 루에거가 회합에서 연설하는 것을 들었을 때 그는 "이제 우리는 지도자를 찾았다!"라고 외쳤다.[70] 루에거는 이 운동이 그를 찾으면서 그 자신도 아이디어를 찾고 이것에 생명을 불어넣었다.

유제프 피우수트스키와 로만 드모프스키는 자신들의 이상에 없어서는 안 될 존재였다는 점에서 서로 비슷했다. 두 사람은 상호 배타적이라고 생각되었던 사상을 통합했지만, 이것을 각자 독자적 방법으로 형성해나갔다. 우리는 만일 드모프스키가 없었고 당의 강령이 된 그의《현대 폴란드인의 한 생각Thought of a Modern Pole》(1903)이 없었다면 폴란드 중산층 민족주의는 진즉에 인종주의로 변하지 않았을지 질문을 제기할 수 있다. 그러나 피우수트스키가 없었다면 인종 간 협력에 대한 오래된 낭만적 아이디어가 현대 폴란드 정치에 굳건하게 자리 잡지 않았을지도 모른다고 생각하게 된다. 피우수트스키는 그 안의 사회주의적 국제주의가 폴란드는 다른 민족을 이끌 운명을 가지고 있다는 확신에 항상 자리 잡고 있었기 때문에 성공할 수 있었다. 그는 민족주의자로서 다른 민족주의자들과의 경쟁을 효과적으로 이끌면서 유명 인사가 될 수 있었다.

✳ ✳ ✳

순수한 국제주의나 반종파주의는 확실한 지도자를 갖지 못했다. 이 사실은 되돌아보건대 아이디어 자체는 자극적이었지만 제한적 영향력을 행사한 오스트리아 마르크스주의자인 오토 바우어와 카를 레네르의 사례에서 확인할 수 있다. 중동부 유럽에서 이들은 항상 독일 문화의 전도자로만 인식되었다. 이와 유사하게 동유럽 사회주의도 위대한 사상가를 배출했지만, 러시아의 레닌과 같이 사상, 행동, 카리스마를 갖춘 지도자는 없었다. 별로 널리 알려지지 않은 중동부 유럽의 사회주의 지도자들이 세계에 레닌과 같은 역사적 잔해를 남기지 못한 이유는, 부분적으로는 레닌은 특징 없는 다민족 사회주의자가 되는 것을 거부하고 러시아인뿐만 아니라 제국주의에 반대하는 모든 주민들의 민족주의를 수용했기 때문이다. 민족문제에 대한 정통 마르크스주의의 불가지론에 더 충실했던 피우수트스키는 1차 세계대전 중 사회주의를 포기했다. 그는 폴란드 민족주의의 핵심 목표인 국가를 재건하는 것 자체가 최종적 목표라는 것을 스스로 인정하면서 사회주의를 버릴 수 있었다.

레닌의 후계자들 손에서 사회주의 국제주의는 스스로를 진정한 민족주의라고 내세우면서 중동부 유럽으로 손을 뻗는 일종의 제국주의가 되었다. 그러나 그 중심에서 이것은 자유주의의 원죄인 신념을 이성으로 위장하고, 다른 사람들의 이성(예를 들어 폴란드인들의 독립 열망)은 비이성으로 매도하는 과오를 범했다. 그러나 이성을 정말 반대한 것은 비물질적이고, 계산 불가능한 방식으로 사람들이 찾는 감정과 의미였다. 독일인이나 러시아인이, 체코인이나 폴란드인이 민족 보호 열망을 비이성적이라고 폄하하는 것 자체가 비이성적이었다. 영토에 대한 자신들 민족의 권리는 당연한 것으로 여기면서 이 전제는 이성적인 회의에 노출시키지 않았다.

반민족적인 주장의 고도의 합리성 주장은 오늘날까지 이어진다. 자유주의적 역사가들은 인종민족주의 아이디어를 여러 세대에 걸쳐 지속시킨 정치의 추동력momentum에는 눈을 감고, 문자해독률이 증가하고 투표권이 확산되면 민족 정체성은 자기주장을 펼 것이라는 상상을 계속하고 있다. 체코의 사례는 민족주의를 공부하는 사람들의 가장 많은 관심을 끈다. 그 이유는 체코인들은 합스부르크제국 군주정이 가장 큰 내부 문제였고, 이 사례는 민족 문제를 해결하는 사회주의자들의 제안에 들어맞지 않았기 때문이다. 이것은 보헤미아 국가 권리에 대한 그들의 주장은 비영토적 민족주의는 수용할 수 없기 때문이다.

그러나 체코인들이 보헤미아의 자치를 원하기는 했지만, 1차 세계대전 전 민족주의자인 카렐 크라마르로부터 사회주의자인 보후미르 슈메랄에 이르기까지 체코 정치인들은 합스부르크제국의 종말이 악몽을 가져올 것이라는 점은 분명히 이해했고, 이것이 체코 정치인들로 하여금 미래를 두려워하게 만들었다. 슈메랄은 1913년 12월 만일 오스트리아-헝가리가 앞으로의 전쟁으로 분할된다면 보헤미아는 한껏 과시된 보헤미아의 국가 권리를 얻을 수는 있지만, 체코인들은 아마도 일시적으로만 독립적이 될 수 있을 것이라고 썼다. 알바니아처럼 보헤미아도 장래의 패권국의 노획물이 될 가능성이 컸다. 그는 "만일 오스트리아-헝가리가 살아남지 못하면, 새로운 30년 전쟁이 유럽을 덮칠 것이고, 다시 한 번 베스트팔렌 조약 이전처럼 보헤미아는 고난의 중심지가 될 것이다"라고 예측했다.[71] 이중 제국을 벗어날 생각을 한 주요 정치인은 없었다. 완전한 독립을 주장한 한 체코 정당은 1911년 제국 의회 선거에서 한 석만 얻었을 뿐이다.[72]

11장

농민 유토피아:
어제의 농촌과 내일의 사회

1939년 오스트리아의 유대인 소설가 슈테판 츠바이크는 《어제의 세계The World of Yesterday》라는 향수를 자극하는 회고록을 쓰기 시작했다. 합스부르크제국에서 보낸 자신의 어린 시절을 회고한 이 책에서 서술한 고향은 법과 질서가 존중되고 다양한 인종의 시민들이 평화롭게 살며, 경계가 없어서 사람들이 여기저기를 자유롭게 여행할 수 있는 곳이었다. 이것은 후에 전개된 상황보다 훨씬 더 문명화된 장소였다. 혐오라는 어두운 세력이 모이고 있기는 했지만, 아직은 주변적이었다. 이 책이 1942년 스웨덴에서 출간되었을 때 츠바이크와 그의 부인은 이 세상에 있지 않았다. 두 사람은 리우데자네이루 북쪽 고지 독일 공동체가 있는 페트로폴리스에서 몇 달 전 숨을 거두었다. 츠바이크의 고통스런 회고는 오스트리아-헝가리가 지금은 사라진 뛰어난 현실이었다는 지속적인 이미지를 만들어냈다. 이 현실은 두 번째 전쟁 가능성을 잉태하고, 전에는 상상도 할 수 없었던 비인간성의 새 세기를 연 1차 세계대전의 절대적이며 일시적인 경계 뒤에 존재했다.

그러나 1914년 이전 슬라브 땅과 루마니아 출신 작가들 사이에는 향수가 별로 없었다. 그들에게 자신들이 사는 땅은 민족적 압제와 사회적 압제가 서로를 악화시키는 곳이었다. 이들의 생각에 대전쟁(1차 세계대전)은 엄청난 희생을 가져오기는 했지만, 외국 지배로부터 자유를 얻는 것을 가능하게 만들어준 사건이었다. 모든 장애를 무릅쓰고 세르비아인, 폴란드인, 체코인, 루마니아인은 자신들의 왕국을 확대하거나 공화국을 창설했다. 이것은 상상해왔던 역사적 정의를 반영한 것이라고 그들은 생각했다. 이것이 나치 통치하에 사라졌을 때 오스트리아-헝가리제국의 남아 있는 잔재는 완전히 사라져야 한다는 생각이 더욱 커졌다. 이중 제국은 제3제국에 비해 훨씬 덜 침략적이고 덜 파괴적이었지만, 민족으로서 자신들의 생활을 숨 막히게 만드는 기본적 목적을 가진 독일 통치의 발현에 불과했다.

이 향수와 영웅적 회복 뒤에는 1차 세계대전 후 거의 잊힌 좀 더 일상적인 이야기가 있었다. 1914년 이전에 진보적 정치 운동은 당대의 가장 큰 사회문제를 해결하려고 시도했다. 절대다수의 사람들이 농사일로 연명을 하고 있는 상황에서 이들이 경작하는 땅은 너무 작아서 여유롭고 위엄 있는 삶을 영위하는 것을 허락하지 않았다. 이 장에서는 이 정치인들이 한 약속의 일부를 다루지만 특별한 방향으로 이를 제시하지는 않는다. 여기서는 농민 정치를 뛰어넘은 농민 정치인들의 모습 전반을 서술한다. 이들은 단지 농촌의 정의 실현이 아니라 민족과 지역의 정의에도 초점을 맞추었다.

예를 들어, 세르비아와 폴란드령 갈리시아의 '일반적인' 농민 정치는 국가 정치를 수행하기 위해 농촌을 떠난 재능 있는 젊은이들이 주인공이 된다. 이들은 유명한 인물이 되어 때로 정부를 운영하고, 정치 연합을 구성했다. 처음에는 농민의 이상에 대한 열정으로 움직이고, 농민의 생활을 개선하는 것을 목표로 한 실용적인 이념인 '농업주의'를 추구했던 농민 정치인들은 대부분의 경우 도시 정치조직political machine에 흡수되었다. 이들은 선거 때만 되면 농촌 지역에서 선거운동을 하면서 자신을 '농민'으로 내세웠지만 그렇지 않은 경우 이들은 주로 정부의 실지회복주의 대외 정책을 지지하거나(세르비아와 루마니아), 이국 인종의 요구를 물리치기 위해 지주 엘리트 집단과 타협을 이루었다(폴란드령 갈리시아의 우크라이나인들). 결국 농촌을 위해서 한 일은 거의 없었다.[1]

그러나 1차 세계대전 발발 전 10년 동안 카리스마 있고 상상력이 넘치는 세 인물이 모라비아, 불가리아, 크로아티아 농촌 지역에서 나타나 다른 사람들과 다르게 행동했다. 그 세 사람은 토마시 마사리크, 알렉산다르 스탐볼리스키, 스테판 라디치였다. 가난한 집안에서 자란 이들은 독일과 프랑스에서 공부한 다음 당대 유럽 정치에 친숙해지고 도시에서 경력을 쌓았다. 그러나 이들은 자신들이 떠나온 농촌의 먼지, 가난, 연대를 잊은 적이 없었다. 이들 중 아무도 정치를 직업으로 할 생각은 없었지만, 19세기 말 일단 정치에 발을 들여놓은 후에는 쉬운 길을 가지 않고, 지속적으로 지역 민족 담화의 성스러운 전제를 거부하는 입장을 취했다. 이들은 놀라울 정도의 성공을 거두고 지지자들을 확보했다. 이 세 명 중 누구도 사상의 역사에서는 큰 족적을 남기지 않았지만, 카리스마가 넘치는 사람들이 실행하는 단순한 신념의 힘을 보여주었다.

세 사람 모두 좌파 정치에서 일을 했지만, 중동부 유럽의 마르크스주의 사회민주주의자들이 방해한 맹점인 민족 문제와 농민 문제를 놓치지 않았다. 진보가 이루어지면 작은 민족들은 사라지고, 농민은 도시산업에 흡수된다고 설교하는 대신에 이들은 둘 모두를 위한 미래를 상상했다. 잘사는 중간 지주들은 민족 문화로 교육시킬 수 있고, 번영하고 평화롭고 협동하는 민족들로 구성되는 유럽의 일부가 될 수 있었다. 이 세 사람 모두 흔치 않은 경우지만, 한 정당의 당원들이 아니라 수십만 명의 추종자들의 시각을 형성하는 비전, 끈기, 자신감을 가진 개인의 능력을 우리에게 생각나게 한다.

이들의 목표는 유토피아적으로 보이지만, 마르크스주의나 무정부주의 프로그램의 폭력을 필요로 하지 않았다. 오토 바우어처럼 아이디어에서 복잡한 현실로 이동하는 대신에 이들은 농촌과 소도시의 현실에서 두 가지 모두를 결합하는 프로그램을 만드는 것으로 발전했다. 모든 사람들은 이들을 현실주의자로 생각했고, 이들은 추종자들로 하여금 서부 유럽 사회가 간 길을 따르도록 만들었다. 민족 국가 봉사자들이 이들에 대해 우려한 것이 아니라, 이들이 민족 국가를 위해 일하는 사람들을 특별히 우려했다. 또한 농촌 출신으로 다른 인종들과 협력의 필요성을 강조했다. 왜냐하면 이들은 폭력사태가 일어나면 가장 많이 죽는 사람들은 농촌 사람이라는 것을 잘 알았기 때문이다.

이들의 평범한 연설은 새로운 정치 공간을 만들어냈지만 또한 수많은 반대도 불러일으켰다. 군 장교들이 1923년 알렉산다르 스탐볼리스키를 체포하여 처형했고, 5년 후에는 불만에 찬 유고슬라비아 정부 지지자가 베오그라드 의회 복도에서 스테판 라디치를 암살했다. 토마시 마사리크(1850-1937)는 장수를 누렸지만, 그가 죽을 때 그가 만든 체코슬로바키아 민주주의는 유럽의 가장 폭력적인 정치인 아돌프 히틀러의 표적십자선crosshairs 안에 들어왔다. 히틀러는 1년 조금 지나 그의 나라를 점령하기 위해 프라하에 군대를 보냈다.

사람이란 존재는 일어나는 사건들에 단순히 주제넘게 나서지 않는다. 특별한 위기나 대단한 우연이 아니었다면, 마사리크는 지극히 평범한 독일 교수가 되었을 것이고, 라디치와 스탐볼리스키는 마을 원로나 카페의 논객이 되었을 것이다. 이들이 살던 시기에 닥친 긴급한 상황이 이들을 지도자로 만들었다. 그런 상황이 아니었다면 이들은 직업 생활과 가족생활의 기쁨과 도전에 만족하며 살았을 것이다. 이것은 1930년대의 위기가 윈스턴 처칠을 '만들어낸 것'과 유사하다.[2]

이들은 역사를 바꾸기 위해 역사에 적응했고, 중동부 유럽에서 다민족 간의 협동에 대한 호소는 인종의 언어로 민족 프로젝트로 표현되어야 한다는 것을 의미했다. 이들 중 가장 영향력이 컸던 마사리크는 자유로운 국가들의 세계에서 체코의 미래를 확고하게 하기 위해 과거를 재해석했다.

1차 세계대전 이전 중동부 유럽의 상황은 위기가 비전과 목적이 있는 지도자를 배출해내지 못하는 경우 무슨 일이 일어나는가를 보여준다. 1914년 이전 평온한 것처럼 보인 중유럽의 일상생활을 되돌아보면 향수를 자극할 수도 있지만, 이 시기 오스트리아 관리들의 사고방식을 깊이 들여다보면 시급한 문제를 해결할 수 있었던 개혁에 대한 희망은 거의 찾을 수 없다. 그 대신에 우리는 합스부르크 지도층의 공포, 오판, 직무유기를 보게 된다. 보스니아-헤르체고비나의 심각한 사회적 부정의는 합스부르크제국으로 하여금 1878년 이 지역을 점령하게 만들었고, 한 세대 후에는 유럽 전역에 합스부르크의 힘이 해체되도록 만들었다. 최고 지도자들은 오래된 정권을 구할 수 있는 새로운 현실을 만들어낼 수 있었던 상상력을 결여했다. 도전에 직면한 이들은 슬라브인들, 특히 세르비아인들에 대한 두려움 이상을 보지 못했다.

* * *

토마시 마사리크는 1850년 동부 모라비아의 작은 도시에서 태어났다. 그의 아버지는 슬로바키아인 혈통의 마차꾼이었고, 그가 때로는 독일인, 때로는 모라비아인이라고 밝힌 그의 어머니는 요리사였다(그녀는 그에게 독일어로 기도하는 법을 가르쳤다). 그는 15세 때 빈에서 견습공 생활에서 탈출한 후 고향 마을인 호도닌에서 잠시 대장장이로 일했다. 그런 다음 그는 문화적으로 독일화된 브륀/브르노로 갔다. 마사리크의 지적 능력에 큰 인상을 받은 브륀의 경찰 책임자는 그를 자기 아들들의 가정교사로 채용하고, 그의 교육을 후원했다. 처음에는 그 지역의 독일 고등학교Hochschule, 다음으로는 빈의 대학으로 보냈다. 대학에서 그는 넓은 의미의 철학을 공부했다. 그 당시 철학 전공은 오늘날로 말하면 사회학과 문학을 포함한 것이었다.

플라톤 연구로 박사학위를 받은 그는 라이프치히에서 계속 공부를 했고, 그곳에서 뉴욕 브룩클린에서 온 피아노 전공 여학생 샤로테 개리그를 만났다. 그녀는 17세기 독일로 이주한 위그노 집안의 후손이었다. 덴마크에서 태어난 그녀의 아버지는 맨해튼에서 독일어 서적 서점을 운영하고 있었고, 독일 사회의 열정적 일원이었으며, 신앙심 깊은 유니테리언 교도Unitarian였다. 가톨릭 교인으로 자라난 마사리크는 가톨릭의 권위 구조가 이성에 맞지 않는다고 생각했고, 개신교로 개종해 이를 진지하게 받아들여 개신교 목사가 될 생각도 했었다.

1878년 토마시와 샤로테는 브루클린의 장인 집에서 유니테리언식으로 결혼식으로 올렸고, 그는 여성의 평등성에 대한 약속으로 개리그를 자신의 가운데 이름으로 받아들였다. 샤로테는 금방 체코어를 배웠고, 선거권을 위한 대중 집회에 참여하여 남편의 일을 돕고 생의 마지막 순간까지 그의 핵심 동료가 되었다. 마사리크는 "그녀가 나를 일깨웠다"라고 후에 말했다. 1881년 마사리크는 두 번째 박사논문을 발표했다(이것은 중유럽에서 교수직을 얻는 데 필요한 부분이었다). 논문 주제는 자살이었다. 자살은 유럽 사회의 표면을 찢기 시작한 심각한 도덕적 질병이었고, 유럽 전체에서 자살률이 크게 상승해 매년 5만 명이 자살할 정도에 이르렀다.[3] 소년 시절 그는 목을 매어 자살한 마부가 줄에서 끌어 내려지는 것을 직접 목격했고, 이 충격적인 장면은 그를 떠나지 않았다. 모든 가치 있는 사회질서는 사회구성원 누구도 이 불행한 젊은이가 한 일을 반복하지 않도록 보장해야 했다.

1882년 마사리크 가족은 이전에 전혀 알지 못했던 보헤미아의 수도 프라하로 이사했다. 마사리크는 새로 문을 연 체코대학 철학과 부교수가 되었다. 이 임명은 운명적이었다. 만일 그가 독일 대학(예를 들어, 프라이부르크나 오스트리아의 체르니우치)에서 교수가 되었다면 그는 또 하나의 독일 학자가 되는 데 그쳤을 것이다. 그가 프라하로 이사하기 전 그의 친구들은 그가 민족 문제에 대해서는 무관심했다고 말했다.

프라하에서 정치적 야망을 가진 사람은 주변에서 일어나는 일에 무관심할 수가 없었다. 대중의 모든 우려는 민족 문제에 관련되어 있었고, 마사리크는 곧 선량한 체코인이 되는 것은 무엇을 뜻하는가를 둘러싼 논쟁의 중심에 서게 되었다. 지난 수십 년 동안 체코 민족 운동이 기초를 둔 것은 도서관 사서 바츨라프 한카가 1813년과 1817년에 발견한 것으로 추정되는 중세 문헌에 나타난 초기 체코 역사였다. 이 문헌은 당시까지의 체코 언어 자료보다 훨씬 이른 시기인 1000년 이전 '리부셰'라는 덕 있는 체코 여왕의 궁정 생활을 서술하고 있었다. 애국자들은 이 이야기를 기초로 체코의 정체성 사상을 만들어냈고, 특히 아주 오랜 시기부터 체코인들은 독일인과 구별되는 삶을 살았다는 근거로 삼았다. 이 문헌은 벌레가 파먹은 흔적이 있었고 전에 알지 못한 체코인에 대한 새로운 이야기를 담고 있었지만, 처음부터 이 문헌의 진위에 대한 논란이 일어났다. 마사리크는 '과학적' 증거에 바탕을 두고 진위 의심자들 편에 섰다(이들 중 가장 눈에 띄는 사람들은 독일인들이었다). 이로 인해 마사리크는 동화 속의 고대 영웅을 버릴 수 없었던 체코인들 사이에서는 기피 인물이 되었다. 그러나 마사리크는 나름대로 체코 민족주의 사상을 가지고 있었다. 위대한 민족은 고통스럽더라도 진실을 받아들인다는 것이었다. 그래서 그가 과학을 지지한 것은 용기와 진실성을 보여주는 도덕적 선택이었다.

마사리크는 우파 정치인들이 자신을 배반자로 부르는 것에 놀라지 않았지만, 이성과 과학을 존중하는 자신의 정파에서 오는 도전에는 크게 놀랐다. 언어적으로 혼합된 배경을 가진 마사리크의 사실주의를 지지하던 작가 허버트 고든 샤우어는 독일 자유주의자들의 오래된 도전을 다시 제기했다. 체코인들이 이성의 이끌림을 받는다면 왜 독일인이 되지 않는가? 아주 작은 민족이 유럽 무대에서 스스로 설 정도로 문화, 경제 자원을 끌어모을 수 있는가? 이것에 모든 노력을 기울일 가치가 있는가?

마사리크는 역사 자체가 답을 제공한다고 대응했다. 체코인들은 항상 '인류'에 대한 헌신이라는 고결한 부름에 의해 자극을 받아왔다. 이것은 1420년 진실을 증언했다는 이유로 나무에 묶여 화형을 당한 초기 개신교 개혁자 얀 후스에 의해서도 분명히 나타났고, 후에는 체코형제회Czech brethern, 그 후에는 보헤미아 르네상스에 의해서도 발현되었다. 보헤미아 르네상스를 대표하는 인물인 인본주의 지식인 얀 아모스 코메니우스는 한때 하버드대학 총장으로 초빙되기도 했다. 마사리크가 보기에 이러한 내재적 임무는 백산 전투 이후 가톨릭 반개혁의 어두운 시절 동안에서부터 최근의 두 번째 개혁 시기에도 프란티셰크 팔라츠키 같은 사람에 의해 지속되고 있었다.

한 세대 후 히틀러가 자신의 적들에게 분노를 표출할 때 이것은 정확히

'인류애'라는 가치에 대한 도발이었다. 훨씬 후인 1970년대 체코슬로바키아의 반체제 인권운동가들은 코메니우스와 그의 계몽적 유산을 자신들의 정신적 지주로 삼았다.[4] 그러나 당시 비판가들은 마사리크의 역사적 주장은 아무 의미도 없다고 비판했다. 과학적 역사 연구는 공통의 '정신'이 수백 년간 한 영토에 살아온 사람들의 집단성을 자극할 수는 없다는 것이 이들이 주장이었다. 과학은 기껏해야 자료가 충분한 경우 각각의 사건의 원인을 탐구할 수 있고, 이전 시기에 사는 것이 어떤 것인지를 사람들에게 말해줄 수 있었다. 그러나 1390년대와 1890년대 사람들을 마술적으로 연결시킨 깊은 충동에 대해 말하기 위해서는 비이성적인 말을 해야 했다. 마사리크는 이런 비판에 큰 상처를 받았지만, 얀 후스가 목숨을 바친 자유와 같은 과거의 높은 이상을 찾아내는 자신의 노력과 미래를 위한 지향을 포기하지는 않았다.

역설적이게도 마사리크가 옳은 것으로 드러난 것은 정치적 '현실주의자'라는 면에서였다. 체코 역사에 대한 그의 사상은 1차 세계대전 후 국가 건설의 기초가 되었고, 그를 반대했던 실증주의적 역사가들은 먼지가 잔뜩 일어나는 수많은 책들만 만들어냈다.[5] 마사리크가 생각하기에 국가는 학문을 위해 봉사하지 않았다. 이와 반대로 성스러움에 가까운 임무quasi-divine mission를 가지고 행동하는 국가는 진리와 인류애에 봉사하는 자체적 고상한 목표를 위해 학문을 사용했다. '성스럽지만' 잘못된 문헌에 대항하려는 그의 의지로 인해 그는 대학에서 10년 이상 승진하지 못하는 대가를 치렀다.

자신의 학문적 경력에 대한 이런 비계산적인 접근은 만일 그가 자신의 학문에 대한 사고를 더 높은 목표에 종속시키지 않았다면 불가능했을 것이다. 이것은 추상적 이론이 아니라 마사리크가 자살에 대해 수행한 연구에서 나온 것이다. 본인 스스로 신앙이 깊게 자리 잡은 동부 모라비아 농촌 지역으로 분리된 상태에 있던 그는, 자살이라는 '부도덕'의 원인은 사람들의 생활에 의미를 주는 좌표의 부재에 있다고 생각했다. 특히 그는 전통적 가톨릭 신앙이 현대 생활에서 해체되는 것을 우려했다. 이 신앙은 중세 시대 사람들의 생을 지배한 것이었다. 자살에 대한 그의 논문에는 역사에서 그리스도의 역할에 대한 다음의 찬가가 들어 있다.

> 그리스도는 원수도 사랑하라는 새 계명을 주었다. 이러한 사랑을 가진 그리스도인은 신의 방식으로 자신의 생을 조정하는 방법을 안다. 이것은 그를 하늘과 땅과 연결하는 유대이다. 사람이, 성 바울이 그리스도의 사랑에 대한 말할 수 없는 찬가를 부르며 서술한 사랑의 불꽃을 가지고 있다면 어떻게 낙담할 수 있겠는가?[6]

마사리크는 기독교가 사람들의 마음을 형성하고 이들의 생활에 의미를 주던 시절로 되돌아갈 수는 없다고 주장했다. 그러나 부도덕성이 신앙의 상실에서 나온 것이라면 사람들은 자신이 개신교의 탐구적 질문들을 만난 후 그런 것처럼, 더욱 최근에는 비관주의적인 데이비드 흄을 만난 사람들처럼 새 신앙을 찾아야 한다고 주장했다.[7] 마사리크는 개신교도로 계속 남았지만(그는 자신이 믿는 유일한 종교적 권위는 그리스도뿐이라고 말했다), 그의 진정한 종교는 체코 민족주의였다. 그는 체코 운동에서 인기가 높았던 과거 헤르더의 개념, 즉 각 민족은 신 앞에 운명을 가지고 있다는 것에서 출발했지만 관행적 해석을 새롭게 해석했다. 그것은 체코인들은 인류에게 '인류애'가 무엇인지를 보여주어야 할 사명을 가지고 있다는 것이었다.

마사리크의 두 번째 공공 시도는 좀 더 담대했다. 그는 민족이 '자기방어'를 위해 누군가를 미워할 수 있는가 하는 의문을 제기했다. 1899년 법원은 보헤미아 유대인 행상인 레오폴트 힐스너가 기독교도 소녀인 아네츠카 흐루조바를 잔인하게 살해했다는 혐의로 사형을 언도했다. 체코 주민들은 이 소녀가 기독교인의 피를 필요로 하는 의식 때문에 살해당했다는 중세 기독교의 시각을 빨리 받아들였다. 경찰은 힐스너가 놈팡이고 여자 뒤꽁무니를 따라다니는 사람이라는 소문이 있었기 때문에 그를 범인으로 지목했다. 마사리크는 학술적 일을 미루고 사건 현장으로 가서 해부 전문가들을 만난 다음 흐루조바가 가족에 의해 살해된 것은 아닌지를 물었다. 그는 여러 자료를 광범위하게 읽은 다음, 어떤 유대 경전도 사람의 피를 바치는 희생을 요구하지 않고, 또한 이것이 비밀 종파에 의해 실행되었었다는 증거도 없다고 결론 내렸다.[8]

마사리크는 이 사건은 과학의 문제이고, 동시에 민족의 도덕적 성격과 관련이 있다고 말했다. 유대인의 의식 살인에 대한 인식을 선전하는 체코인들은 '건전한 이성과 인류애'를 공격했지만, 이들이 시대착오적인 사고틀에 갇혀 있다는 것을 보여주었다. 그러나 마사리크는 이러한 무지는 그들의 본성에 있는 것은 아니라고 주장했다. 단지 체코인들이 살고 있는 '오스트리아적' 여건, 즉 미신, 도전할 수 없는 위계질서, 복종을 조장하는 환경이 이러한 후진성이 심지어 판사, 의사, 기자들 사이에 가능하게 만들었다고 그는 주장했다. 아무도 마사리크를 옹호하려 나서지 않았고, 프라하의 대학생들은 그가 대학 내에서 이 문제에 대해 말하지 못하게 만들었다. '자신의' 민족에 실망하기는 했지만 마사리크는 이 비난을 방관하고 있던 가톨릭 당국에 대한 맹비난을 막아주었다. 그는 1907년 의회에서 "예수를 믿는 사람은 아무도 반유대적이 될 수 없다"라고 말했다.[9] 그러나 이제 그는 너무 고립되어서 샤로테와 다섯 명의 자녀와 함께 미국에 정착하는 것을 생각하기도 했다.

이 사건으로 마사리크가 얻은 것은 거의 없었다. 황제는 힐스너를 감형시켜주기는 했지만, 그는 1918년까지 석방되지 않았고, 사면되지도 않았다. 그러나 마사리크의 사상은 더 날카로워져서 그와 함께 할 사람은 증거와 인간의 이상이라는 관점에서 논증을 해야 하고, 반유대주의와 인종 혐오는 체코의 민족적 권리를 위해 그와 함께 앞으로 나갈 사람들이 용인해서는 안 되는 사안이 되었다. 그의 메시지는 지지자를 결집시킨 것으로 보였다. 체코 지식인들은 다른 유럽인들과 마찬가지로 1913년 키예프에서 진행된 종교 의식 살인 재판을 비난했다.[10] 민족 정치문화를 변화시키려는 마사리크의 노력이 열매를 맺기 시작한 것은 거의 틀림없었다.

보헤미아의 유대인들 문제에 대해서 마사리크는 유연한 입장을 취했다. 그는 유대인 공동체의 두 가지 중요한 경향인 유대인 민족주의뿐만 아니라 문화적 동화에 대한 이해를 보여주었다. 그는 자신의 민족을 '재탄생시키는' 것을 목표로 한 교사의 역할을 맡았기 때문에 시온주의에 대해 동정적이었다. 그는 도덕적 상향은 유대인이 어디에 살건 일어날 수 있다고 믿었다. 당분간 팔레스타인 지역을 식민화하는 것은 유토피아적으로 보였다. 후에 체코슬로바키아 대통령으로 마사리크는 체코슬로바키아 사회 내의 유대인 문화 사회의 노력을 지원했지만, 문화적 동화는 '정당하고 자연스러운 것'이라고 간주했다.[11]

부인 샤로테는 사회민주주의자가 되었지만 마사리크는 기존의 체코 정치 생활 내에서의 선택을 거부하고, 1900년 자신의 정당인 체코국민당/현실주의자당Česká strana lidová을 조직했다. 이 당의 명칭은 이 지역에서는 농민 정치와 밀접하게 연관된 것으로 받아들여졌다. 그러나 마사리크는 농민 정치나 좌파의 다른 세력을 넘어서는 더 큰 야망을 가지고 있었다. 그는 샤로테의 진보적 활동을 지지했지만, 민족 발전과 사회 발전에 대한 마르크스주의적 시각은 거부했다. 특히 체코인들이 독일인이 되어야 하고, 농민들은 도시 거주자가 되어야 한다는 생각에는 동의하지 않았다. 농촌 주민들은 수가 많이 줄어들기는 했지만 근대적 자본주의 상황에서 잘 버텨나갔다. 대규모 영지가 늘어나면서 중농은 사라질 것이라는 마르크스의 예언에 반대되게 중농 수는 몇 배로 늘어났다.[12] 여기에다가 보헤미아에는 중세에서 내려오는 전통으로 작은 시골도시들이 너무 많아서 상업가들은 노동자들을 끌어들이기 위해서 농촌 지역에 공장을 세웠고, 많은 체코 노동자들은 농민 출신이었다. 체코 농민들은 자기가 살던 전통적 마을이나 시골도시 환경을 떠나지 않고도 근대적 산업 노동자가 될 수 있었다.[13]

마사리크는 이러한 단계적이고 차분한 형태의 현대화를 환영했다. 그는 도시보다는 농촌 지역을 훨씬 좋아했고, '비도시화'를 좋게 말했다. 이것은 보헤미아의 뛰어난 교통망 덕분에 산업체가 도시 경계 밖에 여기저기 세워질 수 있다는 것을 의미했다. "모든 산업이 도시에 몰려 있을 필요가 없고, 도시도 더 건강해진다. 문명조차도 사람들을 자연에 더 가깝게 데려갈 수 있다"라고 1930년대 체코 작가 카렐 차페크에게 말하기도 해다. 1880년대 프라하에 정착한 이후 마사리크와 그의 가족은 가능한 한 많은 시간을 양가 친척들이 사는 곳과 가까운 시골 지역에서 보냈다. 그는 전쟁 중 체코의 목표를 위해 쉴 새 없이 로비를 해야 하는 활동으로 인해 도시에 계속 갇혀 있는 것에 불만을 털어놓기도 했다.[14]

마사리크가 보기에 다른 정당들은 자치를 위해 투쟁을 하는 체코 국민들이 당면한 문제를 해결하는 데 적절한 프로그램을 제시하지 못했다. 그는 대지주, 왕조, 교회에 의존하는 구체코인들을 싫어했고, 1893년 선거권을 재산과 교육에 따라 선거권을 제한하려는 '젊은 튀르키예인'도 포기했다. 농촌 생활에 대한 옹호에도 불구하고 체코 농민당은 너무 시야가 좁다고 마사리크는 생각했다. 영광의 시기에 체코인들은 지위는 물론이고, 도시, 농촌 등 모든 경계를 뛰어넘어 단합했었다.[15] 15세기 후스파들은 별도의 사제 계급으로 분류되지도 않았다.

마사리크는 1906년 자신의 당 이름을 체코 진보당으로 바꾸었다. 이것은 좀 더 깊은 이해를 반영한 것이었다. 이 당은 대중적으로 현실주의자당으로 알려졌다. 남성과 여성의 동등한 투표권을 주장하고 당 지도부에 여성을 포함시켰다. 그러나 그는 대중을 무조건 이상화하지는 않다. 체코인들이 힐스너 논쟁에서 중세적 편견에 사로잡히는 것을 본 그는 강하고 계몽적인 지도력을 요구했다(자신과 마찬가지로). 체코인들은 과거와 단절하지 않은 상태에서 그처럼 좀 더 미래지향적이 되어야 하고, 그가 소년 시절 경험한 혼란과 절망을 피해야 했다. 체코인들은 과학, 교육, 문화에서 세계적 수준의 작품을 만들어낼 수 있고, 그와 가족처럼 조상들이 살아오던 마을이나 시골도시에서 멀리 떨어져 살 필요가 없었다.

1차 세계대전 전 마사리크의 정치적 주장은 체코인들에게는 논쟁의 대상이 되지 않았지만, 합스부르크 관리들에게는 크게 우려가 되었다. 그 이유는 헝가리와 오스트리아의 정부 최상부의 위험한 약점을 노출시켰기 때문이었다. 당시 큰 문제가 된 것은 1909년 자그레브에서 40명 이상의 합스부르크 세르비아인을 반역혐의로 재판에 회부하고 이들에게 교수형을 선고한 사건이었다. 이 재판의 근거는 수십 년 전으로 거슬러 올라가는 편견과 공포였다. 슬라브의 위협을 막기 위해 '이중 제국'을 만들어내고, 1878년 베를린회의에서 세르비아에 통제권 넘겨주지 않을 목적으로 제국 당국이 보스니아-헤르체고비나를 직접 장악한 것이 그 배경이 되었다. 이러한 조치에도 불구하고 남동부 유럽의 상황은 계속 불안했다. 오스트리아-헝가리제국은 보스니아-헤르체고비나를 처음부터 자신의 영토로 취급했고, 이 지역에서 병사를 징집하고 자체 기관을 세웠지만, 기술적으로 이 지역은 여전히 오스만제국 소유였고, 세르비아는 이 지역을 세르비아왕국의 미래의 통합된 지역으로 간주하고 있었다.

합스부르크 엘리트들은 보스니아가 세르비아 영토가 된다는 가능성은 계속에서 두려움을 촉발시켰다. 제국의 영토 안에서 슈토카비아 방언을 쓰는 크로아티아인과 세르비아인에 대해 영유권을 주장하는 세력이 커지는 커다란 민족 국가가 나타난다는 것은 악몽 같은 시나리오였다. 1903년 일군의 장교들이 세르비아 왕 오브레노비치와 그의 신부를 살해하고 그 자리에 카라조르제 왕조의 확신에 찬 페테르를 앉힌 사건은 이 우려를 더욱 증폭시켰다.

살해 공모자들은 세르비아 민족 프로그램은 1878년 이후 정체되었고, 이제 세르비아 정부는 러시아를 바라보며 외교 정책에서 좀 더 강력한 역할을 수행해야 한다고 생각했다. 오스트리아와의 무역 협정이 연장되어야 할 시점에 이르자 세르비아는 연장 조치를 취하지 않았다. 세르비아 지도자들은 더 이상 오스트리아의 공산품만을 수입하지 않고, 수입선을 다변화하기로 결정했다(일례로 무기는 러시아의 동맹인 프랑스에서 구입하기로 했다). 이에 대한 대응으로 오스트리아는 1906년 무역 전쟁을 시작하고, 세르비아의 가축을 수입하지 않고, 세르비아가 압력에 굴복하기를 기대했지만, 이 정책은 실패했다. 프랑스는 세르비아의 도살장에 신용을 제공하여 세르비아가 단순히 가축을 수출하지 않고 가공된 육류를 수출하도록 허용하고, 세르비아가 자국 경제 외에도 보스니아를 탐낼 이유를 제공해 주었다.[16] 세르비아 정부와 군부의 묵인하에 '검은손Black Hand'이라고 불린 비밀결사가 구성되었다. 이 조직은 오스트리아-헝가리 통치에서 벗어나려고 노력하는 보스니아 영토 내 테러리스트들을 지원했다.

1908년 장교들이 오스만제국의 수도 이스탄불에서 혁명을 일으켜 권력을 장악하고 튀르키예를 입헌제의 현대적 국가로 만들겠다고 약속했다. 오스트리아 정치인들은 개혁된 튀르키예가 보스니아와 헤르체고비나의 영유권을 주장할 것을 두려워했고, 그래서 이 지역이 단순히 점령된 것이 아니라 합스부르크의 영토임을 선언했다. 이로 인해 러시아의 가신국인 세르비아에 모욕을 안겨주고 러시아의 국제적 명성에 타격을 가한 '합병 위기'가 발생했다. 이 시점에 튀르키예나 러시아 모두 무력 충돌 준비가 되어 있지 않았기 때문에 군사적 위협은 일어나지 않았다. 그러나 이 사건은 이 지역의 정세를 더욱 불안정하게 만들었다. 세르비아와 함께 그리스, 불가리아, 루마니아는 현상 유지를 일시적인 것으로 보았고, 다음에 오스트리아–헝가리와 세르비아 사이에 분쟁이 발생하면, 러시아는 강대국 지위가 다시 한 번 모욕 받는 것을 그냥 넘어가지 않을 것이기 때문에 방관만 하지 않을 것으로 예상했다.

1909년 베오그라드의 오스트리아 대사관은 세르비아가 합스부르크 영토 내에 음모자 네트워크를 운영하고 있다는 혐의를 제기했다. 대사관이 넘겨준 명단을 바탕으로 헝가리 당국은 53명의 세르비아 정치인을 체포하여 반역혐의로 기소했다. 처음부터 증거의 진위에 대한 의구심이 제기되었고, 자그레브에 와서 이 사건을 개인적으로 조사한 마사리크는 이 재판이 슬라브인들을 위한 민주적 개혁을 지연시킨 부패한 전제국가의 마지막 단말마라고 비난했다.

(합스부르크) 궁정의 귀족적 외교와 몇 명의 힘 있는 사람과 그들의 조력자들이 독단적으로 사회와 그 발전을 이끌고 나간다는 착각이 이미 무너지기 시

작했다. 국내 정책과 외교 정책은 공공의 토론과 비판에 노출되어야 한다. 정치는 점점 더 민주적이고 과학적이 되어가는데, 절대주의와 그 외교적 신비주의는 민주주의와 그 비판적이고 과학적인 공공 영역에 자리를 내어주고 있다.[17]

이번에는 오스트리아를 비판한 마사리크와 다른 비평가들이 승리했다. '반역자들'은 방면되었고, 이중 제국은 유럽 전역에서 조롱받았다. 특히 큰 모욕을 겪은 것은 온건한 독일 민족주의자이며 1882년 린츠선언 작성의 주도자였으며 이 사건의 증거를 보증했던 역사가 하인리히 프리드융이었다. 그러나 얼마 안 있어 마사리크는 군주정이 민주주의 방향으로 개혁될 것이라는 마지막 희망을 포기했다. 1914년 검은손 집단이 후원한 테러리스트가 합스부르크왕가의 대공 프란츠 페르디난트와 그의 부인을 살해하면서 1차 세계대전이 발발했고, 마사리크는 몇 명의 동행자와 함께 서방으로 탈출했다. 그는 제국의 반역자가 되어 대담한 체코 민족주의자들도 감히 상상하지 못했던 목표를 추구했다. 그것은 체코슬로바키아의 독립이었다. 국내에서 당국은 마사리크의 가족을 비롯한 정권 비판자들을 탄압했다. 1916년 샤로테는 신경쇠약으로 쓰러졌다.

농민 정치

같은 수십 년 동안 이 장 앞쪽에 언급한 다른 두 명의 인물이 동유럽의 민족 지도자로 부상했다. 이들도 각기 자기 나라의 정치 지형을 변화시키며 자유주의 정치의 잔해 속에서 새로운 운동을 시작하여 정치적으로 가능한 것에 대한 가정의 한계를 높였다. 마사리크와 마찬가지로 이들도 보잘 것없는 배경에서 출발했지만, 마사리크와는 다르게 이들의 정치적 비전은 농촌에 집중되었다. 첫 인물은 헝가리령 크로아티아의 스테판 라디치였고, 두 번째 인물은 1878년부터 자치 국가가 되고, 1909년부터는 스스로 '차르'로 등극한 페르디난트가 통치한 독립 왕국인 불가리아에서 활동했던 알렉산다르 스탐볼리스키였다.

이 농민 정치인은 정치를 장악한 도시 지식계층이 경멸의 대상으로 보는 농촌 주민들을 포함한 민족 전체 주민에게 정치가 다가가야 한다고 주장했다. 두 정치인은 농민에 대한 관심이 민족 전체를 고상하게 만든다는 믿음을 공유했다. 마사리크와 마찬가지로 이들은 지역 선생님들의 지원을 받고 고등학교 학업을 마친 다음 해외로 나가서 공부를 하게 되었다. 라디치는 통제할 수 없는 반란적 행위로 자그레브에서 추방당하고 시스라이타니아의 모든 대학에서 입학을 거부당한 후 파리로 가서 학위를 땄다. 스탐볼리스키는 폐결핵에 걸려 귀향하기 전에 할레에서 농학을 공부했다.

두 사람 모두 강건한 신체를 소유했고, 자신들을 추앙하는 거대한 군중 앞에서 적절한 농민들 언어의 비유를 이끌어내는 데 능숙했다. 이들은 농민들은 세금을 납부할 뿐만 아니라 세금으로 혜택을 받아야 한다는 혁명적 제안을 내놓았다. 이들은 국가 당국이 신경을 쓰지 않는 농촌 생활의 당연한 개선을 요구했다. 좀 더 많은 사람에게 혜택이 돌아가는 더 좋은 교육 제공, 개선된 영농술, 국가가 제공하는 신용과 포장 도로, 전기, 위생 제공을 통해 농촌을 국가에 통합시키는 과제를 역설했다. 두 사람은 농민들이 품위를 가지고 생활하고, 문화와 경제의 핵심 가치의 근원으로 인정받아야 한다고 주장했다. 정치 좌파에게는 불행하게도 거대한 간극이 농민 정치인들과 도시에 근거지를 둔 마르크스주의자들을 갈라놓았다. 마르크스주의자들은 농촌 생활의 '어리석음'을 경멸하고, 농지 소유자는 상업적 농업에 흡수된 다음 다른 모든 사람들처럼 도시화될 운명을 가진 소부르주아라고 생각했다.

스탐볼리스키와 라디치는 폭력적 혁명을 반대했다. 이들이 새 정치를 믿었다면 이들은 농민들이 다른 사회계층과 협력할 수 있는 미래를 상상한 공화주의자들이었다. 이들은 지지자들의 이익을 위해 법을 사용할 각오가 되어 있기는 했지만, 변화는 점진적이고 합법적으로 오게 되어 있다고 믿었다. 스탐볼리스키는 다양한 직업을 대표하는 이익집단으로 구성되지만 타협으로 결정을 내리는 새로운 형태의 의회를 원했다.

이 두 사람이 없었다면 강력한 노동운동은 크로아티아와 불가리아에서 일어나지 않았을 것이고, 농민들은 우익 민족 정치와 사회 정치에 좀 더 쉽게 휩쓸렸을 가능성이 컸다. 두 사람 모두 1918년 이후 국가 지도자 반열에 올랐으나 모두 암살당했다. 스탐볼리스키는 1923년에, 라디치는 1928년에 생을 마쳤다. 그러나 두 사람은 '민족적 임무'라는 이름하에 영토를 무력으로 획득하기보다는 이웃 국가들과의 협력에 기반한 성격이 다른 국제정치에 헌신한 평화의 정치인들이었다(1914년 이전 마사리크도 오스트리아가 자유로운 민족들의 연방으로 바뀔 것으로 믿었다). 만일 라디치가 성공했더라면 크로아티아인들은 각 종족 집단의 정체성을 존중하고 공통의 문화를 형성하고 발전시키는 거대한 남슬라브 국가에 살 수 있었을지도 모른다.

* * *

라디치가 정치를 시작한 1890년대 크로아티아의 정치는 자그레브라는 한 도시의 작은 무대에서 시작되었고, 한 사람에게 고도로 집중되었다.

정치 계층 대부분은 크로아티아 정의당Croatian party of right을 만든 세르비아 혐오자인 안테 스타르체비치(1823-1896)를 추종했다. 스타르체비치의 어머니는 세르비아 정교도였다. 그는 류데비트 가이의 추종자로 출발했으나, 1849년 이후 고향에서 무자비하게 진행되는 마자르화에 점점 더 염증을 느꼈고, 세르비아인 중에는 남슬라브인들의 협력이라는 가이의 일리리아 이상에 대한 관심이 거의 없었다. 세르비아인들은 자신들의 왕국과 다른 지역으로 확장하는 통합 계획이 있었다. 스타르체비치는 크로아티아 국가 권리를 회고하여 크로아티아 국가성을 방어하는 도전을 맞았다. 이 권리는 오랜 세월 동안 크로아티아 민족의 기득권이었다.[18] 그는 정의당을 창당하고 오스트리아와의 모든 타협을 거부하며 크로아티아의 이익만을 추구했다. 크로아티아 국가 국민의 미래에 대한 비전은 대세르비아 프로그램의 복사판으로서, 세르비아인을 잠재적 크로아티아인으로 보았다(또한 보스니아-헤르체고비나가 크로아티아에 포함되어야 한다고 주장했다).

스타르체비치는 영혼의 불멸성이 아니라 민족을 믿었다. 그가 보기에 가톨릭교회는 크로아티아 정체성의 일부이기는 하지만 합스부르크제국에 봉사하면서 크로아티아를 약화시켜왔다. 교황청은 죽은 언어를 사용하고, 사제와 신도들 사이의 살아 있는 접촉을 파괴하면서 종교를 저급하게 만들었다. 만일 교회가 뭔가 좋은 일을 할 수 있다면, 그것은 교황에 저항하는 일이었다.[19]

스타르체비치가 시작한 운동의 우파에 분파가 형성되었고, 세르비아인은 특별한 인종이라고 주장하는 인종주의자인 요시프 프랑크가 이를 이끌었다. 한 세대 후 크로아티아의 안테 파벨리치는 스타르체비치와 프랑크의 사상에 자극을 받았다고 주장했지만, 크로아티아 사회에서 그의 지지도는 몇 퍼센트를 넘은 적이 없었다. 이것은 라디치가 이끈 운동이 제공한 대안적 민족주의 덕분이었다.

젊은 시절 라디치는 스타르체비치와 프랑크 둘 다 잘 알고 있었다. 그는 크로아티아 문화의 마자르화에 대한 이 두 사람의 우려를 공유했지만, 다른 남슬라브인들은 타협할 수 없을 정도로 이방인이고 적대 세력이라는 이들의 사고방식에는 전율을 느꼈다. 라디치는 자신의 경험을 통해 이들이 잘못되었다는 것을 알았다. 젊은 시절 라디치는 마을과 마을을 찾아다니는 긴 도보 산악 여행을 즐겼고, 크로아티아를 경계를 넘어 북으로는 슬로베니아 땅까지, 동쪽으로는 슬라보니아와 보스니아를 거쳐 세르비아까지 갔다가 왔다. 라디치는 선명한 경계보다는 주민들이 서로를 완벽히 이해하는 언어와 관습의 연속체를 보았고, 이와 함께 가난과 상실된 인간 잠재력의 연속성도 발견했다. 빈한한 농부들도 그가 알아들을 수 있는 방언을 썼고, 일부는 자신을 세르비아인, 일부는 크로아티아인이라고 말하고, 여러 형태의 기독교를 믿고 있었다. 이들 모두가 큰 슬라브 민족에 속했고 '한 영혼'을 소유하고 있었다.[20]

라디치가 키워온 슬라브주의는 그가 대학 공부를 시작한 1890년대에 더욱 열정적이 되었다. 과도한 민족주의 사상으로 자그레브에서 추방된 그는 다른 크로아티아 학생들과 함께 프라하로 이주해 체코 민족주의 정치와 마사리크의 가르침에 매혹되었다. 그는 마사리크로부터 민족은 경제와 문화의 현실에 기초를 두어야 하고, 명백한 허위는 말할 것도 없고 신화나 꿈에 의존하면 안 된다는 것을 배웠다. 민족들은 이성에 기초한 계몽의 열성적 작업을 가르침을 받고 구성되는 것이었다.

이것은 상상하고 이상화할 수 있는 사람들의 능력에 기초를 둔 현실주의였다. 마사리크의 정치가 자신의 동포들인 체코인과 그들의 역사에 대한 전폭적인 사랑 없이는 아무 힘이 없는 것처럼 라디치도 크로아티아 민족에 대한 숭배 없이는 아무 활동도 하지 못했을 것이다. 크로아티아 민족의 핵심은 농민들이었다. 라디치는 절대 민족을 이상화하지 않았기 때문에 계몽되지 않고, 가난하고 무감각한 농촌 거주자들 대중을 무시하지 않았다. 그는 프라하와 파리에서 수학하고 당대의 현대 지적 조류에 해박했지만, 라디치는 농민들과 마찬가지로 '인종'이나 '종교'의 차이에 큰 염려를 하지 않았고, 물질적 복지와 기본적 존엄성에 훨씬 큰 관심을 가졌다.

짧았던 마사리크와의 만남 이후 삶의 우여곡절로 라디치의 더 큰 시각이 빛바래지는 않았다. 프라하에서 라디치는 다른 남슬라브 민족주의자들을 만났다. 경찰이 이들의 회합을 기습했을 때 라디치는 한 경찰을 거의 창밖으로 내던지다시피 했다. 이로 인해 그는 구속되었고, 다시 외국으로 나가 공부해야 했다. 먼저 모스크바로 갔으나 대학에 정식 학생으로 등록할 수 없게 되자 그는 파리의 시앙세 포Sciences Po에 등록했다. 그곳에서 그는 사회학, 외교사, 재정 등 공부하기 힘든 많은 과목을 수강하고 정치학 학사학위를 받았다. 1896년 자그레브로 돌아온 라디치는 충동성이 덜한 형 안툰과 함께 믈라디mladi('젊은이들'이라는 의미)라고 불리는 젊은 지식인들 사이에 지도적 인물이 되었다. 이들 중 많은 수는 프라하에서 갓 돌아온 상태였다.

프랑스에서 라디치는 오귀스트 콩트의 실증주의의 가르침을 흡수하고, 후에도 민족을 하나의 이상으로 보는 헤르더식의 유혹에 빠지지 않았다. 대신에 그는 민족을 '매우 복잡한 사회적 유기체'이고 어떠한 요소도 무시되어서는 안 된다고 생각하게 되었다. 자그레브에서 그가 분노한 것은 주류 민족주의자들이 농민들에 대해 표현한 경멸감이었다. 지도적인 애국자들은 고향에 대한 발라드를 즐겁게 불렀지만, 도시 경계 밖에 사는 사람들은 무시했다. 외국으로 떠나기 전 라디치는 안테 스타르체비치와 운명적 회동을 했었다. 스타르체비치의 운동 메시지가 문자해독을 못하고 '크로아티아 국가 권리'가 무엇을 말하는지 전혀 알지 못하는 대부분의 농민들에게 이해가 되지 않는다고 라디치가 말하자 그는 "악마나 신이 가르치라고 해, 나는 가르치지 않을 거야!"라고 답했다.[21] 라디치가 만난 자그레브의 다른 '신사들'도 농민을 인간 이하의 존재로 경멸하고 있었다.

그래서 라디치가 다른 젊은 민족주의자들과 함께 개발한 사상은 기존의 크로아티아 민족주의 경향과 결별하게 되었다. 민족의 통합은 이들에게 가장 중요한 가치로 남았지만, 이들의 이상은 '주민들의 사회적·정치적 평등성, 평범한 사람들과 교육받은 신사들의 평등성'이 되었다. 크로아티아의 경계를 넘어 다른 슬라브인들과의 연대를 추구하기 전에 크로아티아인들은 스스로 해야 할 일이 많았다. 이름값을 해야 하는 민족주의자들은 주민들이 문자해독을 하고, 문화를 습득하고, 생산적이 되고, 완전히 유럽화가 되도록 노력해야 했지만, 특별한 의미에서 블라디는 '이들은 말, 책, 모범 … 을 사랑으로 가르치는 데" 헌신했다.[22]

마사리크와 마찬가지로 스테판 라디치는 '중세적' 국가 권리를 거부하기보다는 기존의 정치를 종합하여 자신의 더 큰 구상의 일부로 만들었다. 크로아티아인들은 남슬라브 또는 유고슬라비아의 바다에서 사라질 존재가 아니었다. 크로아티아는 고대 유럽 왕국으로 지속될 터였다. 그리고 남슬라브 국가는 연방제가 되어서 한 도시에서 통치되지 않고, 크로아티아인과 세르비아인뿐만 아니라 슬로베니아인과 불가리아인들의 정치적·문화적 자치를 실현할 터였다. 당분간 크로아티아인들과 세르비아인들은 마자르족 국가에서 공통의 위협에 당면했다. '우리의 민족적 존재 자체가' 위험에 처해 있다고 라디치는 썼다. 이것은 모든 계층, 특히 농민들 사이에서 크로아티아인과 세르비아인 사이에 정치적·경제적 협력을 필요로 했다.

농민들은 경제적·정치적으로 조직되어 마자르화에 강력하게 대항해야 했다.[23]

슬라브 단합 운동의 아이디어는 류데비트 가이의 일리리아니즘으로 거슬러 올라가고, 라디치와 그의 친구들은 그 내용을 잘 알고 있었다. 또한 이들의 후원자인 자코보의 주교인 유라이 스트로스마이어가 이 유고슬라비아 전통과 살아 있는 가교 역할을 했다. 자선가이자 영향력 있는 지식인이었던 스트로스마이어 주교는 좀 더 밀접한 기독교 연대를 추구하고 교황의 권위에 의문을 제기하는 인물로서 크로아티아 밖에서도 유명한 인물이었다. 그는 또한 정교도인 세르비아인들과의 화해를 옹호하면서 스타르체비치와 대척점에 있는 사람이었다. 그는 스타르체비치의 편협한 민족주의를 혐오했다. 크로아티아 민족주의의 요체는 크로아티아인들이 높은 수준의 민족성을 가진 민족이 되는 사원을 보유하고 다른 슬라브인들과 대립하지 않고, '강력한 단일 문화'를 만들어내는 '상호성'으로 연계되어야 했다. 라디치는 동방 정교회를 이국적 세력으로 보기보다는 스트로스마이어의 노선을 따라 크로아티아인들을 동쪽의 다른 슬라브인들과 연결시켜주는 공통의 기독교적 원칙에 초점을 맞추고, 동포들에게 서방에서 취한 것을 조심스럽게 살펴볼 것을 경고했다.

유럽에서 올바른 자리를 찾기 위해 크로아티아인들은 체코인들과 러시아인들에게 특별한 주의를 기울여야 했다. 라디치는 두 민족과 다른 민족들 사이의 차이를 알았지만, 마사리크와 마찬가지로 슬라브인들은 속성, 전통, 언어에서 '사실상 하나의 민족'으로 연합되어 있다는 기본적 신념이 있었다. 문제는 이 유산을 비판적으로 접근하는 것이었다. "맹목적으로 슬라브인들을 찬양하는 대신에 우리는 그 성격을 연구할 것이다. 1억 명의 슬라브 인구로 다른 민족들을 위협하는 대신에 우리는 슬라브어를 연구할 것이다"라고 라디치는 썼다. 영토 분쟁의 대가를 짊어져야 하는 농민들에게서 눈을 떼지 않으면서 그는 '부족적 혐오의 악마'에 대항하기로 맹세하고, 유고슬라비아의 단합은 남슬라브 정치를 새로운 단계로 고양시켜서 세르비아와 크로아티아 국경에 대한 우려가 의미를 상실하는 독립 국가로의 길을 열 것이라고 믿었다.[24]

라디치는 지도적인 농민 정치인이 되었지만, 처음에 그는 이 운동의 기초를 다질 의사가 전혀 없었다. 그는 자신이 예상하지 못한 경로로 뛰어들게 한 사건들이 일어난 1904년까지는 마자르 통치에 대한 '연합된 반대'를 이끌었다. 재정적 독립을 위한 대규모 시위가 일어났다가 흐지부지되었다. 지식인들은 이러한 사건에 크게 놀랐지만, 라디치는 농민들이 크로아티아 운동의 핵심이 되는 '거대한 민족 군대'를 상상하게 되었다. 이 운동은 지도부를 필요로 했고, 그 자신이 지도자가 되기로 했다. 그는 자그레브 민족주의자들에게서 목격한 반세르비아 선동에 크게 놀랐다. 이것은 인본적인 지도부가 이 운동을 장악하지 않으면 이 운동이 어디로 귀결될지를 보여주는 신호였다. 다른 진보적인 크로아티아인들은 반세르비아 폭력이 계속되는 데 만족했지만, 라디치는 여기에 개입하여 직접 폭도들이 이웃의 재산을 파괴하는 것을 막고 나섰다.[25] 그는 폭동자들에게 세르비아인이 아니라 마자르인이 적이라고 말했고, 이들을 이끌고 기차역으로 가서 크로아티아인의 민족성을 박탈하는 것을 목적으로 한 마자르어 표지판을 끌어내리게 했다. 그러나 당국은 안정을 방해한 죄로 그를 다시 체포했다.

스테판 라디치와 형 안툰이 농민당을 창설했을 때 진보적 동료 중 여기에 가담한 사람은 거의 없었다. 이들은 농민에게 초점을 맞추는 것은 지나치다고 생각했다. 일부는 두 사람이 주민들을 감정적으로 만들고 비판적 사고로 이들을 단합시키는 대신에 민족적 정신과 전통을 미리 상정하고

스테판 라디치(1920년대)

있다고 비난했다.[26] 그러나 마사리크가 보헤미아에서 한 것처럼 민족을 이상화하면서 라디치는 후에 프랑크주의자들이나 우파 민족주의자들이 국수주의라는 '현실주의적' 메시지를 가지고 농민층에 침투하는 것을 막는 공화주의적 민족 운동을 만들어냈다.

1918년 농민당이 크게 성장한 것은 1904년에는 거의 상상할 수 없었다. 당시에는 선거권 제약으로 인해 크로아티아 의회Sabor에서 몇 석 정도 얻는 것만 가능했다. 그러나 라디치의 혜안은 맞은 것으로 드러났다. 크로아티아인은 절대다수가 농민들이었고, 1918년 남성 보통선거권이 현실화되자 농민들은 그의 편에 섰다. 대중의 감정에서 멀어진 다른 크로아티아 지식인들은 새로운 유고슬라비아 국가 조직에 대한 문제는 해결하지 않고 세르비아와 연대를 시급히 추진했다. 특히 새 국가가 베오그라드에서 중앙집권적 통제를 받을 것인지 지방 자치를 허용할 것인지의 문제는 전혀 해결되지 않은 상태였다. 결국 전자의 통치형태가 시행되었다. 라디치는 마자르 국가에 대항한 것처럼 이 국가에 대항하는 용기를 가졌다. 그러나 그는 원칙에 충실하면서 새로운 극단주의에 대한 개인적 충동에 헌신하고, 이성적인 타협에 예민하지 못한 면도 보여주었다.

불가리아의 알렉산다르 스탐볼리스키도 마사리크와 라디치가 취한 길과 매우 유사한 길을 따랐다. 빈한한 농촌 대가족 출신으로 후원자들의 지원을 받아 외국에서 공부한 후 강력한 운동의 지도자 반열에 오르는 동안, 마르지 않는 것처럼 보이는 아이디어와 에너지를 보유한 사람임을 보여주었다. 스탐볼리스키는 민족 국가 안에서 활동했기 때문에 민족적·사회적 압제 문제는 보헤미아나 크로아티아에서보다 덜 중요한 문제였다. 그가 1890년대 성년이 되었을 때 불가리아 엘리트는 국가 기관과 문화 행정을 장악하고 튀르키예 지주들을 불가리아에서 추방한 상태였다. 그래서 농경지는 적은 규모로 상대적으로 평등하게 배분되었다. 618명의 농부만 100헥타르 이상의 농지를 소유했고, 55만 명의 농부는 100헥타르 이하의 농지를 보유하게 되었다.[27]

그러나 크로아티아에서와 마찬가지로 농촌 주민들의 물질적 상황은 종종 절망적이었지만, 소수의 도시 엘리트들은 이에 대해 거의 관심이 없었다. 크게 부풀어진 국가 기구는 농민들을 착취하고, 공격적 실지회복주의를 고취시키며 세르비아, 튀르키예, 그리스, 그리고 무엇보다도 마케도니아와 분쟁 중인 영토의 영유권을 주장했다. 스탐볼리스키는 현재 국가 국경 내의 주민들의 필요를 해결하기 전에는 영토를 확장한다는 꿈이 아무 의미가 없다는 것을 이해했다. 그는 모든 국외 모험에는 농민 징집병들이 일차적 희생자가 된다는 것을 알고 있었다.

크로아티아에서와 마찬가지로 농민운동은 두 가지 문제에 당면하고 있었다. 농장은 생산성이 낮았고, 정권은 서구의 정당들을 갖춘 헌법 질서를 흉내 냈지만, 농촌 주민은 의회에 대표를 보낼 수 없었다. 대신에 자유주의 국가 흉내를 내는 당국은 자신들 방식의 민족적 이해를 지원하기 위해 농민들을 착취해 세금을 거두어들였다. 라디치와 다르게 스탐볼리스키는 불가리아의 농촌 주민들을 처음으로 조직한 운동가는 아니었다. 1898년 농업 열성가들 첫 세대가 불가리아 농업당BANU을 조직했다. 이들은 스탐볼리스키와 마찬가지로 농촌 지역 교사로 훈련을 받은 사람들이었다. 몇 년 후 스탐볼리스키가 농업당의 핵심 잡지의 편집자가 되었을 때 농업당은 자체적으로 만든 '헌장 신화charter myth'[28]에 표현한 목적의식을 잃고 쇠퇴 상태에 들어섰다. 스탐볼리스키는 카리스마와 지칠 줄 모르는 에너지와 목표를 제공하면서 농업당은 불가리아에서 가장 강력한 정부 반대 세력이 되었다.

마르크스주의자들은 사회가 발전하고 도시화되면 농민은 사라져서 가난한 프롤레타리아로 흡수될 것이라고 보았지만, 스탐볼리스키는 재산 소유가 인간의 본능이고, 피할 수 없는 삶의 현실이라고 믿었다. 사회가 발전하게 되면 농민은 더 단순해지는 것이 아니라(즉, 소수의 착취자에 대항하는 거대한 프롤레타리아 집단이 아니라), 일부는 농촌적이고, 일부는 도시민인 전문가와 상업 집단이 복잡하게 혼합된 집단이 될 것이라고 예상했다.[29]

스탐볼리스키는 불가리아의 정당들이 이 집단들을 제대로 대표하고 있지 못하다고 보았다. 대신에 정당들은 주민에 대항하여 군주정과 결합한

'궁중 정당'이 되어 국가 헌법도 따르지 않고 통치하는 정권을 만들었다고 보았다. 1880년대 독재자 슈테판 스탐발로프가 자유주의 정파에서 총리가 되었다. 그러나 1894년 불가리아의 황태자 페르디난트 1세 작센-코부르크-고타가 보낸 요원이 소피아 거리에서 스탐발로프를 암살하고, 그의 양손을 잘라 자신들이 의도한 바를 보여주었다. 이제 황태자 자신이 독재자가 되어 정당의 분열을 촉진시키고, 군대의 선의를 이용했다. 페르디난트의 야망은 불가리아를 발칸 지역의 주도적 국가로 만드는 것이었다. 그는 추종자들에게 특혜를 배분했다. 모든 장관들은 공금을 이용하여 자신의 주머니를 채웠고, 선거 때 투표를 조작한 관리들이 농촌을 장악했다. 시장들은 자신들의 지역을 대표하기보다는 왕정의 하수인으로 일했고, 농업은행과 학교교육 기회를 이용하여 추종자들에게 제공하고, 경찰을 이용하여 반대자들을 억압했다.[30]

이런 상황에서 정당들은 근대적 생활의 문제를 해결하는 데 아무 능력을 보여주지 못했다. 정치 계층은 협잡과 위협으로 통치하고, 소중한 자원을 무기 구매에 사용하는 동안 노동자, 장인, 농민은 지배 계층의 쾌락을 위해 고역을 담당해야 했다. 이러한 부패한 유사민주주의에서 불가리아를 벗어나게 만들기 위해 스탐볼리스키는 경제 의회economic parliament를 요구했다. 이 의회에서 각 직업 집단은 직능 조직에 의해 대표될 예정이었다.[31] 기존 정당들이 사회 모든 계층에서 당원들을 모집했으나 아무도 제대로 대표하지 못하는 상황에서 그가 제안한 이익집단은 실제 작동하는 사회로부터 조직되어서 민주주의를 보장할 수 있다고 보았다. 여기서 농민은 주도적 세력이 될 터였다. 스탐볼리스키는 불가리아에서는 이미 이런 직능 집단들이 형성되고 있다고 믿었다. 불가리아 농업당과 농민 협동조합 외에도 산업노동자들과 장인 직업연맹이 형성되어 있었다.

라디치의 계획과 마찬가지로 이것은 단기간에 시행될 정확한 계획이기보다는 장기적 비전이었다. 그러나 이것은 스탐볼리스키 지지자들에게 냉소주의에 대한 대안을 제공해주었다. 또한 이것은 서로 단결할 목표와 운동이 성장할 도덕적·지적 기반을 형성했다. 1904년부터 불가리아 농업당은 더욱 규율이 잡혀갔고, 스탐볼리스키는 농업당이 지역 지부도 농민들의 필요에 좀 더 초점을 맞추도록 만들어서, 생명보험과 협동조합 활동을 위한 기금을 만들었다. 1907년 기준 400개 이상의 이런 지부가 결성되었다.

1908년 선거에서 스탐볼리스키가 지도자를 맡기 전에 사라질 위기에 처했던 농업당은 불가리아에서 가장 큰 반대 정파가 되었고, 10만 표 이상을 득표했다. 이보다 몇 년 전 농민 대표 의원들은 분열되어 아무런 정책을 제시하지 못했었다. 그러나 이제는 정권이 무시할 수 없는 세력이 생긴 것이다. 헌법에는 대공이 의회를 개회해야 한다는 규정이 따로 없었지만, 대공이 의회를 개회했을 때 농업당 의원들은 환호와 흥분을 자제했고, 스탐볼리스키는 농민들은 헌법을 위반하는 것을 용인하지 않을 것이라고 용감하게 발언했다.[32] 이런 식의 직접적 대결은 전례가 없던 일이었고, 회유할 수 없는 세력이 나타났다는 것을 보여주었다.

라디치와 마찬가지로 스탐볼리스키는 큰 간극이 불가리아를 서구와 갈라놓고 있다고 생각했지만, 이를 '따라잡는 것'에 신중할 것을 촉구했다. 불가리아의 엘리트는 무조건적으로 외국 관습을 그대로 흉내 내는 데 몰두하여 거대한 외교단과 군대, 관료제를 만들어서 농민을 경제적으로 더욱 약탈했다.[33] 서구 제도를 이식하는 것은 지역 조건을 잘 고려한 다음에 진행해야 했다. 이 문제는 불가리아에만 해당되는 것이 아니고, 남동부 유럽에만 해당되는 것도 아니었다. 그러나 이탈리아에서 자유주의적 민주주의 제도를 통해 강력한 국가를 만들어내는 데 실패했다면, 불가리아는 민주적 제도조차 거의 만들어내지 못한 상태였다. 문맹률이 높고 중산층이 제대로 형성되지 않은 곳에서 자유주의 정치를 시도하는 것은 단순한 환상에 불과했다. 이것이 스탐볼리스키가 지역적 필요로 수요를 맞춘 새로운 종류의 의회를 원한 이유였다. 여기에는 교육을 진흥하고, 불가리아인들의 실제 생활을 바탕으로 한 발전이 포함되었다. 단순히 불가리아인을 프랑스인이나 영국인이 되게 하는 계획은 허황된 것이었다.

그러나 페르디난트 공은 기존의 부패한 제도를 자신의 목적을 위해 이용하는 데 성공하여 선거에서 대중의 지지를 확보하고, 의회는 불가리아를 지역 강국으로 만든다는 약속으로 자기편으로 끌어들였다. 1909년 보스니아에 대한 오스트리아의 강경 정책과 튀르키예의 후퇴에 담대해진 페르디난트는 자신을 불가리아의 차르로 선언했다. 그의 즉각적 영토 팽창 목표 지역은 마케도니아였다. 이 지역은 1878년 베를린회의에서 불가리아가 오스만튀르크에 다시 되돌려주어야만 했던 영토였다. 스탐볼리스키는 영토를 장악하는 것은 미친 짓이라고 보았다. 세르비아와 그리스도 마케도니아에 대한 영유권을 주장했고, 이 지역의 일부라도 장악하게 되면 이것은 불가리아와 절대다수 주민인 농민들을 다시 한 번 큰 곤궁에 빠질 것이 분명했다. 마케도니아의 일부가 정말 불가리아의 소유인지를 분명히 말할 사람도 없었다. 여기에다가 튀르키예를 새롭게 입헌 통치하는 청년튀르키예당은 오스만제국의 종교적·인종적 탄압 정책을 종식하기로 약속한 상태였기 때문에 이 지역을 외국 지배에서 '해방시킬' 필요는 없었다. 마케도니아를 해방시킨다는 목표가 성공적으로 달성되더라도 불가리아는 외국 은행들의 볼모가 될 가능성이 컸다. 스탐볼리스키의 이성적 주장은 그의 당에 맹비난을 촉발시켰다. 반역자라는 비난을 받은 그의 당은

1911년 선거에서 의석 30퍼센트를 잃었다.[34]

1912년 불가리아는 세르비아, 루마니아, 그리스와 연합하여 전쟁을 일으켜서 튀르키예를 유럽대륙에서 몰아냈다. 그러나 그런 다음 이 국가들은 노획물(특히 마케도니아)을 놓고 싸움을 벌여 1913년 2차 발칸전쟁이 일어났고, 튀르키예와 손을 잡은 세르비아, 그리스, 루마니아가 불가리아를 물리쳤다. 그 결과 불가리아는 전 해에 획득한 땅을 잃었다. 그러나 페르디난트는 이에 굴복하지 않고 1915년 지금은 1차 세계대전이라고 알려진 소위 3차 발칸전쟁에 불가리아를 끌고 들어갔다. 불가리아는 마케도니아와 기타 상실한 영토를 회복한다는 목표를 가지고 오스트리아와 독일 측에 가담했다. 결과는 다시 한 번 대실패로 끝나서, 불가리아는 마케도니아와 흑해 연안 영토를 상실했고, 에게해로의 접근권도 잃었다. 1918년 10월 페르디난트는 하야할 수밖에 없었고, 스탐볼리스키는 유럽 역사에 최초로 농민당이 이끄는 정부를 구성했다.

농촌이 반격하다

페르디난트는 프란츠 요제프 황제를 멍청이고 '노망난 늙은이'라고 경멸하면서도 1차 세계대전에서 오스트리아-헝가리 편을 들었다.[35] 오스트리아-헝가리 정책 결정자 중에 아무도 전략적으로 구상된 아이디어를 실행할 카리스마와 의지를 갖추고 전면에 나타나지 않았고, 제국의 외교 정책은 공포에 의해 추동된 반사작용의 연쇄반응이었다. 이것은 이들이 막아야 할 제국의 쇠망을 촉진했다. 여기에는 프란츠 요제프 황제가 노망이 들기 오래전인 1850년대부터 취한 조치도 포함되었다. 여기에는 크림전쟁에서 현명하지 못하게 중립을 지킨 것과 프랑스, 프로이센과의 전쟁 패배, 보스니아의 점령과 병합, 그리고 마지막으로 1914년의 재앙을 불러일으킨 개전 결정 모두가 포함되었다.

프란츠 요제프는 자신의 비전의 결여를 더욱 악화시킨 소수의 참모진과 같이 일했고, 불가리아와 루마니아에서와 마찬가지로 오스트리아-헝가리 정부는 대의 제도를 통해 대중에게 책임을 지지 않았다. 1907년부터 시스라이타니아에서는 남성 보통선거권이 확보되었고 군주정은 전반적으로 법의 지배를 받았지만, 외교와 국방은 국민들의 감시에서 벗어나 있었기 때문에 여전히 민주주의와는 거리가 멀었다.

합스부르크제국과 20세기 나머지 세계에 불행하게도 황제의 사람들은 자신들의 집착의 온실에서 벗어나지 못했고, 1867년 타협과 1878년 베를린회의에서 오스트리아-헝가리의 입장의 '입안자들'처럼, 이들은 슬라브계 주민들이 군주정을 압도할 것이라고 심각하게 믿었다. 카를 쇼르스크가 쓴 것처럼 1890년대가 중유럽에서 비합리적인 정치가 부상한 시기였다면, 이것은 빈에서 카를 루에거를 지지한 '폭도들'뿐만 아니라 내리닫이 창으로 가리고 훈장을 주렁주렁 달아서 엄청난 불안감을 감추고 있던 사람들에게도 해당하는 말이었다. 역설적이게도 이들이 느끼는 공포는 현대적 과학에 의해 모양과 내용이 형성되었다. 인류학, 발아하는 정치학과 지리학도 이러한 영향을 끼쳤다. 불안의 핵심bottom line은 사람들이 전쟁으로 스스로를 세척하거나 되돌릴 수 없는 쇠망을 맞는다는 것이었다. 제국의 외교 정책을 담당하고 있던 레오폴트 폰 베르히톨트는 만일 군주정이 아주 작은 세르비아를 통제하지 못하면 이것은 군주정이 거세된 증거가 될 것이라고 말했다.[36]

베르히톨트는 세르비아는 경제나 군사력에 상관없이 군주정이 필적할 수 없는 합스부르크 통제하의 남슬라브인들의 충성을 확보하려고 시도하고 있다는 것을 감지했다. 그는 세르비아 민족주의를 '세르비아 사제, 교사, 상인들의 머리에서 자라난' 비이성적인 세력이라고 낙인찍었다. 세르비아가 빠져나갈 수 없는 전쟁만이 문제를 해결할 것이라고 보았다.[37]

다른 곳의 제국 통치자들과 마찬가지로 합스부르크 가문은 오만으로 이러한 불안감을 감추었다. 1901년 외무장관 아게노르 고우초프스키는 세르비아는 너무 무질서하고 약해서 "항상 우리에게 의존하게 될 것이다"라고 말했다. 그러나 무모하게 행동하는 것은 오스트리아였다. 1908년 보스니아-헤르체고비나 병합은 결국 '세르비아를 제자리에 갖다 놓는 것'을 의미한다고 말했지만, 정반대의 결과를 가져왔다. 민족 감정이 들끓었고, 특히 세르비아가 기만당했다고 느낀 지식인과 학생들 사이에서 큰 격분이 일어났다. 이 상황에서 오스트리아 언론은 세르비아인을 교양 없는 '비열한 민족', '왕족 살인자들', '도둑질하는 천민', '망아지 도둑들'이라고 묘사하는 기사로 넘쳐났다.[38]

과도한 군사 예산의 지원을 받은 강력한 군대를 가진 세르비아가 불가리아와 그리스와 연합하여 1912년 튀르키예군을 제압할 때 합스부르크제국 내 슬라브인들은 자원병, 의사, 간호사로 이 전투에 동참했다. 검열을 받고 있는 언론들조차도 "발칸은 발칸 민족들에게", "우리는 유럽의 통제에 진저리가 난다" 같은 구호를 실었다.[39] 오스트리아-헝가리제국 측에서 세르비아에 좀 더 화해적인 입장을 취했더라면 이 모든 것을 무마시킬 수 있었지만, 오히려 상황은 계속 악화되었다. 합스부르크 당국은 징집 연령에 달한 남성들에게 여권을 발부하지 않는 조치로 친세르비아 분위기에 대응했다. 보스니아만큼 세르비아에 대한 동정심이 강했던 곳은 없었고, 여기만큼 합스부르크제국의 다민족 정책의 실패가 분명하게 드러난 곳은 없었다.

한 세대 넘게 군주정은 보스니아를 현대화하기 위해 다리와 철도를 놓고, 농업을 개선하고 주민들이 문자를 깨우치게 하고, 대의 기구를 도입하고, 동방 교회와 서방 교회뿐만 아니라 이슬람과 유대교도 존중했다. 과거에 보스니아가 이렇게 정치적으로뿐만 아니라 문화적으로 권리를 부여받은 적이 없었다. 수십 명의 가난한 가족 출신 젊은이들이 그라즈, 프라하, 크라쿠프의 대학에 진학해서 부모들은 꿈도 꾸지 못한 교육을 받았다. 그러나 합스부르크 행정 당국이 '보스니아'를 위해 더 많은 것을 해줄수록, 당국은 1875년의 대소요로 드러난 불평등의 문제를 해결하려고 시도하지 않았다는 의식을 일깨워주었다. 농촌 지역에서 이슬람교도 주민들은 토지를 소유했고, 기독교인들은 가난한 소작농에서 벗어나지 못했다.

1914년 6월 프란츠 페르디난트 황태자를 암살한 19세의 가브릴로 프린치프는 가족 중 처음으로 글자를 깨우친 청년이었다. 그가 체포되고 자신의 한 행동이 가져온 결과로 전쟁이 유럽을 집어삼킨 것을 본 다음에도 그는 "나는 농민의 아들이고 농민의 실상을 너무 잘 안다. 그것이 내가 복수를 하기로 한 이유이고 나는 아무것도 후회하지 않는다"라고 말했다.[40] 책으로 얻은 지식도 자신과 가족을 모욕되게 한 악은 외국의 지배에 그 뿌리가 있다는 그의 느낌을 강화시켜주었다. 그는 자신에게 권총을 제공한 세르비아 국가에 대한 피상적인 지식만 가지고 있었다. 그가 생각하기에 이 국가는 외국이 아니고, 그래서 불의한 존재가 아니었다. 불가리아와 대조적으로 세르비아의 농민운동은 세르비아 지도자들이 농업에 투자하지 않은 것에 주의를 끌어모으지 못했다. 세르비아 급진당은 좌파에서 정치를 시작해서 확고한 민족주의와 실지회복주의 입장을 세우고 소중한 자원을 군사적 준비에 사용했다.[41]

5-6명의 공모자들은 6월 28일 사라예보에서 프린치프와 같이 모였지

만, 하나의 우연한 사건이 이들이 암살 계획을 실행할 수 있게 도와주었다. 황태자 차량 행렬이 아침에 도착했을 때, 이 젊은이들은 흥분했고, 한 공모자가 폭탄을 던졌지만 황태자는 이것을 피했다. 이른 오후 프린치프가 한 카페 인근에서 하릴없이 서 있을 때 황태자를 태운 차가 그 바로 앞에 나타났다. 무슨 이유에서인지 운전사는 시청에서 오찬 후 방향을 잘못 틀어서 미리 정해진 루트대로 곧장 차를 몰지 않고 프란츠 요제프 스트라세 쪽으로 우회전을 했다. 거대한 차량이 작은 다리를 넘어 회전을 하느라 시간을 끌 때 프린치프는 바로 정면에서 두 발의 총알을 발사했다. 한 발은 황태자의 목을 관통해 그의 동맥을 끊었고, 다른 한 발은 그의 부인인 조피 폰 초테크의 복부에 맞았다. 황태자비는 전통 있는 보헤미아 가문 출신 귀부인이었다. 두 사람은 수분 만에 사망했다. 프린치프는 후에 자신이 '숙녀'에게 총을 쏜 것을 깊이 뉘우친다고 말했다(다른 공모자는 두 사람의 세 자녀에게 사과의 편지를 보냈고, 두 아이는 그를 용서한다는 답신을 보냈다).

역설적이게도 프린치프와 그의 친구들은 프란츠 페르디난트가 슬라브인들을 미워해서 그를 저격한 것이 아니었다. 사실은 그 반대였다. 황태자와 그의 부인은 프라하 남쪽에 있는 자신들이 성에서 체코 정치인들, 지식인들과 많은 시간을 보냈고, 왜 슬라브인들이 독일인들과 마자르인들처럼 특권을 가지지 못했는가에 의문을 가졌다. 이들은 합스부르크 통치하의 자치 슬라브 정치체들로 구성된 연방을 옹호했다. 크로아티아인은 크로아티아 지역을, 체코인은 체코 지역, 다른 민족들도 자신의 지역에 대한 통제권을 갖기를 바랐다.[42] 프란츠 페르디난트는 슬라브인들의 이상을 옹호하는 데 적극적이어서 슬라브 정치인들은 수시로 그에게 청원을 제기했다. 예를 들어 슬로베니아인들은 제국 군주정 내 안정적인 '유고슬라비아' 정치체는 달마티아 영유권을 주장하는 이탈리아에 대항하는 데 도움을 주고, '대 세르비아' 기도를 막는 데도 도움을 줄 것이라고 주장했다.[43] 이것이 바로 오스트리아-헝가리제국이 아니라 세르비아가 거대한 남슬라브 국가를 만들기를 원했던 프린치프 같은 애국자들에게는 문제였다. 그는 자신을 유고슬라브* 애국자라고 불렀다.

페르디난트 황태자가 죽지 않고 살아남았다면 군주정을 해체하고 연방을 만드는 자신의 계획을 실현하는 데 큰 어려움을 겪었을 것이다. 마자르 엘리트는 수십 년 동안 이런 계획에 반대해왔다. 그 이유는 슬라브인들의 힘이 늘어나면 자신들이 상대적 힘이 약화될 것이라고 생각했기 때문이다. 헝가리는 이중 제국의 2분의 1이 아니라 3분이 1이 될 가능성이 컸다. 이들이 생각하기에 연방제 군주정은 헝가리의 종식을 의미했다. 이들은 간신히 이것을 감추고 있었고, 어떠한 실험도 두려워했다. 예를 들어 만일 남슬라브인들이 자치를 얻게 된다면, 루마니아인이나 슬로바키아인들도 그렇게 하지 못할 이유가 있겠는가? 그러면 헝가리는 곧 다른 민족들에 둘러싸인 작은 섬이 될 것이었다.[44] 1907년 이후 크로아티아 위원들은 부다페스트 의회에서 크로아티아 학생들이 주로 헝가리어로 교육을 받게 만드는 언어법에 항의하며 의사 진행을 방해했다. 크로아티안 헌법은 1912년 기능이 정지되었고, 크로아티아 의원들과 마자르 엘리트 간의 논쟁은 1차 세계대전이 시작될 때까지 해결되지 않았다.[45]

설혹 마자르 엘리트들이 동의했다 하더라도 합스부르크제국 영토가 더 많은 불만을 촉발시키지 않고 어떻게 분할되었을지는 분명하지 않았다. 체코인에게 조금이라도 양보 조치가 취해지면 독일인들이 시위를 벌였다.

• 유고슬라비아(Yugoslavia)는 남슬라브 국가라는 의미이고, 유고슬라브(Yugoslav)는 남슬라브인이란 뜻이다.

보헤미아에서 공무원의 80퍼센트를 이미 체코인이 차지했지만 체코인들은 여전히 자치를 원하고 프라하의 보헤미아 의회(빈의 제국의회도 마찬가지로)가 자의적으로 운영되는 것을 막으려고 했다. 이들은 자신들의 방해 공작이 군주정을 극심하게 동요시켜 통치자들이 헝가리인들과 한 것과 마찬가지로 자신들과 '타협을 하는 것' 외에 다른 선택의 여지가 없게 만들려고 했다.[46] 그러는 사이 프란츠 요제프 황제는 계속 칙령과 때로 합의에 의해 총리를 임명하는 관행을 계속했다.

우리는 오스트리아 군주정이 지속되었을 것이라는 것을 쉽게 상상할 수 있다. 만일 차량 행렬이 1914년 6월 28일 잘못된 길로 들어서지 않았더라면 그해 여름 유럽에서는 큰 위기를 없었을 것이고 합스부르크 통치는 계속되었을 수 있었다. 전쟁이 1년이나 2년 늦게 시작되었더라면 러시아는 군사적으로 더 강해졌을 것이고, 동맹국은 훨씬 일찍 강화조약을 맺었을 것이다. 그러면 오스트리아-헝가리도 살아났을 수 있었다. 합스부르크 가문은 오랜 기간 동안 10개 이상의 민족들의 평화로운 공존을 보장해왔었고, 제국의 진지한 행정 당국은 다른 국가들보다도 민족들의 통상적 우려를 잘 해결했을 것이다. 오스트리아-헝가리 군주정의 상대적인 인도적 장점을 보여주는 것은 가브릴로 프린치프가 청소년이라는 이유로 처형당하지 않았다는 사실이다.[47]

그러나 실제 일어난 일은 모두가 알고 있다. 독일에 고무를 받아 오스트리아 군주 정권은 '튜톤족과 슬라브족' 사이의 피할 수 없는 대결에 대한 신념과 '남성다움'을 보여주어야 한다는 우려로 행동에 나섰다. 오스트리아는 세르비아 영토에서 발생한 암살 사건을 합스부르크 관리들이 조사해야 한다고 주장했다.[48] 세르비아는 이 최후통첩을 자신들의 주권에 대한 침해로 간주했고, 후원국인 러시아가 군대 동원령을 내리면서 독일도 군대 동원령을 내렸고, 위협과 반격적 위협이 이어졌다. 8월 4일 러시아의 동맹인 프랑스를 러시아가 동쪽에서 공격을 시작하기 전에 전쟁에서 이탈시키기 위해 벨기에와 프랑스에 대한 독일군의 대대적 침공이 시작되었다. 오스트리아-헝가리는 1914년 가을부터 공격을 시작했지만 1915년 여름에 되어서야 최종적으로 세르비아를 격파할 수 있었다. 그 시점에 오스트리아-헝가리군은 폴란드와 우크라이나에서 러시아군과 전투에 돌입했고, 1915년에는 이탈리아와 추가적 전선이 형성되었다.

모든 민족으로 구성된 합스부르크 예비 병력은 각자의 부대에 충성스럽게 가담하여 이 넓은 전선에서 전투를 벌였다. 그러나 여기에는 차이가 있었다. 오스트리아나 보헤미아, 헝가리의 독일인 지역에서 온 병사들과 다르게 체코인, 슬로베니아인, 크로아티아인 병사들은 세르비아를 '징벌하고' 군주정과 유럽을 '슬라브인들의 위험'으로부터 보호한다는 열정이 없었다. 1914년 늦여름 체코슬로바키아 대표단이 모스크바의 차르 니콜라이 2세를 방문했고, 차르는 합스부르크제국 통치하에 있는 슬라브 민족들에 대한 지원을 약속했다. 체코인 자원병 부대가 구성되어 러시아군에 합류했고, 이 소식이 보헤미아에 전달되자 이 시도는 큰 반향을 일으켰다.[49] 합스부르크 당국은 친슬라브 시위를 무자비하게 진압하고 공공장소에서 비판적 발언을 하는 체코인들을 체포했다. 반역적인 발언을 한 몇 사람은 처형당했다. 보스니아와 오스트리아가 점령한 세르비아에서 당국은 충성이 의심되는 세르비아인들에 공포 정치를 펼쳐서 독일 작가인 에곤 에르윈 키르치는 합스부르크 통치를 '중세적'이라고 혹평했다. 우물과 과일에 독약을 넣은 혐의를 받은 여자들이 즉결 처형되었다. 전체적으로 세르비아의 버릇을 가르쳐준다는 명목하에 시행된 처벌로 3만 명이 목숨을 잃었다.[50]

1914년 초가을까지 토마시 마사리크나 다른 체코 정치인들은 오스트리아-헝가리의 민주주의, 연방제, 현대화 증진을 위해 지속적으로 노력해왔었다. 그는 보헤미아의 자치를 원했고, 이것은 독일인과 권력 분점을 필요로 한다는 것도 이해했다. 그러나 전쟁이 발발하면서 그의 시각은 바뀌기 시작했다. 10월이 되자 그는 군주정이 살아남을 수 없다고 확신하게 되었다. 그는 영국 언론인이자 역사가인 휴 세톤-왓슨에게 자신은 전쟁 후 슬로바키아와 독립 국가를 구성하기를 원한다고 개인적으로 말했다. 마사리크는 서방의 지원 여론을 만들기 위해 스위스로 세 번 갔다. 1915년 2월 그는 체포될 가능성이 있다는 말을 듣고 귀국하지 않기로 결정했다(러시아의 힘으로 보헤미아가 해방되기를 원했던 민족주의자 카렐 크라마르는 체포되었다).

1915년 11월 체코슬로바키아 망명자들은 마사리크를 지도자로 내세우고 파리에 체코슬로바키아 민족위원회를 구성했다. 그해 초 합스부르크제국령 남슬라브 정치인들은 확대된 남슬라브 국가를 창설하는 목적으로 파리에 별도의 남슬라브위원회를 구성했었다. 이들은 런던과 워싱턴을 방문하여 자신들의 주장을 펼치고, 미국의 거대한 이민 사회를 접촉했다. 1917년 혁명 후 러시아가 전쟁에서 이탈하자 협상국은 합스부르크제국령의 슬라브인들과 남슬라브인들을 동쪽에서 오스트리아군과 독일군에 대항할 수 있는 중요한 전력으로 인식했다. 이 시점에 체코병단*은 러시아

● 1차 세계대전이 시작되자 보헤미아, 모라비아, 슬로바키아를 독립시킬 목적으로 마사리크 등 정치인이 나서서 10만 명의 병사를 모집해 협상국 편에서 싸웠다. 러시아 혁명이 일어나고 볼셰비키 정권이 동맹국과 강화조약을 맺자 체코병단은 볼셰비키군과 싸우기 위해 러시아 내로 진입해 싸우다가 시베리아에 고립되었다. 독일이 점령한 동유럽을 통과할 수 없었던 체코병단은 블라디보스토크로 이동해 태평양을 통해 철수하기로 하고, 동쪽으로 이동했으나 많은 어려움을 겪었다. 1919년부터 1920년 중반까지 약 6만 7000명의 병사들이 블라디보스토크를 통해 서유럽으로 간 후 체코슬로바키아군의 근간을 형성했다.

내에서 제대로 된 전투를 펼쳤고, 그리스에 갇힌 세르비아군은 발칸반도에서 합스부르크군과 불가리아군의 붕괴를 기다리고 있었다.

당시에는 큰 주목을 받지 못했지만, 이 두 위원회에는 특이한 점이 있었다. 파리에서 오스트리아 군주정에 대항하는 음모를 구상하고 있던 마사리크와 그의 핵심 참모 에드바르트 베네시와 10여 명의 정치인은 물론 수백 년을 거슬러 올라가는 이들의 조상들도 합스부르크가문 통치 이외에는 경험해본 것이 없었다. 그러나 사활을 건 전쟁이 시작된 지 불과 몇 달 후, 망명자들은 1830년대 당시 독일 도시였던 페스트에서 두 명의 지식인, 얀 콜라와 류데비트 가이가 나눈 대화에서 털어놓은 희망인 국가를 위해서 오스트리아제국에 대한 충성을 모두 포기하기로 했다. 전쟁 후에 나타나게 되는 국가인 체코슬로바키아와 유고슬라비아가 과거의 오스트리아 군주정보다 더 많은 충성을 확보할 것인가는 시간이 말해줄 터였다.

체코인들 사이에 합스부르크제국에 대한 충성은 만족과는 거리가 있었고, 이들이 군주정에 부여한 정통성은 임시적이었다. 군주정은 적당한 경제성장과 상당한 문화적 자치를 제공해주었지만, 이것은 선의는 물론이고 지도자들의 의도가 아니라 강력한 사회, 민족적 투쟁으로 얻어진 것이었다. 1820년대 이후 체코인들은 불필요한 우월감과 때로는 강력한 반대 속에 문화 분야에서 한 걸음씩 진보해나갔다. 이들은 자신들의 영토를 직접 통제할 수 있으면 얼마나 많은 권리를 얻을 수 있는지를 알기 위해서는 헝가리의 예를 보면 되었다. 이것이 수십 년 동안 자치가 좌우 정파를 가리지 않고 물러설 수 없는 체코인들의 요구 사항이 된 이유였다.[51]

합스부르크제국 지역 구성 요소 중 보헤미아와 이제는 보스니아만큼 민족 공동체 의식이 크게 자라난 곳은 없었다. 역사가들은 제국의 실패를 개인의 탓으로 돌리는 경향이 있었다. 윌리엄 맥캐그 같은 학자는 이 지역의 엘리트들을 비난하면서 "오로지 특정한 이익만을 추구하면서 여전히 자신들을 보호하는 제국의 권력을 절단하고 삼켜버렸다"라고 지적했다.[52] 그러나 이러한 비난을 민족주의자 엘리트들에게만 집중하는 것은 정당하지 못하다. 민족들 위에 오만하게 서 있던 군주정 지도자들도 내외부의 민족 문제에 집착하고 있었다. 이 두 차원은 서로 분리할 수 없고 이들의 우려의 근원이 되었다. 군주정이 어떤 형태였건 간에 이것은 원인이 아니었고, 민족주의나 사회주의를 지탱시킨 헌신의 근원을 흡수할 수 없었다. 군주정은 경치나 분위기 같이 사라진 후에는 향수를 느끼게 하는 배경 같은 것이었다. 팔라츠키의 말에 따르면 군주정은 마치 UN 평화유지군처럼 '존재하지 않으면 만들어졌을' 존재였다. 이것은 사멸시킬 대상이지 스스로 사라질 존재는 아니었고, 더 많이 그 종말을 요구할수록, 마지막 날이 더 가까이 오고 있었다.

3부

동유럽의 독립

12장

1919년:
새로운 유럽과 오래된 문제들

1848-1849년 유럽의 혁명이 군주들이 지배하는 구세계와 단절하기 위한 시도였다면, 1917-1918년 혁명은 실제로 이 목표를 달성했다. 베를린, 빈, 부다페스트, 바르샤바에서 모스크바와 그 너머까지 '국민'의 대표들은 왕, 공후, 군주의 지배를 전복했고 몇 달 만에 중동부 유럽의 지도는 전에 보지 못한 국가들로 채워졌다. 그러나 이와 동시에 정치적 좌파 전선에 새로운 분할이 일어나서 최초의 대중적 민주화 실험을 더욱 복잡하게 만들었다.

두 세대 전만 해도 '국민의 지배'를 선호한 것은 자유주의자들이었고, 좌파 정치인들은 남성의 완전한 투표권을 주장했으며, 중도 진영 정치인들은 투표권이 교육과 재산이 있는 성인 남성들로 제한되어야 한다고 주장했다. 이제 이러한 지형은 바뀌었다. 약속된 정치 헌신의 형태로서의 자유주의는 쇠퇴했고, 중동부 유럽에는 자유주의 원칙에 더 헌신하거나 덜 헌신한 후계 정파들이 복잡하게 생겨났다. 이 중 가장 큰 세력은 마르크스의 전통을 따르는 사회민주주의자들이었다. 그러나 이와 동시에 민족민주주의자, 민족사회주의자, 기독사회주의자와 다양한 농민 정당들이 생겨났다. 이들은 일부 가톨릭 지역에서는 인민당으로 불리기도 했고, 보헤미아 지역에서는 농민당, 갈리시아에서는 피아스트Piast, 세르비아에서는 급진당으로 불렸다. 1차 세계대전이 끝난 후 사회민주주의자 사이에서는 큰 정치적 분열이 일어났다. 중도와 우파 노선의 사회민주주의자들은 의회민주주의를 만들기 위해 다른 정파와의 협력을 옹호했다. 그러나 극좌 진영에서는 사회주의 혁명의 이름으로 권력을 장악하고 부르주아 국가 타도를 외치는 공산주의자라고 불리는 세력이 부상했다. 두 진영의 세력이 권력을 놓고 경쟁한 가장 잘 알려진 무대는 러시아와 독일이었다.

1917년 봄, 러시아의 여성들, 그리고 그다음으로 노동자와 병사들이 평화와 빵을 요구하며 페트로그라드(1차 세계대전 중 상트페테르부르크의 이름) 거리에 모여들었다. 경찰과 군대의 실탄 사격으로 수백 명이 사망했음에도 불구하고 군중은 더 늘어나서 시내 중심부를 장악했다. 며칠 만에 러시아 황제는 하야하고, 자유주의 정치인과 사회주의 정치인들이 임시정부를 구성하여 국가 선거를 계획했다. 이와 동시에 노동자와 병사들은 1905년 혁명의 유산인 조직을 재건했고, 이 중 가장 중요한 것은 민중의회인 소비에트 운동이었다. 이 조직을 통해 노동자와 병사들은 공장, 부대, 도시의 자체 대표를 선출했다. 러시아 사회민주당 정파 내에서 온건파 세력(멘셰비키)이 다수를 차지했지만, 레닌이 주도하는 급진적 좌파 혁명 정파는 1차 세계대전이 유럽을 사회주의 혁명의 문턱으로 밀어 넣었고, 자신은 '부르주아' 통치 형태와 절대 협력하지 않을 것이라고 선언했다. 그의 추종자들(볼셰비키)은 몇몇 도시 소비에트에서 다수를 차지했고, 병사들과 많은 농민들 사이에서 인기가 높았다.

협상국Entente 동맹의 압력을 받은 러시아는 큰 희생에도 불구하고 승리할 수 없는 전쟁을 계속 수행했다. 1917년 봄과 여름 동안 전쟁 사상자 수가 계속 늘어나고 도시의 공급 상황은 악화되면서 주민들의 분위기는 계속 급진화되었다. 가을이 되자 우익으로부터의 쿠데타 시도가 노동자들과 병사들에 의해 진압되고, 레닌과 볼셰비키들은 권력이 '길거리에 있다'는 것을 발견했다. 좌파 농민 급진주의자들과 함께 볼셰비키는 사회주의 혁명의 이름으로 권력을 장악했다. 1918년 1월 볼셰비키는 자신들이 소수파로 참여한(그러나 사회민주당 내에서 볼셰비키는 이제 다수파였다) 당시에 구성된 자유주의적 제헌의회를 해산시켰다. 이들은 '부르주아' 의회민주주의를 '역사의 쓰레기통'으로 보내버렸다. 그러나 러시아는 인구의 85퍼센트가 상당 부분 원시적 방법으로 농사를 짓는 농업 국가였고, 마르크스주의자들이 사회주의로의 이행이 성공하기 위해 필요한 경제 발전 단계에서 한참 떨어지는 곳이었다. 좌파와 우파의 많은 정치인들이 러시아에서 급진적인 사회주의 혁명은 산업화된 서방의 혁명과 연계되지 않으면 실패할 것으로 믿었다.[1]

독일 혁명은 1918년 가을에 발생했고, 러시아 내전은 절정으로 치달아 볼셰비키는 백군과 외국군대에 대항하여 사활을 건 투쟁을 하고 있었다. 10월, 4년 이상 낭비적으로 자신들의 생명을 희생하게 만든 정권에 대항하여 독일 수병들과 병사들이 반란을 일으켰고, 노동자들은 자신들의 위원회Räte를 구성하기 시작했다. 소비에트처럼 직접민주주의를 지향하는 이 결사는 구정권에서 민주주의로의 이행을 목표로 삼았다. 11월, 독일 황제가 도망가자 몇 시간 만에 사회민주주의 정치인인 필리프 샤이데만과 카를 리프크네히트가 각각 공화국 출범을 선언했다. 전자는 민주주의적인 독일공화국을 선포했고, 후자는 사회주의공화국을 선포했다. 전자는 국민이 의사를 반영하고 자유주의적인 제도에 바탕을 둔 의회민주주의를 목표로 했고, 후자는 부르주아 정치의 파괴를 통해 부르주아 질서와 단절한 사회민주주의를 목표로 삼았다. 12월 독일 전역에서 각 위원회 대표들이 베를린에 모여 투표를 한 결과 400대 50으로 전자가 선택되었다.

독일 노동계급 대부분은 자본주의적 질서를 폭력적으로 전복하는 데 관심이 없었다. 그러나 급진화된 베를린의 노동자와 병사들은 1919년 1월 봉기를 일으켰다. 사회민주당의 극좌파에 뿌리를 둔 새로 탄생한 독일 공산당은 이 봉기를 지원했다. 주류인 사회민주당이 선거가 실시될 때까지 임시 정부를 장악했고, 지도자인 프리드리히 에베르트와 구스타프 노스케는 군대를 동원하여 봉기를 진압했다. 군대는 대포와 기관포를 사용해서 신속하고 잔인하게 봉기를 진압했다. 이들의 우파 연정 세력은 공산주의 지도자들을 수색해서 1월 중순 가장 저명한 두 공산당 지도자인 로자 룩셈부르크와 카를 리프크네히트를 처형했다. 당분간 볼셰비키 스타일의 통치는 독일에서 사라졌지만, 독일 공산당은 여전히 소멸되지 않고 잠재력이 있는 세력으로 남았고, 그 지지자들은 한때 동지였던 사회민주당원들 사이에서 철저히 소외되었다.

1919년 초 러시아와 독일 사이에 있는 지역은 자체적인 복잡다단한 혁명적 변화 과정에 휩싸였지만 이러한 변화를 역사가들은 평가절하했다. 그 이유는 공화정, 민족주의를 지향하고, 대부분이 공산주의나 폭력보다는 평화적이고 자유주의적인 원칙에 기반을 두고 있었기 때문이다.[2] 그러나 이것은 독일과 러시아 모두와 유럽 전체에 흥미진진한 드라마를 연출했고, 자유주의, 공산주의, 다른 형태의 혁명이 이곳에서 결정되었다.

공산주의자들에게 이렇게 된 이유는 분명했다. 러시아에서 일어난 혁명과 좀 더 발달한 중유럽과 서유럽에서 일어나기를 기대하는 혁명의 다리는 두 장소 중 한 곳을 통해 연결되도록 되어 있었다. 하나는 폴란드 평원을 지나 베를린과 작센 지방으로 연결되는 다리이고, 다른 하나는 헝가리 분지를 지나 빈과 북부 이탈리아로 연결되는 다리였다. 볼셰비키는 급진적 사회주의 혁명이 언제라도 발생할 수 있다고 믿었다. 그 이유는 폴란드와 합스부르크제국의 주민들은 페트로그라드와 모스크바로부터 스스로 배운 시나리오를 따를 것이라고 생각했다. 대량 살상과 기아가 목적 없는 전쟁에 의해 유발되었고, 그 뒤를 이어 파업과 반란이 일어났고, 그다음으로는 노동자와 병사 위원회가 부다페스트나 빈에서 결정되는 것이 이 시나리오였다. 1919년과 1920년 두 번에 걸쳐 적군赤軍은 헝가리와 폴란드의 급진 세력과 연결될 수 있는 문턱까지 갔었다. 1920년 여름, 키이우와 다른 동부 지역에서 밀려온 적군 기병대의 공격을 예상한 외교관들은 바르샤바에서 철수했다.

러시아에 전쟁 포로로 잡혀 있던 수십만 명의 독일 병사와 오스트리아-헝가리 병사들이 돌아오면서 서방 관측자들은 볼셰비키 사상과 관행이 중동부 유럽 전체로 유입될 것을 우려했다. 볼셰비즘과 그에 수반하는 폭력과 무질서에 대한 우려로 에베르트와 샤이데만이 이끄는 주류 독일 사회민주주의자들은 자국 내 공산주의에 대항하고자 독일 내 우익 세력과 연대했다. 어떤 경우에는 이 두려움이 너무 과도해 보이기도 했고, 어떤 경우에는 그렇지 않았다. 사회민주주의는 동유럽 대부분 지역에서 가장 강한 정치적 세력이었다. 그런데 문제는 이것이 러시아와 독일에서 본 것과 같이 중도파와 우파 사이에 분열을 가져올 것인가와 새로운 공산당이 얼마나 강력해질 것인가였다.

동유럽에서 민족 문제는 아주 큰 중요성을 가지고 있었고, 러시아에서보다 훨씬 중요한 문제였다. 그러나 가장 기본적 요구를 가장 잘 정의한 것은 볼셰비키 지도자인 블라디미르 레닌이었다. 1916년 그는 압제당한 러시아 내 소수민족의 '자결권'을 옹호하고 나섰다.[3] 그러나 그는 부르주아 질서를 파괴하기 위해 차르 정권에 의해 압제받은 수많은 소수민족의 지원을 이끌어내려고 한 것이지 대★러시아족 민족주의나 다른 민족주의에 대한 신념으로 그렇게 한 것이 아니었다. 실제로 그는 브레스트에서 진행된 동맹국과의 협상에서 자신이 시작한 사회주의 혁명을 위한 평화를 얻기 위해 수세대 동안 러시아에 속했던 거대한 땅을 기꺼이 희생하려고 했다.

민족 자결권을 내세우면서 레닌은 서방 국가들이 이에 호응하도록 압박을 가했다. 1917년 12월, 볼셰비키 정권 외무 담당 인민위원인 레온 트로츠키는 러시아의 동맹국들이 볼셰비키와 마찬가지로 갈리시아, 포즈나니아, 보헤미아, 남슬라보니아의 수민들에게 자치를 허용할 것인지를 물으며 도전했다. 그는 자신들은 핀란드와 우크라이나에 이를 시행했다고 주장했다.[4] 그러나 이에 대한 답은 한동안 오지 않았다. 1918년 1월 초, 영국 총리 데이비드 로이드 조지는 오스트리아가 제국 내 소수민족들의 자치를 인정하지 않는다고 비난했고, "통치 받는 사람들의 동의에 의한 정부가 이 전쟁에서 모든 영토 문제 해결의 기본이 되어야 한다"고 강조했다. 오스트리아-헝가리제국의 '소수민족들'에게 '진정한 자결권'이 보장되어야 하고, '폴란드를 형성하고 싶어 하는 진정한 폴란드 요인들을 모두 포함한' 독립 국가 폴란드가 설립되어야 한다고 주장했다. 1월 8일, 미 의회에서 행한 14개조 연설에서 우드로 윌슨 대통령은 독립 국가 폴란드의 설립을 요구하고, 오스트리아-헝가리제국 주민들의 자치적 발전을 옹호했다.

윌슨이 말한 '국민의 통치'는 레닌이 말한 것과 크게 달랐다. 윌슨의 민족주의는 절대적으로 자유주의적이고, 그의 민족자결은 의회를 통한 통치, 법의 지배, 자유선거가 필수적 요소였다. 그는 미 의회에서 "정부는 통치되는 사람들의 동의에서만 권력을 얻는다"라고 말했다. 그러나 통치되는 사람들은 누구를 의미하는 것인가?[5] 윌슨은 이것을 정확히 정의하지 않았다. 그는 1880년대까지 거슬러 올라가 합스부르크제국 정치의 문제를 연구했지만, 그는 동유럽에서 해방시키기를 희망하는 '압제받은 민족들'이 누구인지를 명확히 하지 않았고, 이들을 새 민족 국가로 분리시키기 위해서 어떻게 경계선을 그어야 하는지에 대해서는 더욱 아무것도 분명하게 말하지 않았다.[6]

레닌과 윌슨 모두 민족자결권의 약속은 서로 다른 방식이기는 하지만 국제 평화와 연계되어 있었다. 사회주의 혁명은 민족 간의 차이를 없앴고, 생산 수단을 사회적 자산으로 만들어서 인간의 갈등의 근본 원인을 척결한다고 주장되었다. 전쟁은 시장을 쟁탈하려는 자본가들의 갈등의 결과였다. 그러나 국민이 스스로를 지배하는 자유민주주의에서도 민족들이 서로를 죽이는 것은 물론, 서로를 압제하는 데 아무 관심이 없기 때문에 전쟁은 생각할 수 없었다. 평화운동가인 스웨덴 외교관 아우구스트 슈반은 이러한 관점을 1915년 적절히 표현했다. "민족의 원칙, 즉 모든 민족은 가장 좋다고 생각하는 방식으로 스스로를 통치한다는 원칙이 있으면, 이질적 민족에게 지배력을 행사하기를 원하는 사람들만이 서로 싸울 것이다." 1919년 윌슨은 파리평화회의에서 만일 평화 구축이 자치를 원하는 민족의 바람을 충족시키지 못한다면 이들이 만들어내는 어떠한 조정도 세계 평화를 보장하지 못할 것이라고 말했다.[7]

합스부르크 권위의 침식

1차 세계대전 중 억압에도 불구하고 민족자결주의란 용어는 1917년과 1918년 동유럽 전 지역에 큰 반향을 일으켰다. 한 예외를 빼고는 이 말이 불러일으킨 희망은 사회주의 혁명에 대한 자유주의의 승리를 이끌었다. 그러나 헝가리에서 사회주의 혁명이 잠시 상승세를 탄 하나의 예외적인 경우가 발생한 것은 윌슨의 자유주의가 약속한 것보다 레닌의 급진적 사회주의가 민족주의의 희망을 더 잘 포용한 듯이 보였기 때문이다.

　윌슨의 약속은 너무 잘 알려져서 독일과 오스트리아-헝가리 정부는 아직 여전히 군주제하에 있으면서도 1918년 가을, 평화를 추구할 때 이것을 중요한 과제로 여겼다. 윌슨은 승자가 없는 평화를 주창했고, 이것은 모든 국가가 전후 평화 정착 과정에서 목소리를 낼 수 있다는 것을 의미했다. 또한 윌슨은 오스트리아-헝가리제국 내의 소수민족의 자치적 발전을 옹호했고, 이것은 합스부르크왕가가 계속 유지될 수 있다는 의미로도 받아들여질 수 있었다. 그러나 10월 18일, 윌슨은 오스트리아-헝가리에 자신이 그해 1월 미 의회에서 14개조 연설을 한 후에 상황이 바뀌었다고 통보했다. 그러는 동안 미국 정부는 '체코-슬로바키아위원회'를 동맹국 정부로 인정했다. 체코슬로바키아 군단은 러시아와 프랑스에서 협상국을 위해 전투를 벌이고 있었다. 미국은 또한 '유고-슬라브 민족이 자유를 위한 민족주의적 투쟁'을 하는 것을 옹호했다. 그래서 이 민족들의 대표들은 '오스트리아-헝가리제국의 어떠한 행동이 자신들의 갈망과, 국가들의 가족의 일원으로서 자신들의 권리와 운명에 대한 이해를 가져야 하는지'에 대한 심판관이 되어야만 했다.[8]

　윌슨은 체코슬로바키아와 유고슬라비아 민족주의자들을 고무시켰지만, 그것을 만들어내지는 않았다. 체코슬로바키아 민족평의회는 1915년 자신들의 일을 시작했고, 체코와 슬로바키아 정치인들은 서방 국가 수도들에서 독립을 위한 선전운동을 벌이기 위해 합스부르크왕가 땅을 탈출하고, 적의 영토, 특히 프랑스를 통과했다. 이 운동의 지도자는 토마시 마사리크였다. 그는 사회학 교수이자 수완이 좋은 외교관인 에드바르트 베네시와 슬로바키아 천문학자이며 전투기 조종사인 밀란 슈테파니크(그는 1919년 5월 비행기 추락 사고로 요절했다)와 협력을 했다. 1915년에 합스부르크제국 내 남슬라브인들은 파리에 자신들이 로비 그룹인 유고슬라비아위원회를 만들었다. 이 위원회의 구성원들인 세르비아인들과 크로아티아인들은 헝가리의 반민족주의화에 대항하여 힘을 합쳤고, 전통적인 일리리아니즘에 입각한 운동을 벌였다. 이 운동의 핵심 인물은 능력이 뛰어난 편집자인 프라노 수필로였지만, 그도 새 국가의 약속이 실현될 때까지 살지 못했다. 그는 합스부르크제국령 크로아티아에서 1년간 투쟁을 벌이다가 새 국가가 세르비아에 의해 통제될 것에 대한 새로운 염려로 인해 1917년 신경쇠약으로 사망했다.[9]

폴란드 망명자들도 민족 국가 설립을 위해 발 벗고 나섰다. 유고슬라비아와 체코슬로바키아 이민자들과 마찬가지로 이들은 파리에 사무실을 만들고 영국, 미국, 일본에서 자신들의 입장을 선전했다. 이 중 가장 눈에 띄는 사람은 급진적 민족주의자이면 저술가인 로만 드모프스키와 저명한 피아니스트 연주자 이그나치 파데레프스키였다. 정치적으로 온건파인 그는 길게 흘러내리는 머리와 서방의 정치·사회 엘리트들과의 뛰어난 친분으로 유명했다. 민족민주당 지도자 드모프스키는 두뇌가 뛰어나고 여러 언어에 능통했지만 자신의 민족주의적 광신주의를 감추려고 노력하지 않았고, 서방 외교관들로 하여금 갑자기 확정된 경계가 없는 독일과 러시아 사이의 광대한 영토에 대한 폴란드의 탐욕을 경계하게 만들었다.

아무도 이들을 지도자로 선출하지 않았지만, 이들은 각 국가에 있는 정치적 계층의 자치에 대한 갈망을 대변했다. 그들은 보헤미아의 체코인들, 헝가리제국의 세르비아인들, 달마티아 지역의 크로아티아인들, 세 곳으로 분할된 지역의 폴란드인들의 자치 열망을 대변했다. 이들 중 가장 급진적인 인물, 예를 들어 체코민족당의 카렐 크라마르 같은 사람조차 1914년 이전에는 독립을 꿈꾸기 어려웠다. 그 이유는 군주제와 완전히 결별하는 것은 비현실적으로 보였고, 1867년 이후 헝가리는 합스부르크 지배하에서도 자치가 가능하다는 것을 보여주었기 때문이다.

그러나 협상국의 결정은 로이드 조지 영국 총리나 우드로 윌슨 미국 대통령이 점차적으로 군주제와 그 통합성을 위험에 빠뜨리기 훨씬 전인 1차 세계대전 초기로 거슬러 올라간다. 영국과 프랑스는 이탈리아(1915)와 루마니아(1916)를 자신들 편으로 끌어들이면서, 달마티아, 이스트리아, 트리에스테, 남티롤, 부코비나, 트란실바니아, 테메스바르의 바나트 지역 할양을 약속하는 비밀 협정을 맺었다.[10] 1916년 12월 협상국은 '슬라브인, 루마니아인, 체코인-슬로바키아인을 외국 지배로부터 해방시킬' 의사를 표명했다. 이러한 언급은 '체코인과 슬로바키아인들'이 오스트리아제국과 헝가리에 나뉘어 살고 있기 때문에 오스트리아-헝가리제국의 급진적인 재편성을 지지하는 것을 암시했다. 1918년 봄, 이제 미국까지 가담한 협상국 측은 체코슬로바키아와 폴란드의 독립을 확실히 약속했다.[11]

합스부르크제국 신민들은 전쟁 마지막 해까지 충성을 다했다. 전쟁에 대한 직접적인 열광은 독일인들과 헝가리인들이 가장 강했지만 슬라브 민족들(예를 들어 슬로베니아인, 크로아티아인)의 사망률도 평균보다 훨씬 높았다. 1914년 여름 후반부터 많은 전장에서 오스트리아에 징집된 폴란드인이 러시아에 징집된 폴란드인과 전투를 치르고, 헝가리에 징집된 세르비아인이 세르비아왕국의 세르비아인과 싸우는 상황이 벌어졌다. 이탈리아와 루마니아가 1915년과 1916년 각각 협상국 측에 가담하자 오스트리아제국 군대의 일부 지휘관은 합스부르크제국의 이탈리아 병력과 루마니아 병력의 반란과 탈영을 염려했다. 그러나 전선에 남아 있는 이 두 나라 병력들은 다른 병력과 마찬가지로 신뢰할 만했다.[12]

그러나 협상국의 전략은 단순히 군사적 고려에만 그치지 않았다. 협상국은 영국이 북해를 봉쇄하자 이것을 이용해 동맹국Central Powers으로 가는 식량 공급을 차단하고 동맹국이 식량 부족으로 굴복하도록 만들려고 했다. 독일군이 점령한 중부 폴란드에서 물가는 전쟁 중 7배나 뛰었고, 폴란드인들은 슬로바키아인과 체코인과 마찬가지로 자신들이 생산한 식량이 독일로 가는 것을 지켜보아야 했다.[13] 이들은 전쟁 초기부터 배급제에 시달려야 했고, 1918년부터는 밀 부족으로 제대로 만든 빵을 먹이가 힘들었다. 겨울에는 과일과 야채는 거의 먹을 수 없었다.

1917년까지 급격한 생활수준의 하락과 점점 증가하는 사상자로 인해 전에는 이론에 불과했던 질문이 다시 제기되었다. 오스트리아-헝가리제국은 누구의 이익을 위하여 전쟁을 치르고 있는 것인가? 원래 전쟁의 목적은 세르비아를 응징하는 것이었지만, 이 목표는 합스부르크제국 지역에서 반슬라브 광풍을 불러일으켰다. 이러한 반감은 보스니아와 크로아티아에서 상대적으로 조용한 슬로베니아와 세르비아로 퍼져나갔고, 이 지역에서는 남슬라브인들에 대한 고발이 경찰서에 넘치게 들어왔으며, 당국은 전쟁 비상사태령을 근거로 민족주의적 정치인들을 반란 혐의로 투옥했다. 1차 세계대전 중 합스부르크 당국은 약 5만 명의 우크라이나인, 체코인, 세르비아인, 슬로베니아인을 '국가의 적'으로 몰아 처형했다. 아무런 해가 되지 않는 민족적 감정의 표현, 예를 들어 군대에서 체코 노래를 부르는 행위도 사형 언도를 받을 수 있었다.[14] 전쟁의 목적이 어찌되었건, 이것은 전혀 체코인이나 남슬라브인들의 권리를 신장하기 위한 것은 아니었다. 슬라브 민족주의에 대한 편집광적인 공포로 인해 합스부르크제국은 슬라브인으로 분류된 주민들의 시민권을 제한했다. 독일인이나 헝가리인은 자신들의 인종을 근거로 국가 전복 행위를 할 가능성이 있다고 보지는 않았다.

프란츠 요제프 오스트리아 황제는 1916년 사망했다. 후계자인 카를은 좀 더 온건한 정책을 취해 민족주의 성향의 정치인들을 석방하고 검열을 완화했다. 그는 처남인 벨기에 국왕을 통해 비밀리에 종전 협상을 시도했다. 그러나 그는 기대만 높였다. 1917년 5월 보헤미아의 체코 정당 연합은 군주정을 연방제로 전환할 것을 요구했다. 이들은 이러한 요구의 근거로 이중 왕정 정부가 지배 민족과 피지배 민족의 불경스런 혼합을 만들어냈다고 주장했다. 크게 주목받지는 못했지만 이들은 혁명적인 움직임을 시작하면서 자신들의 요구의 목표를 보헤미아 왕정의 복구가 아니라 민족이 스스로를 통치하는 자연권에 맞추었다. 슬로베니아 민족주의자들은 합스부르크제국 내 슬로베니아인, 크로아티아인, 세르비아인이 거주하는 모든 지역을 통합하여 자치 국가를 만들 것을 요구했다. 이 국가는 외국 지배로부터 자유롭되 합스부르크왕가의 왕권을 벗어나지 않을 것이라고 선언했다.[15]

그러나 1918년 초가 되자 합스부르크제국이 민족들의 자유로운 연합 국가로 전환될 수 있다는 희망은 사라졌다. 3월 프랑스 정부는 카를 황제가 1917년에 시도한 강화를 공표했고, 카를 황제는 이를 부정했지만 아무도 이를 믿지 않았다. 결국 그는 독일의 빌헬름 2세에게 수치스런 사과를 해야 했다. 이미 독일의 통제에 들어간 오스트리아-헝가리제국은 여기서 벗어나는 것이 불가능해졌다. 슬라브족 정치인들이 보기에 동맹국이 승리하면 라인강에서 러시아와 보스포루스해협에 이르는 중부 유럽 지역은 독일이 통제할 것이 거의 확실시되었다. "슬라브계 주민들은 전쟁으로 인해 인명과 재산의 희생이라는 이중 부담을 감당해왔다. 이러한 희생은 외국과 외국의 목표를 위해 치러진 것이었다. 전쟁을 오래 끌수록, 오스트리아에 대항하는 혁명적 움직임은 점점 더 강해졌다"라고 오스트리아 사회주의자 오토 바우어는 자신의 저작《오스트리아 혁명》에 썼다. 오스트리아의 지배는 이제 독일의 지배를 의미하게 되었고, 체코인들과 슬로베니아인들의 역사적 기억으로는 이것은 단순히 독일 관리뿐만 아니라 독일 자본가와 독일인 주인의 권력을 의미했다.[16]

이제 세력을 얻는 대중 집회와 시위에서 사회적·민족적 요구는 서로 분리될 수 없는 하나가 되었다. 1918년 5월 1일 100만 명의 군중이 프라하 중심부를 점거하고 민족적 자유와 자본가 재산의 국유화를 요구했다. 오스트리아의 지배에 항거하여 '압제받는 민족들'인 체코인, 폴란드인, 루마니아인, 남슬라브인, 슬로바키아인, 이탈리아인들의 대표자들은 프라하의 국립극장에서 회합을 갖고 자신의 민족들이 '각자 독립적인 새 국가에서 새로운 삶을 향한 민족자결을 바탕으로 일어날 것'이라고 선언했다. 로마에서도 이와 유사한 민족 대표들이, 합스부르크 군주제는 '독일 지배의 도구이고 각 민족들의 열망과 권리 실현에 근본적인 장애'가 되고 있다고 선언했다. 슬로바키아의 시위자들은 '모든 민족의 자결권에 대한 조건 없는 인정'을 요구했다.[17]

1918년 초부터 오스트리아의 노동자 수십만 명이 평화를 위해 시위와 파업을 벌였고, 이런 소요는 모라비아와 헝가리로 확산되었다. 오스트리아 정부는 전선에 배치된 병력을 불러들여 시위를 진압했지만 점점 더 많은 병사들이 반란에 가담했다. 이러한 병사들의 반란은 오스트리아와 헝가리에서 폴란드와 점령된 세르비아 지역까지 확산되었고, 이 지역에서는 6월 2일 강력한 압제를 보여주기 위한 절망적 노력으로 44명의 슬로바키아 병사들을 처형했다. 이러한 행동은 오히려 소요를 확산시켰고, 군대는 계속 분해되었다. 요제프 할러 장군이 지휘하는 여단을 포함하여 많은 폴란드 부대가 병영을 떠났고, 전선에서 전투를 수행하지 않으려는 체코 병사들을 진압하기 위해 유혈 사태가 벌어졌다.[18]

6월 중순 오스트리아는 공세 시작 불과 일주일 만에 이탈리아에 대한 대규모 공세를 취소했다. 오스트리아군은 이 작전에서 총 14만 명의 사상자를 냈다. 늦여름이 되자 독일군은 서부 전선에서 몇 번의 목표가 분명하지 않은 대규모 공세를 벌인 후 무기가 소진되어서 자신들의 원래 전선으로 퇴각해야 했다. 매일 1만 명의 미군 병력이 유럽대륙에 도착하면서 동맹국이 전쟁에서 승리할 수 없다는 것이 분명해졌다.

그러나 오스트리아-헝가리제국의 마지막 지도자들은 슬라브계 주민들에 대한 자치 허용을 거절하면서 계속 전쟁을 수행했다. 오스트리아의 총리 에른스트 사이들러 폰 포이흐테네크는 1918년 7월 "독일 국민들은 이 여러 형태 국가의 근간이며 앞으로도 계속 그럴 것이다"라고 선언했다. 그는 보헤미아에 인종적으로 단일한 행정 단위를 만드는 계획을 철회했다. 이런 계획을 체코인들이 한 세대 전에 거부했었다. 그러나 그는 체코의 민족 운동을 회유하기 위해 체코인들을 감옥에서 석방했다. 그는 우크라이나로부터 식량을 반출하기 위해 폴란드인들이 영유권을 주장하는 헤움 지역을 우크라이나에 넘겨주겠다고 약속했고, 이로 인해 폴란드 도심에서는 대규모 항의시위가 벌어졌다.[19] 갈리시아 지역 엘리트들이 제국에 대한 협력을 중단하면서 합스부르크왕가가 폴란드를 계속 통치하는 것은 사실상 불가능해졌고, 폴란드 애국주의자들은 폴란드 전 지역에서 항의 시위를 벌였다. 폴란드인들은 여러 해 동안 경제적 궁핍을 견뎌왔지만 사라진 폴란드 국가에 속했고, 지금은 우크라이나인들이 다수 거주하는 지역을 상실할 가능성이 커지자 거리로 쏟아져 나와 시위를 벌였다. 사이들러 폰 포이흐테네크는 결국 사임할 수밖에 없었다.

마자르인들의 정치적 지도자인 이슈트반 티사는 9월까지도 오스트리아령 헝가리에 '3국 병립trialism'은 없을 것이라고 말했다. 이것은 다른 말로 하면 슬라브인들의 민족자결이 없는 상태에서 마자르인-독일인 공동 지배는 영원히 지속될 것이라는 의미였다. 그러나 10월 남쪽에서 세르비아군-프랑스군-그리스군에 의해 전선이 돌파되면서 오스트리아제국의 마지막 총리 후사레크 폰 하인라인은 시스라이타니아 지역에 한해 연방주의를 실시하는 것을 제안했다. 이것은 헝가리와 슬로바키아를 연방 구성에서 제외한다는 의미였다. 그럼에도 불구하고 직전 총리인 산도르 베케르레는 이러한 개혁은 헝가리가 더 이상 1867년 타협에 구속되지 않는다는 것을 의미한다고 말했다.[20]

오스트리아-헝가리제국의 군주정은 오래전부터 개혁이 불가능했고, 이제는 구원도 불가능해졌다. 그래서 유서 깊은 합스부르크제국이 어떻게 또 왜 1918년에 '갑자기' 붕괴했는가는 잘못된 질문이다. 실제로는 제국을 구성하는 다양한 구성원들을 만족시킬 수 있는 구조를 만들어내지 못해서 스스로 무너진 것이다. 오스트리아-헝가리제국은 죽은 아이디어가 아니라 살아 있는 아이디어에 기반을 둔 것으로 보이는 새로운 정치체들로 대체되었다.

새로운 자유주의 민족 국가

합스부르크제국의 황제 카를은 10월 18일 자신의 통치영역 내의 주민들에게 자치적인 발전을 약속했지만 이를 귀담아 듣는 사람은 없었다. 발칸 전선은 더 이상 존재하지 않았고, 협상국 군대들은 크로아티아와 헝가리를 향해 북쪽으로 달려오고 있었다. 체코, 슬로바키아, 유고슬라비아 지역의 정치 지도자들은 각각 자신들의 나라를 세우기 시작했고, 평화적 권력 이양이 크라쿠프, 자그레브, 류블랴나, 사라예보에서 진행되었다. 10월 28일 체코 민족 운동가들은 프라하에서 '체코슬로바키아'를 창설하고, 11월 10일 폴란드 지도자 유제프 피우수트스키는 독일에서의 수감 생활에서 풀려나 돌아와서 다음날 바르샤바의 권력을 장악했다.[21] 합스부르크제국 내에 있던 남슬라브 정치들은 세르비아 왕 페테르에게 단합을 요구했고, 12월 1일 후에 유고슬라비아라는 명칭을 갖게 된 세르비아인, 크로아티아인, 슬로베니아인들의 왕국이 탄생했다. 같은 날 루마니아 대표들이 트란실바니아 알바이울리아에 모여 집단 환호 투표로 루마니아왕국에 가담하여 '대 루마니아'를 창설하기로 결정했다. 1918년 그 시점 이전에 루마니아 인구가 많이 거주하는 러시아령 베사라비아와 오스트리아령 부코비나도 루마니아에 가담했다.[22]

폴란드, 루마니아, 체코슬로바키아, 유고슬라비아 공화국들은 유럽 정치 무대에 새로 등장한 국가들이었지만 체코인들만 자신들이 하고 있는 일에 대해 '혁명'이라는 단어를 썼다. 체코인들은 이것이 사회 혁명인지 민족 혁명인지를 분명히 하지 않지만, 이것은 두 혁명 모두를 포괄했고 자유주의 원칙하에서 진행되었다. 갑자기 체코인들의 권력이 보헤미아를 장악하여, 독일 기관도 오스트리아 관료 계층의 구속에서 주민들을 해방시

1918년 10월 28일 프라하에서 열린 독립 기념식

컸다. 중도파 체코 사회민주당원인 카렐 즈므르할(1888-1933)은 민족 혁명은 합스부르크 절대왕정으로부터의 자유와 독일인-마자르인들의 수도로부터의 '잔학한 압제'로부터의 해방을 목표로 한다고 썼다. 체코슬로바키아 군대가 국민이 운영하는 공화국을 건설하기 시작했고, 사회 정의 실현에 주안점을 두었다.[23]

서로 연관되기는 했지만 사회 혁명과 민족 혁명은 다른 속도로 진행되었다. 사회적 입법에는 몇 년이 걸렸지만, 그러는 동안 체코 문화 발전을 위한 많은 정지작업이 진행되었다. 1868년 프라하를 방문한 프란츠 요제프 황제는 프라하가 너무 독일 도시 같은 외양을 가졌다고 말해 현지인을 화나게 만들었다. 이후 한 세대 동안 체코 애국자들은 새로운 구역에 대거 정착하며 독일어와 체코어 거리 표지판을 만들었다. 그러나 이것만으로 충분하지 않았다. 프라하는 완전히 그들의 도시가 되어야 했다. 이제 합스부르크 권력이 쇠퇴하자 체코인들은 독일적인 것은 모두 2등 지위로 격하시켰다. 한 목격자는 독립기념일인 10월 28일 프라하의 광경을 이렇게 서술했다. "하루 종일 수백 명의 사람들이 거리를 행진했다. 사방에서 국기, 플래카드, 기장 등이 집뿐만 아니라 모자, 군모, 심지어 마구에도 부착되었다. 사람들은 공무원, 군인, 우편부, 경찰 모자에서 오스트리아 문양을 떼어냈다. 일부는 이런 경향에 저항했지만 곧 이에 따랐다." 모든 곳에서 합스부르크왕조의 상징인 이중 독수리 문양이 떼어지고, 독일어 단어에는 페인트가 칠해졌다.[24]

프란츠 요제프 황제는 이러한 변화의 초기 단계만을 보았다. 지금 일어나는 일은 현실 타파였고, 마치 흑백에서 칼라로 색이 변하는 것처럼 총검보다 강한 것으로 드러난 민족 감정에 의해 추동된 체코의 문화적 지배로 변하고 있었다. 그러나 이러한 변화는 규율 잡힌 혁명 요원들에 의해 실현되었다. 황제에게 충성을 맹세한 제복을 입은 경찰관들은 이제 체코슬로바키아 문양을 달았다. 체코슬로바키아 주권이 선언된 지 몇 시간 만에 각지역 '민족위원회'가 체코 전역에서 권력을 장악하고, 자유주의 체코슬로바키아 헌법 질서의 창설을 준비했다.[25]

새로운 질서는 깊은 뿌리를 가지고 있는 것으로 보였다. 마사리크와 그를 추종하는 사람들은 개신교 개혁가였던 얀 후스, 코메니우스 같은 체코 계몽주의자를 비롯한 아주 오래된 과거의 영웅들의 숭배를 선전했다. 이들은 고대로부터 '평화와 자유'를 존중한 체코의 유산을 불러오는 것이라고 주장했다. 보헤미아 국가의 권리에 대한 민족주의적 주장은 고대 보헤미아 왕국에 대한 정치적 주장을 가미하기는 했지만, 1918년 체코 애국주의자들은 왕국 복원을 주장하지는 않았다. 체코슬로바키아는 당연히 이 고대 왕국 땅 모든 영역을 영토로 간주하고, 왕국의 모든 긍정적인 유산을 구현하지만, 새 국가는 중유럽을 더 높은 단계, 어두운 편견에서 국민의 자결로 이끄는 공화국이었다. 물론 새 국가에는 수백만 명의 슬로바키아인이 포함되었지만, 아무도 이들이 새 국가에 귀속되기를 원하는지를 물어보지 않았다. 이들은 새로운 정체성을 갖게 되었다. 그것은 새 국가인 체코슬로바키아의 국민의 일부가 되는 것이었다.

동유럽 정치인들 중 토마시 마사리크는 윌슨의 정치적 이상주의에 가장 근접한 인물이었다. 더 높은 단계로의 인류의 발전에 대한 두 정치인의 신념에 대해 후에 철학자 칼 포퍼는 실현될 수 없는 것을 믿었다고 비판했다. 그러나 마사리크는 뉴욕 브루클린 출생인 부인으로부터 미국의 정서를 잘 알았기 때문에 윌슨과 목소리를 맞춘 것이다. 그는 미국 역사에 대한 이해를 바탕으로 유사점을 찾은 유일한 동유럽 정치인이었다. 시카고, 피츠버그, 기타 여러 도시에서 그는 미국 청중들에게 체코슬로바키아는 미국의 체제가 기초를 한 원칙을 되풀이하여 말했다. 윌슨과 마사리크는 논리 정연한 언어를 사용하는 교수라는 공통점도 가지고 있었고, 이들은 인내심을 가지고 국민에 의한 지배가 평화를 보장한다고 설명했다.

체코슬로바키아에서는 민족의 적이 가진 권력이 축소된 것이 다른 어느 나라와는 다르게 즉각 나타났기 때문에 '혁명'이라는 단어가 체코인들에게 가장 맞는 것처럼 보였다. 폴란드에서는 러시아의 권력은 정치적이고 문화적 힘이었지만, 경제적 힘은 아니었다(즉, 상류층과는 연계되어 있지 않았다). 1918년 가을 러시아의 힘은 이미 먼 기억이 되었다. 그 이유는 독일군이 이미 3년 전에 러시아의 힘을 물리쳤기 때문이다.

그러나 당시 폴란드에서 일어난 일을 목격한 사람들은 이 변화를 '혁명'이라고 부르지는 않았지만 동원된 에너지에 큰 감명을 받을 수밖에 없었다. 1918년 10월 31일, 폴란드 병력은 인명 손실 없이 크라쿠프의 군사시설을 장악했다. 이틀 후 서부 갈리시아 관공서에도 폴란드기가 게양되었다. 11월 10일 빌헬름 황제가 독일에서 도망치면서 피우수트스키를 태운 기차가 바르샤바에 도착했다. 새로운 권력 균형을 냉정하게 깨달은 독일 돌격대 병력들은 자신들의 거점을 모두 포기하고, 무기를 폴란드 고등학생들 손에 맡기고 떠났다. 폴란드인들은 이것을 '재탄생', '독립의 회복'이라고 불렀다. 불의를 떠받친 기둥이 사라지자 러시아제국과 오스트리아-헝가리제국은 '붕괴되고' '해체되었다'. 독일제국은 전쟁으로 '분쇄되었다'.[26] 그러나 몇 세대 동안 폴란드 땅을 통치하던 국가가 사라진 것은 한 관리가 다른 관리에게 열쇠를 넘겨주는 것을 의미했다.

몇 나라에 나뉘어 있던 폴란드인 병사들은 하나가 되었고, 청년들이 대거 군에 들어왔다. 3일 만에 구폴란드왕국은 부크강까지 세력을 확장했다.[27] 행정가들이 이 지역으로 들어갔고, 독일어로 된 표지판을 폴란드어 표지로 바꾸었다. 그러나 모든 폴란드어 사용자가 열성적으로 이를 받아들인 것은 아니었다. 지식인층, 장인, 학생들이 폴란드 군대의 새로운 거대한 중심이 되었지만, 농촌 마을들은 청년들을 군에 보내지 않았다. 극좌진영 일부가 보기에 새 군대의 혁명적 과업은 반혁명적이었다. 새 군대는 1920년 바르샤바로 쳐들어온 적군赤軍에 맞서 싸웠다. 러시아의 볼셰비키 혁명가들은 폴란드 노동자들, 심지어 사회주의 경향 노동자들도 국제적 계급의 단결보다 민족적 단합을 더 중시하는 것을 보고 크게 당황했다.

헝가리의 사회-민족 혁명 실패

1920년이 되자 헝가리에서 루마니아와 협상국의 지원을 받은 반혁명 세력이 승리하면서 급진적 사회주의 혁명을 서쪽으로 확산시킬 기회는 상실되었다. 러시아에서와 마찬가지로 헝가리의 상황도 마르크스 이론이 기대한 것에 어느 정도 맞게 발전되었다. 1917년 2월 러시아의 수도 페트로그라드에서 여성, 병사, 노동자들은 절대군주를 하야시켰고, 1918년 가을 헝가리의 수도 부다페스트에서도 여성, 병사, 노동자들이 군주제를 무너뜨리고 공화국을 창설했다. 두 경우 모두에서 역사는 속도를 냈고, 자유주의적 질서를 만들려고 하던 중도파 정부는 더 이상 버틸 수 없었다.

헝가리인들은 1918년의 평화적 권력 이양을 '들국화Chrysanthemum' 혁명이라고 불렀다. 이 명칭이 나온 것은 국민주권을 주장하기 위해 거리에 나온 시민들에 가담한 병사들이 군복에 이 꽃을 달아주었기 때문이다. 새로운 민주주의 헌법을 제정하는 계획이 마련되었고, 헝가리의 가장 유서 깊은 귀족 가문의 대표 격인 자유주의자 미할리 카롤리가 이 과도기의 관리자로 임명되었다. 그러나 1919년 카롤리 정부는 루마니아나 슬로바키아 주민이 다수인 동부와 북부 전선에서뿐만 아니라 마자르계 주민들이 다수 거주하는 헝가리 평원 동부 전방에서도 헝가리 병력을 철수하라는 지시를 내렸다. 이러한 요구는 헝가리의 선의에 대한 협상국의 신뢰를 파괴했다. 카롤리 정부의 자유주의자 민족문제 장관은 "우리는 단순히 패배하고, 낙담하고, 타락했다고 느꼈을 뿐만 아니라, 이보다 훨씬 나쁘게 심리적으로 기만당하고, 배신당하고, 완전히 속았다고 느꼈다"라고 강하게 불만을 토로했다. 볼셰비키 적군赤軍은 그 시기 우크라이나에서 큰 전공을 거두고 카르파티아산맥으로 접근하고 있었다.[28] 이제 윌슨주의가 실현 불가능해진 것이 분명해지자, 헝가리인들은 볼셰비키와 동맹을 맺는 것이 헝가리에서 절대적으로 중요한 영토를 보존시켜주지 않을까 하는 생각을 하게 되었다.

카롤리와 그가 지명한 총리는 사임하고, 소수의 좌파 사회민주주의자들과 공산주의자들이 권력을 장악했다. 이들은 볼셰비키 모델을 따라 '헝가리평의회공화국Hungarina Councils Republic'을 만들었다.[29] 새 정부 지도자 다수는 러시아군에 포로가 된 후 러시아 혁명에서 볼셰비키에 가담했던 오스트리아-헝가리군 병사들이었다. 새 정부 수장인 기자 출신 벨라 쿤은 레닌을 개인적으로 알고 있는 인물이었다. 체코슬로바키아인들을 펠비데크(슬로바키아의 헝가리어 명칭)에서 몰아내려는 쿤 정부의 계획은 농민들뿐 아니라 가톨릭, 개신교, 유대인, 무신론자를 막론하고 도시 중산층에서도 큰 인기를 끌었다.

그러나 초기에 거둔 성공에 도취한 벨라 쿤은 너무 앞으로 나가서 농업 사회에서의 권력 투쟁에서 농민들을 회유해야 하는 필요성에 대해 볼셰비키로부터 교훈을 얻지 못했다. 레닌이 농민들에게 농지를 약속하고, 1917-1918년 러시아와 우크라이나 농민들이 농지를 장악하는 것을 눈감은 데 비해 쿤은 처음에는 농민들에게 농지를 분배했다가 곧 이것을 박탈했다. 1919년 봄, 쿤 정부 요원들은 농민들을 집단농장에 들어가도록 강요했다. 헝가리의 급진 사회주의자들은 교회를 폐쇄하고 사제들을 투옥시키면서 신앙심 깊은 농민들을 한층 더 소외시켰다. 그러나 쿤은 비사회주의계 정당을 불법화하고, '부르주아'를 투표에서 배제하고 계급의 적에게 테러를 가함으로써 도시 주민들도 등을 돌리게 만들었다.[30] 그는 모든 일을 세세하게 규정하면서 혁명 에너지를 낭비했다. 일례로 그는 소비에트공화국 내의 모든 시민들이 가질 수 있는 셔츠와 속옷 숫자까지 지정했다.[31]

1919년 여름, 협상국 군대의 지원을 받은 체코군과 루마니아군이 북쪽과 동쪽에서 밀고 들어와서 헝가리군을 분쇄시켰다. 벨라 쿤과 그의 동지들은 빈으로 피신했고, 남아 있던 지지자들은 '백색 테러'를 당하게 되었다. 합스부르크의 미클로스 호르티 제독이 이끄는 보수주의 세력에 의해 살해와 체포가 자행되었다. 호르티의 우파 정부는 헝가리소비에트공화국을 지지한 것으로 의심되는 7만 명 이상의 시민들을 체포했고, 이들 중 약 5000명을 처형했다.[32]

벨라 쿤 정부의 많은 수가 유대인이었고, 반혁명은 반유대주의로 방향을 틀어서 급진주의적 사회주의와 아무 관련이 없는 많은 수의 유대인들이 학살의 희생양이 되었다. 이러한 일이 헝가리에서 일어난 것은 1840년대 이후 유대인에 대한 폭력이 거의 없었던 것을 고려하면 충격적이었다.[33] 그러나 이 시기에 유대인 학살은 헝가리에서만 일어난 것이 아니었다. 북쪽의 동부 폴란드에서는 정치 질서가 혼란스러울 때 반유대 폭력이 난무했고, 기독교 농촌 주민들은 유대인이 볼셰비즘을 지원하고 있다는 말을 그대로 믿었다. 2년 동안 새로 형성된 폴란드 정부는 유대인의 생명과 재산을 보호하기 위한 아무런 조치도 취하지 않았다. 279번의 반유대인 폭동이 일어나서 500명 이상의 유대인이 사망했다. 곧 있으면 소련의 영토가 되는 더 동쪽 지역에서는 5만 명에서 20만 명이 백군白軍, 우크라이나인, 적군赤軍에 의해 목숨을 잃었다.[34]

호르티 제독과 총리 이슈트반 베틀렌은 결국 질서를 회복하고, 유대인과 다른 헝가리 주민들의 안전을 위한 조치를 취했지만 헝가리왕국에서 마자르 문화 확산을 위해 1차 세계대전 전부터 지속되었고, 헝가리 민족주의자들도 지지한 귀족과 유대인 동맹은 이제 영토가 크게 축소된 헝가리에서 인종적 편견과 질시를 만들어냈다. 유대인들은 상업과 전문 직업에서 너무 큰 영향력을 행사한다고 비난받았고, 마자르족의 국가건설에 유대인이 참여하는 것을 환영하던 분위기는 지식인 계층에서 큰 지지를 받은 '폐쇄적이고 배타적인 민족주의'에 자리를 내주었다.[35]

헝가리 혁명 전과 혁명 기간 동안 민족적 의제가 사회적 의제를 압도했다. 헝가리 농민들과 노동자들이 벨라 쿤을 지지한 이유는 그가 상실된 영토를 회복하겠다고 약속했기 때문이다. 그리고 그가 사유 재산과 시민권을 위협하면서 급진적인 사회 변혁을 밀고 나간 것은 노동자, 농민뿐만 아니라 중산층도 등을 돌리게 만든 원인이 되었다. 이후 기간 동안 동유럽 모든 정부들은 나름대로 교훈을 얻고 체코슬로바키아를 제외하고 모든 국가에서 공산당을 체제 전복 세력으로 규정하고, 공산당을 불법화했다. 급진 좌파들은 '반혁명' 세력에 대해 경계심을 품어야 한다는 교훈을 얻었다. 호르티 제독은 조직된 노동계층이 권력을 포기했을 때 무슨 일이 일어나는지를 보여주었다. 그럴 경우 사회주의자에 대한 대규모 폭력이 발생할 뿐만 아니라 역사의 바퀴가 뒤로 굴러간다는 것을 보여주었다.

외국으로부터 수입된 혁명?

세르비아, 체코, 루마니아 군대가 헝가리왕국에 속했던 영토(슬로바키아, 트란실바니아)를 장악하자 이 지역 주민들은 자신들 스스로 민족 혁명을 만든 것이 아니라 총칼에 의해 외부에서 들어온 것을 보게 되었다. 1924년 슬로바키아 시인 얀 스므레크는 "여기서는 진정한 의미의 혁명은 없었다. 바리케이드도 없었고, 피 냄새가 밴 공기도 없었다. 자유는 거의 은밀하게 우리에게 다가왔다. 우리 국경 너머에 있던 사람들의 은폐된 작업에 의해 이것은 익은 사과처럼 우리 무릎 위에 떨어졌다"라고 썼다.[36] 이것은 새로 출범한 유고슬라비아에서 크로아티아인과 슬로베니아인(아니면 대ᄎ 루마니아에서 트란실바니아 거주 헝가리인)들이 후에 이러한 사건들을 혁명은 둘째 치고 민족해방이라고 부르지 않은 이유이다. 이들은 길거리 카페에 앉아 있다가 보헤미아, 세르비아, 루마니아에서 병사들과 행정가들이 밀려들어오는 것을 보았다. 세르비아와 루마니아는 무작정 국토를 넓힌 것이다.

그러나 놀라운 것은 이러한 인식이 얼마나 빨리 형성되었고 새로운 '유고슬라비아' 국민이나 '체코슬로바키아' 국민이란 말은 반쯤은 허구라는 점이었다. 1918년 크로아티아 애국주의자와 슬로바키아 애국주의자들은 세르비아인들과 체코인들을 공동의 국가를 건설할 수 있는 '형제'로 보았다. 지금은 세르비아의 영웅으로 추앙받는 가브릴로 프린치프는 자신을 유고슬라비인이라고 불렀다. 이와 똑같이 보스니아와 크로아티아 지식인들도 유고슬라비아의 단합성을 믿었다. 슬라브인들의 이상을 지지하는 학자들도 여기에 동의했다. 하버드대학 출신 역사학자로 파리평화회담 미국 대표단을 위해 자문한 로버트 커너는 유고슬라비아 국민의 존재는 '학술적' 사실이라고 말하기도 했다. '크로아티아는 전적으로 유고슬라비아적'이고, 새로 탄생한 유고슬라비아 국가는 크로아티아인, 세르비아인, 보스니아인들의 꿈이 실현된 것이라고 그는 말했다. 커너는 시카고에 거주하는 체코인이었고, 학자로서 그의 판단은 1차 세계대전 전 대학원 학생으로서 프라하에서 토마시 마사리크를 만난 경험에서 많은 영향을 받았다.[37]

슬로바키아 민족주의의 아버지인 안드레이 흘린카는 휴전 협정 며칠 후 서방 강대국들에게 "우리 슬로바키아인들은 체코슬로바키아 인종의 일부이고, 우리는 독립된 국가에서 체코인들과 동등한 권리를 누리며 살고 싶다"고 말했다고 다른 미국 대표에게 전했다. 실제로 그는 1918년 11월부터 1919년 1월까지 새 국가 창설을 위해 힘을 다하고, 가톨릭 사제들에게도 이를 지원할 것을 요구했다. 그러나 1919년 여름 체코 관리들이 슬로바키아로 밀려들어오는 것을 본 그는 체코슬로바키아 창설을 지지한 것을 크게 후회했다. '비종교적이고 자유로운 사상을 가진 체코인들'은 자신의 국민과 같지 않았다. 그들은 형제 민족도 아니었다. 이들은 슬로바키아를 '식민지'로 생각하고 "프라하는 우리를 왕을 위해 장작을 패고, 물을 기는 사람들로 생각한다"고 그는 말했다. 슬로바키아의 자치를 얻기 위해 흘린카가 파리평화회담에서 기울인 노력은 체코 당국을 격노하게 만들었고, 1919년 10월 그는 프라하로 돌아오자마자 체포되었다. 생제르맹조약을 변경하기에는 이미 너무 늦었고, 흘린카는 1920년 채택된 체코슬로바키아 헌법 초안이 만들어지는 동안 아무 말도 하지 못하게 재갈이 물렸다. 감옥에서 석방된 그는 1925년 선거에서 슬로바키아인 유권자의 3분의 1 이상의 표를 얻은 분리주의 운동을 시작했다.[38]

이와 유사한 깨달음이 합스부르크제국 내 남슬라브인들 사이에서도 일어났다. 이들은 전에 오스만제국의 신민이었던 주민들과 한 민족이 아니라는 것을 깨달았다. 1918년 세르비아 군대가 보스니아, 전에 헝가리가 지배했던 바나트, 바츠카, 시르미아(이 대부분 지역을 이들은 '보이보디나'라고 불렀다)와, 크로아티아, 오스트리아령 달마티아와 슬로베니아로 들어왔다. 세르비아인들은 이 작전을 '통합'라고 불렀고, 이것은 모든 세르비아인, 다시 말해 슈토카비아 방언을 쓰는 모든 사람을 하나의 왕국으로 데리고 오는 것을 의미했다. 세르비아인들이 폴란드인들과 마찬가지로 이 과정을 혁명이라고 부르지 않은 이유는 이것은 자연스러웠던 상태로 회귀하는 것, 즉 모든 슬라브인들, 아니면 다른 말로 '유고슬라브인들'을 한 곳에 모으는 것이기 때문이었다. 세르비아 민족주의자들이 생각하기에 앞의 두 단어는 결국 같은 의미를 가지고 있었다.

크로아티아인과 슬로베니아인들이 유고슬라비아에 속하고 싶어 하는 지를 물어본 사람은 아무도 없었다. 1918년 12월 세르비아 수도 베오그라드로 가서 세르비아왕국에 포함되기를 요청한 합스부르크제국 내의 남슬라브인 정치인들은 주민들로부터 아무런 위임도 받지 않았다. 이들은 일반 대중들과 거의 접촉이 없는 지식인들이었다. 헝가리가 장악했던 크로아티아에서는 투표권이 제대로 정착되지 않아 얼마나 많은 크로아티아인이 유고슬라비아에 포함되기를 원하는지 알 수 없었다. 1918년 가을 합스부르크제국 관리들이 도망을 가자, 슬로바키아에서와 마찬가지로 주민들은 흥분에 휩싸였다. 미국 외교관들은 1919년 초 '크로아티아인 대부분'이 통합된 유고슬라비아를 지지한다고 보고했다.[39] 그러나 이러한 분위기는 급격히 바뀌었다.

1919년 3월 자유롭고 구속이 없는 선거가 드디어 크로아티아에서 실시되었고, 스테판 라디치가 이끄는 농민당이 다수당이 되었다. 그는 크로아티아 정치인들에게 세르비아에 가담하는 것을 신중하게 생각할 것을 경고한 사람이었다. 그는 1918년 12월, 정치인들이 베오그라드로 출발하기 전 이들이 "안개 속을 달려가는 술 취한 거위들 같다"고 말했었다. 3월 선거가 끝난 후 라디치는 공개적으로 공화정을 요구한 죄로 체포되었다.

무엇이 잘못되었는가? 1918년 합스부르크 통치기구가 붕괴된 상황에서 시급성이 대두된 통합이 완성되었음에도 불구하고, 이 과정은 너무 서둘러 진행되었다. 얀 콜라와 그의 친구였던 류데비트 가이까지 기원이 거슬러 올라가는 슬라브 지식인들은 오랜 시간 동안 체코슬로바키아인과 유고슬라브인의 단합을 갈망해왔고, 가장 최근에는 1915년 파리에 결성된 위원회가 이런 의지를 표명했다. 그러나 이 위원회들에서 일한 사람들은 전후 질서에 대해 논의하고 이를 준비하기는 했지만, 수백만 명의 중동부 유럽 주민들의 의사를 반영하지 않은 국가 형성에 대한 결정을 기정사실로 만들었다. 이러한 위원회들의 구성원들은 자국의 주민들에게 새로운 국가를 원하는지를 물으면 새 국가가 설립될 기회가 사라지지 않을까 우려했다.

그러나 이들은 동맹국들의 지원 없이는 이 국가들을 창설할 수 없다는 것도 잘 알았다. 1917년 7월 러시아는 전쟁에서 이탈했고, 협상국은 동부전선에서 추가적인 지원을 필요로 했다. 이러한 상황은 세르비아 정부로 하여금 유고슬라비아위원회 대표들이 세르비아 왕과 관리들을 1915년 피신해온 그리스의 코르푸섬에서 만나도록 만드는 압박으로 작용했다. 세르비아 정부는 세르비아의 영토를 북쪽으로 확장하여 보스니아와 헤르체고비나까지 포함한다는 나름의 계획이 있었기 때문에 합스부르크 망명자들을 지근거리에 두고 있었다. 세르비아 정부는 슬로베니아와 크로아티아 지역은 세르비아에 포함할 수 없다고 판단했다(다시 말해 이 지역은 슈토카비아 방언의 영역을 벗어났다).

이제 행동을 해야 한다는 압박을 받는 상태에서, 특히 프랑스가 강하게 압박하는 상태에서 세르비아 정부와 합스부르크제국 남슬라브인들은 1917년 7월 20일 전쟁이 종료되면서 세르비아인, 크로아티아인, 슬로베니아인 왕국을 건설하기로 서둘러 동의했다. 아무도 그 구성의 상세한 내용에 대해 묻지 않았다. 합스부르크 측은, 귀족층이 오랜 세월 특권을 누려온 크로아티아의 자치를 포함한 탈중앙화된 통치를 선호했다. 그러나 세르비아 측은 확장된 새 국가가 중앙화된 조직을 갖추기를 원했다. 이유는 이것이 강하고, 성공적이고, 현대적 국가를 조직하는 길이었고, 프랑스가 그 모델이 되었다.

이와 유사하게 전쟁 기간 중 체코슬로바키아에 대한 기본 합의가 이루어졌다. 이러한 결정은 본국 영토나 국민들로부터 멀리 떨어져 있는 곳에 있는 체코와 슬로바키아 망명자들과 서방 정부에 의해 내려졌다. 1915년 미국 클리블랜드에 모인 체코와 슬로바키아 대표들은 공동의 국가를 만들기로 합의했고, 1918년 5월 체코인, 슬로바키아인, 루테니아인들Ruthenians•은 피스버그에 모여 체코-슬로바키아 국가의 구성에 합의했다. 이 합의에서 슬로바키아는 자체적 행정, 의회, 법원을 갖기로 되었고, 일부 슬로바키아인들은 이것을 자치 확보로 간주했다. 1918년 10월 토마시 마사리크는 필라델피아의 미국 독립기념관에서 체코슬로바키아의 출범을 선언했지만, 그와 그의 추종자들은 프랑스가 파리에서 통치되는 것과 마찬가지로 이 국가가 프라하에서 통치된다는 것에 대해서는 아무런 의구심을 갖지 않았다.

체코 정치인들과 슬로바키아 지지자들은 이 사안에 대해 전혀 이견이 없었는데, 그 이유는 만장일치가 아니면 서방 국가들의 지원을 얻기가 어렵다고 판단했기 때문이었다. 이들은 또한 자치나 지역주의에 대한 논란이 만들어낸 위험한 사례에 대해서도 염려했다. 만일 프라하가 슬로바키아인들의 자치에 동의하면, 동일한 요구가 독일인, 마자르인, 루테니아인들로부터 나올 가능성이 컸다.[40] 슬로바키아 자체도 인종 구성이 아주 다양했다. 마자르인들은 도시와 남쪽 끝부분에 다수가 살고 있었고, 세 개의 독일인 '섬'이 서부, 중앙, 북동부에 있었다. 일부 슬로바키아 정치인들은 좀 더 후에 지방 자치의 세부적 내용에 대해 논의할 수는 있지만, 그때까

• 우크라이나어 루시니(русини), 벨라루스어 루시니(русіны), 러시아어 루신(русин)(단수형)의 라틴어 표기인 루테니(Rutheni)에서 나온 명칭으로 원래는 리투아니아공국 주민을 지칭하는 명칭이었으나 근대 이후 오스트리아-헝가리제국 내 거주하는 동슬라브인을 가리키는 명칭이 되었다.

지는 헝가리로부터의 요구에 맞서 행동해야 한다고 생각했다. 체코슬로바키아주의(두 종족으로 구성된 한 민족)가 의구심을 일시적으로 덮어버렸고, 1920년 헌법은 '체코슬로바키아 언어'라는 용어를 사용했다. 현실에서 이것은 체코 행정가들이 슬로바키아에서 자유롭게 체코어를 사용할 수 있다는 것을 의미했고, 슬로바키아인들은 이러한 함의를 충분히 이해했다. 그러나 이렇게 함으로써 전에는 존재하지 않았던 지역적으로 예민한 감정을 자극하게 되었다.

그러나 이러한 '체코 제국주의'에는 실용적인 면도 있었다. 헝가리 행정당국이 여러 세대 동안 슬로바키아 엘리트가 형성되는 것을 막았기 때문에(1910년 6185명의 슬로바키아 정부 관리 중 154명만이 슬로바키아인이었다), 교육을 받고 경험이 있는 체코인들이 와서 학교를 설립하고, 일자리를 만들고, 문화 기구의 네트워크를 형성하고, 국가 운영의 주요한 역할을 담당할 수 있었다. 일례로 슬로바키아의 수도인 브라티슬라바(헝가리어로는 포즈소니, 독일어로는 프레스부르크라고 불림)에서조차도 1925년 경찰국에 420명의 체코인과 281명의 슬로바키아인이 근무했다.[41] 그러나 체코인들도 우월적 태도를 그대로 보였다. 슬로바키아인들은 '자신들의 민족 문화를 갖기에는 부족한' 작은 민족이라고 외무장관 베네시가 말했다. 토마시 마사리크는 부친이 슬로바키아인임에도 불구하고 다음과 같이 주장했다.

슬로바키아 민족은 없다. 이것은 마자르 선전선동의 결과이다. 체코인과 슬로바키아인은 형제이다. … 단지 문화적 수준에서만 서로 차이가 난다. 마자르인들이 체계적으로 슬로바키아인들을 무지 속에 속박했기 때문에 체코인들이 슬로바키아인보다 더 발전했다. 우리가 슬로바키아의 학교들을 만들고 있다.[42]

불편한 사실들은 대충 덮어버렸다. 마사리크는 피츠버그 회의에서 슬로바키아인들에게 어떤 형태건 자치를 약속했으나 그는 이것이 구속력 있는 약속이라고 생각하지는 않았다.[43] 그리고 새로 만들어질 국가의 인구 3분의 1을 차지하는 독일인, 마자르인, 루테니아인 공동체는 헌법 제정 과정에 참여하지 않았다. 국회에 들어온 슬로바키아 의원들은 선거로 선출된 것이 아니라 체코슬로바키아 민족평의회의 슬로바키아 좌장인 바우로 슈로바르가 지명한 사람들이었다. 의사 출신으로 정치에 참여한 슈로바르는 마사리크와 친분이 있었기 때문에 이러한 직책을 맡았다. 슈로바르와 슬로바키아 의원들은 슬로바키아 주민의 소수파인 개신교도들이었다. 이들은 다수파인 가톨릭 신도들에 비해 체코와의 연합에 더 적극적이었다. 이들은 중앙집권화된 국가 창설에 동의했다. 그 이유는 문맹자가 많은 슬로바키아인들은 지역 자치를 수행할 만큼 '성숙하지' 못했고, 마자르 권력이 다시 돌아올 위협으로 인해 체코인들과의 긴밀한 협력의 필요성이 컸기 때문이었다.[44]

외형적으로 보면 트란실바니아도 슬로바키아나 크로아티아와 비슷한 점이 많았다. 여기서도 이웃 왕국(이 경우에는 루마니아)에서 경찰과 행정가들이 들어왔다. 루마니아는 새로운 영토를 자기 것으로 만들고 공동의 국가에서 살아본 적이 없는 주민들을 병합할 의도를 가지고 있었다. 그러나 최종적으로 국가 통합은 큰 문제없이 달성되었다.

동부 지역과 서부 지역의 루마니아인들은 같은 언어와 알파벳을 사용했고, 대부분 지역이 정교회를 신봉했다. 이에 반해 세르보-크로아티아어의 기본인 슈토카비아 방언을 넘어서면 대부분 크로아티아인과 세르비아인은 다른 알파벳, 종교, 지역 언어로 분리되었다.* 공동의 언어 중에 크로아티아어와 세르비아어 중 어느 것이 표준어가 되어야 하는가에 대한 논쟁은 유고슬라비아 창설 시부터 붕괴 때까지 계속되었다. 현재 국가가 분립된 상태에서 크로아티아어와 세르비아어는 별개로 취급된다. 그러나 '대 루마니아'에서는 표준 루마니아어가 몰다비아에서 트란실바니아까지 동일하게 사용된다는 데 모두가 동의했다. 종교도 루마니아를 분열시키기보다는 단합시키는 데 기여했다. 1919년 12월 구舊루마니아왕국the Regat 과 트란실바니아 정교회 사제들은 공동의 공의회를 구성하고, 트란실바니아인인 미론 크리스테아를 지도자로 선출했다. 1925년 그는 루마니아 정교회 초대 총대주교가 되었다.

다른 지역에서와 마찬가지로 루마니아 국가 건설자들은 통합을 당연한 것이라고 주장했고, 용맹왕 미하엘Michael the Brave이 트란실바니아, 왈라키아, 몰다비아를 몇 달 동안 통치했던 1600년 상황으로 회귀하려고 했다. 1840년대로 거슬러 올라가는 통합 목표는 몇 세대 동안 루마니아 정치 담론의 일부가 되었다. 한 정치인은 민주주의적·사회적, 최종적으로 민족적 단계를 거치는 변화가 일어나는 단계에 대해 언급하기도 했다. 각 단계는 다른 단계에 기반해야 했다. 농민들이 농지를 배당받는 사회 혁명이 없으면 농민들은 '몇몇 개인들'의 노예로 남아 있어야 했다. 새 국가는 동유럽에서 가장 급진적인 농지개혁을 실시하여 이 요구에 부응했다. 외부인들이 대부분의 농지를 소유하고 있었던 상황이 이러한 조치 시행을 도왔다. 트란실바니아 농민들은 마자르인과 독일인들이 소유하고 있던 농지를 분배받았다.[45]

마자르화된 공간을 루마니아화하는 것은 루마니아왕국과 트란실바니

• 대체적으로 동쪽 지역은 키릴 문자를 사용하고, 서쪽 지역은 라틴 문자를 사용했다. 이 구분은 종교적으로 가톨릭교회를 수용한 지역과 정교회를 수용한 지역과 일치한다.

아 루마니아인들의 뿌리 깊은 공동의 목표가 되었다. 행정기관뿐만 아니라 학교도 루마니아화되어야 했고, 학교는 트란실바니아의 루마니아 지식인들의 신분 상승의 수단으로 활용해야 했다. 문자해독자가 되고 전문 직업인이 되는 것은 더 이상 마자르화를 필요로 하지 않았다.

그러나 새 국가를 부쿠레슈티가 중앙집권적으로 통치하면서 밑에서는 불만의 기운이 자리 잡기 시작했다. 1918년 12월 알바 율리아 회의에서는 트란실바니아가 루마니아에 포함될 것을 요구했지만, 연방적 구조 속에서 트란실바니아의 권리가 존중되어야 한다는 주장이 나왔다. 부쿠레슈티의 정책 입안자들이 이러한 합의를 지키지 않자 곧 불만이 고조되었다. 베오그라드, 프라하, 바르샤바에서와 마찬가지로 중앙 정치인들은 연방주의에 의한 권력 분할을 허용할 수 없다고 생각했다.[46] 트란실바니아 루마니아인들은 자신들이 어느 정도 독특하고 우월적인 정치문화를 가졌다고 생각하고, 공통의 민족에서 지도자들이 나오며, 좀 더 진지하고 능력 있는 '중유럽' 문명에 속했었다는 것을 자랑스럽게 생각했다. 이러한 문명은 루마니아왕국의 가식적이고 '지중해적'인 동포들보다 우위에 있다고 보았다. 트란실바니아 주민들은 초등교육 정도만 이수한 관리들을 무작위로 임명하는 것을 반대했고, 수치감과 압제감을 주는 이들의 행동과 전에는 보지 못했던 부패에 대해 불평했다. 1930년대가 되자 외부인들이 쏟아져 들어와 행정직위를 차지하는 것으로 인해 지역 주민들은 '식민화'라는 말을 쓰게 되었다.[47]

그러나 이러한 갈등은 슬로바키아인들과 크로아티아인들이 동족이라고 생각한 체코인과 세르비아인들에 대해 느낀 소외감에 비하면 아무것도 아니었다. 이들은 전에 공동 국가에 포함된 적이 없는 지역도 새 국가에 포함한 것에 더해 체코슬로바키아와 유고슬라비아는 동쪽에서 서쪽으로 가면서 부와 자원에서 점점 차이가 났다. 체코슬로바키아는 대부분이 문맹인 카르파티아산맥 루테니아 지역에서 헝가리인들이 다수인 코시체 지역과 브라티슬라바를 지나 브르노와 프라하로 가면서 부가 점점 넘치고 현대적이었다. 유고슬라비아에서는 가난한 코소보, 보스니아, 마케도니아 지역에서 부유한 자그레브를 지나 더 부유한 류블랴나가 위치했다.

새로운 국가들에서는 지역과 인종에 따른 부의 편차를 쉽게 해결할 수 없었다. 프라하는 슬로바키아의 교육 제도와 다른 제도에 막대한 기여를 했지만, 슬로바키아인들은 외부의 '식민적' 착취가 자신들을 더 궁핍하게 만든다고 불평했다. 이것은 종속된 민족이라는 인식이 객관적인 정치적·경제적 사실을 압도한다는 것을 보여주었다. 크로아티아인과 슬로베니아인들은 자신들의 부가 새어나가고 있고, 유고슬라비아의 가난한 지역을 위해 소진되거나 고착화된 부패로 낭비되고 있다고 불평했다. 이러한 경제적 차이는 희생에 기초한 민족적 단합을 고무시키기보다는 폭넓은 민족적 정체성이 형성되는 것을 단초부터 막았다. 문제의 뿌리는 부에 있는 것이 아니라 나와 타자라는 인식과 '외국인들'이 자신의 운명을 통제한다는 인식에 있었다. 어제까지는 그 외국인이 마자르인이었다면, 오늘을 체코인(슬로바키아에서)이나 세르비아인(크로아티아에서)이었다.

지역적 부의 편차는 기존의 고정관념을 강화시키고, 새로운 고정관념을 만들어냈다. 좀 더 부유한 체코인들과 크로아티아인들은 슬로바키아인들과 세르비아인들을 게으르다고 내리깔고 보고, 후자는 전자를 거만하고, 무감각하다고 보았다. 체코인과 세르비아인 관리들은 자신들이 현지 주민들이 아무것도 해놓은 것이 없는 지역으로 보내진 국가 건설자들이라고 생각했고, 이들은 승리를 거둔 민족 운동에 힘입어 이전 세대들이 해놓은 일을 개선하는 임무를 맡았다고 생각했다.

세르비아인 관리들이 크로아티아에 들어간 순간부터 이들은 부패와 잔학함으로 혹평을 받았다. 1919년 5월 17일 감옥에서 자신의 딸에게 쓴 편지에서 스테판 라디치는 헝가리 지배로부터 해방된 지역에서 세르비아 병사들에 의한 '구타'가 횡행하고 있다고 한탄하고, '전쟁 전에는 수치스러웠던 부패가 이제는 재앙'이 되었다고 말했다.[48] '바쉬바조우크들bashibazouks'은 헝가리인들이 슬로바키아인들에게 한 것과 똑같은 짓을 크로아티아인들에게 했지만, 세르비아인들의 형제인 크로아티아인들은 여기에 불평을 할 수 없었다고 그는 말했다. 이와 대조적으로 슬로바키아인들에게 상처를 준 것은 부패가 아니라 체코인들의 태도였다. 체코인들은 슬로바키아인들을 대등하게 대하지 않았고, 슬로바키아 영토에 만들어진 기관들에서 일하는 사람을 고용하고, 직책을 주는 것을 체코인들이 결정한다고 불평했다. 슬로바키아인들과 크로아티아인들은 이런 결과로 자신들의 영역에서 아무 영향력도 행사하지 못한다고 생각하게 되었고, 민주주의가 작동하지 않는다는 감정이 점점 커졌다. 결론적으로 말하면, 아무리 제도적 절차가 정당하더라도 민족을 위하지 않는 민주주의적 통치는 자치가 아니었다. 많은 슬로바키아인과 크로아티아인은 그 시점의 우파 대중영합주의에 좋은 먹잇감이 되었고, 자신들의 땅에서 이방인처럼 느꼈다.[49]

경계선: 합스부르크 유럽의 재편성

체코인, 세르비아인 국가 건설자들이 직접 새 국가의 경계선을 결정한 것은 아니다. 왜냐하면 이들은 파리에 모인 평화중재자들이 내린 결정을 따라야 했기 때문이다. 이들은 네 개의 조약을 패전국이 서명하도록 만들었다. 독일에 대해서는 베르사유조약(1919), 오스트리아에 대해서는 생제르맹조약(1919), 불가리아에 대해서는 뇌이쉬르센조약, 헝가리에 대해서는 트리아농조약이 체결되었다(이 조약들의 명칭은 조약이 서명된 궁전의 이름을 땄다). 공개적으로 언급하지는 않았지만, 평화중재자들은 단순하지만 윌슨의 이상주의에 이질적인 원칙을 적용하여 국경을 정했다. 즉, 이들은 편리한 결정을 정당화할 수 있는 원칙이 있으면 아무리 피상적이라도(심오한 원칙으로 포장하여) 이를 사용하여 승자는 보상하고 패자는 징벌했다. 어떤 때는 이 원칙이 '역사적' 이유에 근거했다. 일례로 독일인이 다수를 차지하는 특정 지역이 오랫동안 체코왕국에 속했었다는 이유를 들었다. 어떤 때는 인종적 원칙을 적용했다. 트란실바니아 주민들은 '루마니아인이었다'는 이유가 적용되었다. 그러나 대부분의 경우 전략적 고려도 적용되었다. 체코슬로바키아, 폴란드, 유고슬라비아는 독일에 대항하는 프랑스의 동맹국으로서 크고 강한 나라가 되어야 했다. 이러한 고려로 인해 타인종이 그 국가에 포함되는 것은 중요하지 않았다. 같은 이유로 독일, 헝가리, 오스트리아, 불가리아는 약화되어야 했다. 경제학자 존 메이너드 케인스가 지적한 대로 평화중재자들은 자신들의 실제 의도를 감추기 위해 고상한 언어를 사용하는 데 능숙했다. 타민족(대부분의 경우 마자르인)의 오랜 거주지였던 지역에 대한 영유권을 거창하게 주장한 루마니아 정치인 브라티아누는 이 조약들을 '나폴레옹의 조약 구절에 윌슨주의적 화관을 씌운 것'이라고 칭송했다.[50]

　민족자결주의에 대한 특별한 상처는 슬라브와 이탈리아 땅이 잘려나가는 것을 전제한 오스트리아 중심부였다. 이렇게 되면 알프스산맥 지역과 자신을 독일인으로 생각하고, 독일 민족 국가에 귀속되기를 원하는 700만 명의 주민만 남게 된다. 프랑스는 패전한 독일이 더 커지는 결과를 가져오기 때문에 이러한 아이디어를 거부했다. "평화조약의 실제 내용이 그것의 근간이 되는 의도를 이렇게 철저히 배신한 적은 없었다. 각 조항은 잔혹함과 무동정으로 일관하여 인간적 동정의 숨결은 전혀 느껴질 수 없었다"라고 오스트리아의 사회주의 계열 신문은 혹평했다. 그러나 오스트리아가 독일과 합병하는 것을 금지하는 대신, 베르사유조약 80조는 "독일은 오스트리아의 독립을 인정하고 이를 철저히 존중할 것이다"라고 규정했다. 이러한 자기 정당화를 본 케인스는 이 조약이 '가장 간교한 소피스트들과 가장 위선적인 도공들'의 작품이라고 비판했다.[51]

합스부르크제국 내 독일인과 헝가리인에 관해서는 자결권을 부정하는 것이 예외가 아니라 규칙이 되었고, 20년 후 아돌프 히틀러가 체코슬로바키아와 폴란드를 파괴하기로 작정했을 때 평화조약의 결과에 대해 당당하게 도전하는 배경을 잘 설명해준다.

체코슬로바키아의 국경을 정할 때 가장 큰 문제는 보헤미아에 거주하는 250만 명의 독일인들이었다. 이 집단은 여러 세대에 걸쳐 정치적으로 조직되었고, 1918년 독일에 귀속되는 것을 찬성하는 투표를 했다.[52] 지도를 한 번 보면 대부분이 이 '수데텐 독일인들'은 작센, 바이에른, 오스트리아 국경을 10-20마일 보헤미아로 이동하면 독일에 포함될 수 있다는 것을 바로 알 수 있다(이러한 해결책은 이미 1740년대 제시되었다). 그러나 다양한 요인들이 독일에 귀속되고자 하는 이 독일인들의 의사를 방해했다. 가장 중요한 요소는 보헤미아왕국 땅은 성벤체슬라우스의 성스러운 영역으로서 단일체를 구성한다는 체코인들의 주장이었다. 체코슬로바키아는 공화국이었지만, 왕국의 유서 깊은 경계선은 변경될 수 없었다. 좀 더 실제적인 이유는 전략적 고려였다. 보헤미아 경계 지역은 수데텐산맥을 포함한 산악 지역과 보헤미아숲으로 이루어져 있어서 자연적 방어선을 형성하고 있었다. 체코 외교관들은 보헤미아는 오랜 기간 동안 성장해온 생산과 교역의 단위를 구성하고 있기 때문에 체코슬로바키아의 경제적 안정을 위해 단일 지역으로 보존되어야 한다고 주장했다. 이 주장은 오랜 기간 동안 거대한 경제 단일체로 존재해온 합스부르크제국과 비교하면 설득력이 떨어진다.

마사리크와 베네시는 비밀스럽게 체코슬로바키아에 독일인이 많은 것이 적은 것보다 독일인들에게 이익이 된다고 생각했다. 만일 200만-300만 명의 독일인 독일제국에 포함되도록 국경이 획정되었다면, 이것은 남아 있는 독일인들의 탈민족화 위험을 가중시킬 것이다. 개인은 이익과 권리를 가질 수 있지만, 이것은 국가 안에서만 가능하다고 그들은 주장했다. 이러한 주장이 먹혀들지 않자 새 체코 당국은 무력을 사용했다. 1919년 3월 체코 병사들은 전 해에 우드로 윌슨이 '오스트리아-헝가리제국의 민족들의' '자립적 발전'을 요구하며 시위를 벌이다 이미 사망한 52명의 독일인들에게 총격을 가했다.[53]

파리평화회의의 미국 대표단은 체코인들의 논리를 크게 반대하지 않았다. 윌슨은 자신의 비전을 어떻게 실행할지에 대해 참모들에게 분명한 길을 보여주지 않아서 국무장관인 로버트 랜싱조차도 당혹해하고 있었다. "대통령이 '자결'을 얘기할 때 어떤 단위를 염두에 두고 있는 것인가? 인종을 의미하는가 아니면 영토 단위 또는 공동체를 의미하는가?"라고 랜싱은 의아해했다.[54] 기록으로 남은 윌슨의 보헤미아에 대한 언급은 암호문 같았다. 12월 12일 그를 태운, 10척의 전함, 28척의 구축함의 호위를 받는 워싱턴호가 프랑스의 브레스트에 도착하기 직전 그는 "보헤미아에 새로운 경계선을 그리는 것은 너무나 복잡하다. 명확한 경계선이 있다 하더라도 그것은 100만-200만 명의 독일인을 체코슬로바키아에서 제거하게 될 것이다"라고 말했다.[55] 그러나 당시 윌슨이 보기에 왜 이 경계선이 변경불가였는지는 분명하지 않았다. 우리가 앞으로 보는 바와 같이 동유럽 전체, 특히 헝가리에서 다른 오래된 역사적 경계선들은 증발해버렸다.

분명한 것은 윌슨의 참모들이 그에게 앞으로 발생할 문제를 알리지 않았다는 것이다. 윌슨의 참모인 에드워드 하우스가 만든 150인으로 구성된 조사위원회 중에 단 한 사람만 체코나 합스부르크 땅에 대한 깊은 지식이 있었고, 그 사람은 로버트 조셉 커너였다. 우리가 본 바와 같이 후에 버클리대학 교수가 되는 체코 출신 미국인인 커너는 중유럽 정치에 대해 중립적인 관찰자로 남아 있을 수는 없었다. 1918년 마사리크가 체코슬로바키아의 독립을 로비하기 위해 조사위원회를 방문했을 때 커너는 이미 "체코인들을 위해 일하고 있었다"고 마사리크가 후에 회고했다. 커너는 보헤미아에 거주하고 있는 독일인 숫자를 훨씬 축소해서 상관들에게 보고한 것으로 보인다. 유럽 방문 중 제대로 된 독일인 숫자를 보고 받은 윌슨 대통령은 "마사리크는 나에게 그렇게 말하지 않았다!"고 소리친 것으로 보도되었다.[56]

1919년 1월 평화중재자들은 민족 문제를 다루기 위한 공동위원회를 설치했고, 체코슬로바키아 담당 위원회는 노련한 프랑스 외교관인 줄스 캄봉이 맡았다. 그는 마사리크, 베네시 아니면 커너보다도 보헤미아의 경계를 절대 변경할 수 없다는 고정관념을 가지고 있었다.[57] 베네시는 독일의 입장을 고려하여 경계 변경을 할 의사가 있었지만, 캄봉은 작은 경계 조정이 더 큰 변경의 전례가 될 수 있다는 점을 우려했고, 그는 협상의 기본은 보헤미나의 '역사적 경계'가 된다는 동의를 얻어냈다. '분쟁 대상이 되고 있는 작은 변두리'에서의 주민투표는 합스부르크제국 내에 있는 다른 독일인 공동체로 하여금 주민투표를 요구하도록 만들 수 있고, 이것은 패전

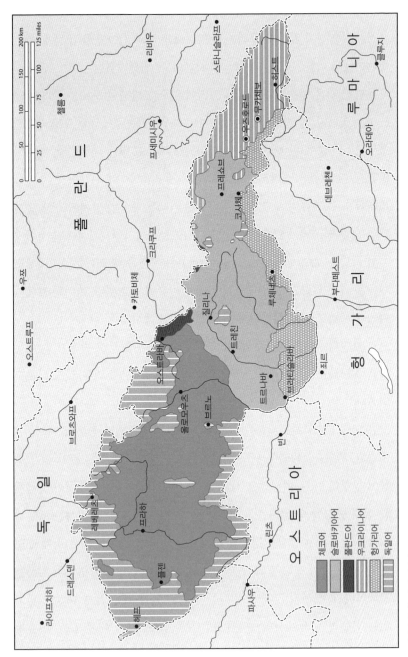

전간기의 체코슬로바키아

국이 영토 보상을 받는 유령을 세워 일으킬 수 있었다.[58]

프랑스의 정책 기조는 정반대였다. 프랑스는 독일과 그 동맹국들을 약화시키고 동유럽의 새 국가들을 '볼셰비키 독약'에 대항하는 강력한 요새로 만들기를 원했다. 그래서 훨씬 더 동쪽인 슬로바키아를 구성하고 있는 합스부르크제국의 영토에서 프랑스 외교관들은 가능한 한 남쪽으로 훨씬 깊이 들어가는 경계선을 만들려고 시도했다. 이 경계선은 부다페스트 북쪽의 산악 지역에 최대한 가까이 가서 헝가리 주민들이 오래 살고 있는 지역 깊숙이 들어갔다. 1920년 체코슬로바키아는 도나우강에 닿은 북부 헝가리를 병합하여 74만 5000명의 마자르인들(체코슬로바키아 인구의 5퍼센트 이상을 차지)의 오랜 주거 지역을 자국에 포함시켰다.[59] 프랑스 외교관들은 단순히 '공정한' 조정을 원하는 미국 외교관들보다 더 목표가 선명하고 일관되었다. 프랑스 외교관들은 인류학적 원칙을 이미 마음대로 변경할 수 있는 상황이라면 체코슬로바키아를 가능한 한 크게 만들지 못할 이유가 없다고 생각했다.

1916년 헝가리가 협상국에 가담할 때 약속받은 지역인 트란실바니아가 루마니아에 복속된 1918년 더 많은 헝가리인들을 루마니아에 잃은 적이 있었다. 체코인들과 마찬가지로 루마니아인들도 역사적인 트란실바니아 지역 경계 서쪽 지역을 점령함으로써 자국 영토로 만들었다. 루마니아 자유주의 정치인인 이온 브라티아누는 자국이 방어선으로 티서강을 필요로 한다고 말했다. 헝가리는 트란실바니아 본토 지역(루마니아인이 다수 주민이었다)의 수십만 명의 주민을 잃을 수밖에 없는 운명이었지만, 인정사정없이 헝가리 대평원 깊숙이 경계선을 밀어내는 정책은 다시 한 번 헝가리인들이 모여 사는 큰 지역을 희생시켰다.[60] 1920년 트리아농조약에서 헝가리에 강요된 평화조약은 300만 명의 헝가리인을 자국 영토 밖에 살게

만들었고, 이들 중 절반 이상이 새로운 국경을 따라 밀집해서 거주하게 되었다.[61]

＊　＊　＊

승전국들은 모든 불평에 귀를 닫았다. 1918년 가을 새로 헝가리 국가 지도자가 된 미할리 카롤리는 새 경계선 확정에 도움을 주는 병력을 지휘하고 있는 프랑스 장군 루이 프랑셰 데페레를 만났다. 프랑셰 데페레는 카롤리가 새로운 자유주의 헝가리를 대표하고 있는 상황에서도 관용에 대한 모든 기대를 무너뜨렸다. "나는 당신네 역사를 안다. 당신 국가에서 당신들은 마자르인이 아닌 주민들을 압제해왔다. 이제 당신들은 체코인, 슬로바키아인, 루마니아인, 유고슬라비아인을 석으로 싱대히게 되었다"라고 그는 말했다. 트란실바니아는 11세기 이후 헝가리 영토가 되었지만 인종적 고려에 대한 주장은 아무 소용이 없었다. 루마니아인들은 자신들이 트란실바니아에 더 오래 거주했다고 주장했다. 1919년 프랑스는 헝가리인들이 밀집해 사는 새 국경 너머 지역을 헝가리가 상실하여 카롤리가 사임하고 급진 좌파에 권력이 넘어갔고, 헝가리 민주주의가 몇십 년 후퇴하더라도, 루마니아 병력이 벨라 쿤의 소비에트공화국을 분쇄하고 연합군을 도왔기 때문에 파리평화회담에서 루마니아의 입장을 강화시켜주는 것이 자국의 입장이라고 밝혔다. 프랑스는 세르비아, 크로아티아, 슬로베니아 왕국이 헝가리인이 다수 거주하는 바나트 지역을 보이보디나 지역의 일부로 획득하는 것도 허용했다.[62]

　독일과 맺은 베르사유조약만이 주민들에게 어느 국가에 소속되기를 원하는지를 묻는 방식으로 분쟁 대상 영토 문제를 다루었다. 그 방법은 주민

투표였다. 그러나 독일의 경우에도 이 방식은 단 두 번만 시행되었다.[63]

1920년 7월 동프로이센 대부분 지역의 주민들은 계속 동프로이센에 남기 원하는지에 대한 주민투표를 했고, 90퍼센트 이상이 긍정적인 답을 했다. 동프로이센 주민 상당수는 일상생활에서 폴란드어를 사용했지만, 이 지역은 1657년 이후 대부분 기간 동안 폴란드에 속한 적이 없었다.[64] 폴란드는 독일이 '프로파간다'에서 우위를 차지한 것을 반대했고, 폴란드어를 사용하는 주민들을 폴란드인으로 간주하면서 주민투표는 '민족 원칙'에 상반된다고 주장했다. 양 측은 주민투표가 실시될 당시 바르샤바 인근에서 볼셰비키군과 폴란드군이 전쟁을 치르는 상황이 투표자들로 하여금 새 폴란드 국가가 오래 지속되지 못할 것이라는 생각을 갖게 했다는 데는 동의했다.

상부 실레시아의 상황은 훨씬 복잡했다. 이 지역은 14세기 이후 폴란드에 속하지 않았고, 이후에는 체코, 합스부르크, 프로이센/독일의 지배를 받았다. 그러나 하부 실레시아 경계 지역(브리크/브제크)까지의 주민들, 특히 시골 지역 주민들은 폴란드어를 사용했다. 폴란드는 민족(언어)에 근거해 이 지역을 자신들의 영역이라고 주장했지만, 1921년 3월 20일 치러진 선거에서 주민 다수(59.6퍼센트)가 독일 귀속에 찬성하는 투표를 했다. 동부 지역에는 폴란드인들이 다수 거주한다는 것을 근거(세 번의 봉기로 확인된)로 한 폴란드의 반대에도 불구하고, 국제연맹은 합리적인 해결책을 마련하기로 하고, 이 지역을 분할하여(베르사유조약에서 허용된 사항) 폴란드 귀속에 절대적 다수가 찬성한 지역은 폴란드에 떼어주었다. 이 지역은 상부 실레시아 지역 전체의 약 3분의 1에 해당되었다. 그러나 독일은 이를 수용하지 않고, 주민들의 의사가 묵살되었다고 주장했다. 이렇게 해서 독일은 두 번째로 중요한 산업 지역을 잃게 되었다.

폴란드의 외교 정책은 한때 사회주의자였던 유제프 피우수트스키 손에 있었다. 그는 동부 지역의 국경은 무력으로 결정되어야 한다고 믿었다.[65] 그러나 과거의 폴란드-리투아니아를 염두에 둔 그는 폴란드는 독일과 러시아 세력에 대항하여 살아남기 위해서는 동유럽의 다른 국가들과 연맹을 맺어야 한다고 생각했다. 그래서는 그는 1920년 초 우크라이나 민족주의 지도자 시몬 페틀류라*와 동맹을 맺고, 폴란드군을 키이우까지 진군시켰다. 피우수트스키는 폴란드, 리투아니아, 우크라이나, 벨라루스와의 연방을 창설하기를 희망했다. 그러나 그는 전선을 널리 넓게 펼쳤다가 1920년 여름에 폴란드군 바르샤바까지 후퇴해야 했다. 그러나 피우수트스키는 성공적인 전광화석 같은 우회작전을 펴서 볼셰비키군을 격파했다. 9월 볼셰비키는 강화를 요청해왔고, 10일 내 전투를 중지하는 조건으로 동부 지역에 폴란드가 원하는 만큼 영토를 내주었다.**[66]

1921년 리가에서 열린 평화회담에서 폴란드와 소비에트측은 영토를 분할하여, 민스크와 키이우는 소비에트벨라루스와 우크라이나에 남겨두되, 동부 갈리시아 도시 리비우/르비프를 포함한 우크라이나 동부 지역은 폴란드의 군정지역으로 넘겨주기로 했다. 이렇게 되면서 동방의 민족들과의 연맹에 대한 희망은 사라져버렸다. 폴란드 협상 대표단은 사회민주

• 시몬 페틀류라(Symon Petliura)는 언론인 출신 우크라이나 민족 운동 지도자로 1918-1921년 우크라이나 중앙라다(Central Rada) 정부 집정내각을 이끌며 우크라이나 독립을 위해 투쟁했으나 볼셰비키군에 패배해 폴란드로 망명했다.

•• 폴란드-볼셰비키 전쟁은 1918년 늦가을부터 1919년 2월까지 볼셰비키 정권과 신생 폴란드공화국 사이에 진행된 전쟁으로 볼셰비키군이 패배했다. 1918년 11월 동맹국이 패배하며 1차 세계대전이 종전되자 레닌은 3월 동맹국과 맺은 브레스트-리토프스크조약의 무효를 선언하고, 조약으로 상실한 서쪽 지역을 회복한다고 선언하며 폴란드를 침공했다. 또한 폴란드를 다리로 서유럽 지역에 볼셰비키 혁명을 확산시킨다는 목표도 있었다. 전쟁 초반 볼셰비키군은 승기를 잡아 바르샤바 외곽까지 진출했으나 병력을 리비우 지역으로 분산시킨 정치장교 스탈린의 실책으로 폴란드군에 역습을 당해 패배했다. 폴란드인들은 풍전등화 같았던 폴란드가 전쟁에서 승리한 것을 '비스와강의 기적'이라고 부른다.

볼셰비키군의 공격을 방어하는 폴란드 여군 부대(1920년 8월)

당원들이 주도했기 때문에 이들은 로만 드모프스키가 원한 국경을 제시해서 볼셰비키 측이 양보할 수 있는 영토보다 훨씬 적은 지역을 차지했다. 이렇게 해서 폴란드는 민스크를 포기하고, 폴란드의 동맹 세력인 페틀류라도 버렸다.[67] 그러나 폴란드의 동부 영토는 수백만 명의 벨라루스인들과 우크라이나인들이 포함되어 있었고, 이것은 가장 열성적인 폴란드화 지지자라도 감당할 수 없는 숫자였다.

역설적이게도 피우수트스키는 자신의 경쟁자들이 원하는 것과 같은 국가를 만들었다. 그것은 폴란드인에 의한, 폴란드인들을 위한 국가였다. 리가조약의 영토 조정으로 그는 근심에 싸였다. 그는 1920년 로만 드모프스키와 더 이상 협력하지 않았다. 드모프스키는 우크라이나인들이 동부 갈리시아를 포함한 국가 창설을 하는 것은 지지한다고 하면서 어떻게 리비우와 동부갈리시아를 점령할 수 있는가라고 피우수트스키에게 따져 물으며 피우수트스키의 야망을 문제 삼았다.[68] 이러한 모순은 리투아니아에 대한 피우수트스키의 행동에도 적용되었다. 1920년 폴란드 장군 루찬 젤리고프스키는 리투아니아의 수도 빌노(빌니우스)를 점령하고 폴란드 영토로 만들었고, 이로 인해 전간기 중 리투아니아의 관계는 악화되었다. 폴란드는 빌노 회담에서 리투아니아의 주권을 인정하기로 연합국에게 약속을 했지만, 젤리고프스키는 피우수트스키의 비공식 허락을 받고 행동했다.[69]

이렇게 피우수트스키와 드모프스키 지지자들의 아무 생각 없는 협력은 국내적으로나 국제적으로 폴란드의 발전을 희망하는 양측의 바람을 좌절시키는 폴란드를 만들어냈다. 폴란드는 축소판 합스부르크 지역에서 독립한 중소국들의 지역 동맹을 만들어내기는커녕 고립되는 결과를 가져왔다.[70] 동부에 정해진 국경은 환상과 기만으로 만들어졌다. 피우수트스키는 약소국들이 폴란드가 정한 국경에 만족하는지를 물어보지도 않고 약소국들이 단합할 것이라고 믿었다. 의구심이 들면 그는 폴란드 영토라고 생각하는 지역을 점령하는 방식을 택했다. 드모프스키는 오스트리아-헝가리 제국의 제도가 갈리시아에 있는 수백만 명의 우크라이나인에게 민족의식을 고무시킨 사실을 무시하고 더 작은 폴란드가 이를 흡수할 수 있다고 생각했다. 볼셰비키가 강화를 요청해왔을 때 볼셰비키는 오랫동안 갈구해온 세계 혁명의 야망을 포기한 것이 아니었다. 리가조약은 절대 항구적인 해결책이 될 수 없었다. 이 조약으로 폴란드는 '두 거인 사이에 낀 중견국가'가 되었고, 이것은 피우수트스키가 가장 두려워한 결과였다.[71]

동쪽으로부터의 위협을 강조하는 선전 포스터는 통상적인 반유대인 이미지를 담고 있었다. 선전물의 일부는 폴란드 '대지주들'의 계획을 지지하지 않는 농민들을 대상으로 만들어졌다(이것은 폴란드 내에서 볼셰비키가 사용한 선전 내용이다). 폴란드 언론에는 특히 동부에서 적군赤軍에 협조한 유대인과 폴란드 부대 복무를 거부한 유대인 청년들에 대한 기사가 넘쳐났다. 한 랍비는 푸오츠크 인근에서 폴란드 부대의 위치를 볼셰비키군에게 알려주었다는 혐의로 총살되었다.[72] 사실을 따져보면 폴란드 내의 다른 민족들의 태도와 마찬가지로 폴란드-볼셰비키 전쟁에 대한 유대인들의 태도는 다양했다. 일부 유대인 공동체는 폴란드 방어를 위해 모금을 했고, 수천 명의 유대인 청년들이 1920년 8월 16일까지 폴란드군으로 전투를 치렀다. 이날 새 폴란드 국방장관 소슨코프스키는 군에서 모든 유대인 병사를 색출하여 제거할 것을 명령했다. 약 1만 7000명의 유대인 장교, 병사들이 야브원나의 집단수용소에 수용되었고, 유대인 학생 자원군은 노동부대로 편성되었다. 이때는 전황이 폴란드에게 유리하게 전개되기 시작할 때였고, 폴란드 병사들이 유대인과 유대인 재산에 대한 폭력을 강화하던 시점이었다. 평화와 안정이 회복된 후 유대인들은 다시 폴란드군에 징집되었다. 1939년 12만 명의 유대인들이 폴란드 시민들과 함께 독일군의 공격에 맞서 싸웠고, 이들 중 약 4분의 1이 목숨을 잃었다.[73]

문서상으로 연합군은 우크라이나 국가 창설을 지지했다. 1919년 여름이 되자 폴란드 군대는 동부 갈리시아 대부분 지역을 통제하게 되었다.[74] 연합국은 이 지역 주민 상당수가 우크라이나인들이라는 것을 잘 알고 있었다. 1919년 6월 영국 수장 로이드 조지와 미국의 윌슨 대통령은 주민투표를 실시하는 안에 동의했고, 이 문제를 외무장관 평의회에 부의했지만, 외무장관들의 의견은 엇갈렸다. 프랑스와 이탈리아는 폴란드가 이 지역을 통치하기를 원했고, 영국은 주민투표가 치러질 때까지 임시로 폴란드가 통치하는 안을 제안했다. 미국 측은 타협안을 제시해서 주민들의 의사를 물을 때까지 이 지역을 신탁통치하는 방안을 제안했다.

그러나 폴란드 국민들의 의견이 다시 한 번 강하게 제기되었고, 이것은 우세한 무력에 의해 뒷받침되었다. 폴란드 대표인 피아니스트 출신 이그나치 파데레프스키는 미국의 제안을 받아들였지만, 폴란드인들은 폴란드 주권이 축소되는 안이라며 이에 격분했다. 갈리시아는 1772년까지 존재했던 폴란드 영토였다는 것이 이들의 주장이었다. 결국 연합국은 폴란드에게 25년 신탁통치권을 부여하고 그 후 주민투표를 치르기로 했다. 그러나 폴란드인들은 이것도 받아들일 수 없었고, 이로 인해 파데레프스키는 폴란드 대표 자리에서 물러났다(그는 1919년 12월 9일 사임했다). 그 시점에 미국 의회는 베르사유조약을 비준하지 않아서 미국은 더 이상 파리평화회담에 참가하지 않았다. 이로부터 2주도 되지 않은 시점에 프랑스와 영국은 동부 갈리시아에 대한 결정을 무효화했고, 이 결정은 결코 실행되지 못했다.

독일과 러시아 사이에 가장 큰 소수민족인 우크라이나인들은 결국 국가를 창설하지 못했다. 우크라이나 민족 운동은 체코 민족 운동과 비슷한 면이 많았다. 우크라이나인들은 외국 압제자들 밑에 살아오고, 국가를 소유한 역사가 거의 없는 '비역사적' 주민들을 포함한 현대 국가를 창설하는 것을 목표로 했다. 우크라이나인들의 '민족적 각성'은 체코인들보다 한 세대 늦게 시작되었다. 이들은 또한 체코인들이 부딪힌 문제도 역시 가지고 있었다. 이들은 다른 종족 집단이 거주하는 지역, 특히 동부 폴란드인들이 다수 거주하는 동부 갈리시아를 점령했다. 서부 우크라이나의 리비우/르비프는 오래된 폴란드 도시(1349년 이후)였고, 동쪽 지역들은 러시아의 근대 발전 과정에 중요한 역할을 한 지역으로 간주되었다. 최근에 블라디미르 푸틴이 반복한 대로 오랫동안 회자된 말은 키예프Kiev는 '모든 러시아 도시들의 어머니'라는 것이었다.[75]

루테니아인이라는 다른 명칭을 가진 우크라이나인들의 상당수는 체코슬로바키아와 루마니아에 귀속된 영토에 거주했다. 전에 '카르파티아 루테니아인'이라고 불린 우크라이나인들은 체코슬로바키아 시민이 되었다.

그 이유는 미국에 거주하는 체코인들이 '모든 카르파티아산맥 남쪽에 거주하는 모든 카르파티아-루신인들'은 자치권을 가지고 체코슬로바키아 공화국에 포함되어야 한다고 주장했기 때문이다.[76] 이들은 이에 따라 적법하게 체코슬로바키아에 포함되었지만, 자치권은 존중되지 않았다.

* * *

1차 세계대전 이후의 시기는 15세기까지 거슬러 올라가는 구세계와 신세계의 가장 극적인 만남을 목격했다. 프랑스와 독일의 계몽 운동과 외국의 지배에 대한 토착민들의 염려에 의해 18세기 말부터 일련의 민족 운동이 시작되었고, 이 모든 운동은 하나의 기본적 메시시를 담고 있었는데, 그것은 각 민족은 스스로의 운명을 결정해야 한다는 것이었다. 1917년 자국에서 멀리 떨어진 곳에서 진행된 복잡한 과정을 잘 모르는 미국의 윌슨 대통령은 북아메리카 사람들과 유럽인들의 공통의 메시지라고 생각한 것을 설파하기 시작했다. 그것은 모든 문명화된 주민들은 자유로워야 한다는 것이었다. 그는 자신의 복음이 중동, 아시아, 아프리카에 적용되어야 한다고 생각하지는 않았다.

우드로 윌슨과 동유럽의 그의 주요한 동맹인 토마시 마사리크는 자신들의 희망과 비전이 서로 겹치는 지점을 알았지만, 윌슨 대통령은 미국 국민에 대한 미국식 아이디어와 중동부 유럽의 아이디어를 결합시키는 것은 폭발적인 긴장을 만들어낸다는 것에 대해 전혀 눈치를 채지 못했다. 미국민의 자결은 체코인이나 체코슬로바키아 주민들의 자결권과 같지 않았다. 미국민의 자결권이 미국 영토에서 모든 사람이 동등한 시민권을 누리는 것이라면, 후자의 자결권은 인종적 '국민'에 속하지 않는 사람들은 해당

영토에서 2류 시민 대우를 받아야 한다는 것을 의미했다. 체코슬로바키아는 체코슬로바키아인들을 위한 것이었지, 독일인들을 위한 나라는 아니었다. 독일인들은 단지 체코인들이 원하는 영토를 점령했었기 때문에 새 국가에 포함된 것이었다.

모든 사람에 대한 평등권 약속에도 불구하고 체코인들과 슬로바키아인들은 아무리 인구수가 적은 지역에서도 국가 행정에서 자신들의 언어를 사용할 수 있었던 반면, 독일인들은 가장 작은 행정 단위에서조차 인구의 20퍼센트 이상을 차지해야 독일어 사용권을 주장할 수 있었다.[77] 지금 되돌아보면 체코 국가는 수데덴 독일인들을 동유럽 다른 어떤 소수민족보다 더 잘 대우해주었지만, 역사가인 윌리엄 존 로즈는 당시 독일인들은 '국경의 반대편에서 누릴 수 있는 지위보다' 훨씬 부족한 대접을 받았다고 서술했다.[78] 보헤미아의 독일어 사용자들은 오랜 세월 누리던 우월적 지위도 누리지 못했다는 말을 덧붙였을 수도 있다.

새 중동부 유럽의 모든 지도자들 중 마사리크만이 인류의 좀 더 고상한 원칙에 헌신했지만, 그는 이 원칙들은 주민들을 통해서만 실현된다는 생각을 가지고 있었다. 보헤미아에서는 보헤미아인들, 다시 말해 체코인들이 주인이었다. "우리는 우리 국가를 만들었다. 그래서 우리는 처음에 이민자와 식민정착자로 들어온 우리의 독일인들의 국가와 권리 관계를 결정한다"라고 그는 1918년 12월 프라하에서 열린 혁명민족회의에서 발언했다. 여기서 '우리'는 슬라브인들이고 독일인들은 마사리크가 '완전한 평등권'을 보장한 손님들이었다. 이것은 선물로 주어진 것이지 이들의 권리가 아니었다. 마사리크가 얼마나 진지하게 이 고상안 원칙들을 불러왔는지 몰라도 "그는 어떠한 민족도 지배민족이 되지 못하도록 하는 식으로 다민족 국가를 조직하는 방법을 찾아내지 못했다"라고 로만 스포를루크는

지적했다.[79]

지금 되돌아보면 연방제가 다민족 국가인 폴란드, 유고슬라비아, 체코슬로바키아 그리고 아마도 루마니아에 맞는 해결책이었다. 그러나 국가는 특별한 지역에 집중된 민족들, 예를 들어 동부 폴란드의 우크라이나인이나 서부 보헤미아의 독일인들 같은 민족들의 이익을 반영하는 유동적인 단위는 될 수 없었다. 이 민족들에게 가장 큰 관심사인 언어, 교육, 문화 자치권을 주고, 이들이 경제, 법률 영역에서 다수 민족의 지배를 받고 있다는 느낌을 주게 하지 않은 방안을 찾아보라고 요구할 수도 있다. 이것은 합스부르크제국 후기에 삼원주의 계획에 논의되었던 모델이기도 하고, 작센 왕국과 바이에른 같은 구성단위에게 상당한 권리를 양도한 비스마르크의 독일의 모델이기도 했다.

지배적인 민족들이 보기에 연방제는 소수민족을 강화하여 부지불식간에 국가의 적을 강화하는 체제였다. 당연히 이해할 수 있는 일이지만 새로 탄생한 국가들은 가능한 강력한 국가가 되고 싶어 했고, 이들은 원심력적 힘이나 탈중앙화된 정부를 벽안시했다. 자유주의자들조차도 연방제를 정치를 변형시키는 민주주의의 힘을 훼손할 수 있는 제도로 보았다.[80]

소수민족들을 위한 조약도 체결되었지만, 이것들은 '점진적이고 고통이 없는 동화'를 증진하기 위한 것이었다.[81] 그러나 소수민족이라고 말하는 것은 다소 어폐가 있다. 1억 명의 독일인 중 약 3000만-4000만 명의 독일인들이 독일 민족 국가 내에 거주하지 않았다.[82] 이 숫자는 정확하지 않고, 비유럽인 주민도 포함한 것일 수도 있지만, 이것은 큰 문제를 내포하고 있었다. 많은 독일인들이 자신들을 '거주 공간이 없는 나라의 국민Volk ohne Raum'으로 생각할 뿐만 아니라 이 '국민'의 상당수가 외국 영토에 살고 있어서 유럽의 정치 구조를 부식시키는 힘으로 작용했다.

그러나 전간기 사이에 발생한 문제들은 서방의 아이디어를 동방에 강요한 것에서 일어난 것이 아니다. 1차 세계대전 후 조정의 결과는 윌슨이나 프랑스, 영국의 상상이나 발명으로 만들어진 동유럽이 아니었다. 동유럽인들이 자신들의 혁명을 일으켰고, 민족별도 다양한 길을 택했으며, 새로 탄생한 독일처럼 자유주의 제도를 채택하고 볼셰비즘을 거부했다. 벨라 쿤의 혁명이 가져온 과잉행동은 윤색되고 과장되어서 체코슬로바키아를 빼고 나머지 모든 국가에서 공산당은 불법화되었다. 체코슬로바키아는 공산당을 불법화하는 것은 자유주의적 헌정 질서를 배신하는 것이라고 생각해서 이를 따르지 않았다.

동유럽 다른 지역에서와 마찬가지로 체코슬로바키아의 지도자들은 자신들의 필요 때문에 윌슨(레닌이 아니라)의 민족자결 아이디어를 받아들이고, 서방 지도자들에게는 이들이 듣고 싶어 하는 것민올 말했다. 새로 탄생한 국가들이 당면하게 되는 중요한 문제는 자신들이 존재를 지원하고 싶어 하거나 무시하고 싶어 하는 여러 민족이 뒤섞였다는 것이었다. 새 국가는 일부 권리를 양도하는 것이 외국에 거주하는 소수민족의 고통을 많이 덜어주는 방법이었지만 소수민족에게 자치권을 허용한 경우는 없었다.

13장

민족자결주의의 실패

미국은 세계를 민주주의를 위해 더 안전한 장소로 만들기 위해 1차 세계 대전에 참전했고, 서방 국가들은 이러한 메시지를 열성적으로 선전했다. 자유로운 자치정부가 젊은이들이 전장에서 목숨을 바치는 대의였다. 그러나 이 목표가 실현가능한 것으로 보이도록 만들기 위해 큰 선전이 필요 없었다. 모든 곳의 주민들은 과거의 왕과 황제의 압제는 제거되고, 자유민주주의가 스스로 발아해 꽃을 피울 것이라고 전제했다.[1] 민족들은 드디어 스스로를 통치할 수 있게 되었다. 연합국은 독일과 오스트리아에게 두 제국이 공화국이 되기 전까지는 종전 협상이 없다고 통보했다. 그러나 체코슬로바키아, 폴란드, 유고슬라비아 같은 신생국에서 기대는 훨씬 더 컸다. 이 국가들의 유일한 존재 이유는 자치라는 기본권을 누리지 못한 주민들을 위해 자치를 실현하는 것이었다.[2] 이 국가들은 대의 정부 국가가 이제까지 보지 못했던 초민주주의hyperdemocracies를 지향했다.

중동부 유럽의 신생 국가들에서 민주적 절서는 자동적으로 국제 평화와 연계되었다. 압제적인 오스트리아-헝가리제국과 독일제국은 아무도 선출하지 않은 전제군주가 통치해왔고, 이들은 비밀 협정을 맺고, 통치하는 주민들의 이익과 아무 관계가 없는 전쟁을 시작했다. 이제 중동부 유럽의 민주적으로 선출된 정부들은 전쟁이 어느 주민에게도 이익이 되지 않기 때문에 전쟁을 추진하지 않고, 이 국가들은 서유럽은 물론 나머지 세계 공동체의 책임 있는 대의 정부 국가 공동체에 가담할 예정이었다.

일부 서방 중동부 유럽 전문가들은 아무 문제가 없을 것이라고 예상했다. 파리와 런던에서 '새로운 중유럽'을 강력히 지지한 역사학자이며 후에 런던대학 교수가 되는 윌리엄 존 로즈는 옛 도나우 세계는 인위적인 충성과 제도의 장소였다고 말했다. "중유럽의 많은 사람들은 원하지 않는 전쟁의 공포에 시달렸고, 자신들이 싸우고 목숨을 바쳐야 하는 일을 혐오하고 중앙집권적 제국이 무너져 파괴되기를 희망하고 기대해왔다"라고 썼다.[3] 로즈는 합스부르크제국이 통치하는 실레시아를 막 빠져나온 상태였다. 그는 3년이란 긴 기간 동안 자국 내에 형성된 전선의 고통을 지역 주민들과 같이 경험했다. 그 시간 동안 그는 수십 명의 폴란드인, 체코인, 우크라이나인들과 얘기를 나누었고, '자유, 신이 우리에게 하사한 운명에 따라 살 권리'를 갈망하고 있다고 확신했다.[4]

민주주의만이 유일한 희망으로 보였고, 역사는 민주주의가 실패한 곳을 알지 못했다. 1919년 당시 민주주의는 아직 검증이 되지 않은 예술이었다. 시대의 정신은 사소한 의구심을 밀어버렸다. 후에 컬럼비아대학의 저명한 유럽 역사 교수가 되는 칼튼 J. 헤이스는 파리평화회담 중 미국 대표단에서 군사정보부와 함께 일했다. 유럽인들과 나눈 수많은 대화를 통해 그는 세계대전으로 발생한 엄청난 인명 피해는 '너무 엄청나서' 세계는 1914년 상태로 지속될 수 없다고 결론 내렸다. "인간 역사의 한 시대가 끝나

고, 새로운 시대가 시작되고 있었다"고 그는 기술했다. 유럽과 아시아 역사
의 최고 권위자인 영국계 벨기에인 학자인 찰스 사롤레아는 "천 년의 복속
생활 끝에 슬라브인들은 오늘 드디어 인종적 상속을 챙길 수 있게 되었다"
라고 썼다. 그러나 유권자의 3분의 2가 이제 농민이라는 단순한 이유 때문
에 루마니아인들 중에서도 민주주의에 대한 열정은 아주 높았다.[5] 새 국가
는 대부분 루마니아인들의 이익을 위해 선동할 수 있는 국가가 되어야 했다.

사롤레아, 로즈, 헤이스는 국경에 대한 분쟁은 있을 수 있다는 것을 알
았지만, 이것은 역사적 변환이 일어나고 있는 세계라는 배경에서 큰 문제
가 될 것으로 생각하지 않았다. 남슬라브인들은 과거의 갈등에도 불구하
고 단합을 원했고, 체코인과 폴란드인들은 실레시아에서의 분쟁에 대해
'화해하기로' 했다. 독일인들은 새로 탄생한 국가 체코슬로바키아를 인정
할 것이라고 생각되었다. 합스부르크왕가가 몇 세기 동안 통치했던 광대
한 지역에서 오스트리아의 관료들과 결별하는 것을 애석해하는 사람들은
거의 없었다. 미래는 밝았고, '아무에게도 악의를 품지 않고, 모든 사람을
위해 자비를 베푸는' 분위기였다.[6] 세계대전은 유럽인들에게 서로 협력하
여야 한다는 것을 가르쳐주었다.

정치적 변화에 투사된 희망이 이렇게 철저히 실망으로 바뀐 적은 없었
다. 1922년 무솔리니가 이탈리아의 총리로 임명되면서 민주주의는 마치
시간표가 정해진 것처럼 무너지기 시작했다. 이탈리아 다음에 알바니아
(1925), 폴란드와 리투아니아(1926), 유고슬라비아(1929), 독일과 오스트리
아(1933), 불가리아, 에스토니아, 라트비아(1934), 그리스(1935), 그리고 마
지막으로 루마니아(1938)의 민주주의가 무너졌다. 호르티 제독이 통치하
는 헝가리는 1926년부터 가짜 민주주의로 전락했다. 의회는 시골 지역 농
민들에게 (비밀선거가 아닌) 공개선거를 강요했고, 사회민주당은 도시 지역

에서만 후보자를 낼 수 있게 만들었다. 그 결과 집권당(단합당, 1921-1932)인 '민족단합당Party of National Unity'(1932-1940)은 선거에서 진 적이 없었다.[7] 민주 질서는 체코슬로바키아에서 가장 오래 살아남아서 영국과 프랑스가 이 나라의 요새화된 국경 지대를 히틀러에게 넘겨준 1938년까지 지속되었다. 1939년 3월 히틀러가 독일군을 프라하에 파견했을 때 1차 세계대전 후 질서의 실패는 극적으로 그리고 재앙처럼 완결되었다.

불안정의 핵심 근원은 몇몇 신생 민족 국가가 아니라 축소된 합스부르크제국이었다. 폴란드, 체코슬로바키아, 루마니아, 유고슬라비아는 지배 민족에 속하지 않는 수백만 명의 주민을 포함하게 되었다. 이러한 상황으로 인해 소수민족 정당이 대거 생겨나고, 이것은 연정 정부의 구성을 어렵게 만들며, 동유럽의 국가끼리 서로 협력하는 것을 막았다. 새 국가들은 이웃 국가들과 협력하기보다는 영토에 대한 영유권을 주장했다. '소협상국Little Entente'인 루마니아, 체코슬로바키아, 유고슬라비아는 헝가리에 대항하는 공동 방어 정책을 폈고, 헝가리는 트리아농조약으로 이 국가들에게 잃은 영토를 회복하려고 노력했다. 프랑스의 외교 정책이 희망한 것과 상반되게 새로운 동유럽 국가들 동맹 블록은 탄생하지 않았고, 1930년대 독일은 파리평화회담의 위선, 특히 독일은 오스트리아, 체코슬로바키아, 폴란드에 거주하는 독일인의 자치를 부정한 것에 대한 불만을 교묘하게 이용하여, 동방 지역의 식민지화를 위한 인종학살 프로그램의 전주곡으로 이 세 국가의 파괴를 꾀하게 되었다.

그러나 루마니아인, 체코인, 폴란드인들은 지금도 1918년을 민족 독립이 시작된 해로 축복하고 있고, 민주적 통치의 실패에도 불구하고 대공황이 일어나기 전 10년은 유럽을 깊은 경제 위기로 몰아넣었지만, 경제적·제도적·문화적 다양성이 아주 큰 동유럽 지역에 안정적이고 대체적으로 합법적인 질서를 만들어낸 기본적인 성취를 이루었다고 볼 수 있다.

동유럽 국가들이 새로운 국가를 만들며 경험한 것은 단일하지 않았다. 부침이 크지만 우리는 두 양상을 구별할 수 있다. 한편에는 폴란드, 체코슬로바키아, 유고슬라비아 미니 제국이 있다. 이 국가들은 모두 새로운 헌법을 제정하고, 전에는 함께 일해본 적이 없는 다양한 정당들이 난립한 가운데 국가에 포함된 다양한 주민들을 포함하는 의회 통치를 실험했다. 폴란드와 유고슬라비아에서 이 실험은 각각 1926년과 1929년 포기되고, 전제적인 정치에 자리를 내주었지만, 체코슬로바키아에서는 계속되었다. 문제는 이 세 나라의 경우가 왜 다른가이다. 다른 한편에는 루마니아, 헝가리 불가리아가 있다. 이 세 국가는 헌법을 비롯한 정부의 핵심 구성 요소가 1918년 이전 시기에서 넘어온 것이었고, 지배 민족인 루마니아인, 마자르인, 불가리아인들은 소수민족의 도전으로부터 위협을 훨씬 덜 받았다. 정치적 지형도 훨씬 단순했고, 이에 따라 정치 이야기도 단순했다.

중동부 유럽 전체에 모두 해당되는 사실은 서유럽보다 경제 발전이 뒤떨어졌고, 이것은 낮은 1인당 국민소득, 높은 영유아 사망률, 낮은 도시화 수준, 뒤떨어진 교육제도로 나타났다. 마지막 요소는 읽고 쓰기를 할 줄 모르는 주민들을 동원하는 것은 어렵기 때문에 국가 건설자들에게 큰 문제로 다가왔다. 이것은 루마니아 출신인 정치학자 데이비드 미트라니로 하여금 서방 제도를 받아들일 준비가 제대로 되지 않은 사회에 서방 제도를 이전하는 근본적 어려움을 지적하도록 만들었다. 1866년 제정된 루마니아 헌법은 벨기에 헌법을 모델로 삼았지만, 루마니아가 처한 실제 상황을 고려하지 않고 제정되어 문제가 많았다. 루마니아인의 상당수는 "완전히 문맹이라 새 제도가 부여한 의무와 권리를 인식할 수 없었다. 이들은 상류층의 계몽에 의지해야 했고, 이것은 농민들로 하여금 자신들의 의무를 깨닫게 만들지 못했고, 농민들의 권리에 대한 언급은 편의주의적으로 생략되었다". 그래서 상류층이 자신들이 원하는 결과를 얻기 위해 비밀선거기는 해도 선거를 조작하는 것이 어렵지 않았다. "행정력의 영향은 너무 효과적이었고, 아니면 이에 대한 두려움이 너무 커서 반대파 정치인은 당선되는 것이 불가능했다. 형식적인 반대파의 존재를 살려두기 위해 정부가 일정 선거구에는 후보를 내지 않은 경우를 빼고는 반대파가 당선될 수는 없었다"라고 미트라니는 지적했다.[8]

그러나 1915년에 쓴 이러한 평가도 루마니아가 헝가리로부터 가능한 한 많은 영토를 차지해야 한다는 전후 질서에 대한 미트라니의 열정을 감소시키지는 않았다. 2년 후 그는 루미니아가 루마니아인들이 거주하는 모든 합스부르크제국과 러시아제국의 영토를 획득해야 한다고 주장하는 소책자를 출판하고, 결함이 있는 정치제도가 새로운 지방으로 확대되는 것에 대해서는 전혀 염려하지 않았다. 취약한 유럽 국가들의 생존 자체가 위험에 처할 수 있었다. 그는 독자들에게 '강한 민족이 약한 민족의 자연적 발전을 방해하는 결과를 가져올 잘못된 힘의 사용'에서 누적될 수 있는 위험을 고려해야 한다고 촉구했다. 트란실바니아의 비루마니아 주민들은 그의 이러한 고려에 포함되지 않는다는 것을 그는 암묵적으로 보여주었다. 특이한 것은 이러한 시작이 아니라 근원이었다. 국제주의와 민족 국가 주권의 사상의 창시자는 인권이라는 명분에 갇혀 있었다.[9]

유사 민주주의

1차 세계대전 종전 후 유럽 국가들은 성인 남성들을 대상으로 한 완전한 보통선거라는 거대한 발걸음을 내딛었다. 모든 국가에서 성인 남성들은 투표권을 얻었고(헝가리에서의 제약은 앞에 언급함), 폴란드, 체코슬로바키아, 그리고 잠시 동안 헝가리에서는 여성들도 투표권을 얻었다.[10] 그러나 주민들이 정치 기득권에 자신들의 의사를 반영할 능력은 큰 변화가 없었고, 곪아터진 사회 문제를 해결하는 데도 거의 아무 역할을 하지 못했다. 대부분의 주민들은 여전히 농토를 경작했지만 농지를 거의 소유하지 못했고, 비료, 영농법, 수익을 거둘 수 있는 신용도 제공받지 못했다. 정부는 경제·사회 발전을 저해하는 이런 기본적 난관을 해결하는 데 집중하지 않고 도시의 필요에 집중하고 농촌 지역은 강하게 통제했다. 때로 정부 당국자들은 민족적 이해가 달린 기본적 문제를 해결할 때까지 사회 문제 해결은 미루어져야 한다고 말하기도 했다. 헝가리에서는 트리아농조약으로 상실한 영토가 너무 큰 상처가 되어서 정부는 다른 문제에 집중할 수가 없었고, 이것은 최소한 정부가 내세우는 선전의 주 내용이 되었다.

벨라 쿤과 그의 부역자들이 빈으로 도주한 후 미클로스 호르티가 주도한 '백색 테러'와 사회민주당원들의 선거 보이콧에도 불구하고, 1919년 11월 헝가리에서는 의회를 구성하기 위한 총선이 치러졌다. 소자영농당 Smallholders(농민당)과 여러 우파 당으로 구성된 연정이 결성되어 자유주의자인 카롤리와 쿤의 공산당 정권이 시행한 조치들을 취소했다. 연합국들은 헝가리가 합스부르크제국 시대의 왕정을 철폐할 것을 요구했지만, 1920년 입법을 통해 헝가리를 다시 전통적인 왕국으로 되돌려놓았다.[11] 테러를 자행한 장교들이 사용한 건물에서 열린 의회는 독재자 호르티를 '섭정'으로 선출했다. 호르티는 오스트리아-헝가리제국의 해군사령관이었고, 프란츠 요제프 황제의 측근으로서 철저한 우파적 성향의 인물이었다.[12]

헝가리 소자영농당은 1차 세계대전 직전 나기타드 출신의 이슈트반 샤보가 창설했다. 진정한 농민 지도자인 그는 토지 개혁을 목표로 내세웠고, 1920년 소자영농당의 지도부에는 몇 명의 농민 프롤레타리아가 포함되어 있었다. 그래서 새 정부는 도시나 농촌 지역 노동계급을 대표하지는 않았다.[13] 그러나 헝가리의 중산층도 절박한 상황에 처해 있었다. 많은 중산층이 오스트리아-헝가리의 전쟁 기금에 저축을 들어놓았다가 모든 것을 잃은 상태였다. 제국 내 여러 신생국가에서 온 이전 관료 출신과 가족들이 난민으로 밀려들어 오면서 이들의 숫자는 30만-40만 명으로 불어났다. 많은 사람이 처참한 상황에서 생활했고, 일부는 버려진 철도 차량에서 살았다. 이들은 마르크스주의자들을 자신들의 주적으로 보았고, 1920년대 후반에 부상하는 우파 정치 운동의 기둥이 되었다.

1920년대 호르티 정권의 총리였던 트란실바니아의 칼빈교 귀족 가문 출신 백작인 이슈트반 베틀렌은 신념이 확고한 우파 정치인이고, 노련한 외교관이었다. 그는 부다페스트, 빈과 영국의 몇 대학에서 교육을 받았다. 그는 대중 앞에 섰을 때 카리스마는 별로 없었지만, 막후 협상에 귀재였고, 자신이 속한 지주계급의 이익을 잘 대변하는 정치인이었다. 베틀렌의 목표는 헝가리를 1차 세계대전 전 제한된 투표권 상태로 되돌리는 것이었고, 대중들이 아직 자신들의 행동에 책임을 질 준비가 되지 않았다는 것을 이유로 들었다. 대중들의 눈먼 통치에 국가 운영을 맡길 수 없다고 그는 주장했다. 지식인들이 이끌지 않는 국가는 중우정치와 저속한 선전선동에 휘말릴 수 있고, 민족적, 사회적 불만이 이를 부추길 수 있다고 그는 주장했다.[14] 소속 계급에서는 예외적으로 그는 소자영농당에 가담했지만 후에는 술수와 법적 묘책을 써서 이 당을 다른 우파 집단과 결합하여 집권당 역할을 하는 통합당을 만들었다.[15]

그는 도시에 거주하지 않는 유권자들은 공개투표를 하는 전쟁 전 관행을 복원시켰다. 이렇게 되자 농민들이 투표를 할 때 지주들이 반대표를 던지는 농민을 찾아내서 다양한 행정적 수단으로 징벌을 가할 수 있었다. 그래서 유권자수는 전체 인구의 28퍼센트에 불과했고, 교육과 거주 기간을 기준으로 더 많은 제약이 가해졌다.[16] 이런 정치술수로 헝가리의 전통적 엘리트인 귀족, 지주, 교회, 소수의 자본가 집단이 정체 체제에 대한 통제를 확실히 할 수 있었다. 1920년 8월 시행된 소규모 농지 개혁으로 지주들로부터 징발한 전체 농경지의 약 7.5퍼센트가 배당되었지만, 사전에 이를 통보받은 지주들은 가장 쓸모없는 땅을 내놓았다.[17] 이와 동시에 베틀렌 정권은 농업 노동자들이 조직하는 것을 막았기 때문에 선동자들이 농촌 지역에 나타나면 이들은 바로 경찰에 의해 추방되었다. 이렇게 해서 이전의 유사장원제가 큰 변화 없이 지속되었고, 자신들을 인종적 주민들의 진정한 보호자로 내세우는 극우 세력이 활동할 공간을 만들어주었다.[18]

베틀렌의 국가 발전 계획은 외국 투자를 끌어들이고 임금을 낮게 유지하여 경제성장을 촉진하는 것이었다. 그가 이룬 중요한 성취는 통화를 안정시킨 것이다. 1927년 그는 금에 바탕을 둔 펭괴pengő를 도입했고, 이 화폐는 유럽의 화폐 중 가장 안정적인 것으로 드러났다. 이것은 대규모 외국 투자와 차관과 함께 어느 정도 경제 발전을 가져왔다. 정부는 보건과 노년층, 과부, 장애자 보험을 비롯한 사회 개혁도 실시했다. 자국 산업을 보호하기 위해 관세제도가 도입되고, 공장 수는 1920년부터 1929년 사이 세 배로 늘어났다. 헝가리의 수출품은 대부분 농산품이었지만, 당분간 헝가리 농산물은 외국 시장에서 높은 가격을 받아서 외국 무역 규모는 두 배로 늘어났다. 그러나 외국 자본을 성공적으로 유치한 것은 극우파들의 불평을 야기했다. 헝가리가 유대인 자본에 의존하게 되었다고 주장한 군 장교

줄러 굄뵈스는 통합당 의원 6명을 회유해 1923년 헝가리독립당을 결성했다.[19]

베틀렌의 통합당은 매 선거마다 다수당이 되었지만 야당도 어느 정도 허용했다. 이들은 야당이 절대 권력을 잡을 수 없다는 것을 잘 알고 있었다.[20] 베틀렌은 산업 노동자들은 어느 현대 사회에서건 이익집단이 되어야 한다는 것을 알고 노동조합의 활동을 허용했다.[21] 1928년 (마르크스주의에 기초한) 사회민주당은 파업과 농촌 지역 유권자들을 조직하는 것을 자제한다는 데 동의하고 의회로 돌아왔다. 동유럽 모든 지역에서와 마찬가지로(체코슬로바키아를 제외하고), 정부는 공산당을 불법화했지만, 언론, 집회 결사의 자유는 대체적으로 존중했다. 좌파와 우파 정당들이 활동했고, 기본 정권을 문제 삼지 않는 한에서 신문과 잡지에서 철학적·정치적 사상을 논의하는 것도 가능했다. 1944년 독일에 의해 해임당할 때까지 왕과 같은 '섭정'인 호르티는 제한적 다원주의 정치를 관장하며 총리를 직접 임명하고, (앞으로 보는 바와 같이 점점 더 좌절하기는 했지만) 헝가리가 독립을 유지하도록 노력했다.[22]

루마니아는 평화조약으로 가장 큰 이익을 보았지만, 루마니아의 상황은 근본적인 면에서 헝가리와 유사했다. 남성에게 보통선거권을 부여하고 실시한 1919년 첫 총선에서(여성들은 1930년대까지 지방 선거에서 투표권을 갖지 못했다) 농민당과 민족당이 다수당이 되었다. 유권자들은 자유주의 계열 정당들이 전쟁에 대한 준비를 하지 못했고, 1916-1918년 극도로 혼란스런 행정을 펼친 것에 책임을 물어 징계했다. 새 연립정부는 사회경제 개혁, 농촌에의 투자, 농지 국유화, 그리고 가장 인상적이게 행정의 탈중앙화를 계획했다. 이것은 루마니아의 다양한 지방적 특성을 존중하고 루마니아를 다민족 국가의 모델로 만들었다.[23]

그러나 이 모든 것이 무위로 돌아갔다. 페르디난트 국왕은 간단한 술책을 써서 1920년 3월 정부를 해산했다. 총리인 트란실바니아 출신 알렉산드루 바이다-보에보드는 트란실바니아와 베사라비아의 최종 경계를 협상하러 파리로 갔을 때, 총리 서리인 스테판 C. 포프는 내각과 함께 사임했다. 이것은 루마니아의 민주주의에 운명적인 전환점이 되었다. 선출된 의회 다수파는 친농민당들이 토지 개혁과 '소수민족'과의 화해를 바탕으로 대중적 지배를 확고하게 할 수 있는 상황이었다. 그러나 국왕과 자유주의적 기득권 세력은 이러한 조치들이 '반역적'라고 간주하고, 전간기 대부분 기간 동안 유권자들의 의사를 무시하려고 공모했다. 이 시기 이후 집권 세력은 일관되게 선거 실시를 연출하여 승리를 거두었다.[24]

보수주의 경향의 전쟁 영웅인 순종적인 알렉산드루 아베레스쿠가 총리에 임명되고, 5월에 선거가 '조직되어' 그의 절충적인 국민당이 부정 선거로 절대다수 득표를 했다. 사회 개혁 거부, 반공산주의, 반유대주의, 반마자르주의와 왈라키아 우월주의를 내세운 아베레스쿠는 루마니아에 엄격한 중앙집권적 질서를 확립하고, 정치화된 토지 개혁을 실시하여 외국인들(통상 마자르인과 독일인)이 소유한 토지를 루마니아인에게 분배했다. 이 개혁은 강하고 독립적인 자영농 계층을 만들어내지는 못했지만, 농지를 잃은 지주들을 국가 관료제에 등용시키고, 유대인과 외국인들이 장악했던 상업과 산업 분야에서 독재적인 권한을 행사하게 하는 방법으로 이들을 구해주었다.[25] 맡은 역할을 다한 아베레스쿠는 총리직에서 물러나고 자유주의자들은 1922년에 선거를 조직하여 대승리를 거두었다.

그들을 다수파의 힘을 이용하여 1866년 헌법을 개정하여 노동자와 농민들의 조직을 막기 위해 집회의 권리를 제한했고, 농지 소유권을 자국민으로만 제한했으며, 계엄령 조치를 완화하는 대신에 폭넓은 왕권을 다시 확인했다. 자유주의자들은 자신들이 페르디난트 국왕을 통제할 수 있다고 확신했고, 그의 아들인 카롤 황태자에 대해서는 확신을 할 수 없었기 때문에 그의 복잡한 결혼 생활을 이유로 1926년 1월 4일 입법을 통해 그를 왕위 계승에서 제외시켰다. 집권당의 친산업적·반농업적 정책이 인기가 없어지자 이들은 아베레스쿠 장군을 다시 총리로 임명하여 그가 대중들의 불만을 떠맡게 만들었다. 그러나 그도 신뢰할 수 없게 되자, 다시 선거를 치러서 자유주의자들이 다시 권력을 잡았다. 1926년 선거에서 136만 6160명이 아베레스쿠에게 투표를 하고, 단지 19만 2399명만이 자유주의자들에게 투표했다. 그러나 불과 1년 뒤 170만 4435명이 자유주의자들에게 투표를 하고 5만 3371명만이 아베레스쿠에게 투표했다.

이론적으로 루마니아의 자유주의자들은 두 가지 도전에 직면했다. 하나는 수십만 명의 헝가리인을 루마니아 정치에 통합하는 것이고, 다른 하나는 루마니아 인구의 대부분을 차지하고 전근대적인 환경에서 생활하고 있는 농민들의 생활을 향상시키는 것이었다. 그러나 자유주의자들은 국가 안보, 즉 루마니아 국경 너머에서 오는 위협을 막는 것이 가장 중요하다고 주장하면서 두 문제를 해결하지 않았다. 체코슬로바키아, 유고슬라비아, 루마니아가 소협상국을 구성했고, 이 국가들의 주목적은 헝가리의 실지회복주의를 막는 것이었다. 루마니아 지배자들은 이러한 절대적 목표를 내세우면 거대한 헝가리 주민들에 대한 정책을 완화하는 것을 막았다. 이들은 이것이 '국제적 음모'의 일부라고 주장했다.

자유주의자들은 이와 마찬가지로 볼셰비즘의 위협이 동부 국경을 통해 소련으로부터 베사라비아로 슬그머니 들어오고 있기 때문에 경계를 늦추어서는 안 된다고 주장했다. 이러한 경계심은 도시에서 루마니아 농촌으로 들어와 '소요'를 조장하고 투표에 참여하게 만드는 활동가들에게도 적용되었다. 외국의 침투에 대한 두려움이 곪아 터진 민족적·사회적 문제에 대한 효과적인 대응을 막았다.[26] 그 결과 좌파와 우파 정치세력은 급진화되었고, 농민 출신과 소수민족 출신들이 공산당과 파시스트 운동에 가담했다.

1927년 페르디난트 국왕과 자유당 지도자 이온 브라티아누(그는 파리평화회담에서 능숙하게 루마니아의 이익을 달성했다)가 연이어서 사망했다. 1928년 두 번째 다수당으로 트란실바니아 농민 정치인 율리우 마니우가 이끄는 민족농민당은 상대적으로 공정하게 치러진 선거에서 선전하여 78퍼센트를 득표했다. 마니우는 외국 차관을 들여와서 균형예산을 유지하고 통화를 안정시키는 데 성공했다. 농업기구와 농민 소비용 수입품을 들여오기 위한 관세도 낮추었다. 마니우는 전임자들이 외국 투자자의 국적에 따라 제약을 두었던 외국 투자 제한도 완화했다.[27]

그러나 시대상황이 좋지 않았다. 농산물 가격은 하락하고 대공황이 시작되면서 신용도 고갈되었다. 1930년 6월 6일, 악화되는 부패 상황을 파악한 카롤이 귀국했고, 이틀 후 의회는 그를 찬성 485표, 반대 1표로 카롤 2세 국왕으로 옹위했다. 이것은 왕정 질서가 지속되어야 한다는 루마니아의 일반적 분위기를 반영한 것이었다. 카롤 국왕은 장관들을 임명하고, 정치인들을 서로 견제시켰으며, 이것이 제대로 작동하지 않으면 억지로 연정을 만들어 급진주의자들을 억압했다. 카롤의 두 번째 부인인 그리스 왕족 출신 헬레나는 1928년 자유분방한 생활을 하는 카롤과 이혼했다. 카롤은 자신의 애인인 독일에서 교육받은 마그다 루페스쿠를 왕비로 맞아들였는데, 그녀는 가톨릭이면서 유대인 배경을 가지고 있었다.[28] 마니우는 카롤이 헬레나와 화해하겠다는 약속을 어기고 '기독교 도덕에 반하는' 생활을 하는 것에 배신감을 느끼고 10월 사임했다.[29] 민족농민당은 마니우

만한 정치인을 찾지 못해 이후 세력을 잃었다. 마니우 정권이 이룬 한 가지 성취는 중앙과 지방 행정의 연합을 가져온 것이다. 그러나 부패, 뇌물, 종종 일어나는 경찰의 잔혹행위의 문화는 떨쳐버리지 못했다.

불가리아는 동유럽 어느 국가보다 건강한 토지 지배 구조를 가지고 있었기 때문에 토지 문제는 그렇게 심각하지 않았다. 사실상 모든 농촌 프롤레타리아와 도시 거주자들은 작기는 하지만 상대적으로 평등하게 배분된 농지와 재산을 소유하고 있었다. 여기에다가 불가리아는 발칸 지역에서 가장 발달한 사회보장제도와 보험제도를 가지고 있었다.[30] 1차 세계대전 직후 불가리아는 동유럽국가들 중 농민의 힘을 지배 권력으로 실험하는 데 가장 가까이 간 나라였다. 그 이유는 (발칸전쟁과 1차 세계대전을 포함한) 연이은 파괴적 전쟁으로 이 전쟁에 책임이 있는 부르주와 정당에 대항하는 새로운 다수당이 형성될 수 있었다.

1차 세계대전 전 동유럽에서 강력한 농민 운동을 이끈 알렉산다르 스탐볼리스키는 전쟁 반대로 3년의 옥고를 치른 후 1918년 다시 나타났다. 그는 불가리아 정권이 전쟁 전과 전쟁 중의 파괴적 선택을 했기 때문에 수십만 명의 불가리아인들이 죽었고, 이러한 과오는 단순히 정치인들의 책임이 아니라 도시민들의 책임이라고 주장했다. 농촌에 대한 이들의 혐오가 나라 전체에 고난을 가져왔다고 주장했다. 그러나 그는 불가리아 농업당에 농촌 프로그램을 지지한다고 약속을 하는 조건으로 비농민들도 가입시켰다.[31]

공산주의자들도 불가리아인들 사이에 널리 퍼진 불만에서 이익을 받았지만, 1920년 3월 실시된 선거에서 40퍼센트를 득표하여 불가리아 농업당은 가장 강력한 정당이 되었다. 스탐볼리스키는 좌파 정당(공산당, 사회민주당)의 13명의 의원들이 의회로 돌아오는 것을 막고, 자신의 당을 위한 연

보리스 국왕과 스탐볼리스키 총리(1920년 8월)

정을 만들었다. 그의 목표는 농민적 질서를 만드는 것이었고, 깨끗한 민주주의적 방법을 쓰지는 않았지만 모든 기관으로부터 도시, 부르주아 영향을 제거하기로 하고 의회를 시작으로 도시에서 끝냈다. 그는 국민들이 농지를 소유하고 농산물을 경작하지 못하면 자유로워질 수 없다고 말했다. 혁명적이라고 불리지 않은 혁명에서 그는 권력을 기생충 같은 소도시 주민, 다시 말해 '주민 착취자들'로부터 땅을 경작하는 성실한 사람들에게로 옮기는 것이었다.[32]

1923년 암살범의 총알에 희생될 때까지 스탐볼리스키는 실제적이고 고결한 다수 주민을 위한 입법을 밀어붙였다. 1921년 입법으로 농민들이 소유할 수 있는 농지를 31헥타르로 제한했고, 그 이상의 농지를 소유한 사람은 충분한 농지를 가지지 못한 사람들이 살아남을 수 있도록 만든 기금에 기부를 하도록 했다. 그러나 불가리아 농민들이 소유한 농지는 작았기 때문에 이러한 정책의 효과는 제한적이었다. 그러나 약 6만 5000가구가 이 조치로 이익을 받았고, 이러한 입법은 국민들의 광범위한 지지를 받았으며, 공산당을 제외한 모든 정당들이 이를 지지했다. 공산당은 이러한 조치를 소부르주아주의라고 비난했다. 스탐볼리스키는 농촌에 하급 법원을 설치하여 농민들이 주민들이 선출한 재판관 앞에서 자신들의 탄원을 제기할 수 있게 해주었다. 그는 진보적인 소득세 제도를 도입했다. 스탐볼리스키는 정부는 1100개의 학교를 설립하고, 초등교육을 의무교육화했다.

그러나 자영농민을 편드는 정책은 도시 부문의 축소를 의미했다. 스탐볼리스키는 대가족이라도 방 두 개와 부엌이 있는 주택만 소유하도록 제한하고, 사무실 공간도 제한했다. 1920년 통과된 법에 의해 20-40세 남성은 매년 8개월간 노동에 봉사하도록 만들었다. 1만 4000-2만 9000명의 젊은 남성이 매년 도로, 철도 건설과 수백만 그루의 묘목 식수, 늪지 메우기, 댐 건설, 전화선 가설 등에 동원되었다. 그러나 이 법은 봉사 정신을 불어넣고, 아무도 육체노동을 회피할 수 없다는 것을 보여줌으로써 사회적 단합을 이끌어내려는 목적도 있었다.[33] 장인과 농민들만 덕을 소유하고 있다고 믿은 스탐볼리스키는 이들을 대부분의 세금에서 면제해준 대신에 자본에 대해서는 높은 세금을 매겼다. 이와 동시에 그는 공산품 가격은 낮게, 식품 가격은 높게 유지하는 가격 통제를 실시했다.[34] 그는 언론인들을 위협하고 변호사들이 사무실을 열지 못하도록 만들었다. 그는 두 집단은 이국적 가치관으로 정치 체제를 오염시킨다고 비난했다.[35]

다른 대부분의 농민 지도자와 다르게 스탐볼리스키는 동유럽을 넓게 조망했다. 그가 보기에 농업 위주의 동유럽은 자본주의와 공산주의 사이에서 별도의 길을 가야 했다. 그는 또한 영토 문제에 대한 종전의 분쟁을 넘어서는 국가들의 동맹을 만들기를 원했다. 유고슬라비아의 지도자인 선동꾼 정치인 니콜라 파시치는 스탐볼리스키의 호의적 접근을 이해하지 못하고 불가리아를 계속 적국으로 간주했다. 그러나 스탐볼리스키는 실지회복주의를 포기하고 지역 합력에 대한 진지한 의도를 표명하고, 루마니아에 빼앗긴 영토를 회복하는 것을 거부했다. 그 결과 불가리아는 패전국 중 국제연맹에 가장 먼저 가입이 허용되었다. 그러나 그는 독립국을 꿈꾸는 마케도니아 슬라브인들이 주장하는 영토에 대해서는 전혀 타협적인 태도를 보이지 않았다. 이들이 요구하는 영토의 대부분은 이미 유고슬라비아 수중에 떨어졌지만, 불가리아 남서부의 크지 않은 마케도니아인 거주 지역에서는 무장 단체가 형성되었다. 스탐볼리스키는 이들을 공개적으로 모욕하는 발언을 해서 후에 이를 후회하게 되었다. 1922년 말 유고슬라비아를 방문했을 당시 그는 기자들에게 "당신들은 이미 마케도니아를 흡수했는데, 왜 불가리아에 남아 있는 모든 마케도니아인들을 데려가지 않는가. … 그 사람들을 모두 데려가서 인간을 만들어라!"라고 그는 말했다.[36]

유고슬라비아를 방문하는 동안 스탐볼리스키는 불가리아와 유고슬라비아가 마케도니아 극단주의자들과 싸우는 데 협력하는 협정을 성사시켰다(1923년 3월 서명). 곧 불가리아 정부는 테러 활동 혐의가 있는 모든 조직을 불법화시키고, 이들이 발행하는 신문을 압제하고 이 조직 지도자들을 수용소에 수감하여 잠재적 적들의 분노를 심화시켰다.[37] 스탐볼리스키가 농민으로 구성된 '오렌지군'을 보내서 국내 마케도니아혁명조직IMRO을 추격하자 1만 5000명의 마케도니아 전사들은 산악지대로 숨어버렸다. 스탐볼리스키는 마케도니아 정치인들은 체포했지만, 불가리아군 지휘관들 중 혁명 조직 동조자들이 있어서 혁명군의 거점을 불가리아 남서부에서 소탕하지는 못했다.[38]

여기에서 우리는 스탐볼리스키의 몰락을 가져온 문제점을 엿볼 수 있다. 도시 기득권층과 사활을 건 싸움을 한 그는 강력한 세력은 적으로 만들고, 효과적인 동맹 세력은 얻지 못했다. 의사들은 시골 오지로 파견될까봐 두려워했고, 교사들은 좌파 성향 교사들을 숙청하는 것에 불만이 많았다. 교수들은 스탐볼리스키가 학문의 자율에 관여하는 것을 혐오했고, 교회는 학교 교육에서 종교교육을 배제하는 것에 반대했다. 좀 더 심각한 문제는 자격이 되지 않는 불가리아 농업당 추종자들을 대거 투입하여 국가 관료제를 망가뜨리고, 마케도니아인들의 자치 희망을 꺾어버려서 이들을 적으로 만들고, 공화국을 건설할 수 있다는 가능성을 내비침으로써 국왕을 소외시켰다. 불가리아 국민 생활의 고질병인 부패는 스탐볼리스키 정부에서 크게 늘어났고, 특히 농촌 행정가로 임명된 불가리아 농업당 출신 공무원들 사이에서 심각했다. 이들은 새로 얻은 직책을 개인의 재산을 늘릴 수 있는 기회로 활용했다.[39]

이 중 가장 근시안적인 것은 군대에 대한 스탐볼리스키의 경멸적 태도였다. 그는 뇌이쉬르센조약에서 규정된 2만 명 상한선의 군 숫자보다 군대를 더 축소했다. 군대에서 강제로 퇴역한 제대군인들은 연금에 의지해 살아야 했다. 1922년 모욕을 느끼고 자신들의 불만을 분출할 기회를 찾지 못한 일부 장교들은 음모적인 군사연맹을 조직하여 의회의 반대파뿐만 아니라 IMRO의 마케도니아 테러리스트들과 손을 잡았다.[40] 국왕은 음모자들을 조용히 사주했다. 국왕은 총선 후 공화제에 대한 국민투표를 실시한다는 스탐볼리스키의 언급이 마지막 희망이었다. 1923년 5월 치러진 총선에서 불가리아 농업당은 총 245석 중 212석을 차지했다.

군 장교들은 6월 9일 쿠데타를 일으켜 유혈 사태 없이 소피아를 장악한 후 왕국으로 행진하여 큰 어려움 없이 국왕으로 하여금 자신들을 합법적 정부로 인정하도록 만들었다. 당시 휴가 중이던 스탐볼리스키는 결사적으로 이에 저항했으나 아무 소용이 없었다. 마케도니아 부대가 스탐볼리스키를 체포하여 그를 오래 시간을 끄는 고통스런 죽음에 이르게 했고, 그의 머리를 잘라 소피아로 보냈다.

새 정권은 좌파 경제학자 출신인 알렉산다르 찬코프가 이끌었다. 그는 경호원과 독일 셰퍼드들로 둘러싸여 자신을 과시하기를 좋아했고, 1926년에 총리직을 떠난 후 한동안 방황하다가 결국 파시즘에 빠져들었다. 그는 공산당과 농민당을 제외한 모든 정파를 포함한 '민주주의 동맹'을 만드는 시늉을 했고, 불가리아를 수많은 정치인들이 정부의 재정으로 자신의 배를 채울 방법을 찾던 1914년 체제로 되돌려놓았다. 공산당은 1919년 총선에서 총투표의 4분의 1을 얻었지만, 부르주아 세력 간의 싸움은 자신들이 통치할 길을 열어줄 것이라고 생각하고 정치 외곽에서 결전의 시간을 기다렸다. 그러나 1923년 공산주의자들이 봉기를 일으키자 찬코프는 이들을 무자비하게 진압하여, 약 3만 명의 사상자가 발생한 것으로 추산되었다. 11월 그는 국가방위법을 통과시켜 '테러리즘을 금지'하고 11월 말 선거에 영향력을 행사했다.[41]

1925년 4월 불가리아 공산주의자들은 혁명의 불꽃을 당기려는 마지막 절망적 시도로 보리스 국왕의 측근이었던 게오르기에프 장군 장례식이 진행되는 소피아의 성당을 폭파시켰다. 이 테러로 120명이 사망했고, 보리스 국왕은 자동차 고장으로 장례식장에 늦게 도착하는 바람에 목숨을 구했다. 이에 대한 찬코프의 대응은 너무 잔학해서 유럽의 여론이 들끓었고, 그는 결국 사임했다. 중도파 마케도니아인 정치인인 안드레이 랴프체프가 총리직에 올랐지만, 그는 뚜렷한 개혁 프로그램을 가지고 있지 못했다. 불가리아 정부는 목표 없이 방황했고, 랴프체프는 루마니아와 이탈리아 체제를 흉내 내는 술수를 써서 정치를 안정시키려고 시도했다. 그 전술은 다수당이 된 정파가 의회를 장악하는 것이었다.

독재자들이 정권을 잡다

유혈사태에도 불구하고 불가리아는 헌법을 유지하며 1920년대 초반 혼란기를 넘겼다. 공산당과 불가리아 농업당을 포함한 여러 정당들은 의회에 남아 계속 활동했다. 공산당은 1931년과 1932년 소피아 지방선거에서 승리하기도 했다. 그러나 대공황이 발생하면서 이미 폭넓게 퍼진 빈곤이 절망적인 상황으로 악화되었고, 1934년 보리스 국왕은 직접 권력을 장악하고 의회의 견제를 받지 않으며 통치하기 시작했다. 4년 후 그의 동료인 루마니아의 카롤 국왕도 같은 길을 택해 헌법을 중지하고 개인 통치를 시작했다.

폴란드와 유고슬라비아에서 독재자들이 나서서 대공황이 지역 경제를 암흑으로 몰아넣기 전에 이미 헌법을 중지시켰다. 이 두 국가는 불가리아나 루마니아에 나타나지 않은 분열이 발생했다. 그러나 인종적 복잡성이 정치적 혼란을 야기한 원인으로 지목될 필요는 없었다. 체코슬로바키아는 동유럽에서 가장 인종적으로 다양한 국가였고, 정신을 차리기 힘들 정도로 정당이 난립했지만, 강대국들이 뮌헨회담에서 이 나라로 하여금 요새화된 국경을 포기하고 나치 독일의 보호를 받게 만든 1938년까지 의회 민주주의가 작동했다. 그때까지 체코슬로바키아는 체코인, 슬로바키아인, 독일인, 유대인, 마자르인, 루테니아인과 기타 인종들에 대한 관용 정책의 표본이었다. 체코슬로바키아는 새로 탄생한 폴란드나 유고슬라비아는 말할 것 없고, 다민족 제국이었던 합스부르크제국보다 다인종 공존의 이상을 잘 실현한 것으로 보였다. 우리는 체코슬로바키아를 새로 탄생한 남슬라브족 국가인 유고슬라비아와 비교하는 이유를 제시할 수 있다. 당시 관찰자들에게 두 국가 모두 슬라브족 자치라는 대담한 실험을 한 것으로 보였지만 그 결과는 아주 달랐다.

체코슬로바키아와 마찬가지로 유고슬라비아는 언어가 민족을 만든다고 생각한 19세기 민족주의자들로부터 이어받은 확신에 의해 1918년 국가로 탄생했다. 체코어와 슬로바키아어, 또한 세르비아어와 크로아티아어는 너무 서로 가까워서 이 언어를 사용하는 슬라브 '종족들'이 통합적인 민족 국가들 만들기에 충분하다고 생각했다. 그러나 각 경우 통합국가를 주도하는 민족은 수적으로 취약했다. 체코인들은 체코슬로바키아 인구의 절반을 약간 넘었고, 세르비아인은 유고슬라비아 인구의 43퍼센트에 불과했다.[42] 두 국가 모두에서 통합적 국가를 만드는 도전은 만만치 않았다. 두 국가 모두 국가 기구는 전에는 같이 살아본 경험이 없는 지역들을 통합했다. 크로아티아는 11세기 이후 헝가리의 일부였고, 크로아티아인들은 몬테네그로인들은 말할 필요도 없고, 합스부르크제국 너머에 거주한 세르비아인들에 대해 아는 것이 없었다. 세르비아 엘리트들과 크로아티아 엘리트들은 자치와 상호 이익을 위해 남슬라브족의 영토를 통합해야 한다는 막연한 생각을 가지고 있었지만, 세르비아인들은 이 통합을 더 큰 세르비아 국가를 만드는 프로젝트의 일부로 생각했다. 새 국가의 명칭이 유고슬라비아라는 것은 중요하지 않았다. 반면에 크로아티아인들은 현재 공화국에서 살고 있지만 자치권을 보유한 크로아티아왕국의 정치적 존재가 계속될 것으로 믿었다.

체코인들과 슬로바키아인들을 결합시키는 '슬라브' 형제애에 대한 신화에도 불구하고, 이 두 민족은 상당히 다른 역사를 가졌다. 슬로바키아인들은 마자르화로 문화적 사멸의 위기에 처했었다. 1918년까지도 슬로바키아 학생들을 위한 고등학교가 없었고, 슬로바키아인 관리도 손에 꼽을 정도였다. 사회학적으로 슬로바키아인들은 농민들이었고, 이들은 전통적인 로마 가톨릭을 신봉했다(16퍼센트가 개신교).[43] 이와 대조적으로 체코인들은 유럽에서 가장 역동적인 많은 수의 자신감 넘치는 중산층을 가진 '새로운' 민족이었다. 체코인 대부분은 형식적으로는 가톨릭이었지만, 민족적 신화는 반개혁 시기에 탄압당한 개신교 후스 운동을 영웅화했다. 1918년 보헤미아 지역의 체코 애국자들은 오스트리아의 '학정'을 상징하는 성모 마리아 기둥을 파괴했다. 민중 가톨릭 신앙이 존경하는 성모를 파괴하는 이러한 행동을 슬로바키아인들은 이해를 할 수 없었다. 슬로바키아 민족주의의 첫 표현은 프라하에서 성모 마리아 기둥이 파괴된 것에 반대해서 북서부 질리나 지역에서 일어난 시위였다. 처음에는 양 민족 통합을 지지했던 슬로바키아인들의 지도자인 사제 안드레이 흘린카는 체코인들을 자민족 생존의 위협으로 묘사했다.[44]

슬로바키아인들과 체코인들은 두 언어가 서로 다르긴 해도 언어적으로 서로 의사소통이 되었다. 유고슬라비아에서 세르비아인들과 크로아티아인들은 오랜 기간 동안 세르보-크로아티아어라고 알려진 같은 언어를 사용했지만, 서로 다른 알파벳을 사용했다. 지역적 언어 차이는 인종 경계선과 일치하지는 않았다. 보스니아 또는 크로아티아 거주 세르비아인들은 중부 세르비아에 거주하는 세르비아인들이 사용하는 방언이 아니라 인근의 크로아티아인들이나 이슬람 주민들과 같은 방언을 사용했다. 유고슬라비아와 체코슬로바키아에서는 중앙집권화된 국가 구조는 유연성이 거의 없이 만들어져서 슬로바키아인들과 크로아티아인들은 모든 문제에 대해

1650년에 건립된 프라하의 성모 마리아 기둥(1900년경의 사진)

인종적으로 다른 민족이 통제하는 멀리 있는 중앙정부를 비난했다.

　체코슬로바키아에서는 320만 명의 인구를 가진 거대한 소수민족인 독일인과 슬로바키아인(230만 명), 마자르인(69만 2000명)이 국가가 체코인 중심으로 운영된다고 느끼게 만들었고, 유고슬라비아에서는 크로아티아인들은 새 국가가 대ᴛ 세르비아라고 믿게 되었다. 체코슬로바키아의 독일

군중이 파괴한 성모 마리아 기둥(1918년 11월)

인처럼 크로아티아인들도 새 국가의 헌법 제정 과정에 참여하지 못했다. 그러나 체코슬로바키아는 정치적 안정을 유지한 반면, 유고슬라비아는 1929년 왕정 독재가 강제적으로 시작될 때까지 위기가 끊이지 않았다. 이러한 차이에 대한 설명의 일부는 실업률이 30퍼센트 이상 달한 1930년대 경제 위기 기간 야심찬 사회 정책을 유지하는 것이 가능했던 체코슬로바키아의 강한 경제에 있다. 그러나 유고슬라비아는 이 시점까지 민주주의도 제대로 작동하지 않았다. 여러 문제에도 불구하고 프라하의 엘리트들은 유고슬라비아를 피해간 국가 건설의 과업을 잘 달성했다. 차이를 설명하는 또 하나의 요인은 새로운 국가를 전복할 수 있는 불만에 찬 소수민족들의 상대적 능력이다.

1919년 총선에서 크로아티아 농민당은 크로아티아에서 압도적 다수당이 되었다. 이 당은 용의주도하고, 카리스마가 있으며, 대중적 인기가 높고, 변덕스럽기는 하지만 원칙이 있는 스테판 라디치가 이끌었다. 그는 새 국가의 헌법 초안을 논의하는 회의 참석을 거부했다.

그는 1918년 세르비아왕국에 가담하기 위해 달려가는 크로아티아 정치인들에게 이들을 '마치 안개 속에 술 취한 거위 떼' 같은 행동을 취하고 있고, 이들은 몇 주 전 독일의 빌헬름 황제의 낙마에서 아무 교훈도 얻지 못했다고 경고했다. 낙마한 황제와 마찬가지로 이들은 국민들을 관여시킨 자치를 지원하기보다는 국민에게 권력을 강제적으로 행사하려고 한다고 비난했다. 아무도 크로아티아인들에게 새 국가에 귀속되고 싶어 하는지를 묻지 않았고, 이것은 시간이 지나면서 드러난 것처럼 비이성적이고, 신중하지 못한 자기 파괴적 행동이었다.[45]

그런 다음 라디치는 유고슬라비아의 정치 제도에 참여하지 않도록 크로아티아인들을 선동했고, 이로 인해 자주 체포되었으며, 한 번은 모스크바에서 크로아티아 독립에 대한 지원을 얻으려고 한 혐의(반역적 행동으로 간주됨)로 체포되었다.[46] 유고슬라비아의 다른 주요 정치 세력으로는 구왕국 출신의 세르비아인들(급진주의자들), 합스부르크제국 지역의 세르비아인들(민주주의자들), 보스니아의 이슬람 세력, 슬로베니아 가톨릭 세력이 있었다. 그래서 새 국가는 크로아티아인들의 참여 없이 통치되었다. 1925년 라디치가 교육장관으로 새 정부에 참여하기로 결정하고, 알렉산드르 국왕이 자그레브를 방문하면서 상황은 호전되는 것처럼 보였다. 그러나 여러 지도자들의 화해가 불가능했기 때문에 상대적인 화합은 1년 남짓밖에 지속되지 않았다.

정치적 비전에서 세르비아인과 크로아티아인 사이의 간극은 메울 수 없는 상태로 보였다. 크로아티아 지도자들은 여러 세기 동안 지속되어오고, 합스부르크 통치 아래에서도 인정된 크로아티아의 국가적 권리를 인정하는 지역 자치를 보장받아야 한다고 생각했다. 그러나 세르비아인들은 연방식 통치 경험이 없었다. 유고슬라비아를 헝가리인들 지배로부터 해방시키는 부담을 짊어졌던 세르비아인들은 새 국가를 중앙으로부터 통제할 도덕적 권리를 가지고 있다고 주장했다. 국가 통치권 장악에 대한 결의는 1941년까지 지속된 국가 기구에 대한 세르비아인들의 강력한 장악에 그대로 드러났다. 그러나 세르비아인들은 유고슬라비아 건립은 세르비아인들이 제안한 아이디어가 아니었고, 자신들은 크로아티아 정치인들의 시급한 여망에 부응한 것이라고 주장했다. 유고슬라비아에 대한 아이디어는 1917년 코르푸가 먼저 제안했고, 그다음 해 12월 베오그라드에 모인 크로아티아 대표들이 주장한 것이었다. 세르비아의 지원이 없었다면 크로아티아인 상당수는 헝가리와 이탈리아에 나뉘어 귀속되었을 가능성이 컸다.

세르비아 급진당 지도자 니콜라 파시치가 1927년 사망하자 유고슬라비아 의회의 의원들은 인종에 따라 이합집산하며 서로를 비난하는 데 열중했다. 1928년 6월 라디치는 몬테네그로 의원들을 '원숭이들'이라고 불렀고, 다음날 세르비아의 급진파 의원인 푸니샤 라치치는 의회 건물 복도에서 라디치와 다른 두 명의 크로아티아 의원에게 총격을 가했다. 두 의원은 바로 사망했지만 라디치는 몇 주 동안 버티다가 수술 후유증으로 크게 고생했다. 국왕은 비난 속에서도 크로아티아를 유고슬라비아에서 분리하는 안을 제안하려고 했지만, 라디치는 이를 거부했다. 아마도 그는 과거 군사지역이었던 크라이나에서 크로아티아인을 세르비아인과 구별하는 것이 어렵고, 크로아티아 본토가 이탈리아의 지배하에 들어갈 것을 우려했다.[47]

결국 라디치는 유고슬라비아 영토 내의 주민들이 평화롭게 공존하는 것을 보장할 수 있는 국가의 기본적 필요성에 동의했다. 그러나 베오그라드의 세르비아 엘리트들과 대비되게 그의 희망과 그의 2인자이자 후계자인 블라드코 마체크의 희망은 연방국가로서의 유고슬라비아였고, 심지어 1867년 오스트리아와 헝가리 사이에 맺어진 협약과 같은 세르비아-헝가리 공동 통치 국가였다. 한 가지 희망의 신호는 1926년 이후 라디치의 크로아티아 농민당은 이전 합스부르크 지역의 세르비아인들이 구성한 독립 민주당과 연정으로 함께 일했다는 점이었다. 이 당의 지도자인 스베토자르 프리비체비치는 1928년 6월에 암살당했다.[48]

그러나 라디치가 사망하자 알렉산드르 국왕은 행동에 나서야 한다는 충동을 받았고, 1929년 1월 국가의 통합성을 유지하고 싶다는 생각에 왕정 독재를 선언했다. 의회는 '국가에 도움이 되는 일에 방해가 되기 때문에' 의회가 계속 일을 하도록 허락하는 것은 유고슬라비아를 이웃 국가들의 노략에 노출시키는 것이라고 그는 주장했다.[49] 유고슬라비아를 현대적 국가로 만들어야 한다는 열정에 휩싸인 국왕은 나라를 9개의 지방으로 나눈 후 각 지역의 강 이름을 붙였다. 이 행정 분할은 이전에 존재했던 지방들과 아무 관련이 없었다. 이 조치로 보스니아와 크로아티아는 지도에서 사라졌다. 군대에서는 역사적 세르비아와 관련이 있는 문양과 표준을 모두 없애서 많은 세르비아인들의 반감을 샀다. 이제 새 국가는 공식적으로 유고슬라비아가 되었고, 세르비아인, 크로아티아인, 슬로베니아인 왕국은 더 이상 존재하지 않았다.

아마도 알렉산드르 국왕의 시도는 아주 이질적인 것은 아니었다. 어떤 경우건 모든 남슬라브인들을 통합한 국가의 존재는 지금까지의 모든 역사에 반하는 것이었고, 일부 사람들이 생각하기에 전간기 중 동유럽의 정치는 이전의 국가를 부정하고 새 국가를 건설하는 것이었다. 알렉산드르는 민족주의자는 아니었다. 세르비아 관료제의 도구가 되는 것을 싫어한 그는 세르비아의 주도권을 축소시키려고 노력했다(우리가 앞으로 보는 바와 같이 무절제한 중앙화의 화신인 요세프 2세 황제 같이 그는 시도한 거의 모든 일에서 실패했다).

체코슬로바키아의 창설도 상대적으로 말해 유고슬라비아의 크로아티아인과 같이 큰 소수민족인 수데텐 독일인들의 참여 없이 이루어졌다. 독일인들은 체코슬로바키아 전역에 살았지만, 이 국경 지방에 집중적으로 몰려 있었다. 이 소수민족은 크로아티아인보다 다루기 힘들고 국가에 대한 충성심이 약했지만, 체코슬로바키아는 민주적 통치를 실시하고 이를 잘 유지해나갔다. 양국의 정치적 과정만 집중해서 보면, 이 차이는 처음부터 분명했다. 유고슬라비아 국가 창설은 크로아티아인들의 아이디어였지만, 대부분의 크로아티아인들은 새 국가를 외국으로 보았고, 자치를 추구하는 잘 조직된 민족 운동이 처음부터 이들을 이끌었다. 역설적이게도 유고슬라비아 유권자들은 1915년 파리에서 결성된 유고슬라비아위원회는 크로아티아인들을 대변하는 조직이 아니라는 것을 분명히 했다.

체코인들과 슬로바키아인들을 통합시키는 것은 원래 슬로바키아 개신교 정치인인 얀 콜라의 꿈이었지만, 1918년이 되자 이 꿈은 체코인들의 바람이 되었다. 다민족 국가인 체코슬로바키아를 통합시키는 데 결정적인 요인이 된 것은 체코 정치 엘리트들의 의지였다.[50] 일부 슬로바키아인들(대부분이 소수파인 개신교도)의 적극적 지지를 얻은 체코 정당들은 체코슬로바키아를 지배할 수 있었다. 이것은 잘 조직된 세력이 큰 크로아티아 반대파 때문에 세르비아 엘리트들이 좀 더 복잡한 유고슬라비아를 지배할 수 없었던 것과 차이가 났다. 체코 엘리트들의 단합은 합스부르크제국 내의 보헤미아라는 단일한 정치 여건으로 거슬러 올라가는 반면, 세르비아 엘리트들은 오스만제국과 합스부르크제국에 나누어 살았었다.

전간기 중 다섯 개의 체코와 슬로바키아 정당, 즉 농업당, 민족민주당, 민족사회당, 사회민주당, 가톨릭교도당은 폭넓은 정치 지형의 중심에 모여 있었고, 각 정당의 지도자들은 막후에서 '5당위원회Pětka'를 통해 정치적 거래를 진행하며, 때로 한두 당이 이탈하기는 했지만, 뮌헨 재앙이 닥치기 전까지 안정적 통치를 보장했다. 이들의 합의 사항은 대중들에게 공표되지 않았기 때문에(실제로 이들은 아무런 문서를 남기지 않았다), 만일 의회에서 논의되었으면 정치적 파괴성이 컸을 타협을 이루는 것이 가능했다. 비헌법기구인 5당위원회는 체코슬로바키아의 민주주의 헌법을 구하고, 폴란드와 유고슬라비아와 다르게 국가가 치열한 정치 논쟁에 빠지는 것을 막았다. 이와 동시에 각 당 지도자들은 자당 내에서는 준독재자가 되어 도전받지 않는 지지를 받으며 일했다.

이것은 체코슬로바키아의 민주주의가 1920년과 1921년의 격렬한 도전에서 살아남기 위해 치러야 할 대가였다. 그때 체코의 민족 운동은 물리적으로 공격적이 되어 새 정권이 감당할 수 있는 범위를 넘어섰다. 프라하에서는 '애국주의자들'이 신문, 극장, 사교클럽Kazino 같은 독일인 재산을 강탈하고, 독일인들이 많이 사는 지역인 테플리체에서는 체코 병사들이 체코인, 독일인 모두가 독일화의 상징으로 생각한 요세프 2세의 동상을 철거하면서 봉기가 발생했다. 마사리크도 동포인 체코인들에게 너무 실망하여 1920년 체코 배우들이 억지로 차지한 프라하 극장에 더 이상 연극을 보러 가지 않았다. 이로 인해 그는 격렬한 비판의 대상이 되었다.[51]

초기 체코슬로바키아가 펼친 정책 중 실제로 성공을 거둔 것은 1919년 새로 도입한 화폐 크로운crown을 안정화시킨 것이다. 그 덕에 독일, 오스트리아, 폴란드는 극심한 인플레이션에 시달리는 동안 체코슬로바키아 경제는 10년간 경제성장을 구가하며 중유럽에서 가장 발전한 산업 기반을 더욱 부유하게 만들었다. 1920년 단행된 개혁은 150헥타르 이상의 농지(많은 대상이 헝가리인이나 독일인들이 소유한 농지)를 압류하여 농민들에게 분배함으로써 체코 농민들과 슬로바키아 농민들을 만족시켰다. 또한 체코슬로바키아 정부는 1924년 당시 세계에서 가장 진보적인 건강보험법을 통과시켜 장애인과 노약자들을 도왔다. 프라하 언덕이나 브르노 교외에 세워진 현대식 아파트와 빌라는 이 신생 국가의 당당한 자존심을 보여주었다. 소수파인 가톨릭교회 사제들은 후스 전통과 연결된 새로운 체코슬로바키아 교회를 건립했고, 관광객들 눈에 바로 들어오는 이 깨끗하고 우아한 양식의 현대적 교회도 체코의 과거의 영웅들을 회상시키는 많은 조각과 동상들로 장식되었다. 그러나 새 교회는 신앙의 대상으로서는 주도적 자리를 차지하지 못했고, 대부분의 체코인들은 교회에 출석하지 않는 명목적인 로마가톨릭 교인으로 남았다.[52]

마사리크는 법을 준수하면서 자신의 권위를 활용하여 다른 국가들을 뒤흔들고 있는 혼란으로부터 체코슬로바키아를 보호하며 정치를 이끌고 나갔다.[53] 폴란드와 헝가리와 다르게 지역 귀족 세력이 농촌 지역에서 큰 힘을 발휘하지 못했기 때문에 그는 고집 센 사회 엘리트들을 무마할 필요가 없었다. 농촌과 소도시 출신이 많은 새로운 정치 지도자들이 대중 지배를 선호하고 보수주의에 저항한 것도 한 요인이 되었다. 체코슬로바키아는 합스부르크제국 통치 아래 발아하고 성장한 민주적 전통을 바탕으로 정치에 대한 권위주의적인 '독일식' 접근법을 막아냈다. 대공황이 시작되기 전 체코 기득권층은 잠시 동안 독일 정치인들을 새로운 체제로 융합시켰고, 이들은 새 체제에서 자신들의 뜻을 펼쳤다.

'슬라브족' 국가인 체코슬로바키아와 폴란드 모두 독일 소수민족을 포함하고 있었고, 독일이 원하는 영토를 차지하고 있었기 때문에 두 국가는 서로 협력할 충분한 이유가 있을 것 같아 보였다. 그러나 두 국가는 전에 오스트리아 실레시아 영토였다가 1919년 체코슬로바키아가 차지한 테쉰Tešin이라는 작은 지역을 놓고 서로 대립했다. 체코슬로바키아는 프라하를 동부 슬로바키아 지역과 연결하기 위해서는 철도가 테쉰을 통과해야 하고, 이 연결 지점 없이 국가를 건설하는 것은 불가능하다고 주장하며 이 지역을 차지했다. 이 도시와 주변 지역(폴란드어로는 Cieszyn, 독일어로는 Teschen)의 주민 다수는 폴란드인들이었지만, 연합국은 체코 편을 들고 폴란드인들의 주민투표를 거부했다. 인종적으로 우크라이나 지역인 동부 지역을 폴란드가 차지한 것이 서부의 폴란드인 거주 지역에 대한 영유권 주장을 약화시켰다. 체코인들이 테쉰을 장악할 때 폴란드인들은 동부에서 국가 생존을 걸고 볼셰비키와 전쟁을 벌이고 있었기 때문에 체코인들을 결코 용서할 수 없었다. 전간기 내내 폴란드 지도자들은 통상과 같이 상호 이익이 되는 부문에서도 체코슬로바키아와 협력하는 것을 거부했고, 1938년 체코슬로바키아가 나치 독일로부터 결정적인 타격을 받을 때 테쉰을 장악함으로써 '구원舊怨을 갚았다'.[54]

세르비아인과 같지만, 체코 엘리트들과는 다르게 폴란드 엘리트는 여러 다른 국가에서 나타났기 때문에 분열되었다.[55] 일례로 농민당을 보자. 세력이 연합된 농민당은 농촌 지역에 사는 폴란드인들에게 이익이 되는 효과적인 토지 개혁을 위해 압력을 행사할 수 있었다. 그러나 이 대신에 두 농민당이 결성되었다. 하나(Piast)는 오스트리아령이었던 갈리시아에서 나타났고, 다른 하나(Wyzwolenie)는 러시아령이었던 폴란드 중부 지역에서 결성되었다. 지역의 정치 구조를 반영하여 피아스트는 보수적 성격을 띠어서 이탈리아나 루마니아의 농민당 노선을 어느 정도 따랐고, 좌파, 우파와 협력할 준비가 되어 있었다. 이와 대조적으로 비즈볼레니에는 제정러시아의 절망적인 정치 상황을 반영하여 혁명적 성격을 띠었다. 오스트리아제국 의회 의원이었던 빈센티 비토스가 이끄는 피아스트는 6년간의 폴란드 의회 지배에서 대부분의 연정을 타결시킨 중도우파 정당이 되었다. 이 당의 권력 기반인 갈리시아의 다수의 우크라이나 주민들 때문에 피아스트는 갈리시아의 '폴란드 요소'을 약화시킬 수 있는 농지 개혁을 주장하지 못했다. 이에 대조되게 비즈볼레니에는 급진적 토지 개혁을 선호했고, 소수민족의 이익에 동조했다. 1930년 폴란드 경제 사정이 아주 어려워질 때까지 두 농민당은 서로 협력하지 않았다.

복잡한 인종 구성으로 더 심각해진 폴란드인들의 분열은 정치적 혼란을 가져왔다. 폴란드인이 인구의 거의 70퍼센트를 차지하지만(체코인들은 체코슬로바키아 인구의 절반에 그쳤다), 이들은 정치적 노선을 넘어 협력하지 못했고, 1921년부터 1926년 사이 폴란드에는 14개의 내각이 난립했다. 폴란드 언론인들은 의회의 실패를 폴란드 계급의 자기파괴적 성격 탓으로 돌렸다. 그러나 이러한 깊은 분열의 골짜기는 두 주요 정치 진영의 이념적 특징을 반영했다고 볼 수도 있다. 체코의 민족민주당과 사회민주당은 서로를 경멸할 수는 있었고, 사회민주당은 1926년 연정에서 축출되었지만, 두 당은 상대를 자신의 존재를 위협하는 적으로 보지는 않았다. 이와 대조적으로 폴란드에서는 민족민주당 지도자인 로만 드모프스키와 이전에 사회주의자였던 피우수트스키가 수십 년 동안 발전해온 정교하게 형성된 사고 체계를 대표하고 있었고, 이들의 경제나 사회에 대한 실제 정책은 크게 차이가 나지 않았지만 서로 대화조차 하지 않았다. 체코 엘리트들도 여러 문제에 대해 이견이 있었지만, 궁극적으로 이들은 공통의 실질적 이익을 위해 협력했다. 아마도 삼면에서 독일인들에게 포위되고, 자국 내에 대규모 소수민족을 포함하고 있었던 체코인들은 자신들의 취약한 안보에 대해 좀 더 현실적인 감각을 가지게 되었을 수도 있다. 폴란드 엘리트 중 다수는 1920년 폴란드군이 적군赤軍에 승리한 것에 취해 폴란드를 강대국으로 착각했다.

체코 땅에서 마사리크 대통령은 거의 모든 국민에게 존경을 받았지만, 폴란드의 피우수트스키 원수는 이해하기 힘든 여러 이유로 인해 여러 정파의 비판의 대상이 되었다. 어찌되었건 피우수트스키는 폴란드 재건에 큰 공헌을 했고, 그의 특이한 배경, 즉 리투아니아 태생으로 한때 가톨릭이었다가 얼마 전까지 사회주의 혁명가였던 배경은 그를 폴란드에서 가장 눈에 띄는 지도자로 인정하지 않을 수 없게 만들었다. 그러나 피우수트스키의 업적은 폴란드인들을 자신을 중심으로 뭉치게 만들기보다는 우파 진영에서 그를 비판하도록 만들었다. 그의 정적들은 그와 다른 군대 지도자들이 실제로 폴란드에 승리를 가져왔는지, 또 그가 1920년 독립국 우크라이나와 연합하기 위해 무책임하게 키이우를 공격한 것은 아닌지를 가지고 문제를 삼았다. 일부 정치인들은 그를 반역자라고 부르기도 했다.[56]

폴란드의 우파 진영은 강력한 지도자를 원했고, 피우수트스키가 대통령이 될 것으로 기대했지만, 우파가 지배한 제헌의회는 권력이 약한 국가원수제를 만들었다. 이에 대한 반발로 피우수트스키는 자신의 군사 보좌관들에 둘러싸인 채 은둔했다. 그는 국민 대표의 성격을 가진 대통령은 정당 정치 외부에서 나와야 된다고 말했다. 이 시기 가장 중요한 업적은 폴란드 화폐 즐로티zloty를 안정화시킨 것이다. 즐로티는 초의회 정권supraparliamentary regime에서 달러당 9.8즐로티(1918년 12월)에서 230만 즐로티(1923년 11월)로 폭락했었다.[57] 이러한 성공은 하나의 교훈을 가르쳐주었다. 그것은 포고령에 의한 정치가 원하는 결과를 가져올 수 있다는 것이었다.

폴란드 정당들은 안정적인 연정을 형성하지 못한 상황에서도 비폴란드인들을 지역과 중앙 정부에서 배제하는 데는 동의했다. 1923년 민족공산당, 농민당(피아스트), 기독민족당은 란츠코로나협약Lanckorona Pact을 맺어 '폴란드 민족적 요소'가 보존되어야 하고, 의회 연정은 폴란드인 정당을 바탕으로 구성되어야 한다고 선언했다. 폴란드의 우선적 국가 과제는 동부 지역을 폴란드화하는 것이었다. 전간기 동안 인종적 폴란드 요소가 국가 행정을 장악했고, 독일어와 폴란드어로 교육하는 학교 수는 감소했다. 또한 유대인 학생들도 점차적으로 대학에서 밀려났다(대학에 등록한 유대인 학생 비율은 1923년 약 4분의 1에서 1937년 10분의 1 이하로 줄어들었다).[58]

1925년 12월 독일은 폴란드가 상부 실레시아를 할양하도록 강요하기 위해 무역 전쟁을 시작했다. 그 결과 주변 국가들의 재정 상황은 안정되었지만, 폴란드의 상황은 악화되었다. 즐로티는 통화가치를 유지할 수 없었고, 실업률은 전체 노동력의 3분의 1까지 치솟아 올랐다. 좌파로부터 우파까지 모든 정파는 피우수트스키가 약속한 대로 폴란드 정치에서 부패를 '척결'할 것을 요구하고 나섰다.[59] 다민족으로 구성된 의회는 민주주의가 작동할 수 없는 사기라는 것을 보여주었고, 폴란드의 많은 국민들은 위기감을 느꼈다. 유고슬라비아에서와 마찬가지로 분열된 정치 지형에 민주주의를 뿌리내리도록 하는 시도는 강력한 정치인의 출현을 요구했다. 1925년 한 주요 신문은 이렇게 썼다. "국가 모든 곳에서 사람들은 우리를 심연에서 떨어지지 않도록 구할 강력한 인물을 갈망하고 있다."[60] 1926년 5월 첫째 주 중도파 농민당 지도자 빈센티 비토스의 지원을 받은 민족민주당은 노동자에 대항하고 극적인 예산 삭감과 디플레이션 정책을 가지고 통치할 정부를 형성할 직전까지 갔다. 그때 피우수트스키가 정치에 간섭하고 나서서, 이틀(5월 12-14일) 동안 진행된 쿠데타로 권력을 잡았다.

피우수트스키는 정부가 순순히 권력을 양도할 것으로 기대했으나, 전

바르샤바 쿠데타 기간 중의 피우수트스키 원수(1926년 5월)

에 사회주의자였고 폴란드의 협동조합 운동을 조직한 보이체초프스키 대통령은 저항을 했고, 왕실 군대도 그를 지지했다. 피우수트스키에 동조하는 노동자들은 파업을 시작하고 군대의 이동과 바르샤바로의 물품 공급을 차단했고, 최종적으로 피우수트스키가 승기를 잡았다. 쿠데타로 발생한 전투로 235명의 병사와 164명의 민간인이 목숨을 잃었다.[61] 더 이상의 유혈사태를 막기 위해 보이체초프스키 대통령과 비토스 총리는 사임했다.

피우수트스키는 헌법을 준수하겠다고 선언했다. 그는 자신의 목적이 독재정이 아니고, 대중운동이 부패, 뇌물, 새로 구성되는 비토스 정부의 정부자금 오용에 대한 대항이 자신을 '바르샤바로 행진'하게 만들었다고 주장했다. '바르샤바로의 행진'은 무솔리니의 파시즘을 연상시켰지만, 비토스에 강력하게 반대하는 노동운동은 쿠데타를 지지했고, 일부는 이것을 '폴란드 혁명'이라고 불렀다.[62] 내밀하게 피우수트스키는 폴란드에 대한 점증하는 위협에 큰 경각심을 갖게 되었다. 1922년 독일과 소련은 라팔로 조약°을 체결하고 곧 비밀리에 군사적 협력을 시작했다. 1925년 독일은 로카르노조약에 서명하며 서방과의 이견을 해소하고 이제 폴란드와 국경 변경에 집중했다.

자신의 정권을 사나차sanacja라고 부른 피우수트스키는 의회가 남긴 난맥상을 '척결'하겠다고 약속했다. 그는 전문가 집단을 조직했고, 영국의 장기 파업으로 폴란드 석탄의 수출 길이 열린 것에 힘입어 단기적인 성공을 거두었다. 그러나 1930년대가 되자 폴란드 경제 상황은 급속히 악화되기 시작했고, 그는 압제적 수단을 동원해 통치했다. 그의 통치 방식은 1960년대 프랑스의 샤를 드골 통치 방식에서 1세기 전 프랑스의 보나파르트 3세 방식으로 변해갔다.[63] 피우수트스키를 무솔리니와 단순히 비교하기에는 무리가 있다. 그는 처음에는 좌파 정치인이었다가 의회 민주주의를 짓밟고 점점 더 독재자가 되었다.

정치 최상부에서의 혼란에도 불구하고 국가 행정기구는 조용히 역사적 폴란드 영토를 한 국가 안에 다시 통합하는 위업을 달성했다. 그러나 당면한 도전은 엄청났다. 과거에는 50개 이상의 독일, 오스트리아 철로가 러시아와 연결되었지만, 지금은 10개의 철로만 작동했고, 이것들은 다른 표준궤를 사용하고 있었다. 폴란드 세 지역 교역의 8.2퍼센트만 폴란드 다른 지역과 이루어지고, 4분의 3 이상의 교역(83.3퍼센트)은 과거에 폴란드를 분할 지배했던 국가를 대상으로 이루어지고 있었다. 일례로 갈리시아

• 1922년 4월 이탈리아 라팔로의 국제회의에 참가하고 있던 독일과 소련 대표단이 전격적으로 체결한 조약으로 소련은 브레스트-리토프스크조약으로 상실한 영토에 대한 영유권을 주장하지 않고, 양국은 상대국에 최혜국 지위를 부여하기로 합의했다. 이 조약으로 독일과 소련 사이 군사·경제 협력이 재개되고, 소련은 서방으로부터의 고립에서 벗어났다.

의 교역은 오스트리아가 주 상대였다. 폴란드는 발트해 항구 단치히/그단스크를 통제하지 못했기 때문에 실레시아 산업지대에서 생산된 물품은 바다를 통해 그드니아 항구로 반입되어야 했다. 최근까지 시골 마을에 불과했던 그드니아는 1930년대에 중요한 현대적 항구로 탈바꿈했다.[64] 과거 합스부르크 지역 거주 세르비아인들과 오스만튀르크 영역의 세르비아인들이 경쟁한 유고슬라비아와 마찬가지로 폴란드에서도 서로 경쟁하는 정치적 전통이 국민들을 분열시켰다. 프로이센 지배 지역 거주 폴란드인들은 자신들이 절약과 같은 '독일식' 가치를 흡수했다고 자랑했고, 갈리시아에 대한 오스트리아의 자치 허용으로 오스트리아 지배 지역 폴란드인들은 관료기구를 거의 독점했다.

헝가리와 체코슬로바키아와 마찬가지로 폴란드는 이전에 존재했던 사회보장제를 계속 유지했다. 일부 제도는 19세기 오스트리아와 독일로 거슬러 올라가서 노동자들을 질병, 사고, 노년, 실업으로부터 보호했다.[65] 일례로 1920년부터 폴란드 정부는 노동자들이 건강보험에 가입하도록 만들었고, 노동자들뿐만 아니라 고용주도 이에 대한 납입을 해야 했다. 체코슬로바키아와 마찬가지로 폴란드에서도 하루 8시간 노동제도가 1918년 도입되었다. 폴란드의 경제역사학자가 지적한 대로 이 시기 폴란드의 사회보장 입법은 유럽에서 가장 진보적이었고, 오늘날의 미국같이 훨씬 부유한 국가들도 도달하지 못한 성취를 이루었다.[66]

∗ ∗ ∗

전간기 중 동유럽은 서로 적대적인 국제적 환경에서 다민족 사회라는 부담이 지체된 사회·경제 발전과 결합되어 자유민주주의의 발전을 방해했다. 아니면 다른 말로 표현하면, 국민의 지배를 의미하는 민주주의는 농민들에게 권력을 넘겨주기로 약속했지만, 종종 부유하고 기득권을 누리고 있던 엘리트들로부터 토지와 특권을 빼앗으려는 인종적 타자들에게 권력을 넘겨주는 결과를 가져왔다. 그래서 엘리트들은 자신들 계층이 장악하고 있는 국가 행정권과 군대를 이용하여 민주적 통치를 방해했다.

루마니아와 불가리아는 초기부터 이러한 정치 상황의 예외가 되었다. 1920년 3월 루마니아의 국왕은 농민당이 이끄는 선거로 선출된 정부를 하야시키며 자유주의자들과 충돌했다. 이후 정부들은 농민들을 이롭게 할 정책 도입에 시간을 끌었다. 1928년 민족농민당이 선거에서 승리하면서 밝은 순간이 다가온 것처럼 보였다. 열성적 노력과 부패와 무관한 정치인으로 알려진 당 지도자 율리우 마니우는 과감한 농지 개혁 없이는 민주주의의 성공도 없다는 것을 깨달았다. 농민들이 견실한 경제적 기반을 갖추지 못하면 이들은 힘을 가질 수도 없고 영향력을 행사할 수도 없었다.[67] 그러나 마니우는 정치 지도자들의 예의에 대한 통상적이지 않은 신경을 썼다. 트란실바니아 출신으로 빈에서 법률가로 훈련을 받은 후 1차 세계대전 발발 전 부다페스트에서 정치적 경력을 쌓은 그는 마자르인 주도 정치의 압제에 강력히 반대했다. 그는 사후 자신에 대한 평가만이 중요한 듯이 용감히 행동했다.

마니우는 도덕성을 결여했다고 생각하는 왕과 같이 일하느니 사임하는 길을 택했다. 그의 당은 분열되었고, 대공황으로 루마니아는 아무 해결책을 찾을 수 없는 경제적 수렁에 빠져들었다. 절망에 빠진 마니우는 때로 파시스트 집단인 철위부대와 협력하는 것을 생각했다(다른 기성 정치인들도 마찬가지였다).[68] 그러나 마니우는 기본적 정의와 법의 지배를 옹호하고 나서는 시민적 용기를 잃지 않았다. 일례로 그는 1935년 고향인 트란실바니아에서 5만 명의 농민 앞에서 국왕의 권력이 더 이상 확장되는 것의 결과를 경고하는 연설을 하기도 했다. 루마니아 농민들은 과거 120년 동안 세 번의 혁명을 일으켰고, 이제 새로운 혁명을 일으킬 준비가 되어 있다고 그는 주장했다.[69] 그러나 그는 이 혁명들이 성취한 것이 거의 없고, 유혈로 진압되었다는 사실을 언급하지는 않았다. 2차 세계대전 후 마니우는 민주적 원칙을 위해 헌신한 몇 안 되는 동유럽 지도자로 서방 정치인들이 평가했다. 그러나 측근의 도움을 받아 루마니아를 탈출하려는 시도가 실패한 그는 공산당에 의해 체포되어 1953년 감옥에서 사망했다.

합법성과 온건 노선에 헌신한 마니우의 사례는 불가리아의 알렉산다르 스탐볼리스키가 취한 적극적 조치를 좀 더 잘 이해할 수 있게 도와준다. 스탐볼리스키는 법의 지배는 파괴했지만, 결연하게 부패한 부르주와 지배를 전복하고 국민의, 국민에 의한, 국민을 위한 통치를 만들려고 시도했다. 궁극적으로 스탐볼리스키의 농민 혁명은 실패로 끝나고 말았다. 스탐볼리스키의 생명을 앗아간 1923년 쿠데타 이후 지배 계층은 사회 개혁을 위한 어떠한 시도도 볼셰비즘은 아니더라도 농민 정권의 부패와 자의적인 민권 제한을 가져온다고 주장했다. 이와 유사하게 헝가리와 폴란드의 권위주의적 통치자들은 사회 개혁을 '볼셰비키화'라고 폄하했고, 이러한 움직임은 민족의 적인 소련의 손에 놀아나는 것이 되고 새로운 민족 국가를 안전하게 만들어야 하는 절대적 과제를 약화시킨다는 암묵적 합의를 만들어냈다.

폴란드에서는 농지 개혁에 대한 어떠한 논의도 우크라이나인 농민과 벨라루스인 농민에게도 소중한 농지를 분배할 것인가의 문제를 제기했다. 루마니아와 유고슬라비아에서는 타민족(헝가리인과 독일인)으로부터 압류한 농지만이 분배 대상이 되었다. 그러나 유고슬라비아의 농민 정치 문제는 각각과 남쪽과 북쪽에 근거지를 두고 있는 피아스트와 비즈볼레니에 정파를 안고 있는 폴란드보다 심각한 상태였다. 유고슬라비아에서는 농민 운동도 종족 집단에 의해 나뉘어 있었고, 그 결과 크로아티아와 슬로베니아의 열혈 국민 정당들은 민족 정당들의 대리인이 되어서 많은 수의 비농민들로부터도 지지를 받았다.

일부 농민 정당들은 농민적 성격을 떨쳐버리지 못했다. 이들은 체코 농민당처럼 상업과 은행의 이해관계에 연루되었다. 헝가리에서는 소자영농당이 중산층 지주들도 대표했고, 슬로베니아와 슬로바키아에서는 민족가톨릭국민당아 계급적 요구를 완전히 무시하는 경향이 있었다. 그럼에도 불구하고 동유럽 지역 농민당들은 시골지역에서 큰 정치 세력을 이루어서 국가 전체 정치에 영향력을 발휘했다. 한 역사가는 이런 정당들이 다른 무엇보다도 중동부 유럽을 하나로 묶는 특징이 되었다고 지적했다. 이들은 발칸반도 이남의 그리스까지 확산되지는 안았고, 여러 번의 시도에도 불구하고 유사한 정치 집단은 프랑스, 바이에른, 네덜란드에서 성공을 거두지는 못했다.[70]

스탐볼리스키 암살 이후 그의 측근들 중에 농민들이 부유한 계층을 심각하게 위협할 것이라고 생각한 사람은 거의 없었지만, 하층 계급을 스스로를 지배할 능력이 없다는 이론이 만들어졌다(일례로 헝가리의 이슈트반 베틀렌 백작). 그러나 피우수트스키 원수와 유고슬라비아의 알렉산드르 국왕은 여기서 한 걸음 더 나가 전문 정치인들이 질서를 유지할 수 있을지 의구심을 가졌다. 이들이 개인 독재 통치를 하기 위해 간섭했을 때, 이들은 1933년 잘 알려진 오스트리아의 독재자 엥겔베르트 돌푸스가 제시한 것과 유사한 논리를 펼쳤다. 즉, 의회는 무책임한 논쟁과 싸움으로 '스스로를 제거했다'는 것이었다.

1930년대가 되자 1차 세계대전 후 일어난 공화국주의가 사실상 유럽 전체를 휩쓸었고, 특히 지식인 사이의 열풍은 거셌다. 조지 오웰은 '민주주의를 위한 전쟁'이라는 오래된 구호가 사악한 기운을 띠게 되었다고 썼다.[71] 민주정이건 군주정이건을 떠나서 각국 정부는 발전의 문제를 둘러싼 힘겨운 싸움에서 실패했고, 마니우와 스탐볼리스키의 뒤를 이어 등장한 독재자들도 돌파구를 만들지 못했다. 불가리아와 세르비아에서와 같이 자영농은 규모가 작고 자본이 없거나 농업 분야는 대지주 손에 그대로 남아 있었다. 폴란드에서는 1921년 영농지의 47.3퍼센트가 50헥타르 이상이었고 이 농지를 경작하기 위해 고용된 노동자들은 농지를 소유할 가능성이 거의 없었다. 헝가리에서는 1920년 54만 4707헥타르의 농지가 재분배되었지만, 1935년 농지 78퍼센트가 57.5헥타르보다 컸다.[72]

민주적 수단으로 민주주의를 달성할 수 없고, 독재자가 강력한 국가를 만들 수 없는 시기에는 동유럽 사람들이 민족 단합과 국가 주도 성장 프로그램을 가진 이탈리아, 독일, 러시아의 전체주의적 정권에 끌린다는 것을 이해할 수 있었다. 동유럽 정치인들이 가진 도구는 제한적이었다. 군복을 입은 지도자들도 소련의 5개년 계획 같이 자원과 노동력의 대량 집중을 강제할 수 없었다. 국민적 반란을 두려워한 이들은 감히 스탈린을 모방하고 도시 산업에 이익을 가져다주는 농민들의 희생을 강요할 수 없었다. 동유럽 국가 정부들이 국내 생산품을 보호하기 위해 부과한 관세는 수입 농업 기계를 구매할 수 없게 된 농민들을 소외시켰다. 대부분의 국가가 민주정에서 군주정으로 바뀐 후에조차 좌파로부터 우파에 이르는 반대가 일상화되었고, 헝가리, 폴란드, 불가리아, 유고슬라비아의 반자유주의적인 통치자들은 반대파를 척결하지 않고 이들에게 모욕을 주고 탄압을 가했다.[73]

그러나 대공황이 반대파를 다루어야 하는 새로운 도전을 제기했다. 수입은 끝을 모르고 추락했고, 폴란드와 유고슬라비아 일부 지역에서는 구매력이 너무 줄어 주민들이 기아선상에 이르렀다. 파시즘은 질서, 힘, 복지를 약속했고, 이러한 호소는 무시될 수 없었다. 파시즘은 혁명적이고 위협적이었다. 이탈리아와 독일의 보수적 엘리트의 예를 따라 헝가리의 호르티 제독과 루마니아의 카롤 국왕은 어느 정도 공개적으로 파시스트 정치인을 지원하며 이들을 이용하려고 했다. 1932년 호르티는 우리가 이미 본 열성적 민족 사회주의자인 줄러 굄뵈스를 총리로 임명했고, 카롤은 은밀하게 철위부대를 재정적으로 지원했다. 유고슬라비아와 폴란드에서 지도자들은 파시스트 의례, 행사, 대중 동원 정치를 모방했다. 체코슬로바키아 엘리트만이 반자유주의와 인종주의의 모든 유혹에 저항했다. 그래서 이들은 히틀러 침략의 첫 목표가 되었다. 그러나 극단적 민족주의가 발트해에서 아드리아해에 이르기까지 큰 인기를 끌고 있음에도 불구하고, 파시스트 운동은 1938년부터 시작해서 아돌프 히틀러에 의해 깃발이 올라가기 전까지 동유럽 지역에서 권력을 잡지 못했다.

14장

뿌리내리는 파시즘: 철위부대와 화살십자군

1930년대는 파시즘의 시대였다. 극단적 우익 운동이 유럽 전체에서 일어나 자국이 타락했기 때문에 인종적 청소와 재탄생이 필요하다고 주장했다. 파시스트들은 오직 무력만이 부르주아 기득권을 파괴하고 민족의 적, 특히 유대인과 사회주의자들을 제압할 수 있다고 주장했다. 그러나 장기화된 대규모 경제 위기에도 불구하고 민족 구원 운동은 이탈리아와 독일에서만 권력을 잡을 수 있었다. 더 서쪽인 프랑스와 스페인, 네덜란드, 영국, 벨기에에서는 파시스트 운동이 표면까지 뚫고 올라왔지만 선거에서 몇 퍼센트 득표하는 데 그쳤다. 이들은 위험한 괴짜 정치인들의 작은 조직처럼 보였다.

이탈리아와 독일에서 파시즘이 성공한 이유에 대한 표준적 설명은 1870-1871년 통일 이후 두 나라가 급격히 현대화되었고, 이 시기에 사회적 혼란으로 인한 불행의 많은 부분이 짧은 시간 동안 응축되었다는 것이었다. 1차 세계대전이 발발할 때 전체적으로 농업 국가였던 나라들이 몇십 년 만에 도시화되고 산업화되면서 수백만 명이 인구가 농촌 지역에서 도시로 이주했고, 농촌 공동체의 예측 가능하고 안정적인 생활에서 단절되었다. 이러한 개인들은 더 높은 임금과 더 좋은 기회를 찾았으나 과밀화된 환경, 긴 노동시간, 직업 불안과 편의 부족을 경험했다. 알코올 중독과 배우자 학대가 만연하고, 아동 노동도 크게 늘어났다. 그 결과는 직업동맹과 노동자 권리 수호를 내세운 사회주의 정당의 출현이었지만, 이러한 정당들은 여전히 막강한 소농과 상공업 중산층 대표들과 불편하게 공존해야 했다. 러시아에서 혁명이 벼락같이 성공한 다음에 좀 더 전통적 부문에서 일하는 노동자들은 크게 당황했고, 사회주의가 계속 거침없이 확산되는 경우 자신들이 소멸될 것이라는 두려움을 갖게 되었다.[1] 유럽 사회주의자 대부분은 온건파였지만, 이들은 볼셰비키와 마찬가지로 빨갱이라고 비난받았고, 1차 세계대전 후 재산과 질서를 지키겠다고 약속하며 파시스트 준군사 조직들이 나타났다. 다른 정당들은 행동을 취할 수 없다고 이들은 주장했다. 파시스트는 근본적으로 반자유주의적이었지만, 자유민주주의는 이탈리아나 독일에 굳건히 뿌리내리고 있었고, 1920년대 초와 1930년대 초의 사회·경제 혼란 시기에 보수주의 세력은 무솔리니를 지도자로, 다음으로 히틀러를 권좌로 밀어 올렸다. 이들은 두 파시스트 지도자들의 지위 하락과 세력 해체를 막아줄 것으로 기대했다.[2]

영국에서도 산업 경제가 시간이 갈수록 성장하며 세대가 바뀌면서 사회 변혁의 고통이 확산되었지만, 계급화로 인한 불안은 중유럽에서처럼 심각하지는 않았다. 프랑스에서도 중요한 산업화가 진행되었지만, 나라 대부분은 농촌 경제를 벗어나지 않았고, 보수적 농민들이 농촌 지역을 지배했기 때문에 극단적 민족주의는 지지자를 확보하지 못했고, 극우 세력이 등장할 공간을 거의 남겨두지 않았다.[3] 1930년대 중반 위기가 절정에 달했을 때 프랑스의 중도파와 좌파는 세력이 작은 파시스트 운동이 부상하는 것을 막기 위해 단합했고, 질서를 유지하는 세력은 불만이 거리로 나가는 것을 막았다. 경제적 고통은 독일에서만큼 크지 않았지만, 무엇보다도 민족주의가 급진화되지 않았다. 프랑스는 다른 나라에 영유권을 주장할 영토나 프랑스인 소수민족이 없었고, 회복해야 할 손상된 '명예'도 없었다.[4]

영국도 이와 마찬가지로 1차 세계대전 후 이탈리아와 독일과 같이 실지회복주의는 전혀 없는, 현 상태에 만족한 국가였고, 민족주의의 한 형태로서 사회 권력은 파시스트들을 전혀 영국적으로 보이지 않게 만들었다.[5] 여기에다가 프랑스와 영국은 강력한 민족 정당들이 여러 세대에 걸쳐 확장된 행정 역할을 맡아왔었다. 이와 대조적으로 독일의 정당들은 아직 권력 행사에 익숙하지 않았고, 내전을 촉발하지 않으면서 사회주의 좌파를 통합하는 법을 모르고 있었다.[6] 이탈리아 정당들은 분명한 지지 집단을 형성한 경험이 거의 없었고, 거대한 정부 조직으로 용해되어 이로부터 당 지도자들이 이익을 얻어내는 경향이 강했다.

이러한 맥락에서 동유럽에서 파시즘 부상은 이해하기 힘든 일이었다. 나치 독일이 지원하지 않으면 어느 곳에서도 파시즘 운동이 일어날 수 없었다. 슬로바키아에서는 1939년 3월, 크로아티아는 1941년 4월, 헝가리는 1944년 10월에 파시스트가 권력을 잡았다. 루마니아의 철위부대는 1940년 말 권력을 공유하는 데 성공했지만, 1941년 초 덜 극단적이고 더 독일의 신뢰를 받는 친독일 군부에 의해 무자비하게 숙청되었다. 독일과 소련 사이의 모든 공간에서 파시즘은 주변적 세력에 불과했고, 루마니아와 헝가리를 제외하고는 대중 지지율도 몇 퍼센트를 넘어서지 못했다. 1차 세계대전의 주요 패배자로 영토가 크게 축소된 헝가리와 영토가 확장된 루마니아에서 '화살십자군Arrow Cross'과 '철위부대Iron Guard'라고 불리는 세력이 큰 파시스트 운동이 부상해서 1930년대 말에는 각각 약 25만 명의 당원을 거느렸다.

루마니아와 헝가리에서 파시즘이 괄목하게 부상한 핵심 이유는 독일과 이탈리아를 휩쓴 급속한 발전으로 인한 위기와는 아무 상관이 없었다. 두 국가 모두 절대적인 농업 국가였고, 사회적 박탈의 고통을 경험한 개인은 별로 없었으며, 전통적 환경에서 생활하는 농민들은 대부분 문맹이었고, 파시스트나 다른 어느 정파도 동원하기 어려웠다. 루마니아와 헝가리는 파시즘이 느리게 확산된 이탈리아 남부를 연상시켰다. 우리가 이미 본 바와 같이 중동부 유럽에서 스스로를 농민 정치인이라고 부른 사람들은 관료주의 정치에 봉사하며 과거를 망각하고 있다가 1년에 며칠 피할 수 없는 의미 없는 선거운동 기간에만 '원래 위치로 돌아가서' 전통 의상을 입고 농민처럼 치장했다. 동유럽에서 지속적인 현대화가 일어난 곳이 있다면, 그곳은 체코 땅과 서부 폴란드였고, 이 지역들은 파시즘에 계속 저항했다.

전반적 정치 생활을 보면 이 지역은 독일 상황과 이탈리아 상황 중간에 고정되어 있었다. 정당은 존재했지만 대중 지지자들을 대표하기보다는 국가 관료제를 지배하는 기능을 수행하는 데 자신들의 역할을 집중했다. 독일과 이탈리아에서와 마찬가지로 자유주의 세력은 사회주의 정당이나 거대한 농민 운동을 떠나서 좌파를 통합해본 경험이 없었다. 우리가 본 바와 같이 좌파 정당들이 차지한 이익에 대한 엘리트의 반응은 의회를 폐쇄하거나 국왕이나 섭정과 협력하여 자신들이 선호하는 정치인들로 정부를 구성하는 것이었다.

이런 면에서 루마니아와 헝가리는 전반적인 지역적 패턴에 맞아 떨어졌다. 카롤 국왕과 호르티 제독은 각료들을 선택하여 연출된 정치 과정을 이어나갔다. 두 나라는 억지된 발전이라는 일반적 양상에도 맞아떨어졌다. 주민 대부분은 농촌 지역에서 거의 소작농으로 생산성이 떨어지는 일을 하고 있었다. 대공황은 이 지역 사회에 거의 비슷한 충격을 가져왔지만 다른 지역보다 더 곤궁이 큰 루마니아와 헝가리 상황이 이 두 나라에서의 파시스트 동원의 성공을 설명하지는 못한다. 헝가리 대부분이 트리아농조약에서 상실한 영토를 회복하기를 간절히 원했지만, 루마니아는 모든 영토적 요구를 충족하고 그 이상을 얻은 위대한 승리자였다.

이 두 나라를 유별나게 만든 것은 자유주의적 엘리트들이 평민들에게 보인 경멸의 전통이었다. 1870년대부터 시작된 이러한 경향은 '주민들의' 불만을 인종-민족적이자 사회적 측면에서 대표한다고 주장하는 우파 정치인들을 위한 거대한 공간을 만들어주었다. 두 나라에서 도시 엘리트는 농촌 주민에 대해 특별한 우월감을 가지고 있었고, 상실한 거대한 영토를 국가가 회복하거나(헝가리), 새로 획득한 거대한 영토를 성공적으로 통합할(루마니아) 때까지는 사회 개혁을 늦추어야 한다고 강변했다. 두 나라 모두에서 가장 큰 문제가 된 영토는 트란실바니아였다. 또한 두 나라에서 정치인들은 가장 기본적인 필요인 토지 개혁은 집단화의 첫 단계로서 친볼셰비키적이라고 폄하했다.

이러한 '자유주의적' 주장은 너무 냉소적이고 이기적이라 우파의 대응을 촉발시켰고, 루마니아와 헝가리에서 파시스트 지도자들은 (이탈리아와 독일에서처럼) 강력하고 결단력 있는 정치인보다는 통치자들과 구별되는 성실하고 자애로운 사람들로 받아들여진 것이 특징이었다. 북부 이탈리아와 중부 독일에서와 마찬가지로 이들이 대중의 인기를 모은 것은 자동적으로 이루어진 일이 아니었다. 이렇게 되기까지는 경찰을 동원해 이들을 압제한 권위주의적 통치자들과 투쟁을 벌인 활동가들의 치열한 노력이 필요했다. 헝가리에서 호르티 제독은 자신의 목적을 달성하는 데 파시스트의 에너지를 이용하려고 했지만, 파시즘은 길들일 수 없다는 것을 알았다. 루마니아의 카롤 국왕은 파시즘을 조용히 사주했지만, 그도 마찬가지로 파시스트를 자신의 목적을 위해 사용할 수 없다는 것을 알았다. 강력한 압제 조치에도 불구하고 두 나라의 지도자들은 파시즘의 확장을 막지 않았고, 카롤 국왕과 왕비는 1940년 암살 위기를 간신히 모면했다. 파시즘은 소련 적군赤軍이 국경을 넘어 침공해 오기 전까지 헝가리와 루마니아에서 영향력 세력으로 남아 있었다. 적군은 반파시스트적이자 민주적이라는 혁명을 도입했다.

파시즘 운동의 부상

헝가리와 루마니아에서 급진적인 민족주의자들은 1918년 평화협정 체결 직후부터 1차 세계대전은 자기희생의 새로운 기준을 제시했고, 국가는 이제 과거와 다르게 민족적 순수성을 방어해야 한다고 주장했다. 자유주의적 정치인들은 목표를 달성하기에 힘이 많이 부족하다는 것이 곧 드러났다. 권력을 잡은 헝가리의 호르티 제독은 적인 사회주의자들을 유혈 숙청하고, 대학의 유대인 정원을 축소하는 등 유대인이 사업과 전문 직업에 진입하는 것을 막았다. 그러나 1920년대 호르티가 지명한 총리 베틀렌 백작이 정부를 맡은 동안, 정치 엘리트는 유대인 공동체와 함께 '과거와 다름없는 상황'으로 되돌아가려고 시도하고, 폭력과 거리를 두며, 시민들의 재산과 생명을 보호하려고 노력했다.[7] 루마니아에서 자유주의 정권은 1922년 유대인에게도 시민권을 부여하는 '죄'를 저질렀다고 매도되었고, 여기에 책임이 있는 정치인들을 찾아서 살해하려고 하는 대학생들이 루마니아 최초 파시스트가 되었다.

두 나라 모두에서 급진적 우파 정치인들은 과거의 고정관념을 새로운 급진 이념의 무기로 사용했고, 유대인은 선천적으로 다른 인종이며 노동이 아니라 자본으로 먹고 살고, 국가에 대한 의무는 축소하는 대신에 공산주의 같은 전복적 목표를 지지한다고 비난했다. 이러한 급진주의자들은 통계를 선별적으로 이용했고, 그 한 예로 헝가리 소비에트공화국의 정치 지도자 45퍼센트는 유대인이라고 주장했다.[8] 예비역 장교인 유대인들이 모든 군인 가운데 훈장을 받은 비율이 가장 높다는 사실은 무시되었다. 유대인이 만일 공산당에 가입한다면 그 이유는 공산주의자들이 지지를 확보하는 근거지인 도시에 유대인들이 많이 살았기 때문이라는 사실, 또는 공산주의자들은 인종 차별을 격하게 반대했다는 사실 등도 무시되었다.[9] 사실 공산주의자들은 유대인 중 소수에 불과했고, 유대인들은 대체적으로 시온주의, 온건파 사회주의, 전통적 정당을 많이 지지했다. 도시에서 직업을 찾으며 신분 상승을 원하는 루마니아인들은 유대인들이 불공정하게 중산층의 직업을 흡수한다고 생각했다. 면직 공업 기술자의 80퍼센트, 군의관의 51퍼센트, 언론인의 70퍼센트가 유대인이었다. 헝가리의 전문 직업, 은행, 상업에서 유대인 비율도 이와 비슷하게 높았다. 여기에다가 유대인은 트란실바니아 거주 헝가리인이건, 베사라비아와 부코비나에 러시아인이나 독일인으로 거주하건을 떠나서 외국과 외국 문화를 선호하는 것으로 그려졌다. 몰다비아 수도 이아시의 급진적 학생이었던 루마니아 파시스트 지도자 코르넬리우 코드레아누는 유대인을 '우리를 정복하러 우리 땅에 들어온 군대'라고 불렀고, 공산주의가 지배하는 경우 루마니아 민족은 '무자비하게 멸절될 것이고', 루마니아 땅은 '유대인 다수에 의해 식민

화될 것'이라고 말했다.[10]

다른 많은 파시스트와 마찬가지로 코드레아누는 1차 세계대전에 참전하기에는 너무 어렸기 때문에 군 경력이 없었지만, 그는 파업 저지팀에 들어가서 1차 세계대전 직후 소요시기에 이아시 거리에서 시위를 벌이는 노동자들과 공산주의자들의 머리를 가격하는 방법으로 이를 보충했다. 그의 스승인 정치경제학 교수 알렉산드루 쿠자는 1922년 급진 기독교연맹을 결정한 극단적 반유대주의자였다. 나치 문장swastika을 자신이 벌이는 운동의 상징으로 사용한 쿠자는 무력을 포기했기 때문에 코드레아누와 그의 친구들에 비하면 온순해 보였다.[11]

1923년 당국은 유대인에게 시민권을 부여한 책임이 있는 사람들을 살해하려고 한 혐의로 코드레아누를 체포했다. 그는 감옥에 있는 동안 자신의 생을 신에게 헌신할 것을 촉구한 대천사상 미하일의 환영을 보았고, 4년 후 그는 '미하일 천사 군단'(철위부대라고도 알려짐)을 편성했고, 이 조직은 인종청소와 농민해방을 설파하고 경제 개혁보다는 '교육'을 강조했다. 동료들로부터 '대장'이라고 불린 코드레아누는 아무 직책을 맡지 않았지만, 젊은이들이 숭배하는 인물이 되었다. 대신에 그는 루마니아 기독교 농민층을 배신하려고 위협하는 사람들을 도덕적으로 회복시키는 십자군 활동을 이끌었다.[12] 그는 정치에 대한 태도는 불분명해서, 루마니아는 프로그램이 아니라 '사람'을 필요로 하고, 반서구적인 전통에 기초해 세워졌다고 주장했다. 이 전통에 따르면 루마니아는 농촌과 기독교 가치에 뿌리를 둔 경제를 형성할 특별한 사명을 띠고 있었다.

헝가리에서 파시스트 사상은 1919년 남부 헝가리의 세게드(그래서 세게드 사상이라고 불렸다)에서 구체화되었다. 자유민주주의는 해방이 아니라 '적들의', 무엇보다도 유대인 통치로 이끈다고 이들은 주장했다. 유대인들은 인종적 민족의 사업, 재정, 문화에 잠금장치를 가지고 있는 이방 세력이었다. 1920년대 초반의 백색 테러 후 헝가리 공공생활에 부활된 합법성의 그늘 아래서 세게드 사상에 헌신한 집단들이 늘어났고, 이 중 대표적인 예가 헝가리인각성회, 헝가리과학적인종보호회, 'X'회 등이었고, 이 단체들은 카르파티아 분지를 점령한 마자르족의 '정신'을 부활시키는 것을 목표로 했다.[13]

다른 곳에서의 파시즘 운동과 마찬가지로 헝가리와 루마니아의 파시즘은 도시 지역의 하층민에서 탄생했다. 이들은 현대화에 의해 위협을 받는다고 느꼈고, '외국인들'(유대인을 의미)이 자신들의 작은 급여, 구직의 어려움, 소규모 사업을 파산시킬 수 있는 경쟁에 책임이 있다고 생각했다. 그러나 두 나라는 각각의 특징이 있었다. 헝가리의 파시스트들은 군대에서 많이 나왔고, 루마니아의 파시스트는 대학이 온상이 되었다.

1919년 헝가리에는 상실한 영토에서 약 30만 명의 난민들이 쏟아져 들어왔고, 이들 대부분은 축소된 국가에서 일자리를 유지할 수 없는 관료나 장교들이었다. 트리아농조약에 의해 군대는 3만 6000명으로 축소되었고, 실직한 많은 장교들과 공무원들이 초민족주의적인 지하 단체로 밀려들어왔다. 우파 지도자인 줄러 굄뵈스나 페렌츠 살러시는 군고위직의 지원을 받은 잘 나가던 직업 군인 장교였다. 살러시의 시각은 극단적인 인종차별주의자였지만, 그의 화살십자군은 군대를 장악하고, 조직이 지속되는 동안 장교단에서 지도자들을 차출했다.[14]

급진주의를 지지한 루마니아 대학들은 세계적 추세에서 벗어나지 않았다. 중국과 러시아, 아나톨리아, 유럽에서 학생들은 다른 어느 집단보다 더 열정적으로 사회적·민족적 목표를 위해 선동에 나섰다. 바르샤바, 자그레브, 부쿠레슈티, 발트 국가들, 스페인 같은 변방 지역에서 대학들은 파시즘

공장 역할을 하며 졸업 후 중산층이 된다는 약속이 환상이 된 것을 발견한 학부생들을 세뇌시켰다.[15] 이들 중 두각을 나타낸 지도자들은 무서운 기계화 전쟁에 젊은이들을 몰아넣어 죽음에 이르게 하고, 이제는 그 결과에 아무 책임도 지지 않는 부유한 정치인들의 뻔뻔한 무사태평함에 꿈이 깨진 전역 군인들이었다.

그러나 모든 곳에서 학생들이 급진적 운동에 모여들고 있던 시대에도 루마니아 대학에서 파시즘의 성장은 특별한 것이었고, 도시와 농촌 간의 큰 격차가 그 주된 원인이었다. 2차 세계대전 전 루마니아의 모든 산업 시설들이 아홉 곳의 도시 중심부에 모여 있었던 반면, 인구의 80퍼센트는 농촌에 거주했다. 도시로 진입한 소수의 학생들은 극심한 어려움을 겪었고, 낮은 사회적 지위에서 겪는 모멸은 극도의 민족적·사회적 불만을 트라우마처럼 만드는 '고상한' 사회의 위선과 결합되었다.[16] 교수들과 지도적인 지식인들은 젊은이들의 불만을 자극했고, 두 집단은 힘을 합쳐서 대학을 루마니아 민족적 학습의 요람으로 변형시키려고 노력했다. 1930년대가 되자 루마니아 대학에 전국적인 음모 조직이 구성되었다. 대학생들은 젊은 투사를 찾아 고등학교를 찾아다녔고, 이 신참 파시스트들의 유대인 공격 의사를 대학 입학의 핵심 자격으로 삼았다.[17]

1919년 베르사유조약에서 소수민족에 대해 부여받은 루마니아의 의무와 국제연맹 회원국 자격으로 인해 루마니아 당국은 헝가리처럼 유대인들의 고등교육 기회를 직접적으로 제한하지는 않았다. 그러나 반유대인 폭력은 전간기 중 루마니아 대학의 일상사가 되었고, 유대인은 주변으로 밀려났다.[18] 루마니아 주민 전체와 비교하면 유대인들은 상대적으로 도시 거주 비율이 높았고, 문자해독률도 높았으며, 처음부터 고등교육기관에서 수학하는 비율이 높았다. 1920년대 농촌 인구 중 유대인 주민 비율은 4.2퍼센트에 불과한 데 반해 대학생 비율은 14퍼센트에 근접했고, 일부 학부에서는 이보다도 높았다. 일례로 1923년부터 1936년 사이 유대인은 이아시 의과대학 학생의 40퍼센트를 차지했고, 부쿠레슈티 의과대학에서는 25퍼센트에 조금 못 미쳤다. 폭력행위와 관료적 술수로 인해 1935/36학년도 유대인 대학생 비율은 부쿠레슈티에서는 14.8퍼센트에서 7.9퍼센트로 이아시에서는 23.1퍼센트에서 16.1퍼센트, 체르니우치에서는 29.6퍼센트에서 15.6퍼센트로 감소했다.[19]

동유럽의 초기 민족주의자들과 마찬가지로 철위부대 지도자들은 농민들의 손자였고, 상점 주인이나 학교 교사의 자녀들이었다. 파시스트 지도자들이 젊은층이 많았다면 ― 히틀러는 1933년 44세였다 ― 철위부대는 더 젊었다.[20] 1931년 교사의 아들인 코드레아누는 32세였고, 그의 부하인 모트사, 마린, 스텔레스쿠는 20대 중반에서 후반이었다. 1942년부터 1944년까지 독일로 피신한 철위부대 요원 절반은 젊은 지식인들이었다.

철위부대의 초민족주의 지지는 유대인들뿐만 아니라 튀르크인, 헝가리인, 독일인, 그리스인이 지배하는 도시 환경에 갇힌 루마니아인들의 상층 사회 이동을 쉽게 만든다는 합리적 구실을 가지고 있었다. 그러나 철위부대의 이념은 궁극적으로 합리적이지 않았다. 요원들은 무력적 충성 선서를 하고, 자신들 조직 내에서 배신자들을 색출하고, 도시성을 거부하며, 그때까지 살았거나 앞으로 살 모든 루마니아인이라는 허구적 실체인 '인민people'에게 돌아가는 것을 지향했다. 부르주아 세계는 이국적이었고, 앞으로 달라질 게 없었다. 지도자들의 이질화를 심화시킨 것은 이들의 출신이 다민족적이었고, 자신들이 혐오하게 된 이질적 세계였다는 것이었다. 코드레아누는 폴란드와 독일인 혼혈이었고, 굄뵈스는 독일인이었으며, 살러시는 아르메니아인과 마자르/슬로바키아인 후예였다.[21]

형가리 대학생들은 하층계급 집안 출신이 아닌 경우가 많았기 때문에 이들은 이러한 깊은 소외감을 공유하지 않았고, 이들의 잠재적 반유대주의는 1920년대 당국이 시행한 유대인 대학 등록 제한 조치로 많이 완화되었다. 전체적으로 보아 헝가리 대학생들은 파시즘보다는 정권의 보수적인 민족주의를 더 지지하는 경향이 있었다.[22]

1929년 대공황이 시작된 후에야 철위부대와 화살십자군은 원 지지 기반인 대학과 군대 병영을 넘어 폭넓은 지지를 받게 되었다. 루마니아와 헝가리 정치 기득권층이 갖게 된 의문은 1930년 가을 독일에서 나치당이 두 번째 다수당으로 부상한 다음에 제기된 문제와 같았다. 그것은 파시스트를 이용하여 대중적 소요로 위협받는 체제를 안정시킬 수 있을 것인가였다. 만일 그렇지 않다면 파시스트를 어떻게 통제할 것인가였다. 궁극적으로 이 집단 중 누구도 만족할 만한 답을 찾지 못했지만, 이들은 각기 다른 종류의 막다른 골목에 다가갔다.

파시즘 통제?

전간기 루마니아 정치는 민주적 절차와 법의 지배가 이 지역의 공통 현상인 부패와 이중성과 결합한 상태였다. 선거가 자주 있었고, 문화적·경제적 진보를 계획한 많은 세심하고 진지한 정치인들과 독립적 정당들이 활동했다. 그러나 정치 계급들은 평범한 주민을 두려워했고, 이들을 통제 아래 두기 위해 민주적 절차를 위반했다. 일례로 1933년 철위부대 암살팀에 의해 살해된 용기 있는 자유주의적 반파시스트 정치인인 이온 G. 두카는 다수 득표를 조작하여 권력을 잡았다. 정직하고 카리스마가 넘치는 율리우

마니우의 농민당은 1928년 규제되지 않은 선거에서 승리했으나, 더 많은 농지를 지지자들에게 배분한다는 약속을 지키지 않았고, 루마니아 농업의 근본적인 부족함을 해결할 수 없는 것으로 드러났다. 루마니아 경제는 1930년대 초 발생한 위기를 대처할 능력이 없었다. 루마니아 곡물 수출 길이 막히면서 정치적 선택지는 더욱 줄어들었다.[23]

카롤 2세 국왕의 부패한 정권은 우파인 코드레아누 같은 '정직한' 사람들이 동포들, 특히 부쿠레슈티 엘리트가 경멸하는 농촌 지역 사람들의 불만을 대표할 수 있는 넓은 공간을 만들어냈다. 그러나 코드레아누는 공개적으로 정권 전복을 꾀하지는 않고 스스로를 왕정주의자라고 부르고, 국왕의 은밀한 재정 지원을 받았다. 카롤 국왕은 철위부대를 부패시키고 이용하기를 희망하면서 스스로 준군사 청년 조직인 국가전위대Straja Țării를 만들었다.[24]

1932년 호르티 섭정이 폭발적인 사회 불안을 잠재울 희망으로 줄러 굄뵈스를 총리에 임명하면서 파시즘은 갑자기 헝가리 정치의 정상으로 뛰어올랐다. 오스트리아-헝가리군 대위 출신인 굄뵈스는 코드레아누와 마찬가지로 골수 국수주의자였고, 반혁명 부대를 조직한 인물이었다. 1920년에 국방장관으로 일하면서 그는 무솔리니 모델을 지향하고, 헝가리에서 유대인과 프리메이슨을 제거하고 농지와 일자리를 농민과 노동자들에게 분배한다고 약속했었다.[25]

총리가 된 굄뵈스는 자신이 혐오한다고 선언한 체제에 적응하며, 완전한 권력 장악을 위한 의욕을 보이지 않았다. 그는 독립 정당들을 해산시키지도 않았고, 독재자로 나서지도 않았다. 그는 독일의 뉘른베르크 법률Nürnberger Gesetze*에 상응하는 법을 제정하는 데 실패하고, 대신에 유대인들에게 '우정의 손길을 내밀었다'.[26] 이론적으로는 파시즘의 숙적인 사회민주당과 노동조합도 계속 존재했고, 노동자들의 파업권도 계속 유지되었다. 굄뵈스는 자신의 지지자들의 투표를 막아 더 급진적인 페렌츠 살러시의 화살십자군의 성장을 막았고, 그는 1935년 선거를 조작해 43.6퍼센트의 득표율로 의회를 장악했다.[27] 그는 토지 개혁을 위해 나서지는 않았고, 많은 농민들은 과거와 같은 생활을 하며 흙바닥의 움막집에서 가축과 한 지붕 아래 생활했다.[28]

그럼에도 굄뵈스는 헝가리에 파시즘의 기반을 마련했다. 그는 6만 명의 전위투사를 가진 민족통합당을 만들어 대중운동을 시작하고, 더 젊고 더 급진적인 민족주의자들이 국가 행정기구와 군대에 들어왔다. 1935년 그는 베를린에서 행한 연설에서 헝가리를 일당 독재국가로 만들겠다고 선언했다. 그러나 그는 다음해 자신의 약속을 이행하지 못하고 신장병으로 사망했다. 그러나 이미 그때 그의 기행은 지배 엘리트를 두려움에 떨게 만들어서 이들은 파시스트를 권력에서 밀어내기 위해 온건파와 손을 잡게 되었다. 그러나 우파를 향한 정치는 멈출 수 없었다. 그의 후계자인 칼만 더라니는 화살십자군의 회동을 막으며 계속 탄압했지만, 의회에서는 반유대인 입법을 지원하면 격분한 우파를 달래려고 시도했다. 이런 법률들은 정치권 상당 부분의 반대에도 불구하고 통과되었다. 극우파를 막기 위해 더라니는 파시스트와 유사한 자신의 집단인 누더기전위대Ragged Guard를 만들었다. 이 집단은 슬로바키아와 루테니아를 습격하고 북동부 지역의 유대인을 탄압했다.[29]

• 1935년 9월 뉘른베르크에서 열린 나치당 연례회의에 맞추어 제국 의회가 통과시킨 두 개의 법률을 가리킨다. 하나는 '독일 혈통과 명예 보호법'으로서 유대인과 독일인 사이의 결혼과 성적 접촉을 금지하고, 유대인 여성들의 취업을 제한했다. '제국 시민권법'은 독일인이나 독일인과 연계된 혈통의 국민만을 제국 시민으로 규정했다.

괴뵈스와 더라니의 통치 기간 동안 헝가리는 서서히 독일의 궤도에 끌려 들어갔고, 결국 1941년 소련 침공에 동맹국으로 참여했다. 이러한 끌림은 두 가지 이유에서 거부할 수 없었다. 첫째, 이 지역에 대한 서방 국가들의 활동이 잠잠한 틈을 타서 독일 정부와 민간 기관들은 헝가리와 통상 협정을 맺어 헝가리의 농산물을 구입하는 대가로 '경화'가 아닌 독일 은행의 폐쇄 계좌를 만들어 질 좋은 독일 산업 제품을 구입하게 만들었다. 1930년 총수출의 11퍼센트를 차지했던 대독일 수출은 1939년 50퍼센트로 늘어났다. 이 시점에 헝가리에 투자된 외국 자본의 절반은 독일이 통제했다.[30]

이렇게 독일의 경제 통제권이 확대되는 현상은 남동부 유럽 전역에 반복되었다. 1938년 유고슬라비아는 독일 에센의 크루프 회사와 보스니아에서 대포와 포탄을 생산하는 계약을 맺었다. 같은 해 베를린은 불가리아에 3000만 마르크의 무기를 제공하는 데 동의했다. 1929년부터 1939년까지 대독일 불가리아 수출은 29.9퍼센트에서 67.8퍼센트로 늘어났다. 서방국가들은 독일의 진주를 막을 정치적 의지를 보여준 적이 없었다.[31] 유고슬라비아 관리들은 1931년 프랑스와 협상한 차관으로 새로운 시장과 군사장비 또는 외교적 지원을 얻어내는 데 실패한 것에 실망하고 있었다. 몇 년 후 영국은 불가리아에 차관 공여를 거부했지만, 독일은 재빨리 이 틈새에 끼어들어 2200만 마르크의 차관을 추가로 제공했다.[32] 남동부 유럽의 엘리트는 독일과 이탈리아와의 협력을 도박이기보다는 대공황의 타격에서 자국의 경제를 보호하는 합리적 계산이라고 생각했다.

그러나 헝가리는 독일에 의존할 또 다른 더 강력한 이유가 있었다. 헝가리 국민들은 상실한 영토를 회복한다는 결의가 강했고, 이것은 정부의 선전선동에 의해 더 강화되었다. 독일과 협력한 첫 보상은 1938년 10월 뮌헨회담 후 나타났다. 독일과 이탈리아 중재위원회는 남부 슬로바키아의 헝가리인 거주 지역을 헝가리에 반환했다. 그러나 헝가리의 욕심이 채워지자 독일 정부는 헝가리가 나치 질서의 일부라는 더 많은 증거를 요구했다. 헝가리는 좀 더 권위주의적이고 인종차별주의가 되었다. 더라니의 반유대 입법 후 세 번의 입법이 1939, 1941, 1942년 이어졌다. 이 법에 의해 유대인성Jewishness을 '인종'으로 좀 더 좁게 정의하여 유대인과 비유대인의 결혼을 금지하고, 유대인 재산을 박탈하며, 유대인을 공적 생활에서 배제시켰다.[33] 이에 대한 보상으로 1940년에 트란실바니아를 획득했지만 인종 말살 정책에 대한 헝가리의 협력을 원하는 나치의 욕망은 채워지지 않아서 17장에서 보는 바와 같이 이 협력의 결과로 60만 명의 유대인 남녀노소가 희생되었다.

헝가리 국민들에게 널리 퍼진 감정을 고려할 때 아마도 영토를 회복하려는 열정은 피할 수 없었지만, 평범한 주민에 대한 엘리트의 지속적인 경멸은 굄뵈스의 위협 이후에도 지속되었다. 정부는 농촌 지역의 시장경제 촉진을 위해 투지 분배를 할 수 있었지만, 1936년 호르티는 모든 사람을 위해 충분한 토지가 없기 때문에 국가의 구원은 경제 발전에 있다고 선언했다.[34] 그러나 이를 어떻게 실행할지는 구체적으로 말하지 않았고, 과거보다 더 적은 수의 가족이 농지와 산업을 독점하는 상황은 개선되지 않았다.[35] 경제에서 발전된 부문은 고도로 독점화되었고, 부다페스트의 은행 두 곳이 헝가리 산업의 60퍼센트를 통제했다. 1938년 일반 국민의 평균 일일 임금은 대공황 전보다 3분의 1, 4분의 1로 떨어졌다. 루마니아에서도 발전된 산업에 대한 논의가 있었지만, 이러한 계획은 정실주의와 부패의 희생양이 되었고, 제대로 실행되지 않았다.[36]

시민 복지에 대한 호르티 정권의 경시가 지속되는 상황에서 화살십자군의 인기가 계속 높은 것은 놀라운 일이 아니었다. 화살십자군은 1939년

5월 치러진 의회 선거에서 200만 표 중 75만 표를 얻었다. 다른 네 개의 민족사회주의 정파와 연합하여 전국 투표의 3분의 1을 얻었다. 화살십자군의 호소는 불만에 찬 주민에서부터 야망 있는 성공한 사람들에게까지 효과를 발휘했고, 공무원, 취업자와 실업 상태인 대학 졸업자와 장교단에게도 인기가 있었다. 중하층 주민, 노동자, 농업노동자, 그리고 과거 중산층에도 깊이 파고들었다. 산업화된 부다페스트에서 파시스트는 사회민주당보다 훨씬 좋은 결과를 얻어서 도시와 농촌의 노동자들은 민족사회주의자들이 자신들을 두려움과 절망에서 구해줄 것으로 생각했다.[37]

이와 유사하게 국왕이 지명한 정부의 내무장관이 조작한 선거에 기반한 가짜 민주주의 정치를 하고 있던 루마니아에서 철위부대는 1937년 12월 치러진 선거에서 16퍼센트(의석 66석)를 얻는 데 성공하여 제3정당으로 부상했다. 1937년 전위대 요원들(27만 2000명 회원) 표본을 보면 20.5퍼센트가 비숙련 노동자, 17.5퍼센트가 농민, 14퍼센트가 숙련 노동자였다. 그러나 지도부는 대학생과 대학생 출신으로 구성되었고, 변호사 비율이 높았다.[38]

파시즘의 위험에 대해 농민과 노동계급에 경종을 울린 핵심 세력은 불법화된 공산주의자들이었다. 공산주의에 대한 혐오가 철위부대 사이에 집착처럼 증가해서 이들은 공산주의자들을 유대인과 사탄과 동일시했다. 주민들 사이의 계급 구분을 전제했기 때문에 공산주의의 계급투쟁 사고는 철위부대에게 극도의 혐오 대상이 되었다. 그러나 파시스트들은 자유민주주의도 조국의 토양에 맞지 않는 '이질적'인 것으로 혐오했다. 철위부대원인 바실레 마린에 의하면 "우리는 우리 땅, 역사, 민족의식에 굳게 뿌리를 내린 사람을 필요로 하는데, 민주주의는 보편적이고, 추상적이고, 이상적인 사람을 만들어냈다".[39] 인종차별주의적 사회학자인 트라이안 헤르세니는 철위부대 외에는 어느 누구도 "정당하고, 주민들을 자극할 능력이 있는 정치적 입장을 대변할 수 없다. 철위부대밖에는 암흑과 혼란만이 존재한다"라고 말했다. 가짜 민주주의에 대항해서 철위부대와 화살십자군은 행동을 약속했고, '구시대 인물' 연계망에 대항에서 이들은 타인을 위한 자기희생을 구현하는 것처럼 보였다.[40] 그러나 이들은 사고의 깊이에서는 큰 인상을 남기지 못했다. 페렌츠 살러시는 1936년 〈노선과 목표Road and Goal〉라는 글에서 마르크스주의에 대한 다음과 같은 비판을 추종자들에게 제시했다.

사회민족주의는 생의 진정한 물리학과 생물학이다. 진정한 개인적 형태들이 그의 영혼 안에서 중요하다. 그의 손은 도구에 불과하다. 그렇기 때문에 형태가 잡힌 것은 가치이지 물건이 아니다. 그래서 사회민주주의는 민족의 생물학적 물리학이지 역사적 물질주의가 아니다.[41]

살러시는 이런 식으로 잘 만들어진 정치적 사고가 아니라 분명한 솔직함과 진정성으로 추종자들을 끌어모았고, 이러한 자질은 헝가리 정치에서 찾아보기 힘든 것이었다. 독일의 히틀러와 마찬가지로 살러시는 헝가리 방방곡곡을 찾아다니며 추종자들의 이름을 다 기억하며 이들에게 좋은 인상을 남겼다. 그러나 분노에 찬 히틀러와 다르게 그는 주민들에게 타인에 대한 혐오 대신에 사랑을 불러 일으켰다. 이 시기에 헝가리를 자주 방문했던 영국 역사가 C. A. 매카트니는 "살러시가 당대의 어느 누구도 따라올 수 없는 헌신을 끌어냈고, 그의 사후 헝가리인들은 그를 숭배 대상으로 삼았다"라고 기록했다. 코드레아누와 마찬가지로 살러시는 경건한 기독교이었고, 코드레아누와 마찬가지로 그는 예수 그리스도를 지역적 민족

애국자라고 보았다. 그는 그리스도가 헝가리인(투라니아인)이라고 주장하기까지 했다.[42]

헝가리에서와 마찬가지로 루마니아에서도 파시즘의 매력은 계급 경계를 뛰어넘어 확산되었지만, 루마니아에서는 가장 존경받는 지식인들에게 확산되었고, 이들 중 가장 급진화된 것은 대학생들이었다. 대학생들은 철위부대에 가입하지 않더라도, 부쿠레슈티나 이아시의 젊은 도시 지식인들은 반유대주의와 인종차별주의를 심화시키고, 폭력적이고 인종차별적인 혁명을 요구했다. 이러한 사상을 옹호한 저명한 인물로는 연극 연출가인 헤이그 악테리안, 배우 마리에타 사도바, 시인 단 보타, 후에 세계적으로 유명한 종교학자가 된 미르체아 엘리아데가 있었다.[43]

2차 세계대전 후 일부 사람들은 이런 유명인들이 자신들을 유인했다고 비난했다. 1945년 극작가 외젠 이오네스코는 우파 철학자 나에 이오네스코(두 사람은 친척이 아님)가 지식인 한 세대를 방황하게 만들어서 '멍청하고 반동적인 루마니아'를 만들었다고 비난했다.[44] 그러나 1930년대가 되자 극단주의로 매력이 너무 광범위하게 퍼져서, 특별한 유인책을 필요로 하지 않았다. 스페인, 오스트리아, 폴란드에서와 마찬가지로 정치적 중도는 사라지고, 젊은이들은 양 극단의 정파로 몰려들었다. 루마니아에서 파시즘에 저항한 지식인들은 극좌파 급진주의를 선택했거나 초민족주의를 추종했다. 일례로 저명한 역사가 니콜라에 이오르가는 카롤 국왕이 만든 파시스트 모방 집단인 민족부활전선National Renaissance Front의 제복을 입고 다녔다. 일부 사람들은 그 정도로는 충분하지 않았다. 1년 후 이오르가는 철위부대 암살팀에 의해 살해되었다.

루마니아 지식인들을 극단주의로 몰고 간 실제적 우려는 루마니아를 현대적 국가로 만드는 것이 어렵다는 인식이었다. 국가 창설 후 60년이 지났지만, 민족 문화의 요새인 학교, 대학, 전문 직업, 상업(도시 중심부의 환경)은 모두 '외국인들' 손에 남아 있는 것처럼 보였다. 이에 대비해 루마니아인 대부분은 문맹을 벗어나지 못하고, 곤궁의 진흙탕에서 벗어나지 못한 시골 주민들이었고, 자유주의는 여기에 아무런 해결책도 제시하지 못했다. 루마니아인으로 간주하는 인종적 이해는 이미 오래전에 인종차별적 인식으로 바뀌었고, 다양한 노선의 선동가들이 도시 문화를 '탈유대화'하는 방법들을 제시했다. 이들 중 철위부대가 가장 인기가 있었는데, 그 이유는 이들이 규율이 잡히고 분명한 결과를 내는 것처럼 보였기 때문이었다.

외부자들은 철위부대 같은 파시스트 조직이 자유를 제약하는 것으로 보았지만, 철위부대 편을 든 지식인들은 이들이 자신들을 공포에서 해방시켜주었다고 생각했다. "자유로운 사람이 전위대Legion에 가담한다"라고 미르체아 엘리아데가 1937년에 썼다. "사람은 생물학적 결정주의와 경제적 결정주의의 한계를 극복하기로 결정했기 때문에 … 전위대에 가담하는 사람은 죽음의 셔츠를 입는다. 이것은 전위대 요원은 너무나 자유롭게 느끼기 때문에 죽음조차도 이들은 두렵게 하지 못한다. 죽음의 공포에서 벗어난 사람은 일상적인 염려보다 훨씬 높게 솟아올라서 동포들이 조화와 충일감 속에 살던 과거를 재창조하는 꿈을 꾸었다"라고 주장했다.[45]

그러나 일정 기간 루마니아 지식계층은 유럽 전역의 지식인들을 사로잡은 문화적 비관주의에 빠졌다. 일례로《태어남의 문제와 절망의 절정에 대해》의 저자인 에밀레 시오란(1911-1995)을 들 수 있다. 그는 더 이상 고단계의 법칙이 없는 무자비한 우주에 대해 숙고했지만, 친구들이 행동에 나서라고 촉구했을 때 이것은 더 참을 수 없는 일이 되었다. 정치적 행동은 피할 수 없지만, 의미가 없었다.[46] 철위부대는 민족 정치과 지역화된 기독교의 결합을 통해 내부적 혼란으로부터 탈출을 약속했고, 이를 무기로 자신들이 고귀해지는 방법으로 보인 자기희생의 길을 열심히 개척했다. "우리는 운이 좋아서 현대 루마니아가 통과하는 가장 중요한 변화의 시기, 즉 새로운 귀족층이 부상하는 시기에 살고 있다. 젊은 철위부대 대원들은 희생, 헌신, 창조적 의지를 통해 달성한 다른 놀라운 일과 함께 루마니아 엘리트, 새로운 인간형 엘리트의 기초를 닦아 놓았다"라고 미르체아 엘리아데는 1938년에 썼다. "모두 단결하자. 루마니아 부활과 구원의 시간이 다가왔다. 신념을 가진 사람, 싸우고 고통 받는 사람은 이 민족에 의해 보상받고 축복받을 것이다"라고 코드레아누는 1929년 교회 앞마당에서 시골 사람들에게 역설했다.[47]

기독교 신앙에 대한 이런 호소로 철위부대는 아직 신앙심이 깊은 시골 지역 주민들의 지지도 끌어냈다. 이와 대조적으로 나치 지도자들은 기독교를 적수로 대하고, 자신들만의 입당, 결혼, 장례 의식을 개발했고, 독일 종교 숭배를 조장했으며, 궁극적 승리 후에 이들은 기존의 종교를 모두 없애고 교회를 히틀러 숭배의 전당으로 바꿀 계획을 세웠다.[48] 루마니아에서 철위부대는 기독교 의식과 자신들의 의식을 혼합했고, 일부는 이것을 종교적 부활로 비유했다. 농촌에서 주로 올라온 불만에 찬 젊은이들 사이에 널리 퍼진 반물질주의적 감성을 이용했다. 전위대 언론은 마리아 루수라는 여인이 보고한 성모 마리아 환영을 상세히 서술하고, 목동 페트라체 루푸가 자신을 '모사Mosa'라고 부른 노인의 모습으로 나타난 신과 얘기했다고 보고한 들판으로 순례를 가도록 선동했다.[49]

서부 유럽에서 진행 중인 운동들과 대비되게 철위부대와 화살십자군은 반교회주의를 비난하고, 교회를 보호한다고 약속했다. 무솔리니, 히틀러, 괴벨스가 사제들을 조롱하고 하찮게 본 데 반해, 코드레아누는 그들과 함께 나아갔다. 전위대가 "자신을 죽이려면 죽여보라"고 신에게 도전하거나,

예수와 마리아 막달레나의 성적 관계에 대해 농담하는 불가지론자인 베니토 무솔리니를 추종하는 것은 생각할 수 없는 일이었다. 나치즘과 이탈리아 파시즘은 기독교 신앙을 강화하는 기능은 전혀 하지 않았지만, 루마니아에서는 기독교 신앙생활을 더 이상 하지 않는 지식인들도 '표면에서 멀지 않은' 살아 있는 신앙에 대한 기억은 불러일으킬 수 있었다.[50]

일부 사람들은 철위부대의 '기독교 혁명'이 조상 숭배, 인종 혐오, 피와 흙 숭배로 기독교 신앙을 오염시켰다고 주장했다.[51] 학생들은 자신들의 피를 섞어 마시며 단결을 과시하곤 했다. 그러나 루마니아 정교회는 이런 행동에 대해 적절한 해석을 놓고 옥신각신하기보다는 철위부대를 수용했고, 정교회 사제들은 성상화와 종교 깃발을 들고 시위대 앞에서 행진했고, 녹색 제복을 입은 전위대원들은 행렬의 뒤를 따랐다. 사제들은 1937년 결성된 '모든 것을 조국을 위해' 당이 출마시킨 103명의 후보자 중 3분의 1을 차지했다. 전위대원들은 공산주의와의 싸움에서 자신들은 신의 아들을 지키고 있다고 말했다. 한 철위부대 기자는 "신은 파시스트다"라고 선언하기까지 했다.[52]

철위부대는 시골 지역에 남아 있는 신앙 전통에 단순히 의존하지만 않았다. 전위대원들은 휴학을 하고 경찰이 자신들의 행동을 저지하지 못하도록 철로에서 멀리 떨어진 궁벽한 농촌으로 등산하며 들어가서 농민들을 접촉했다. 자유주의적 정치인들은 감히 이런 일을 할 생각을 하지 못했다. 전위대원들이 오면 마을 주민들은 촛불을 켜고 이들을 환영했다. "우리가 노래를 하고 연설을 하는 마을에서 나는 다른 데서 차용한 프로그램을 가진 정치인들은 도달할 수 없는 그들의 영혼 깊은 곳으로 들어가는 것을 느꼈다"라고 코드레아누는 후에 회고했다.[53] 그러나 철위부대는 단순히 설교만 한 것이 아니었다. 코드레아누와 그의 추종자들이 들판에서 일하는 농민들을 만나면, 그들은 발걸음을 멈추고 같이 땅을 팠고, 저녁에 마을에서 농민들과 노래하며 대화를 나누면서 농민들에게 자신들이 믿고 있는 바대로 행동한다는 깊은 인상을 남겼다. 이들은 다음 장소로 이동하기 전 이들은 자신들의 지도자 초상화와 운동의 순교자가 그려져 있는 성화 카드를 농민들에게 나누어주었다.

전위대원들은 많은 지역을 탐색한 다음 노동 캠프뿐만 아니라 농업협동조합과 농장을 세우기에 적절한 장소를 골랐다. 수백 명의 전위대원들이 두 번의 여름에 걸쳐 작업하여 흑해 연안에 노동-휴가 캠프를 조성했다. 여기에는 석조 건물, 부엌, 도로, 하수도, 정원, 소풍 식탁, 닭장이 만들어졌다.[54] 캠프 안에서는 자체 의식(결혼식을 포함하여)을 갖춘 새로운 사회적 세계가 펼쳐지며, 여가 활동, 노래 부르기, 민속놀이 등을 즐겼다. 이런 행사의 목적은 '새로운 인간에 의한 새로운 생활'의 건설이었다.

힘들고 성실한 노동으로만 살아오는 데 익숙한 힘없는 노동자에서 부와 황금을 탐하지 않는 새로운 사람들을 끌어냈다. 이것이 전위대의 대장이 노동 캠프를 시골 지역 도처에 지은 이유이다. 노동 캠프에는 교회가 지어지고, 가난한 사람들을 위한 주택이 건설되고, 공공을 위한 시설들이 만들어졌다. 장래에 전위대의 지도자가 될 지식인들과 도시 주민들은 이곳에서 땀을 흘려 일하면서 힘들고 어려운 새로운 삶에 적응하게 되었고, 더 이상 도둑질에 기반한 생활을 꿈꾸지 않게 되었다.[55]

젊은 전위대원들은 도시 생활에서 습득한 부패의 마지막 흔적도 땀으로 흘려내 버리고, 노동 캠프뿐만 아니라 상점, 작은 회사, 스포츠클럽, 가판점, 자선단체, 와인 저장고, 바, 식당을 비롯한 도시와 농촌의 많은 장소에서 여러 지식인과 노동자 사이의 구별을 없애려고 노력했다. 여러 사회 집단이 혼합된 이 모든 장소에서 자발적이고 자기희생적인 노동이 고무되었다.[56] 2차 세계대전 후 공산당원들의 심문을 받은 전위대원들은 전위대원들이 일하는 식당에서 대학 졸업자들이 웨이터로 일하고 팁을 받는 것을 거절하는 것을 본 고객들이 얼마나 놀랐는지를 회상했다.[57]

철위부대원들이 만들려고 했던 '새로운 생활'은 완전히 새로운 것은 아니었다. 이들은 1830년대로 거슬러 올라가는 루마니아만의 세계를 만들려고 했던 시도에서 가장 최근의 사례를 찾았다. 루마니아가 어떻게 하면 현대 도시 생활의 빈곤, 소외, 균열을 피할 수 있을까를 상상했던 이전 세대들의 노력에 기반한 농촌 생활을 낭만적으로 꿈꾸었다. 그러나 이들의 새로운 세계는 협동조합 마을보다는 훨씬 더 나간 것이었다. 이것은 한 지도자 아래 규율 잡힌 위계질서를 가진 전통적 사회적 질서를 대체하려는 폭력적인 노력이었다. "우리는 루마니아 전체가 전위대가 되도록 만들어야 한다. 새로운 전위대 정신이 지배해야 한다. 나라 전체가 전위대의 의지에 따라 통치되어야 한다"라고 코드레아누는 주장했다. 역사적으로 조성된 사회적 연계는 '더 이상 비효율이나 한가한 여가를 인정하지 않는 단일적·군사적 생활방식으로' 재주조되어야 했다.[58] 철위부대는 규율을 강제하기 위해 암살팀을 조직해서, 1935년 코드레아누와 연을 끊은 의회의 가장 젊은 의원인 미하일 스텔레스쿠를 암살 대상으로 지목했다. 1936년 10명의 전위대원(이 중 5명은 신학생)은 스텔레스쿠가 맹장염 수술에서 회복하고 있는 병원을 찾아내서 그에게 열 발의 총을 쏘고 그의 몸을 조각조각 냈다.[59] 같은 해 학생의회는 탈당자를 포함해 점점 늘어나는 적을 처단하기 위해 암살팀을 조직했다.

이와 대조적으로 헝가리에서는 호르티 정권은 화살십자군을 철저하게 통제하여 1944년 독일군이 권력을 잡도록 만들기 전까지 무장 폭동을 일으키지 않았다. 철위부대와 마찬가지로 헝가리의 민족사회주의자들은 사회 전 계층에서 인기가 높았는데, 그 이유는 아무도 신경을 쓰지 않는 상황에서 이들이 도시 노동자들로 하여금 민족 공동체의 '유기적 일부'로 느끼게 만들어주었기 때문이다.[60]

철위부대가 1937년 12월 루마니아 선거에서 승리하자 ─ 이 선거에서 이들은 16퍼센트를 득표했다 ─ 기존 정당이 처음으로 승리를 하지 못하고, 정치적 술수에도 불구하고 다수파를 형성하지 못하면서 정치적 위기가 촉발되었다.[61] 두 달 후 국왕은 왕정 독재를 선언하고, 철위부대당을 포함한 모든 정당을 해산시켰다. 전위대의 캠프, 식당, 사업체도 모두 폐쇄되었다. 코드레아누는 자신의 운을 믿으며 추종자들에게 국왕의 조치를 따르도록 지시했다. 추종자들과 마찬가지로 코드레아누는 죽음을 두려워하지 않는 듯이 보였다. 실제로 그의 조직은 죽음의 의식을 수행했다. 전위대 암살팀의 일반적 관행은 자신들의 범죄를 수행한 다음 당국에 항복하는 것이었다.

카롤 국왕은 암묵적으로 전위대에 재정 지원을 해왔었다. 그가 보기에 전위대는 공산주의와의 싸움에서 우파 동맹세력이었다. 코드레아누는 왕정이 루마니아 국가의 근본적 제도로 왕정을 존중했기 때문에 국왕은 이러한 행위가 자신에게 도움이 될 것이라고 생각했다. 그러나 카롤은 이제 파시즘을 길들이는 것이 불가능하고, 파시즘이 기존의 질서를 전복하려고 한다는 것을 인식했다. 가을이 되면서 격화되는 소요에 대응하여 국왕은 코드레아누와 몇 명의 추종자를 체포한 다음 탈출을 시도했다는 혐의로 이들을 처형했다. 1938년 헝가리의 호르티 정권도 전설적인 파시스트인 살러시를 감옥에 수감했고, 그는 2년간 감옥생활을 했다.[62] 두 운동은 2차 세계대전 중 독일의 지원을 받을 때까지 권력을 잡지 못했다. 루마니아에서 철위부대의 정부 참여는 단지 두 달간만(1940-1941) 지속되었다. 그 이유는 이들의 극단주의가 루마니아의 독일 전쟁 노력 공헌을 위험하게 만들었기 때문이었다. 히틀러는 젊은 파시스트 경거망동자들보다 급진적인 민족주의자인 안토네스쿠를 지원했고, 그가 철위부대를 탄압하자 이를 지원했다. 히틀러는 다하우 집단수용소에 피의 숙청에서 살아남은 철위부대원들을 수감할 공간을 마련해주었다.

✳ ✳ ✳

루마니아와 헝가리의 파시스트들은 자유주의적 민족주의 지도부가 민족적이면서 사회주의적이라고 주장하는 세력에 우파 공간을 마련해주었을 때 발생하는 일을 잘 보여주었다. 이들은 빈곤 속에 생활하는 일반 평민들은 안락한 생활을 하는 기득권의 무관심으로 인한 희생자라고 주장을 펼쳤다. 이러한 인종주의 지도자들은 민족주의자임을 자처했지만, 민족적 복지를 향상시키기 위한 일은 거의 하지 않았다. 이들은 약자를 신경을 쓰지 않고 경멸하거나 힘이 없었다. 파시스트들은 자유주의적 민족주의자들은 둘 다 해당된다고 주장하며 농민들과 노동자들에게 잠재되어 있던 불만을 자극해 표출시켰다. 이들은 현재 처지로 인해 경멸을 받고 있다고 주장하면서 오래 지속된 기득권층의 우월감에 의해 받은 상처를 심화시키고, 대중의 문자해독 시기에 더 강력한 잠재력을 발견했다. 이러한 호소를 하는 젊은 파시스트들은 정직하고 신념에 의해 행동하는 것처럼 보였고, 이들은 불만에 가득 판 농민들의 언어를 능숙히 구사하며 이들의 말을 경청할 뿐만 아니라 도움을 줄 것처럼 행동했다.

독일, 오스트리아, 헝가리의 많은 파시스트들은 자신들을 민족사회주의자라고 불렀고, 많은 당대 사람들은 실제로 그런 것으로 믿었다. 이들은 사회적 문제는 민족적 근원이 있고, 이것은 일부 외국인들이 일으킨 문제이며 정부 부처의 엘리트는 호르티 제독이나 카롤 국왕을 위해 봉사하는 것처럼 나서지만 실제로는 외국 자본에 봉사하고 있다고 주장했다. 그러나 이와 동시에 루마니아와 헝가리에서는 어느 누구도 국가 국경 밖에서 일어나는 일을 무시할 수 없었다. 1930년대 후반 독일은 곡물을 구매하고 실패한 농업을 지탱할 뿐만 아니라 유럽의 지도를 다시 그리려고 하고 있었다. 루마니아와 헝가리는 모든 사람을 기다리고 있는 미래를 맞을 준비를 해야 했다. 문제는 다른 동유럽 국가들이 어떻게 대응할 것인가였다. 이 국가들은 어떻게 파시즘의 흡인력을 벗어날 수 있을 것인가 아니면 이 국가들도 정체가 모호한 이 유혹에 굴복할 것인가? 헝가리와 루마니아 파시즘의 이야기는 권위주의적 정권들은 민족주의적 파시스트를 통제하고, 심지어 유혈 숙청을 하면서 나치의 궤도에 들어갈 수 있다는 것을 보여주었다. 실제로 이것이 나치 독일이 선호했던 바였다. 그 이유는 이렇게 함으로써 동유럽 동맹국들이 안정을 유지하고 독일을 지지하며 혁명적이 되지 않기 때문이었다. 이렇게 되면 독일인들이 유럽과 세계 질서에 대한 자체적 혁명을 할 수 있는 재량권을 가질 수 있었다.

15장

동유럽의 반파시즘

최근에 미국 일부 신문들은 동유럽이 다시 1930년대로 회귀할 가능성이 높다고 전망했다. 당시 경제 위기로 인해 인종 혐오와 파시즘이 널리 확산되어 유럽대륙이 1940년대 대량 살상 전쟁으로 돌입했다는 분석이다. 신문 기고란에 글을 올린 한 노벨상 수상자는 파시즘은 과거와 현재 모두 동유럽의 '진정한 역사적 궤적'이라고 주장하고, 폴란드와 헝가리에서 대중영합주의가 부상하며 우파 지도자들이 권력분립을 존중하지 않고, 수시로 민족주의적 수사를 사용하며, 항구적인 권력 유지를 꾀하고 있다고 주장했다.

폴란드인, 체코인, 세르비아인들의 국가적 기억은 이와는 매우 다르다. 이들은 자국이 파시즘을 만들어내기보다는 파시즘 반대세력의 제일 선두에 섰다고 말한다. 미국 주재 폴란드 대사는 자신은 폴란드가 파시스트 국가라는 주장을 '사악한 농담'으로라도 받아들일 수 없다고 기고했다.[1] 폴란드는 실상은 히틀러에 대항한 첫 국가로서 국민 전체의 5분의 1을 잃는 전쟁을 치렀다.

시끄러운 반향을 떠나서 이 의견은 일부 진실을 담고 있다. 대공황은 동유럽 국가들이 질서를 유지하는 능력을 시험했다. 일부 지역, 특히 폴란드에서 타인종에 대한 폭력행위가 발생했었다. 도시 거주 유대인과 농촌 지역 거주 우크라이나인들이 그 대상이었다. 그러나 우리는 동유럽에서 실제 파시즘이 발아한 국가들을 봐왔다. 이 국가들에서 파시즘은 권력을 장악하려고 위협을 할 때마다 권위주의 지도자들에 의해 탄압 당했다. 호르티는 파시스트들을 감옥으로 보냈고, 카롤은 이들을 처형했다. 오늘날 언론 보도와 정면으로 모순되게 중동부 유럽은 파시즘이 파종되기에는 척박한 땅이었다. 우리가 볼 국가들에서 토착적 적대감으로 인해 파시즘은 제대로 뿌리를 내리기 전에 씨앗이 날아가 버렸다.

물론 폴란드, 불가리아, 체코슬로바키아, 유고슬라비아에는 민족주의자도 있었고, 인종혐오자도 있었고, 반유대주의자도 있었다. 그러나 이들 중 누구도 루마니아의 철위부대와 헝가리의 화살십자군 같은 혁명적 힘을 결집하지 못했기 때문에 이들은 '파시스트'라고 부를 수는 없었다. 이들 중 누구도 기존의 질서를 파괴하고 모든 차별성을 제거한 인종적으로 순수한 국가를 만들려고 하지 않았다. 누구도 루마니아 농촌 지역에 생긴 것과 같은 군복을 입은 준군사적 조직을 만들지 않았고, 이탈리아의 파시즘이나 독일의 나치즘 같은 핵심 조직을 만들지도 않았다.[2] 누구도 이러한 조직이 숭앙하는 지도자를 만들어내지도 않았다.

그러나 동유럽의 반파시즘 운동도 영웅적이지는 않았다. 동유럽 대부분 국가에서 파시즘을 억제한 것은 공정한 게임이나 인권에 헌신한 정권이나 자유주의와 민주주의를 신봉한 강력한 제도가 아니었다. 헝가리와 루마니아에서와 마찬가지로 강력한 권력자가 좌파와 우파 극단주의를 통제하고 질서를 유지했다. 폴란드에서 파시스트 인종주의가 추종자를 얻지 못한 이유는 부분적으로는 이미 자리를 잡은 민족주의자들이 인종주의적 배제를 시작했고 우익의 특정한 담론이 이미 진행되고 있었기 때문이었다.

폴란드 내부와 외부에서 파시스트들은 지역 민족주의자들이 자신들의 메시지에 반대하는 상황을 만났다. 헝가리와 루마니아에서와 같이 민족주의적 자유주의 엘리트와 일반 민중 사이의 큰 간극은 폴란드나 체코슬로바키아, 불가리아, 유고슬라비아에서는 발생하지 않았다. 물론 이것이 이 국가들에 특권 계급이나 착취당하는 농민이나 노동자가 없다는 것을 의미하지는 않았다. 오히려 핵심은 오늘날 폴란드 대사가 반복해서 말한 언명에 있었다. 즉, 파시스트는 좋은 폴란드인이 아니고, 이와 마찬가지로 애국적인 체코슬로바키아인이나 유고슬라비아인도 될 수 없었다. 이 국가들에서 파시스트는 현지의 민족주의적 담론과 상반되는 위치에 가 있었다. 즉, 그들은 민족의 적으로 간주되었다. 이것은 엘리트뿐만 아니라 일반 대중에게도 적용되었고, 이들을 연계시켜주었으며, 좌파와 우파 모두에 해당되는 담론이었다. 파시즘을 수용한 국가인 독일과 이탈리아는 폴란드, 체코슬로바키아, 유고슬라비아 국가 존립 자체에 도전을 했고, 무솔리니의 파시스트 경례를 흉내 내고, 나치 스타일의 군복을 입은 지역 토착 파시스트들은 적의 동맹세력이나 꼭두각시로 보였기 때문에, 초민족주의자보다는 반민족주의자로 간주되었다.

여기에다가 많은 동유럽 주민들은 무솔리니와 히틀러가 현화한 '총체적 지배'에 대해 반감이 아주 컸다. 폴란드, 체코슬로바키아, 세르비아를 막론하고 19세기로 거슬러 올라가는 지역 민족주의의 핵심 메시지는 자유를 중요시했다. 1차 세계대전 후 만들어진 헌법은 단순히 서방에 의해 강요된 것이 아니었고, 지역의 자치 전통을 반영한 것이었다. 1926년 폴란드의 쿠데타, 1929년 유고슬라비아의 쿠데타 이후에도 수만 명의 폴란드 시민과 유고슬라비아 국민은 자신들 국가의 헌법이 자유와 법치에 대한 정당한 민족적 갈망을 반영하고 있다고 생각했다.

그러나 동유럽 지역은 전체주의의 그늘 아래 생활하고 있었고, 극좌나 극우로 가려고 하는 유혹이 대중의 상상에 팽배했다. 독일과 소련 같은 국가의 강력한 통치는 이 국가들의 역동적 성장의 길을 열어준 반면, 서방은 위기를 벗어나지 못하고 있었다. 또한 국가 주도의 대중 동원에 대한 환상도 널리 퍼져 있었고, 폴란드와 유고슬라비아 지도자들은 이를 답습하고자 했다. 이러한 유혹을 완전히 거부하고 나치 병력이 국경을 넘기까지 민주주의 형태를 고수한 유일한 국가는 체코슬로바키아였다. 그러나 이곳에서도 우리는 체제를 관장하는 강력한 지도자를 볼 수 있었다. 이것은 군복을 입은 채 진행된 것은 아니지만, 이 국가에 민주주의가 시행되었다면 그것은 관리된 민주주의였다.

체코슬로바키아: 관리된 민주주의

체코와 슬로바키아의 강력한 지도자는 토마시 마사리크였다. 교수였다가 정치인이 된 그는 1차 세계대전 중 체코슬로바키아 독립 움직임을 주도했고, 1918년 이후 사실상 도전받지 않는 지도자가 되었다. 그의 정치적 '현실주의' 덕분에 국가가 탄생했고, 체코슬로바키아 정당들은 신속히 행정 기구를 장악하고 이것을 민족 운동을 대신한 국가 건설에 사용했다. 이 국가는 헌법을 준수하고 정기적으로 선거를 실시하고 여기에 언론과 집회의 자유를 보장했지만, 체코인과 슬로바키아인들이 수적 다수를 차지했기 때문에 이 민주주의는 인종적 성격이 강했다. 이것은 외형적으로는 체코슬로바키아인에 의한, 체코슬로바키아인을 위한, 체코슬로바키아인들의 지배였다. 이것은 국민의 지배를 절대적 가치로 만든 수사에 의해 유지된 연출된 민주주의였고, 그 연출과 감독은 대통령인 마사리크가 맡았다. 그는 정당 정치보다 높은 곳인 대통령 관저가 있는 프라하성에 앉아서 민주적 요소들이 적절한 방향으로 움직이도록 감독했다. 매주 금요일 그는 자신이 신뢰하는 정치인들을 모아 토론을 벌이고, 이들이 표면적인 민중인 체코슬로바키아 시민들의 감시를 벗어난 곳에서 안전하게 결정과 타협을 만들어내도록 했다.

매일 매일의 국사는 우리가 13장에서 본 비헌법적 기구인 5당위원회가 맡았다. 이 위원회는 1차 세계대전 직후 만들어졌고, 좌익으로는 사회민주당원으로 시작하여 민족사회당, 농업당, 가톨릭당, 그리고 우익으로는 민족민주당원에 이르기까지 전 정치적 스펙트럼을 망라해서 구성되고 신뢰할 만한 슬로바키아 정치 계급의 지지도 확보했다. 5당위원회는 폴란드, 세르비아, 루마니아의 인종적 정당보다 좀 더 일관성이 있는 정치를 펼쳤다. 그 이유는 이 위원회를 구성하는 정당들은 빈의 오스트리아 의회에서 협력적인 노력을 통해 수십 년 동안 단계적으로 단결을 형성했기 때문이었다.[3] 물론 이들 사이에도 다른 어떤 정치 연합체처럼 분열이 있었지만 모든 국경선이 도전을 받고, 체코슬로바키아 안팎으로 적들이 포진한 상태에서 협력을 해야 한다는 압박은 모든 원심력적인 분열을 압도했다. 폴란드의 지도자들과 다르게 이들은 자신들의 노력만으로 국가를 형성했다고 착각하지 않았다. 그리고 민주주의 또는 민족자결은 체코와 슬로바키아 지배를 정당화하는 핵심 요소이고, 이것은 후스파의 인본적이고 진보적인 전통에서 정치적 자원을 찾았다. 보헤미아 국가의 권리에 대한 오래된 이념은 다수 지배를 요구했고 동시에 이를 충족시켰다.

그럼에도 1925년 급진 우익 사상을 표방하는 소규모 집단이 나타나서 스스로를 '민족파시스트공동체'라고 불렀다. 이 정치집단은 선거에서는 보잘것없는 결과를 얻었지만 체코 농민당 내에서 나치 독일과의 협력을 증진하기 위해 노력했다.[4] 1935년 체코슬로바키아 국가 창설자 중 한 사람인 민족민주당의 카렐 크라마르는 파시스트들이 체코슬로바키아에 '민족주의적 국가'를 안정시키는 데 유용하다고 보고 이들과 당을 합쳤다.[5] 그러나 마사리크는 파시스트 지도자인 저돌적인 군사지도자 루돌프 가이다를 장군에서 사병으로 강등시키되 그를 군에 남게 한 다음 반역죄로 기소하여 위협을 제거했다. 1933년 그를 지지하는 약 33명의 병사가 권력을 잡기 위한 첫 단계로 브르노 인근의 병영에서 반란을 일으켰으나, 이들은 총 몇 방 쏴보지 못하고 진압되었다.[6] 1938년 9월 말 프랑스와 영국이 독일이 체코슬로바키아의 민주주의를 훼손하도록 허용한 뮌헨회담 다음에야 체코 파시스트들은 체코 정치에서 자신들의 존재를 주장할 수 있게 되었다.[7]

민주주의에 대한 더 강한 도전은 체코슬로바키아 제1공화국 전복을 목표로 삼은 공산주의자들로부터 제기되었다. 이들은 체코사회민주주의로부터 분파되어 나왔고(1921), 스탈린이 정적들을 제거하고 부르주아 지배를 파괴할 의도를 선언한 1929년까지는 상대적으로 온건한 노선을 취했다. 이들은 1934년 대통령 선거에서 "마사리크가 아닌 레닌!"이라는 구호를 내세우고, 마사리크가 파시스트 독재를 확립하는 데 자신의 권위를 사용하고 있다고 비난했다.[8] 이들의 가장 큰 적은 온건파인 사회민주당이었고, 공산주의자들은 이들을 노동자 혁명을 지연시키는 '사회주의 파시스트'라고 불렀다.[9] 1935년 총선에서 유권자(84만 9495명)의 10.3퍼센트가 공산당에 투표했다. 카르파티아 루테니아와 독일 인구가 많은 보헤미아 접경 지역처럼 경제 위기가 심한 지역에서의 공산당 지지가 높았다. 사회 집단 중에서는 공산당 지도자들이 노동자인 상황에서도 지식인 사이에서 인기가 높았다.[10] 이와 대조적으로 파시즘은 교육받은 체코인 사이에서는 거의 인기를 끌지 못했다.[11]

정치적 급진주의는 체코슬로바키아에서 불안 요소이기는 했지만, 이 웃한 독일에서처럼 정치를 불안정하게 만들지는 못했다. 1932년 독일에서 치러진 자유선거에서 유권자 다수가 민주주의에 반대하는 투표를 해서 파시스트가 37.3퍼센트, 공산주의자들이 14.3퍼센트를 득표했다. 독일의 의회 정치 중심은 공중 분해되었지만, 경찰을 포함한 강력한 정부의 힘을 기반으로 체코슬로바키아의 중심은 견고했다.[12] 강한 경제 덕분에 체코슬로바키아에서 급진주의의 기반도 약했다. 오스트리아, 독일, 헝가리와 대조적으로 체코슬로바키아는 1차 세계대전 후 중산층의 예금과 민주주의에 대한 신뢰를 쓸어가 버린 초인플레이션이 발생하지 않았다.[13] 그 대신에 높은 국내 성장률을 보였고, 번영이 결과가 감지되었다. 프라하, 브르노, 필센 같은 주요 도시는 계속 성장하여 현대적인 산업 시설뿐만 아니라 빌라와 공용 주택 같은 주거공간도 늘어났고, 이것은 국가적 자존심과 자신감을 더해주었다.[14]

그러나 체코슬로바키아 정부는 1930년대의 어려운 시간이 국가의 질서를 해치지 않도록 적극적인 사회 정책도 펼쳤다. 이러한 정책은 민족주의적이면서 동시에 사회주의적 성격이 강했다. 대공황이 닥치자 농업당 당수 얀 말리페트르가 주도하는 정부는 체코슬로바키아식 '뉴딜' 정책을 펼쳐서 공공사업을 위해 거대한 자금을 투자했고, 침체된 경제를 살리기 위해 240개 이상의 행정조치를 시행했다.[15] 1933년 6월 정부에 경제를 규제하는 권한을 부여하는 법안이 통과되었고, 1934년 정부는 수출을 장려하기 위해 화폐 평가절하를 실시했다. 그 결과 이웃 국가들보다 빨리 체코슬로바키아 경제는 어려운 고비를 통과했다. 말리페트르는 우파에 속하는 농업당 소속이었지만 체코슬로바키아 사회주의자들의 영향을 받은 경제 정책은 정치인들이 정치적 노선의 차이를 넘어서서 서로 협력하고 있다는 사실을 보여주었다. 민족민주당이 비즈니스에 적대적이라고 생각한 정책을 비판하고 나섰을 때도 5당위원회는 계속 유지되었다.[16] 이와 대조적으로 중도적인 독일의 바이마르 연정은 1930년 실업 급여에 대한 논쟁을 이유로 와해되어서 나치주의가 선거를 통해 집권할 수 있는 길을 열어놓았다.

그러나 말리페트르의 정책은 민주주의적이기는 했지만, 완전히 자유주의적은 아니었다. 나치 독일의 그림자가 커가는 상황과 마사리크의 관리된 민주주의하에서 그는 공화국을 '보호'하는 조치를 취해서 언론의 자유를 제한하고, 정부가 일부 정당을 금지시킬 수 있는 법률을 통과시켰다. 나치가 독일의 정권을 잡은 후 1933년 두 개의 우파 독일계 정당이 체코슬로바키아 정부의 금지 조치에 앞서 해산되었다.

그러나 중앙으로부터의 강력한 지도에도 불구하고 새 국가는 국가의 국민인 체코슬로바키아인을 현실로 만들어내는 데는 실패했다. 체코슬로바키아는 체코가 주도하는 작은 제국이라는 인식을 이용하여 슬로바키아 분리 운동은 간간이 탄압을 받으면서도 자라났다. 문제는 사회 상층부에 있었다. 1930년 교육부의 413명의 공무원 중 단 4명만이 슬로바키아인이었다. 슬로바키아의 중심지 브라티슬라바에서는 162명의 공무원 중 68명만이 슬로바키아인이었다. 프라하 국방부의 1300명의 공무원 중 6명만이

슬로바키아인이었다. 체코슬로바키아에는 139명의 현역 장군이 있었지만 그중 단 한 명만이 슬로바키아인이었다. 436명의 대령 중 슬로바키아인은 한 명도 없었다. 국가 철도의 슬로바키아 구간의 관리를 담당하는 직원은 체코인들이 슬로바키아인보다 훨씬 많았다. 아래 직급으로 내려가서 비숙련 노동자 중에서나 슬로바키아인을 찾을 수 있었다. 이에 대한 해석은 다양했다. 슬로바키아 민족주의자들은 이것이 식민주의의 증거라고 말한 반면, 체코인들은 슬로바키아에는 행정 업무를 맡을 수 있는 교육받은 인력이 부족하다고 주장했다.[17] 좀 더 근본적인 이유는 세르비아가 행정관리들은 크로아티아 파견할 때 사용한 것과 같았다. 지배하는 민족은 다른 인종들이 책임 있게 행동할 것으로 신뢰할 수 없다고 주장했었다.

그러나 체코슬로바키아는 민족을 이유로 압제하는 정책을 펴지 않았다. 체코인들은 브라티슬라바에 최초의 슬로바키아 고등교육기관을 만들었고, 슬로바키아 전문 인력을 양성하기 시작했으며, 특히 슬로바키아 주민들이 헝가리화(마자르화)되는 것을 막았다. 민권을 존중하는 체코슬로바키아는 독일 극장들을 보호하고, 히틀러의 통치를 피해 도망 온 이주민들을 보호했다. 이러한 연극인인 외된 폰 호르바트는 프라하, 브르노, 오스트라바에서 자신의 연극을 공연했다. 독일 작가인 토마스 만과 하인리히 만도 체코슬로바키아에서 망명처를 제공 받았고, 체코슬로바키아 여권을 가지고 외국 여행을 할 수 있었다. 빈과 베를린에서 투옥 위협을 받은 오스트리아와 독일 사회민주주의자들은 자신들의 사무소를 브르노와 프라하로 옮겼다. 1933년 이후 체코슬로바키아는 스위스를 제외하고 유럽의 어느 나라에서보다 독일 문화와 정치가 꽃을 피웠다. 1939년 독일군이 프라하로 진군하기 전 다양한 정치 노선을 표방하는 약 60종의 독일어 정기간행물이 체코슬로바키아에서 발행되었다.[18] 그러나 대부분의 보헤미아 독일인들과 많은 슬로바키아인들은 자신들을 체코슬로바키아의 '소수 민족'이고 자신들이 사는 지역에서 이방인이라고 생각했다. 그래서 이들은 우익 극단주의에 끌리게 되었다.

1933년 보헤미아 독일인 교사 콘라트 헨라인은 우경적이면서 공개적으로 파시스트가 아닌 수데텐 독일당을 창당해서 독일 나치당의 관심을 끌었다. 나치는 이 당을 재정적으로 지원하고 후에는 무기를 공급했다. 헨라인은 불만에 찬 독일인들을 대규모로 위협적으로 동원하는 방법을 통해 '수테텐란트'를 체코슬로바키아에서 분리시키려고 노력했다. 이뿐만 아니라 군복을 입은 준군사조직을 이용해 경찰서와 학교와 같은 체코슬로바키아 정부 기관뿐만 아니라 유대인과 체코인 사업체를 공격했다. 1935년 선거에서 헨라인의 당은 수데텐란트 독일인 3분의 2 이상의 표를 얻으면서 15퍼센트를 득표했다. 이 당이 독일인들로부터 받은 지지는 나치당이 독일이나 오스트리아에서 득표한 것보다 더 많은 표로 나타났다. 이 당은 체코슬로바키아 어느 정당보다 더 많은 표를 얻었다.[19]

체코슬로바키아에 대한 슬로바키아인들의 도전은 슬로바키아 인민당에서 나왔다. 1913년 창당되어 안드레이 흘린카와 요세프 티소가 이끌어온 이 당은 1938년 1월 체코로부터 분리를 요구하기 시작했다. 자치를 내세운 이 당은 1935년 슬로바키아에서 30퍼센트를 득표했지만, 1938년 가을 뮌헨회담으로 수데텐란트가 독일에 병합된 후 이 당의 급진파는 '흘린카전위대Hlinka Guard'를 구성했다. 이 전위대는 독일의 SA나 SS처럼 인종적으로 순수한 전사들로 구성된 준군사조직이었다.[20] 1939년 3월 체코와 완전히 분리된 다음 이 당은 주류 세력인 나치 독일과 권력을 공유하며 슬로바키아를 나치 독일의 동맹으로 만들었다. 많은 슬로바키아인과 보헤미아 독일인들은 파시스트적 요소를 가진 민족 분리주의 운동 내에서 체코슬로바키아의 파괴에 협력했다.

체코에도 반유대주의가 있었지만, 다른 곳에서만큼 심각하지는 않았다. 그 이유는 경제 상태가 양호해서 희생양을 찾아 나설 필요가 약했기 때문이었다. 또한 유대인 공동체도 상대적으로 작았다. 그러나 1차 세계대전 직후 위기 때에서 본 바와 같이 그러한 잠재력은 도사리고 있었고, 체코 농업당과 다른 정당들은 '유대인 볼셰비즘'의 위협을 선전하거나 전쟁 중 유대인의 반역을 거론했다. 그러나 이러한 선전선동이 폴란드나 루마니아에서처럼 큰 효과를 보지 못한 것은 체코슬로바키아인들 스스로가 승리자라고 생각했고, 볼셰비즘이 직접적 위협이라고 생각하지 않았기 때문이다. 시온주의가 체코슬로바키아에서 활발했지만, 유대인들은 체코슬로바키아 사회에 통합될 수 있었고, '이국적' 민족으로 남아 있을 필요가 없었다. 다른 말로 하면 유대인들은 자신의 정체성을 결정할 자유가 있었다. '민족주의적 과민반응'은 "자신들의 독립 국가의 탄생으로 인한 기쁨에 의해 조절되었다"고 블란카 소우쿠포바는 평가했다.[21] 다른 곳에서와 마찬가지로 반유대주의에 대한 가장 강한 비판은 좌파인 사회민주주의와 공산주의로부터 왔다.

또한 토착 공산주의자들이 파시즘을 억제하는 데 도움을 준 것으로 평가할 수도 있다. 이들은 특히 젊은이들에게 거리에서 파시스트를 상대로 투쟁하는 급진적인 잠재력을 전파하고, 인종차별주의 같은 파시스트의 노선을 공개적으로 비판하면서 파시즘에 대항했다. 그러나 공산주의는 파시즘에 대해 애매한 입장을 취하기도 했다. 대부분의 시간, 대부분의 장소에서 공산주의자들은 가장 조직이 잘 되었고, 가장 반파시스트적인 입장을 취했지만, 때로 이들은 모스크바가 필요하다가 판단하는 경우 정치 진영 내에서 반파시스트 협력을 방해하기도 했다(일례로 1936년 폴란드). 모스크바의 지시에 따라 공산주의자들은 때로 파시스트의 동맹이 되기도 했고, 특히 몰로토프-리벤트로프 비밀 협약이 유지된 1939년 8월부터 1941년 6월까지는 가장 밀접하게 협력했다. 이 조약은 나치 독일과 소련이 독립 국가 폴란드를 파괴할 길을 열어주었다.

폴란드: 관리된 권위주의

폴란드는 근본적인 면에서 체코슬로바키아와 달랐다. 폴란드는 체코슬로바키아보다 경제적으로 약했고 정치적으로 크게 분열되어 있었다. 폴란드인과 다른 종족 집단 사이는 물론 폴란드인 스스로도 분열되어 있었다. 체코슬로바키아의 5당위원회 같은 기구는 폴란드인들이 폴란드를 통제할 수 있게 만들었을 수도 있지만, 유제프 피우수트스키의 중도좌파와 로만 드모프스키의 중도우파는 서로 손을 잡을 수 없었다. 두 사람은 1920년 마지막으로 만났다. 의회의 난맥상을 해결하기 위해 피우수트스키는 1926년 쿠데타로 권력을 잡으면서 폴란드의 민주주의 실험을 종식시켰다. 폴란드는 체코슬로바키아와 마찬가지로 파시즘을 표방하는 아주 작은 집단이 부상했지만, 의미 있는 지지율을 확보한 적은 없었다.

이것은 폴란드인들이 폴란드에 대해 스스로 이야기하는 것과 파시즘이 충돌한 것과, 이 이야기가 폴란드의 민족적 엘리트의 통치 과정에 형성된 방식과 관련이 컸다. 피우수트스키는 강력한 군사 지도자였지만, 리투아니아 혈통인 그는 자신을 수세기 전에 존재했던 다민족 리투아니아-폴란드연합국가의 후계자라고 생각했다. 이 연합국에서는 개신교 공동체와 유대인 공동체가 번영했었다. 피우수트스키는 폴란드는 동유럽의 다양한 민족들과 적극적으로 협력해야 한다는 생각을 수십 년 동안 다듬어왔다. 그가 강제적으로 대안을 옹호하지 않았더라면, 인종주의적 민족주의는 구(舊)연합국가의 유산을 완전히 덮어버렸을 수 있다.

그러나 그는 모든 정파를 아우르는 헌법적 질서의 장점에 대한 폭넓은 합의를 대변했다. 피우수트스키는 자신을 '민주주의자'라고 불렀지만, 그의 정적인 민족민주주의자들과 귀족주의적 전통을 중시하는 정파들은 "우리에 대한 일은 우리 없이 결정될 수 없다nic o nas bez nas"고 주장했다. 어느 정당도 폴란드인들이 자국의 정치문화의 오랜 전통으로 간주하는 폴란드 의회의 철폐를 주장하지 않았다.[22] 폴란드 민주주의 유산은 아주 큰 지지를 받았기 때문에 피우수트스키는 이것을 적으로부터 보호하기 위해서 권력을 장악했다고 주장했다.[23] 그는 민주주의 전통을 높게 평가했지만, 거부권 투표로 대표되는 근세 초기 폴란드의 무정부 상태로 인해 폴란드가 분할되고 외세에 정복당했다는 것을 잘 알고 있었다.

그래서 의회주의는 외국으로부터 수입된 제도이고, 독일, 러시아, 루마니아와 대조되게 반서방적 이념은 지식인들 사이에 뿌리를 내리지 못했다. 그 대신에 폴란드는 유럽에서 독자적인 중요한 위치를 차지하고 있어서 더 좋은 면을 유럽대륙에 보여줄 수 있다고 주장했다. 그럼에도 독일이나 이탈리아의 영향을 폴란드에 이식함으로써 이 전통에 대항하기로 작정한 아주 작은 폴란드 파시스트 집단이 나타났다.[24]

폴란드 파시스트들이 활동하는 공간을 더 제한한 것은 이들이 카리스마적이고 군사 지도부를 숭상한다는 당혹스런 사실이지만, 폴란드에서 카리스마적인 군사 지도자는 유제프 피우수트스키가 유일했다. 파시즘을 내부에서부터 아는 폴란드 주재 이탈리아 공사 프란체스코 토마시니는 1923년 피우수트스키가 무솔리니와 유사한 운동을 시작할 수 있는 유일한 폴란드인이라고 말한 바 있다.[25] 토마시니가 그 글을 쓸 당시 유럽 정치에서 파시즘 이념은 아직 형성 단계에 있었고, 많은 사람들이 피우수트스키를 무솔리니의 쌍둥이 같은 정치인으로 생각했다. 두 사람 모두 민족주의를 이용하여 대중의 감동을 선동했다. 두 사람 모두 좌파 정치 배경을 가지고 있었다. 1926년 피우수트스키는 쿠데타로 권력을 잡으면서 이러한 대비를 더 확실하게 만드는 듯이 보였다. 그러나 파시스트와 대조되게 피우수트스키의 사나차 정권은 초기에는 상당한 개인적·정치적 자유를 보장했다. 공산당을 제외하고는 모든 정당이 활발히 활동했으며, 언론도 상대적으로 자유로웠다.[26]

무솔리니와 다르게 피우수트스키는 대중을 동원하는 데는 실패했고, 그 대신에 1927년 11월 정파색이 없는 '정부와 협력하는 비정당 블록BBWR'을 구성했다. 이 블록에는 보수주의, 사회주의, 가톨릭, 농민, 심지어 소수민족을 대표하는 정파가 참여했다. 여기에 참여한 사람 중 일부는 정치적 확신을 바탕으로 참여했지만, 대부분의 정치인은 기회주의, 공포, 포기 상태로 참여했다. 파시스트 조직과 다르게 이 블록은 절대적인 개인적 헌신이 아니라 수동적 수용이 대세였다.[27] 사회와 경제에 대한 불간섭과 자유방임적 접근으로 인해 피우수트스키의 통치는 무솔리니 정권에 비해 안정성이 떨어졌다. 무솔리니는 보잘것없는 배경 출신이었고, 좌파의 힘(특히 총파업이라는 무기)을 잘 알았으며, 그는 자신의 권력의 경제적·사회적 기반을 유지하기 위해 적극적으로 개입했다.[28] 피우수트스키도 권력을 잡는 데 노동자들의 파업에 도움을 받았지만, 그는 노동자들에게 빚진 마음은 없었다.

대중과 거리를 둔 피우수트스키의 통치 방식은 당분간은 잘 작동했다. 1926년 영국 석탄 노동자들의 파업으로 실레시아의 무연탄에 유럽 수출 길이 열렸지만, 이러한 운은 1930년 대공황이 시작되면서 뒤바뀌어서 사회적 비용(일례로 40퍼센트에 달하는 실업률)은 그에게 어려운 선택을 강요했다. 피우수트스키는 1930년 부정선거로 의회를 장악하고 포고령에 의한 통치를 해나갔다. 경제는 침체되고, 그의 수하 장관 중 누구도 위기 상태에서 필요한 과감한 조치를 취할 생각을 하지 않았다.[29]

그 결과 중도좌파 블록이 부상하여 크라쿠프와 여타 도시에서 대규모 집회를 열어서 사회적 입법과 민주주의로의 복귀를 요구했다. 이에 대한 피우수트스키의 대응은 1930년 총선 전 50여 명의 지도자들을 동부의 브레스트 요새에 감금한 것이었다. 일부는 구타를 당하고 야외 변소를 청소하는 수모를 당했다(그런 다음 식사 때 손을 씻는 것이 허용되지 않았다). 11명의 정치인이 무력으로 정부를 전복하는 쿠데타를 모의했다는 혐의로 기소되었고, 저명한 농민당 지도자 빈센티 비토스를 포함한 다섯 명의 정치인은 외국 망명길을 택했다. 1934년 피우수트스키는 폴란드 동부 베레자 카르투스카에 수용소를 설치해서 반대자들을 그곳으로 보내 심리적으로 이들을 파괴하려고 했다.[30] 수용소로 보내진 사람 대부분은 공산주의자였지만 팔랑가 운동에 참여한 소수의 젊은 파시스트들도 있었고, 우크라이나인, 벨라루스인 민족주의자도 있었다. 슬라브 소수민족 탄압은 무작위적인 파괴를 수반해 폴란드 부대가 우크라이나 마을을 약탈하고 문화적 시설과 교회를 파괴했다. 이에 대한 대응으로 우크라이나 지하저항군은 폴란드 요인들에 대한 암살을 시도했다.[31] 피우수트스키는 불과 10년 정도의 기간 동안 발트해로부터 흑해에 이르는 민족들의 대연합을 꿈꾸다가 폴란드 민족 국가의 영토가 될 지역에서 민족들의 자치를 탄압하는 정치인으로 바뀌었다.[32]

피우수트스키는 정당 정치에 대한 깊은 이해가 없었고, 자신이 택한 폭

바르샤바의 중도좌파 정치 집회(1930)

력 의지 방식에 대해 불쾌감을 나타냈다. 그는 "폭력은 교화를 시키지는 못하고 파괴만 한다"라고 직접 말했었다.[33] 그는 사회는 애매한 민족적 합의 아래 단합될 것이라고 전제했지만, 그의 위장적 헌정 수사는 치명적인 무관심과 냉소주의를 불러일으켰다. 그는 위기와 혼란으로 인해 일시적인 권위주의적 지배가 필요하다고 주장하면서 자신의 방법과 목표를 솔직하게 시민들과 공유하는 것이 더 나았을 것이다.[34] 1935년 그가 사망하자 모든 계급과 정파를 망라하여 폴란드인들은 나이든 사회주의적이고 민족주의적인 혁명가를 애도하며 25만 명이 바르샤바에서 거행된 그의 장례식에 참여했다.

폴란드는 점점 더 깊은 사회적·경제적 혼란에 빠져들었지만, 사나차의 반대파들은 사회 혼란을 이용하여 정권을 잡으려고 하지 않았다. 대부분 군장교로 이루어진 피우수트스키 진영의 간부들도 전혀 흔들리지 않았다.

이해하기 어렵고 사악한 방법으로 피우수트스키의 오랜 정적이었던 민족 민주당은 사나차와 협력하여 우익 극단주의를 폴란드 정치의 변방으로 밀어버렸다.

1930년대가 되자 파시즘은 유럽 정치 무대에서 분명한 실체를 갖추게 되었다. 그 핵심은 인종차별주의였다. 나치 질서의 초석은 1935년의 뉘른베르크 법이었고, 이탈리아는 1938년 이것을 모방했다. 이 법률은 유대인이 혼혈이라고 규정했다. 그러나 폴란드에서는 인종주의 신봉자들이 파시스트가 될 필요는 없었다. 인종주의적인 반유대주의는 민족민주당에 이미 둥지를 튼 상태였다. 1890년대부터 드모프스키와 그의 추종자들은 '유대인 문제'에 집착했다. 이들이 보기에 유대인들은 '오래된' 민족을 형성하여 경제와 전문 직업에서 핵심 자리를 차지하고 있어 젊은 폴란드 민족이 번영하는 것을 가로막고 있었다. 1926년 민족민주당은 '대폴란드진영Great Poland Camp'을 창설했다. 파시스트 모델에 영향을 받은 이 민족주의적 대중 조직은 전투 부대도 가지고 있었다.[35] 이렇게 폴란드 중도우파는 스스로 사회 혁명의 의도 없이 급진 사상을 구현하면서 파시즘의 부상을 박았다. 그들은 사회주의가 없는 민족사회주의자들이었다.

그러나 이들은 일급 국수주의자였다. 1930년대부터 명시적인 인종차별주의가 민족민주당, 특히 젊은 구성원들의 사상에 스며들었다. 이들은 유대인들을 동화시키는 모든 시도를 거부했고, 심지어 가톨릭 세례를 통해 개종시키는 것도 거부했다. 민족민주당은 유대인의 권리를 박탈하는 입법을 요구했지만, 생물학적 운명에 대한 이론에 빠져 있는 다른 사람들처럼 이들도 크게 낙담했다. 이들이 보기에 유대인 인종은 파괴가 불가능했고, 강한 압제도 이들을 약화시킬 수 없었다.[36] 이 단체의 젊은 집단으로부터 ONR-팔랑가ONR-Falanga: National-Radical Camp-Falanga라고 불린 작은 파시스트집단이 탄생했다. 이들은 폴란드에서 유대인을 추방하고, 유대인 재산을 압류할 것을 주장했다.[37] 헝가리와 루마니아의 파시스트처럼 팔랑가는 경찰의 탄압을 감내했고, 합법적으로 모일 수 없었다. 그러나 역사가들은 1930년대 말 이 집단이 약 5000명의 회원을 보유하고 있었고, 이들의 5분의 4는 바르샤바에 거주한 것으로 추정했다. 학생 운동으로서 지도부는 견고하지 못했고, 수많은 분파로 갈라졌다.[38]

그럼에도 파시즘 경향을 받아들인 덕분에 민족민주당은 민족주의 성향이 강한 중산층에게 지지를 받는 정당으로 계속 활동했고, 원래 반교회적이었던 엔데차는 많은 파시스트들과 다르게 문화, 종교, 경제 기득권 세력에 도전하지 않았다. 로만 드모프스키는 가톨릭을 폴란드의 종교라고 불렀고, 그의 당은 문화 엘리트와 지주뿐만 아니라 사제들로부터도 지지를 받았다. 이들 모두는 파시즘을 경원시했고, 특히 독일식의 구현을 혐오했다. 정장과 넥타이를 맨 학자풍인 드모프스키는 개인숭배를 전혀 조장하지 않았고, 작가와 내각 협상의 대가로서 자신의 명성을 쌓았다.[39]

여기에다가 민족민주당은 민주주의 이상을 지지했다. 1926년 5월, 한 민족민주당 작가는 오래된 강력한 전통을 지지하는 글을 썼다. 이것은 법에 대한 존중이 소수파로 하여금 반대파의 권리와 신념에 대해서도 지지하게 만든다는 것이었다. 폴란드의 좌파는 아직 그 정도로 성숙하지 못해서 다수파를 대변하는 정권과 대결할 때는 파업과 시위로 의사를 표출한다고 그는 주장했다.[40] 폴란드 중도우파와 중도좌파는 폴란드가 경제 위기에 빠져들고, 피우수트스키의 권위주의적 통치가 강화되고 있는 동안 이렇게 누가 폴란드의 민주주의적 유산의 진정한 계승자인가를 놓고 논쟁을 벌였다.

1935년 피우수트스키 원수가 사망하고 전쟁의 암운이 지평선에 드리울 때, 사나차 좌파와 엔데차 우파는 사실상 정치 노선이 한 곳으로 수렴해서 반볼셰비즘과 사회적 단합, 협동주의, 가톨릭 전통 중시, 자의적인 행정 권력을 사용하려는 의지 등에서 같은 입장을 취했다.[41] 피우수트스키의 후계자들은 폴란드인들이 정치, 문화, 경제를 통제하는 중요성에 동의하고 사나차 정권은 민족민주당의 수사의 일부를 차용했다. 1937년 그들은 이미 생명을 잃은 BBWR을 대신하는 민족통일진영OZON을 결성하고, 인종적 '자기방어'를 강조했다.[42] 1938년 5월 OZON은 유대인 문제를 공공 정책의 최우선 과제로 삼는 결의안을 통과시키고, 폴란드 내 350만 명의 유대인을 폴란드 국가를 약화시키는 이질적 집단으로 부르며 이들이 폴란드를 떠나야 한다고 주장했다.[43] 청년민족주의자동맹Union of Young Nationalists같이 사나차 집단과 연계된 급진주의 집단도 있었다. 이 집단은 '폴란드인을 위한 일자리와 빵'을 요구하고 모든 유대인의 추방을 주장했다. 사나차의 좌파 진영도 반유대주의로부터 자유롭지 않았다. 이 정파는 민족적으로 이질적인 '유대인들'의 경제와 문화에서의 이익이 폴란드 국가를 위협한다는 기본적 시각을 공유했다.[44]

1930년대 중반부터 후반까지 폴란드 전역에서 반유대주의 소요가 일어나면서 20명의 유대인이 사망하고, 2000명 이상이 부상을 입었다. 여기에다가 정부와 가톨릭교회는 급진적 우파가 조직한 유대인 사업장에 대한 보이콧을 지지했다. 수석대주교 흐론트는 폴란드의 '자애'와 유대인에 대항해서 스스로를 방어할 필요성을 강조했다. 대학에서의 유대인 차별은 법률화된 적은 없지만, 대학 입학사정위원회에서 교수들의 협력으로 유대인 학생 수는 1920년대 중반 20퍼센트에서 1939년 10퍼센트로 낮아졌다.[45] 폴란드 전역의 대학 캠퍼스에서 민족주의적 학생들은 유대인 학생들을 괴롭히고, 이들이 (게토 좌석이라고 불린) 지정된 좌석에만 앉도록 강요

유대인 상점에서 쇼핑을 하다가 '쫓겨난' 토룬의 여성들(1937)

했다. 대학을 졸업한 유대인들은 정부 행정기관에는 들어갈 수 없었고, 군대에는 많이 들어갔다.

폴란드 사회당 지도부는 이러한 유대인 차별에 반대했고, 당 관료 중에 유대인이 많이 포함되어 있었다. 그러나 1930년대 말이 되자 당의 분위기는 바뀌었다. "마치 반유대주의가 제2공화국 말기 심리상태를 지배하고 있는 것 같았다. 이것은 건강한 정치적 감각을 마비시키고, 폴란드 국가의 생활에 대한 진정한 위협에 대한 의식을 흐릿하게 만들었다"라고 역사학자 예지 홀저는 썼다.[46] 모든 정파의 사람들이 장기화된 위기는 '외국인'인 유대인들이 상업과 전문 직업을 장악하고 있는 경제 구조와 관련이 있다고 믿었다. 이러한 태도는 경제 회생을 위한 노력을 가로막았다. 재무장관 에우게니우즈 크비아트코프스키(재임: 1935-1939)는 폴란드의 광산, 야금, 화학, 조선 산업을 확장하고, 폴란드 중부에 산업 지구를 건설하며, 발트해의 그디니아 마을을 국제항구로 만들었지만 큰 소용이 없었다.

크비아트코프스키의 4개년 투자 계획에도 불구하고 실업률은 높았고, 고용자들은 임금을 줄이며 집단 협상으로 합의된 내용을 위반하고 있었다. 그 결과 1936년 2056번의 파업이 일어났고, 67만 5000명의 노동자가 파업에 참가했다. 이것은 1923년 이래 가장 큰 숫자였다.[47] 파업자들은 때로 자신들의 요구사항을 관철시켰지만, 이보다 자주 경찰은 파업을 진압하고 노동자들은 일자리를 잃었다. 1936년 봄 공장 점거 파업 물결이 크라쿠프를 휩쓸었다. 3월 23일 경찰이 여성 파업자를 구타했다는 소문이 퍼지면서 대규모 시위가 일어났고, 경찰은 총격을 가해 시위를 진압했다. 그날 사망한 8명의 노동자의 장례 행렬에는 수십만 명의 시민이 가톨릭과 사회주의 상징이 결합된 항의 표시를 하며 참여했다. 커다란 은색 십자가가 검은 관 위에 칠해지고, 노동자들은 횃불을 들고 폴란드 사회당PPS의 깃발을 들고 행진했다. 경찰의 폭력적 진압의 가능성이 있는 가운데도 시위는 재개되었고, 5월이 되자 크라쿠프의 59개 공장에서 파업이 다시 진행되었다.[48]

반정부 의사 표시는 시골 지역으로도 확산되었다. 농민들이 흩어져 살고, 문맹이며, 조직하기 어려웠지만 그래도 농민 동원이 진행되었다. 두 번의 항의 시위에서 농민들은 자신들이 수세기 전 폴란드에 제공한 공헌을 주장하며 민주주의와 사회주의를 위한 민족적 기념을 사용했다.

1936년 6월 군감사관인 에드바르트 스미그위-리츠는 국민들과 군 지도자의 단합을 과시하기 위해 농민들이 몽둥이와 큰 낫을 가지고 타타르에 대항한 노보시에레츠 전투(1634) 기념일을 사용하기로 했다. 이에 대응하여 농민당 지도자들은 스미그위-리츠의 방문을 이용하여 민주주의로의 회귀 열망을 보여주기로 했다. 지역 민속 복장을 한 농민들이 스미그위-리츠 장군을 빵과 소금의 환영 의식*으로 따뜻하게 맞았지만, 곧 불쾌한 깜짝쇼를 했다. 아침식사 중 지역 지도자 한 사람이 "농민들은 폴란드를 위해 자신의 목숨을 바쳤고, 앞으로 그럴 것이다. 그러나 우리는 지난 10년간 박탈된 권리를 되찾아와야만 한다"라고 외쳤다. 그러자 약 15만 명에 이르는 군중들이 열렬하게 이에 호응했다. 그날 농민들은 경호선을 넘어 스미그위-리츠에게 정부가 국민들의 신뢰를 얻기 위해 더 노력할 것을 요구하는 각서를 전달했다. 이 기념일을 이용하려는 극우 팔랑가 청년 단체의 시도가 있었지만, 현지 경찰은 이들을 헛간에 감금했다.[49]

1937년 농민 운동은 라츠워비체 전투 143주년 기념식에 농민들을 동원했다. 과거 타데우시 코시치우슈코 장군은 큰 낫과 몽둥이를 든 병사들을 이끌고 러시아 군대에 승리를 거두었었다. 그러나 경찰과 군대가 기념식 장소를 장악하면서 이 행사는 유혈사태로 변했다. 군중들은 경찰과 군대를 물리치는 데 성공했고, 일부 경찰은 농민 편에 섰다. 그러나 농민들이 해산하자 경찰은 군중에 발포하여 두 명이 사망했다. 경찰은 약 200명의 참가자를 체포했고, 이 중 60명은 반년에서 2년 6개월 형을 선고받았다.[50]

• 슬라브 지역에서 고대로부터 전해져 내려오는 손님 환영 의식으로 소금이 올려진 큰 빵을 손님에게 제공한다. 노르드, 발트, 발칸 지역 국가에도 유사한 의식이 행해졌다.

그러나 이러한 압제도 농민들의 소요를 막지는 못했다. 1937년 8월 폴란드 전역의 농민들은 10일간 파업에 돌입하여 시장 판매와 도시로의 농산품 수송을 중지했다. 이것은 전간기 중 동유럽에서 발생한 사회적 항의 행위 중 가장 효과가 컸던 파업이었다. 파업 조직자들은 사나차 체계를 '철폐'하고 폴란드를 민주적 관행으로 되돌리기를 원했다. 시위 기간 중 42명이 사망하고, 약 1000명이 체포되었다. 크라쿠프 추기경 아담 사피아는 이런 유혈 사태를 일으킨 '무서운 궁핍'이 이윤을 얻으려는 한없는 욕망의 결과가 아닌지를 물었다.[51]

사나차 정권에 의한 탄압은 농민당 정치인들을 전에 없이 단결시켰지만, 이와 동시에 폴란드 사회주의자, 농민당, 유대인 사회주의자(분트) 같은 민주 중도파의 여러 정파도 단결시켰다. 폴란드 많은 도시에서 폴란드 사회당은 하루 동안 동조 파업을 일으켰고, 때로는 분트와 같은 노선을 취하기도 했다. 그러나 민족주의자들은 약해지지 않았다. 1937년 드모프스키가 심장발작으로 쓰러지지 않았다면 엔데차는 권력을 잡을 수도 있었다. 정부 수뇌부에서는 아무것도 변하지 않았다. 사나차는 진정한 성격이나 정책이 없는 이질적 정치인들이 블록이었고, 한 정파가 너무 나가면 다른 정파는 이를 중도로 끌어들였다. 화학자이자 대통령인 이그나치 모시치츠키(1926-1939)와 재무장관 에우게니우즈 크비아트코프스키는 중도파 역할을 했지만, 아담 코치 대령과 펠리찬 스와위-스크와드코프스키 원수는 급진주의자였다. 사나차 내의 일부 정치인은 선거 개혁을 무산시켰지만 나치 독일의 위협은 모든 다른 생각을 눌러버렸다. 1939년 1월 농민당은 '국가 방어를 위한 사회의 단합'을 지지한다고 발표했고, 그해 봄 폴란드가 독일의 동맹 요구와 영토 요구를 거절하면서 단합은 모두의 구호가 되었다.[52]

유고슬라비아와 불가리아: 왕정 독재 대 파시즘

유고슬라비아에서도 시민들은 파업, 대중 소요, 통제되지 않는 언론을 통해 민주주의로의 회귀를 요구했고, 시민들은 지역적 조직을 포함한 새로운 종류의 단체들을 결성하여 권위주의적 정권이 하지 못하는 일을 하려고 시도했다. 1935년 세르비아 민주당, 크로아티아 농민당, 반정부 급진당, 세르비아 농민당 등이 가담한 반정부 블록이 형성되었다. 이들은 다수 민족인 세르비아인, 슬로베니아인, 크로아티아인에 의해 인정된 새 헌법이 제정되기를 원했다. 경찰의 탄압에도 불구하고 이 블록은 1938년 12월 치러진 선거에서 44.9퍼센트를 득표했고, 크로아티아에서의 지지율(80퍼센트 이상)은 아주 높았다.[53]

유고슬라비아는 1929년 독재 치하에 있었다. 국왕인 알렉산드르가 무력으로 국가를 통합하기를 희망하며 권력을 잡고 있었다. 유고슬라비아인들을 하나의 민족으로 만들기 위해 그는 지도를 새로 그려서 전에는 존재하지 않았던 9개의 지방을 만들고, 그 지역 강의 이름을 붙였다. 이 지방들은 유고슬라비아 인구의 43퍼센트를 포함했지만, 세르비아인이 6개 지방에서 다수민족을 이루었고, 크로아티아인은 2개 지방, 슬로베니아인은 1개 지방에서 다수민족이었지만 이슬람 주민은 어디에서도 다수가 되지 못했다.[54]

대공황이 시작되면서 알렉산드르의 통치는 흔들렸고, 수입은 감소되고 실업률은 상승했다. 그는 모든 종족 집단의 기대를 만족시키지 못했고, 그가 시행한 민족 통합 조치는 아무도 만족시키지 못하고 사실상 모두의 분노를 샀다. 일례로 1929년 12월 그는 크로아티아의 자랑이었던 수십 년의 역사를 지닌 소콜 스포츠운동을 해산했다. 10달 후에는 편파성이 보이지 않는다는 명분하에 세르비아인들이 소중하게 생각하는 전통 있는 세르비아 군대의 깃발을 없앴다. 중앙으로 권력이 집중된 새 정부는 저명한 크로아티아인이나 이전 합스부르크제국 지역의 세르비아인을 정부에 등용하지 않았고, 크로아티아인들은 유고슬라비아의 통치는 위장된 세르비아 통치라는 확신을 갖게 되었다. 국가 성립부터 1939년까지 정부에서 봉직한 656명의 장관 중에 452명이 세르비아인이었고, 137명이 크로아티아인이었다. 크로아티아인 장관 중 111명은 라디치가 이끄는 농민당에 의해 크로아티아의 이익을 반영하지 않는 '배교자'로 간주되었다. 2차 세계대전 발발 직전 165명의 유고슬라비아 장군 중 161명이 세르비아인이었다.[55]

유고슬라비아에 질서를 확립한다는 알렉산드르 국왕의 선전에도 불구하고 저명한 크로아티아 정치인들은 그의 독재정하에서 자신의 안전에 대한 확신을 가질 수 없었다. 일부는 감옥에 수감되었고, 일부는 암살당했다. 1931년 저명한 크로아티아 역사가 밀란 슈플래이는 자그레브 거리에서 총격을 받고 사망했고, 이 사건은 미국에서도 화제가 될 정도로 반향이 컸다(앨버트 아인슈타인과 소설가 하인리히 만은 이 사건에 대한 항의 편지를 썼다). 암살자들은 경찰 요원들이라는 게 분명했지만 기소되지 않았다.[56]

1931년 9월 국왕 알렉산드르는 성인 남자들에게 선거권을 부여하는 새로운 헌법을 공포했다. 이 헌법은 비밀투표 대신에 구두 투표를 규정하여 당국이 반대자들을 정확하게 찾아낼 수 있게 만들었다. 이 헌법은 1인 통치를 위장하는 수단에 불과했기 때문에 알렉산드르는 1921년 이전이 전임자들보다 인기가 떨어졌고, 세르비아인들 사이에서도 인기가 없었다. 그해 치러진 선거에서 강력한 관권 선거로 정부가 지명한 후보들이 의회의 306석 전체를 차지했다. 많은 정치인들은 해외로 이주하는 것으로 위장된 민주주의에 대항했다.[57] 이들 중 한 사람인 위험한 크로아티아 급진 민족주의자 안테 파벨리치는 이탈리아로 가서 필요하면 폭력을 사용해서라도 크로아티아의 독립을 이루는 것을 목표로 하는 파시스트 우스타샤Ustasha('반란'이라는 의미)를 만들었다.[58] 베니토 무솔리니의 보호 아래 파벨리치는 마케도니아의 테러 조직인 IMRO 같은 반유고슬라비아 세력과 손을 잡았다. 알렉산드르 국왕이 프랑스를 방문했을 때 IMRO 테러리스트가 알렉산드르에게 접근해 근거리에서 총을 발사하고, 프랑스 외무장관도 저격하여 두 사람 모두 죽게 만들었다. 헝가리도 이 음모에 가담했다.

알렉산드르의 아들인 페테르는 아직 11세밖에 되지 않아 서방에서 교육받은 사촌 형인 파벨 공의 섭정이 시작되었다. 그는 독재 기질이 없고, 좀 더 실용적이었으며, 타협에 관심이 있었다. 그는 반대파 정치인들을 포함한 정치범들을 바로 석방했고, 경찰 감시와 검열을 완화했다. 선거에는 여전히 부정이 개입되었지만, 정당들은 자유롭게 활동할 수 있게 되었다. 다시 한 번 정당들은 알렉산드르 밑에서는 금기였던 인종적 이익을 대변할 수 있게 되었다. 1935년 파벨은 과거 급진파 정치인이었던 밀란 스토야디노비치를 총리로 임명했다. 파벨이 섭정으로 있었던 3년 동안 상대적으로 평온했고, 검열이 느슨해지고, 크로아티아 지도자인 블라드코 마체크와의 타협 희망이 보였다. 곧 이슬람, 슬로베니아, 크로아티아 정치인들이 정부에 가담했다.[59]

그러는 동안 작은 세르비아 파시스트 운동이 디미트리예 리오티치 주도하에 일어났다. 유명한 가문 출신의 변호사인 그는 1차 세계대전 후 파업 파괴자로 이름을 떨쳤고, 1931년 2월부터 8월까지 법무장관을 지냈다. 파리에서 보낸 학생 시절 리오티치는 프랑스의 통합 민족주의자 샤를 모라스의 영향을 크게 받았다. 그는 세르비아인, 크로아티아인, 슬로베티아인의 혈연적 친척관계를 믿게 되면서 다민족 협력을 옹호하는 특이한 인종주의를 표방했다. 비민주적인 방법을 통해 대중 세력을 동원하여 유고슬라비아를 '협동주의' 기반하에 재조직하겠다는 그의 야망은 국왕 알렉산드르가 그를 해임하는 동기가 되었다. 그러나 1935년 좀 더 관용적인 섭정 파벨의 지배하에 리오티치는 몇 개의 작은 세르비아 파시스트 정당을 규합하여 유고슬라비아 민족 운동Zbor을 창당하는 데 성공했다.[60]

동유럽의 다른 파시스트 운동과 마찬가지로 즈보르는 대중의 지지를 얻는 데 실패하고 투표에서 1퍼센트 이상 득표하지 못했다.[61] 즈보르는 세르비아의 적인 독일, 이탈리아와 연합하고 있는 것으로 보였지만, 이 정당이 소외된 이유는 반사회주의와 민족주의는 이미 유고슬라비아 정파에 잘 반영이 되었기 때문이었다. 다른 말로 하면 이들은 이미 다른 정당이 '차지한' 입장을 취했다. 여기에다가 농업 위주인 세르비아에서 파시즘 지지 유권자는 아주 수가 적었고, 일반적 정치문화는 친서방적이고 민주적이었다.

동유럽 다른 국가의 지도자들처럼 유고슬라비아 통치자들은 파시스트들을 탄압하기 위해 경찰력을 사용하는 것을 주저하지 않았지만, 이들의 사고는 특이했다. 대부분의 세속적 세르비아 엘리트들은 리오티치가 정기적으로 교회에 출석한다는 이유로 그를 광신자로 취급했다. 그래서 1938년 직전 스토야디노비치는 리오티치를 정신병동에 감금했다. 스토야디노비치는 즈보르가 독일로부터 재정지원을 받았다는 정보도 만들어냈다. 후에 2차 세계대전 중 독일군이 유고슬라비아를 점령했을 때 리오티치는 신뢰할 만한 부역자였으며, 인종학살에 도움을 주었다. 한 예로 그는 1941년 나치가 유대인 멸절을 시도한 초기 단계에서 유대인들을 체포하는 것을 도왔다.[62]

그러나 파시스트 경향은 유고슬라비아에 영향을 전혀 미치지 않은 것은 아니다. 밀란 스토야디노비치는 민주주의자가 아니었다. 폴란드나 루마니아 통치자와 마찬가지로 그는 파시스트 정권이 커가는 힘에 큰 인상을 받았고, 그들과 같이 준파시스트 운동을 시작하여 유고슬라비아 급진연맹Yugoslav Radical Union을 만들었다. 그러나 스토야디노비치는 여기서 더 나아가 파시스트 스타일의 조직을 만들었다. 녹색 셔츠제복에 공식적 경례, 청년 행진, 준군사적 전위대를 조직했다. 그의 공공 행사에 군중들을 모집하여 "보자, 보자Vodja"('영도자'라는 의미)를 외치게 했다. 그러나 두 번째 음절과 다음의 첫 번째 음절이 섞이면 악마라는 의미의 '자보djavo'가 되었기 때문에 그는 이 구호를 사용하지 못하게 했다. 이러한 칭송은 아무 생명력이 없었고, 우스꽝스럽기까지 했다. 수가 많은 민주주의자들은 물론 진정한 파시스트들도 이러한 것을 배격했다.[63]

그러나 스토야디노비치가 파시스트였는가의 문제는 이 단어의 의미가 수십 년 동안 얼마나 변했는지를 우리에게 보여준다. 모든 권위주의적 독재자를 파시스트의 전범(예를 들어 호르티나 피우수트스키)이라고 본 좌파뿐만 아니라 일반 언어에서도 그 의미는 변했다. 1938년 스토야디노비치를 만난 이탈리아 외무장관 갈레아조 치아노는 그를 '당에 대한 충성의 공개적 선언에서가 아니라 권력, 국가, 생활에 대한 인식에서' 파시스트로 보았다.[64] 스토야디노비치는 냉담하고 세련된 정치인이었기 때문에 국민들의 열정을 불러일으킬 줄 몰랐고, 파시스트적 카리스마를 결여했을 뿐만 아니라 대담한 조치를 취하는 성격도 아니었다.[65] 피우수트스키와 호르티와 마찬가지로 그는 권위주의적이고 강력한 반공산주의자였지만, 그는 모든 정치 생활을 파괴하지 않고 국가의 헌법을 준수하려고 노력했다.

유고슬라비아 정권의 진정한 변화를 가져온 것은 파시즘이 아니라 전체 인구의 4분의 1을 차지하는 크로아티아인들이 다른 인종이 주인인 나라에서 살고 있다고 지속적으로 느끼는 감정이었다. 체코슬로바키아의 해체를 가져온 1938년 뮌헨회담은 유고슬라비아 같은 다민족 국가의 취약성을 보여주었기 때문에 섭정 파벨에게 큰 경각심을 불러일으켰다. 스토야디노비치는 강력한 지도자처럼 보이려고 했지만 섭정이 보기에는 실망스런 정치인이었다.[66] 스토야디노비치는 바티칸과 협상을 시작하여 유고슬라비아 내 가톨릭의 입지를 정상화하려고 노력한 것을 대표적인 업적으로 내세웠다. 그는 가톨릭교회 학교와 '가톨릭 행동Catholic Action' 같은 조직을 합법화하여 크로아티아인들에게 좀 더 발언권을 주려고 시도했다. 그러나 스쿱슈티나에서 이 문제를 표결에 붙이기 전에 가톨릭과의 경쟁과 이중 신앙고백 지역을 염려한 세르비아 정교회 지도자들 사이에서 강력한 반대 운동이 일어나서 이 결정은 한 표차로 통과되었지만 없던 일이 되어버렸다. 알렉산드르 국왕과 같이 스토야디노비치는 양측 모두와의 관계를 악화시키는 정치를 했다.

1939년 2월 섭정 파벨은 스토야비노비치를 해임하고, 전에 세르비아 급진주의자였던 드라기샤 츠베트코비치를 총리로 임명했다. 이것은 크로아티아인들을 진정시키려는 의도의 인사였다. 츠베트코비치는 자신이 유고슬라비아민족연맹 내에서 파시스트 스타일의 직업동맹을 조직한 경험이 있어서 민족주의의 힘을 잘 이해하고 있었다. 8월이 되자 그는 크로아티아인들에게 유고슬라비아 내에서 사실상의 자치권을 부여하는 합의안Sporazum을 만들어냈다. 이 조치로 크로아티아인들은 농업, 상업, 산업, 사회복지, 공공 보건, 교육, 치안에서 자치권을 행사할 수 있었다. 크로아티아 정부는 외교, 국제 무역, 통신, 군대에 대한 책임도 맡게 되었다. 크로아티아 지역banovina은 크로아티아, 슬라보니아, 달마티아와 보스니아-헤르체고비나의 일부를 포함하게 되었고, 크로아티아는 자체 의회와 국왕이 지명하는 수석행정관을 가질 수 있게 되었다. 크로아티아 농민당 지도자 블라드코 마체크는 유고슬라비아의 부총리가 되었고, 베오그라드와 밀접한 연계를 가진 중도파 당원인 이반 슈바시치는 크로아티아 수석행정관에 임명되었다.[67]

1867년에 체결된 오스트리아–헝가리 대타협과 마찬가지로 세르비아 엘리트들은 국가의 통합을 위해 가장 불만이 많은 두 번째 민족과 '타협'을 한 것이다. 그러나 오스트리아가 헝가리인 외에도 불만이 많은 다른 민족을 포함하고 있었던 것과 마찬가지로, 유고슬라비아도 크로아티아 외의 소수민족이 많았다. 합의안에는 보스니아 이슬람 주민, 알바니아인, 마케도니아인, 슬로베니아인에 대해서 아무 언급이 없었다. 그리고 많은 세르비아 민족주의자들은 세르비아인이 다수 거주하고 있는 크라이나 지역이 크로아티아 지역에 포함된 것에 대해 불만을 가졌다. 이 합의는 1935년 이후 블라드코 마체크가 세르비아 민주주의자들과 추진해오던 민주화 운동에 타격이 되었다. 이 운동은 1938년 여름 그가 베오그라드를 방문하면서 절정에 달했다. 수만 명의 세르비아인들이 그를 환영했고, 국가의 압제 정책('국가 헌병의 테러'로 표현)에 시달리는 크로아티아인들에게 동정을 표했다.[68] 유고슬라비아는 아래서부터 단합되는 듯이 보였으나 마체크는 자신의 세르비아 동지들을 버렸을 뿐만 아니라 크로아티아인들의 마음도 얻지 못했다.[69]

그러나 크로아티아인들 사이에 급진적인 민족주의는 소수만이 선택한 노선이었다. 그 이유는 크로아티아 민족주의는 마체크의 민주주의적인 농민당과 그 창설자인 안툰 라디치, 스테판 라디치 형제에 의해 충분히 대변되고 있었기 때문이었다. 슬로바키아 인민당이나 수테덴의 독일인 정당과 다르게 크로아티아 농민당은 파시스트적인 분파를 만들어내지 않았고, 극우파의 연대 요청도 거절했다. 크로아티아의 주류 파시스트인 변호사 출신 우스타샤 지도자 안테 파벨리치는 크로아티아 국가우익당의 사무총장을 맡아왔었다. 그는 세르비아 혐오자이자 인종민족주의자인 안테 스타르체비치의 과거 사상에 영향을 받았지만, 농민당의 그늘에 가려 별 주목을 받지 못했다.[70]

회원이 불과 수백 명밖에 되지 않는 우스타샤는 유고슬라비아의 상황이 자신들에게 위험하다는 것을 알고 파벨리치와 함께 1930년대 초반 아드리아해 건너 사르데냐, 시칠리아, 리파리 군도로 피신을 했다. 무솔리니는 유고슬라비아로부터 양보를 얻어내는 협상용 카드로 이들을 이용했다.[71] 1941년 4월 독일군이 유고슬라비아를 정복한 후 이들을 크로아티아 권좌에 앉히자 우스타샤 요원 중 다수는 크로아티아어보다는 이탈리아어를 더 잘했다. 다른 말로 하면 이 파시스트들은 민족주의적 자기주장을 대변하기보다는 이탈리아와 동맹을 맺고, 조국의 전통에서 단절된 민족에 대한 배신자로 보였다.

그러나 순수한 인종차별주의만이 1930년대 유고슬라비아에서 파벨리치와 그의 추종자들에게 가능한 정치 노선이었다. 세르비아 민족주의와 크로아티아 가톨릭주의와 구별되는 정체성을 보이기 위해 우스타샤는 부족적 단합에 호소했다. 이들은 크로아티아인들이 이것을 공유하고 있고, 한편으로는 자신들을 멸시의 대상인 '슬라브족 세르비아인들', 다른 한편으로는 가톨릭보다 우위에 있게 만든다고 생각했다. 모든 국가에서 선교활동을 하는 로마 교황청은 크로아티아인들을 '배신했다고' 생각했다. 그러나 신앙심이 깊은 크로아티아에서 반교회주의를 택하고, 훨씬 세력이 강한 농민당이 존재하고, 강력한 국가 압제가 있는 상황에서 우스타샤 운동은 1930년대 내내 이렇다 할 역할을 하지 못했다.

불가리아의 파시스트들은 불리한 상황에 있는 유고슬라비아와 폴란드의 파시스트들의 모든 문제를 압축한 상황에 있었다. 토착 독재자, 민주주의를 중요시하는 토착 민족주의 운동, 농업에 기반을 둔 사회구조 모두가 이들에게 불리했다. 불가리아에서는 파시즘이 번성하도록 만든 혼란에 빠지고 분노한 중간 계급이나 노동계급 유권자층이 없었다. 그러나 다른 곳에서와 같이 파시즘의 현지 형태가 나타났고, 그것도 정치 엘리트의 최상층에서 발생했다. 1923년 스탐볼리스키가 살해된 후 경제학 교수인 알렉산다르 찬코프가 총리가 되어서 불가리아 좌파를 적극적으로 억압했다. 그러나 그는 유럽의 여론을 충격에 휩싸이게 한 잔인한 통치로 1926년 실각했다. 영국 은행들은 불가리아에 대한 차관 공여를 중단한다고 위협했다.[72] 그가 실각한 후 중도파인 안드레이 랴프체프(1866-1933)가 이끄는 온건파 정부가 들어섰고, 불가리아는 다시 국제 공여를 받을 수 있게 되었다.

그러나 찬코프는 정치 무대에서 완전히 사라지지 않았고, 점점 더 파시스트 정치에 매력을 느꼈다. 1934년 5월 그는 헤르만 괴링이 소피아를 방문하기 전 대중 집회를 조직했다. 집회에는 약 5만 명의 지지자들이 모일 것으로 예상되었다. 그러나 괴링 방문 3일 전 불가리아 군부가 전면에 나서 취약한 주류 정당 연합으로부터 정권을 탈취했다. 군 장교들은 즈베노Zveno라고 불리는 민간단체의 지지를 받았다. 즈베노는 불가리아는 의회제도가 과거의 제도가 되었기 때문에 계몽된 소수 엘리트에 의해 위에서부터 현대화되어야 한다고 주장했다. 불가리아는 즈베노가 통치하는 동안 동유럽 지역의 일반적 특징을 그대로 보여주었다. 독일 경제에 점점 더 의존하고, 민족주의적 국수주의가 확대되어, 그 예로 지명을 튀르키예어에서 불가리아어로 바뀌었고, 중앙의 통제가 강화된 통치를 실시했다.

즈베노는 국가 관료제도가 축소되고 합리화되어야 한다고 믿었기 때문에 공무원 숫자를 3분의 1 감축했다.[73]

즈베노는 당시 파시즘을 둘러싼 용어적 혼란을 보여주는 또 다른 예였다. 즈베노는 준군사적이거나 급진적 민족주의거나 대중을 동원하는 정권이 아니었지만, 미국 주간지 《타임》은 이 정권을 '파시스트' 정권이라고 불렀다.[74] 그러나 즈베노는 외교 정책에서 온건 노선을 취했고, 분쟁 영토를 무력을 사용해서 되찾기보다는 유고슬라비아 정부와 관계 개선을 추구했다.[75] 피우수트스키의 사나차와 마찬가지로 즈베노의 주도적 인물들은 군인이었고(다미얀 벨체프, 펜초 즐라테프, 키몬 게오르기예프), 사나차와 마찬가지로 이들은 공공 생활에서 부정을 척결하는 것을 목표로 했다. 그러나 폴란드와 다르게 이들은 정부 여당(BBWR 같은)을 만들거나 대중운동(OZON 같은)을 조직하지 않았다. 그러나 이들은 정당은 해체했다.[76] 불가리아 의회와 지방 정부는 계속 유지되었지만, 후보자들은 개별 자격으로 선거에 참여해야만 했다. 그러나 가장 성공적인 공직 후보자들은 과거 정당에 속했던 사람들이었고, 또한 이것이 현실로 인정되었다. 1938년 의회 선거에서 반대파는 폴란드, 루마니아, 헝가리, 유고슬라비아에서와 같이 가해진 압제와 선거 부정에도 불구하고 3분의 1 득표를 했다.

1935년 초 정부 내 공화국 선호 여론을 우려한 불가리아 국왕 보리스 3세는 군사동맹을 해체하고 자신에게 충성스런 민간인을 총리로 임명했다(그는 정당 활동 금지는 계속 유지했다).[77] 이때부터 1943년 사망할 때까지 보리스 3세는 불가리아 정치를 통제했다. 그는 자신이 원하는 사람을 총리로 임명하고 선한 독재자로 행동하며 전체주의 국가 독일과 소련과 평화를 유지하면 동시에 민주국가 프랑스와도 관계를 유지했다. 그는 가능한 수단을 동원하여 테러 집단인 IMRO를 압제했다. 자신을 '민주적 군주'라고 부르면서 보리스 국왕은 전용 열차를 타고 전국을 순회하고, 때로 마을 사람들과 대화를 나누며, 장신구나 작은 선물을 나누어주었다. 나치주의를 숭상하는 몇 개의 우파 조직이 1930년대 말 부상했지만, 보리스 국왕은 이들을 적절히 통제했다.[78]

그러나 보리스 국왕도 어느 정도 대중적인 파시스트 경향을 보였다. 1차 세계대전에서 총사령관으로 공을 세운 그는 늘 군복을 입었고, 그의 정권은 어용 단체인 '애국' 동맹 같은 협동주의적 조직들을 형성했다. 이 단체를 통해 "파시스트들은 계급투쟁을 파묻어버렸다"고 한 공산주의자는 주장했다. 다시 한 번 우리는 당시 '파시스트'에 대한 폭넓은 정의를 보게 된다. 공산주의들이 보기에 권위주의적인 반사회주의 정권은 모두 본질적으로 파시스트 정권이었다. 1936년 즈베노는 '불가리아노동자동맹'을 결성하여 국가를 강화하는 데 노동자들의 이상을 흡수하려고 했다(이탈리아와 유사한 경향). 노동절 행진도 계속 되었지만, 붉은 깃발은 사제들이 축복한 불가리아 삼색기로 대체되었다.[79] 우리가 17장에서 보게 되는 것과 같이 보리스 국왕은 불가리아의 유대인들이 독일군에 위협을 받자 이들을 구하는 데 나섰다.

헝가리와 루마니아 권위주의 통치자와 마찬가지로 보리스 국왕은 파시스트들을 억압했지만, 훨씬 적은 노력으로 같은 결과를 얻었다. 농업 국가 성격이 강하고, 문맹률이 높은 불가리아에서는 파시스트 이상을 위해 동원될 시민들이 모여 사는 대도시가 별로 없었다.[80] 그러나 1920년대에는 스탐볼리스키의 대중 노동 운동 전통과 잠재적인 군사적 극우 경향도 있었고, IMRO도 존재했으며, 불가리아에서 강력한 실지회복 정파를 구성한 마케도니아 분리 운동도 있었다. 이 모든 것은 찬코프의 추종자들은 파시스트들이 세력을 키우는 도시 지역에서 성공할 가능성이 거의 없다는 것을 의미했다. 대중의 인기가 높았고, 영웅으로 숭앙받던 보리스 국왕은 호르티나 카롤보다 훨씬 성공적으로 국가적 이상을 구현한 것으로 보였다. 파시스트들은 급진적 이념의 온상인 대학에 몰려 있었다. 그의 경찰이 얼마 되지 않는 파시스트를 색출하고 체포하는 것은 어려운 일이 아니었다.

✳ ✳ ✳

1930년대는 파시즘의 절정기였지만, 정치 운동으로서 파시즘은 동유럽에서는 주변적인 세력을 벗어나지 못했다. 1939년부터 1941년 나치 침공을 받은 지역, 즉 폴란드와 유고슬라비아는 나치의 계획보다는 자신들의 정권을 괴뢰 정부로 전락시키려고 하는 독일의 행동에 반대하기로 결정한 바르샤바와 베오그라드의 주류 민족주의 정치인들의 결정에 의해 전쟁이 발생한 것이다. 나치는 일관되게 동유럽의 토착 파시즘을 지원하지도 않았다. 루마니아군이 1941년 1월 발생한 철위부대가 일으킨 쿠데타를 진압한 후 이 단체 지도자 수백 명은 다카우 수용소에 수감되었다. 나치 독일은 폴란드의 작은 파시즘 운동을 전혀 지원하지 않았고, 토착 파시스트들은 반나치 저항운동에 참여했다. 히틀러는 살러시가 이끄는 헝가리 나치들은 신뢰할 만한 세력이라고 생각했으나 바로 이들이 권력을 잡도록 돕지 않았다. 헝가리 지도자 호르티 제독이 서방과 별도의 강화를 시도한 1944년 10월이 되어서야 헝가리 나치는 권력을 잡았다.

　그러나 파시즘이 동유럽에 족적을 남기지 않은 것은 아니었다. 동유럽 정권들은 전체주의 국가를 만들려고 시도하지는 않았지만, 우익 민족주의는 관측자로 하여금 약화된 파시즘으로 간주하게 만들었다. 이들은 준準파시스트, 반半파시스트, 성직자 파시스트이었지만, 비파시스트는 아니었다. 1930년대 후반이 되면서 지도자들은 의식적이건 무의식적이건 파시즘을 모방했다(예를 들자면, 군복을 입고 파시스트 스타일의 경례를 채택한 OZON, 카롤의 청년조직). 파시즘 시대에 동유럽 전체에 걸쳐 독재적이거나 반독재적 통치가 일반적 현상이었다. 인종적 순수성, 비자유주의, 반유대주의에 집착하고, 독일과 이탈리아를 통치하는 '행동'의 인물인 파시즘 지도자들에 대한 숭앙심이 일반적 현상이었다.[81] 이 어두운 1930년대에 특징적인 형상은 민주주의와 그 구성요소가 완전히 아무 주저 없이 사라진 것이었다. 이것은 1919년과 비교하면 급진적이고 비정상적인 변화였다.

그러나 파시즘은 안정적인 실체가 아니었다. 1930년대 시간이 지나면서 유럽은 점차적으로 이 교훈을 배웠고, 이것을 가르쳐 준 사람들은 베를린에 있었다. 나치는 인종차별적 폭격을 통해 스스로를 파시스트 모델로 만들었다. 이 모델은 완전히 모방하는 것이 불가능했지만 비독일인 파시스트들은 이것을 비판하지 않았다. 1930년대 초반 자신을 파시스트라고 생각했던 일부 사람들은 1930년대 후반 자신들이 완전히 그렇지 못하다는 것을 보여주었다. 일부는 계속 모호한 태도를 유지했고, 일부 소수는 반나치주의자가 되었다. 1938년 오스트리아의 쿠르트 폰 슈쉬니크, 1939년 폴란드의 사나차, 1941년 3월 파벨의 섭정을 전복한 세르비아군 장교들이 그러한 예였다.

어떠한 이론으로도 설명하기 불가능한 것은 개성personality이었다. 개성은 파시즘을 예측하기 힘든 길로 몰아가는 힘을 가지고 있었다. 카리스마적 지도자 없이는 파시즘 운동도 불가능했고, 권력을 쟁취하려는 데 전력하는 지도자가 없으면 파시즘 정권도 있을 수 없었다. 우리는 권력을 잡는 것보다 순교자의 길을 통한 코르넬리우 코드레아누에게서 이것을 볼 수 있다. 그 반대편에서 우리는 한 사람이 파시즘 운동을 완전히 장악하고, 이것을 자신의 특이한 비전에 따라 밀고나가면서 추종자들로 하여금 그가 원하는 것을 이루려고 투쟁하도록 만드는 힘을 과시한 독일을 볼 수 있다. 이들은 지속적으로 반쯤 눈이 먼 상태에서 누군가 말한 대로 '총통을 위하여 일'을 했다.[82] 동유럽의 파시즘이 역사적 결과를 만든 것은 이 한 사람이 영향력이 컸다.

과거 합스부르크제국의 신민이었던 아돌프 히틀러는 동유럽에서 이방인이 아니었다. 그가 슬라브인과 유대인에 대한 증오를 키운 것은 보헤미아 국경 인근으로 제국의 수도 빈에서 멀지 않은 곳이었다. 그러나 그의 궁극적 비전은 오스트리아나 독일 제국에 대해 아무도 예측하지 못한 단계로 확장되었다. 이들은 단지 독일인이 거주하는 모든 지역의 영유권을 주장했을 뿐만 아니라 동유럽을 넘어 소련 깊숙한 곳에 이르는 '동방'에 식민제국을 건설하려고 했다. 이러한 비전을 실현하기 위해서는 보헤미아, 폴란드, 폴란드 동쪽 지역은 독일인 정착을 위해 확보되어야 했고, 유럽의 모든 지역은 떠오르는 제3제국의 필요를 지원해야 했다. 이러한 계획의 첫 희생자는 동유럽 지역에서 유일하게 민주주의를 시행하고 있던 체코슬로바키아였다.